€ 2,-

HILLARY
RODHAM
CLINTON

# HILLARY RODHAM CLINTON

## *— De biografie —*

JEFF GERTH EN DON VAN NATTA JR.

Vertaald door
Bep Fontijn, Dennis Keesmaat, Adriaan Krabbendam,
Frans Reusink, Maarten van der Werf

Artemis & co

Voor Janice en Jessica, de twee J's en nog zo veel meer.
— J.G.


Voor mijn moeder, met liefde
— D.V.N.

ISBN 978 90 472 0009 3
© 2007 Back Nine Books LLC
© 2007 Nederlandse vertaling Artemis & co, Amsterdam
Oorspronkelijke titel *Her Way. The Hopes and ambitions of Hillary Rodham Clinton*
Oorspronkelijke uitgever Little, Brown and Company
Omslagontwerp Studio Jan de Boer
Omslagillustratie Hollandse Hoogte / Camera Press Ltd.
Vertaling Bep Fontijn, Dennis Keesmaat, Adriaan Krabbendam,
Frans Reusink, Maarten van der Werf
Redactie en productie Asterisk*, Amsterdam


Verspreiding voor België:
Veen Bosch & Keuning uitgevers n.v., Wommelgem

# Inhoud

# Inleiding

We zijn aan *Hillary Rodham Clinton* begonnen met het ambitieuze doel een uitgebreid en meeslepend portret te schetsen van Hillary Rodham Clinton, een van Amerika's beroemdste en toch meest ondoorgrondelijke publieke figuren.

Dit is een niet-geautoriseerde biografie. Voordat we eraan begonnen, hebben we contact opgenomen met senator Clintons vertegenwoordiger met het verzoek om medewerking van haarzelf, haar verkiezingsstaf en haar trouwste aanhangers. Vervolgens hebben we een gesprek gehad met de communicatiemanager van Hillary Clinton, die ons vertelde dat er heel weinig kans was op de medewerking van de senator en de leden van haar staf. Later werd ons meegedeeld dat senator Clinton niet door ons geïnterviewd wilde worden. Een groot deel van haar vrienden, haar voormalige verkiezingsstaf, medewerkers en zelfs collega-senatoren wilde ons ook niet te woord staan. Enkelen, onder wie ten minste één vooraanstaand Democratisch Senaatslid, weigerde door ons geïnterviewd te worden nadat een lid van de staf van senator Clinton hem had afgeraden aan ons project mee te werken.

Ondanks deze hindernissen hebben we meer dan vijfhonderd interviews afgenomen, onder andere met vrienden, (ex-)campagnemedewerkers en vertrouwelingen die dicht bij Hillary Clinton staan. En we hebben duizenden bladzijden bestudeerd van tot nu toe niet openbaar gemaakte documenten, onder andere enkele die bij overheidsarchieven werden opgevraagd op basis van de Wet Openbaarheid van Bestuur en bij de Library of Congress.

Senator Clintons stem klinkt niettemin door op deze pagina's. We hebben meer dan duizend toespraken, interviews en in het openbaar gedane uitspraken van haar bestudeerd die een periode van meer dan achtendertig jaar beslaan. We citeren een aantal van haar terugblikken en opmerkingen uit haar eigen autobiografie *Mijn verhaal*, die in 2003 uitkwam. En we hebben enkele van haar persconferenties als senator en verkiezingsbijeenkomsten bezocht.

Hoewel de herkomst van vrijwel alle eindnoten specifiek genoemd wordt, waren er tientallen mensen die alleen met ons wilden spreken op voorwaarde dat ze niet met naam en toenaam genoemd zouden worden. Het merendeel gaf aan bang te zijn voor de reactie die hun te wachten stond van de kant van senator Clinton of haar medewerkers als ze met vermelding van hun naam in dit boek geciteerd zouden worden.

Hillary Clinton erkent in *Mijn verhaal*: 'Ik weet zeker dat er heel wat andere – zelfs tegenstrijdige – visies bestaan op de gebeurtenissen en mensen die ik beschrijf. Ik laat het aan anderen over om dat verhaal te vertellen.'

Met ons boek is zeker niet het laatste woord gezegd over Hillary Rodham Clinton. We hopen echter dat u zult inzien dat ons verhaal een eerlijk en grondig onderbouwd portret schetst van het fascinerende leven en de historische loopbaan van senator Hillary Rodham Clinton.

Jeff Gerth & Don Van Natta Jr.
*Mei 2007*

# Meedoen om te winnen

'Regels voor echtgenotes op verkiezingscampagne: wees altijd op tijd.
Praat zo min mogelijk als menselijkerwijs maar kan. En denk eraan: je
rug tegen de leuning van de auto aangedrukt tijdens de presidentiële
rijtoer, zodat iedereen de president kan zien.'

ELEANOR ROOSEVELT[1]

'We zullen omstreeks 2010 een vrouwelijke president hebben.'

HILLARY RODHAM CLINTON, in 1991[2]

'Wanneer zullen de Verenigde Staten een vrouwelijke president krijgen?'
Die kwellende vraag werd op een dinsdagavond in september 1934 in
heel Amerika via de radio uitgezonden.

Voor velen was het idee van een vrouwelijke opperbevelhebber misschien
wat absurd, gelet op het feit dat vrouwen pas veertien jaar daarvoor het
kiesrecht hadden verworven. Maar Lillian D. Rock, een jonge advocate en
voorvechtster van de vrouwenrechten, had geen moeite om zich de historische dag voor te stellen waarop Amerikanen hun eerste vrouwelijke president
zouden kiezen.[3]

Lillian stelde haar vraag aan Eleanor Roosevelt tijdens het eerste vrouwen-
programma dat wekelijks vanuit het Rockefeller Centrum in Manhattan
werd uitgezonden. Tijdens elke aflevering maakte mevrouw Roosevelt een
paar opmerkingen over het nieuws van de dag, voordat ze de vragen van
luisteraars beantwoordde. Dit waren voor het overgrote deel de gebruikelijke en soms zelfs saaie vragen. De First Lady leek echter overrompeld door
Lillian Rocks vraag die via het NBC-radionetwerk in heel Amerika uitgezonden werd. Daarom vroeg ze even bedenktijd voordat ze antwoord gaf. Terwijl
mevrouw Roosevelt achter een zilveren microfoon diep zat na te denken hoe

ze het best kon antwoorden, speelde het Beautyrest Orchestra (het Schoon-heidsslaapjesorkest) 'Smoke Gets in Your Eyes'. (Het programma werd ge-sponsord door Simmons, een matrassenbedrijf.)

Toen de muziek verstilde, zei de gastvrouw van het programma: 'Mevrouw Roosevelt heeft beloofd dat ze haar mening zou geven over de vraag die Lillian D. Rock stelde: "Wanneer zullen de Verenigde Staten een vrouwelijke president krijgen?"... Mevrouw Roosevelt!'

'Ik denk niet dat het onmogelijk is een vrouw te vinden die president zou kunnen worden, maar ik hoop niet dat het in de nabije toekomst zal gebeu-ren,' antwoordde mevrouw Roosevelt[4] en ze sprak zoals altijd weloverwogen, voorzichtig elk woord afwegend.

> Er bestaan bijzondere vrouwen, net zoals er bijzondere mannen zijn, en al-leen een bijzondere man kan een succesvolle en nuttige president zijn. Hoewel vrouwen steeds meer rollen vervullen en elk jaar bewijzen dat ze in staat zijn verantwoordelijkheden op zich te nemen waarvan in het verleden gedacht werd dat die buiten hun bereik lagen, geloof ik niet dat we al zo ver zijn dat de meer-derheid van de bevolking zich er prettig bij zou voelen om het leiderschap en oordeel van een vrouwelijke president te volgen. Geen enkele vrouw kan dus, net zomin als welke man ook, een succesvolle president worden als zij niet het vertrouwen geniet van de meerderheid van dit land. Dit is immers een demo-cratie die geregeerd wordt door de stem van de meerderheid.
>
> Er wordt gezegd dat het fysiek te zwaar zou zijn voor vrouwen maar dat is naar mijn idee onzin... Geen enkele man werkt harder op het veld dan de boerin in haar huis en op de boerderij. Vrouwen verrichtten tot een paar jaar geleden hetzelfde werk als mannen in fabrieken, zelfs in de mijnen. En naast hun werk buitenshuis doen ze vrijwel altijd ook het huishoudelijk werk – niet altijd even goed natuurlijk – maar die werkzaamheden liggen toch altijd op hen te wachten als ze klaar zijn met hun andere werk...
>
> Vrouwen hebben echter nog niet een jarenlange achtergrond in het openbare leven, of een jarenlange ervaring met het leren geven en nemen in de zakenwe-reld. Ik persoonlijk zou het jammer vinden als een vrouw een verantwoordelijke functie zou krijgen die ze niet aan zou kunnen en waarvoor ze niet voldoende gezag geniet om te kunnen slagen. Op een dag zullen we een vrouwelijke presi-dent krijgen maar ik hoop niet dat dit zal gebeuren zolang er nog wordt gespro-ken over 'vrouwelijke kiezers'. Ik hoop dat het pas realiteit zal worden als ze als persoon verkozen wordt vanwege haar capaciteiten en het vertrouwen van de meerderheid van de bevolking in haar integriteit en haar merites als persoon...
>
> De toekomst ligt echter voor ons en vrouwen hebben een grote bijdrage te

leveren. Laten we daarom hopen dat wanneer een vrouw een belangrijke functie gaat bekleden, dat alleen zal zijn omdat het voor iedereen duidelijk is welke diensten ze ons kan bewijzen.

Het publiek klapte en mevrouw Roosevelt glimlachte.

'Ik doe mee en ik doe mee om te winnen.'

Met die bijzonder zelfverzekerde aankondiging nam Hillary Rodham Clinton de eerste moedige stap in de richting van een kandidaatstelling voor het eerste Amerikaanse vrouwelijke presidentschap. Haar aankondiging stond in een e-mail die op 20 januari 2007 precies om tien uur 's morgens in de mailbox belandde van miljoenen Amerikanen. Hillary plaatste op haar internetpagina een videoboodschap van nog geen twee minuten waarin ze haar plan aankondigde om het visioen van haar heldin Eleanor Roosevelt werkelijkheid te laten worden en om geschiedenis te schrijven. Ze deed dat zittend op haar gestoffeerde bank in de serre van haar huis in Washington, D.C. Geleund tegen een groot gebloemd kussen zat Hillary gekleed in een bordeauxrode blazer glunderend en volmaakt opgemaakt met een vastberaden glimlach recht in de camera te kijken en zei: 'Ik heb vandaag bekendgemaakt dat ik een verkennend comité voor de presidentsverkiezingen aan het vormen ben. Ik begin echter niet zomaar een verkiezingscampagne. Ik ga een gesprek aan... met u, met Amerika. We moeten allemaal deelnemen aan de discussie als we ook deel willen gaan uitmaken van de oplossing. En we moeten allemaal deel uitmaken van de oplossing.'[5]

Met haar rechterarm losjes over het kussen kwam Hillary ontspannen over, vol zelfvertrouwen, energie en frisse moed. Ze betrok iedereen erbij maar ze maakte het nieuws opvallend alleen bekend, zonder haar man of hun dochter. Hun afwezigheid was opmerkelijk, maar per slot van rekening was dit Hillary's moment.

'U weet dat het na zes jaar George Bush tijd wordt de belofte van Amerika opnieuw te benadrukken,' ging ze verder, enigszins glimlachend. 'De belofte die voor iedereen geldt – dat je, wie je ook bent en waar je ook woont, als je hard werkt en je aan de regels houdt, een goed leven kunt opbouwen voor jezelf en je gezin. Ik ben opgegroeid in een middenklassegezin in het midden van Amerika, en wij geloofden in die belofte. Dat doe ik nog steeds. Ik probeer dit mijn hele leven al waar te maken. Of dat nu is door het strijden voor de fundamentele rechten van de vrouw of de basisgezondheidszorg voor kinderen, de instandhouding van onze sociale zekerheid of de bescherming van onze soldaten, het is iets wat voor iedereen geldt, en dat moeten we zo houden.'

Ze sprak vertrouwelijk, als tegen een vriend of vriendin, alsof haar aankondiging de meest logische en gewoonste zaak van de wereld was. 'Laten we praten, laten met elkaar in gesprek gaan,' zei ze opgewekt. 'Laten we een dialoog aangaan over uw ideeën en die van mij. Het gesprek in Washington is immers de laatste tijd nogal eenzijdig geweest, vindt u ook niet? En we kunnen allemaal zien hoe goed dat werkt. En hoewel ik niet bij iedereen thuis op bezoek kan komen, kan ik het op z'n minst proberen.'

Tijdens haar Senaatscampagne in 1999 en 2000 had Hillary al rondreizend en luisterend naar de bevolking het beeld weten te overwinnen van een politiek avonturierster die naar New York verhuisd was om dat als opmaat te gebruiken naar het presidentschap. Sinds ze zitting in de Senaat had, was het Hillary binnen zes jaar gelukt te veranderen van een hardwerkende leider in een geweldige politica die een heel reële kans maakt om de 44ste president van de Verenigde Staten te worden. Dat was nogal wat, gelet op de manier waarop Hillary zichzelf voorstelde aan Amerika bijna op de dag af vijftien jaar voordat ze met haar campagne voor de presidentsverkiezingen begon. Toentertijd verscheen Hillary op de nationale televisie, zittend op een bank in een suite van het Ritz-Carlton Hotel in Boston. Naast haar zat haar man, Bill Clinton, die meedeed aan de presidentsverkiezingen. Het was de zondag van de Super Bowl en de familie Clinton verscheen gedrieën in het programma *60 Minutes* van CBS. Daarin bespraken ze de beschuldiging dat Bill twaalf jaar lang een affaire gehad zou hebben met de vroegere televisiepresentatrice en zangeres Gennifer Flowers.

'Ik erken dat ik fout was,' zei Bill. 'Ik heb toegegeven dat ik pijn veroorzaakt heb binnen mijn huwelijk.'[6]

Daarmee begon Amerika de vrouw te leren kennen die naast hem zat.

Hillary was anders dan alle andere presidentsvrouwen die Amerika ooit gezien had. Ze was afgestudeerd aan Wellesley College en de rechtenfaculteit van Yale, en werkte als bedrijfsjurist en als onafhankelijk advocaat die voor de rechten van vrouwen en kinderen opkwam. Nu zagen miljoenen Amerikanen hoe ze naast haar man stond toen er zich een crisis voordeed die zijn verkiezingscampagne, en waarschijnlijk ook hun huwelijk, in gevaar bracht. Hillary zat rechtop, bijna uitdagend naast hem. Toen ze sprak, vertelde ze Amerika dat ze de verklaring van haar man geloofde en ze maakte duidelijk dat haar geloof in hem iedereen gerust moest stellen. Ze was niet, verklaarde ze scherp met iets van het zuidelijke accent dat ze in de jaren in Arkansas had opgepikt, 'zo'n vrouwtje dat naast haar man blijft staan net als Tammy Wynette'. Verder sprekend legde Hillary uit: 'Ik zit hier omdat ik van hem houd en uit respect voor hem. En ik heb afgewogen wat hij doorgemaakt heeft en wat we samen meegemaakt hebben. En, weet u, als dat niet genoeg is voor de mensen, nou, stem dan niet op hem.'[7] Beide opmerkingen kwamen bij sommige kijkers vinnig, koel en arrogant over.

Hoewel Hillary's ongepolijste afstandelijke optreden misschien niet de beste manier was om de Amerikanen kennis met haar te laten maken, hielp het haar man wel om zich door het schandaal heen te slaan en voor de tweede keer president te worden – en daar draaide het om. Zo was het al lang. Vanaf die ene bank in Boston naar die andere waarop ze zat in Washington om haar gooi naar het presidentschap bekend te maken, had Hillary Rodham Clinton een bijzondere en unieke Amerikaanse reis afgelegd als vrouwelijke pionier, als Bills echtgenote en politieke partner, als moeder en als First Lady, als advocaat, strateeg en beleidsmaker, en ten slotte als lid van de Amerikaanse Senaat. Wat elk detail van haar publieke imago betrof en de tientallen fysieke en politieke metamorfoses, was Hillary zelf de zeer zorgvuldige architect van haar eigen persoonlijkheid. Met als gevolg dat ze wellicht de meest gadegeslagen politicus van Amerika is – en ook de ondoorgrondelijkste.

In de ogen van sommigen een pionier en heldin; in de ogen van anderen de optelsom van alles wat ze vreesden. Een deel van die affectie en die afkeuring heeft met beleid te maken, maar een groot deel ook met haar persoonlijkheid. Dat ze landelijk zo erg slecht scoort,[8] komt voor een groot deel omdat Hillary bij sommigen als onecht overkomt, als een politica die anderen zelden iets van haar kwetsbare kant toont. Terwijl het beeld van Bill Clinton ten dele dat van de man was die schaapachtig op zijn onderlip beet toen hij om vergeving vroeg, was het beeld van Hillary daarentegen dat van de vrouw die zich flink hield, die liever niet om hulp vroeg of steun zocht. Terwijl de blunders van haar man vaak aan impulsiviteit toe te schrijven waren, waren sommige van Hillary's grootste fouten het gevolg van wat in eerste instantie onbelangrijke beoordelingsfoutjes leken of van pure overdrijving. Als ze door haar critici op fouten betrapt werd, volgde – en volgt – Hillary hetzelfde patroon: ze zet haar hakken in het zand omdat ze bang is dat ze door het toegeven van een fout haar tegenstanders een wapen in handen geeft. Bovendien zou het haar zorgvuldig opgebouwde imago ondermijnen als bijzonder intelligente persoon die alleen maar het beste voor heeft met haar landgenoten.

Zo besefte Hillary op het toppunt van Bills campagne voor de presidentsverkiezingen dat haar juridische werk voor Madison Guaranty, een in moeilijkheden verkerende hypotheekbank, een probleem vormde. Toch weigerde ze openlijk te erkennen dat ze een deel van dat werk niet had moeten doen.

Dat jaar ging ze ook het openbaar maken tegen van bewijs dat ze te veel had gefactureerd voor haar juridische werk, dat ze regelmatig zakelijk en juridisch contact had met overheidsfunctionarissen die voor Bill hadden gewerkt toen hij gouverneur van Arkansas was geweest en dat ze de complexiteit van verschillende juridische en commerciële begrippen niet door had gehad. Het zwijgen was, volgens verkiezingsmedewerkers, zowel bedoeld om Bills overwinningskansen te vergroten als om Hillary's reputatie te beschermen als een van Amerika's topjuristen.[9]

Uiteindelijk lukte het haar natuurlijk. Pas na de verkiezingen van 1992 kwam veel van haar juridische werk aan het licht, evenals informatie over haar lucratieve en controversiële beleggingen op de goederentermijnmarkt. De Madison-zaak kwam uiteindelijk aan de orde toen een jurist die voor de onafhankelijke aanklager Kenneth W. Starr werkte, Hillary noemde in een voorlopige tenlastelegging.[10] Ze werd nooit echt beschuldigd maar de pijnlijke jarenlange ervaring met Starr en de felle anti-Clinton-media uit rechtse hoek lieten diepe sporen na in haar publieke imago en geestelijke wonden bij haarzelf. Alle lust verdween om meer te onthullen of openbaar te maken.

Tien jaar later stemde Hillary, als Amerikaans senator namens de staat New York, ermee in dat president George W. Bush Irak aanviel. Net als de president overdreef Hillary de achterliggende geheime informatie enorm, ter verdediging van haar stellingname. Negen maanden na het begin van de oorlog vroeg ze om 'geduld' in Irak en zei: 'Mislukking is geen optie.'[11] Toen Irak, zoals sommigen van haar mede-Democraten al voorspeld hadden, op een ramp uitliep, weigerde ze toe te geven dat het een vergissing was geweest dat ze vóór de invasie gestemd had. Haar argumenten waren simpel: als ze toegaf dat ze zich vergist had in zo'n cruciale zaak die rechtstreeks te maken had met de nationale veiligheid, zou dat niet alleen haar imago als intelligentste senator van Washington ondermijnen, maar het zou ook twijfel wekken aan haar geschiktheid om opperbevelhebber te worden. Het lukte senator John Kerry, de Vietnamveteraan die erkende dat hij een 'fout' gemaakt had door met de oorlog in te stemmen, daarna nooit meer om zijn martelende erfenis wat Irak betreft te ontlopen. Hillary, zei een van haar adviseurs, wilde voorkomen dat ze ook zo 'draaikonterig' overkwam als Kerry en ze zorgde ervoor dat niets 'de gedachte kan ondermijnen dat ze sterk is en gelooft in wat ze doet',[12] met name als de vrouw die een historische gooi naar het presidentschap doet. Dus bleef Hillary de schuld op president Bush schuiven in een steeds fellere reeks aanvallen, met kritiek omdat hij diplomatie geen optie vond en de oorlog verkeerd aanstuurde. Ondertussen schreef ze haar eigen juridische verslag over de zaak.

Hillary beseft al jaren dat de lat voor de eerste vrouwelijke president veel hoger ligt dan voor een man. Een vrouwelijke president zou enorm sterk moeten zijn. Ze zou onfeilbaar moeten zijn, of tenminste als zodanig overkomen. Hillary's heldin, Eleanor Roosevelt, zei in 1934: 'Het staat wel vast dat vrouwen geen vrouwelijke president willen, en ook dat ze er geen enkel vertrouwen in hebben dat ze de taken die bij dat ambt horen naar behoren zal kunnen uitvoeren. Elke vrouw die tekortschiet in een openbare functie, bevestigt dat. Elke vrouw die wel succes heeft, schept daarentegen vertrouwen.'[13]

Deze woorden vatten Hillary's last samen en de horden die ze nu moet nemen. Maar ze vormen ook een uitdaging voor Hillary en de plek die ze inneemt in de geschiedenis.

Meer dan dertig jaar geleden, in de begintijd van hun romance, smeedden Bill en Hillary een plan dat zowel de basis als de drijvende kracht van hun relatie zou gaan vormen. Samen zouden ze zich inzetten en de Democratische Partij revolutionair hervormen, om uiteindelijk het Witte Huis te veroveren.[14] Nadat ze het doel van hun twintigjarenplan bereikt hadden met Bills overwinning van 1992, werd hun plan nog ambitieuzer: eerst acht jaar presidentschap voor hem, daarna acht jaar voor haar.[15] Hun gewaagde pact is tot nu toe geheim gebleven.

Hoewel het een plan was dat ze samen hadden uitgedacht, had Hillary haar eigen ideeën over de beste manier om de overwinning te behalen. Als er ook maar een kans was om de hoofdprijs van haar leven te winnen, wilde ze die op haar eigen manier zien te grijpen. Dat hield onder andere in dat ze een persoonlijkheid moest creëren en een verhaal om aan het Amerikaanse publiek te presenteren dat aan de ene kant zo veel over haar wist en aan de andere kant zo weinig.

Natuurlijk is Hillary Clinton zeker niet de enige politicus die overdrijft over prestaties uit het verleden, die onaangename zaken onder het tapijt veegt en die fouten maakt om vervolgens net te doen alsof er niets gebeurd is. Ze is niet de enige politicus die het een zegt en het ander doet, die vroegere vrienden en bondgenoten langs de kant van de weg achterlaat en zelf verder trekt. Ze is ook niet de enige politicus in Amerika met een enorme ambitie en een liefde voor zowel macht als geld (met name geld dat gedoneerd kan worden voor een permanente verkiezingscampagne). Natuurlijk heeft ze deze dingen gemeen met bijna elke speler op het nationale toneel. Maar als een kandidaat ons vraagt hem of haar als de intelligentste en geschiktste kandidaat te beschouwen van het hele stel, moet deze wel duidelijk met kop en schouders boven de rest uitsteken.

Uniek aan Hillary Rodham Clinton is dat nooit eerder zo'n duidelijk op de voorgrond tredende kandidaat zo lang in de schijnwerpers heeft gestaan, zonder dat het publiek de feiten te horen heeft gekregen over talloze zaken die van belang zijn om uiteindelijk te weten wat haar drijft. Hillary en Bill Clinton hebben tientallen jaren lang samen met een kerngroep van vrienden en aanhangers één kant van het verhaal verteld. Nu is het tijd voor een ander verhaal.

EEN

# First Partner

'Het lijkt het lot van idealisten datgene te bereiken waarnaar ze streven
maar in zo'n vorm dat het ten koste gaat van hun idealen.'

BERTRAND RUSSELL[1]

# I

# Jagen en rennen

De lange knappe jongeman met de roodbruine baard en wilde bos kastanjebruin haar in de studentenzitkamer op de rechtenfaculteit van Yale kon Hillary Rodham moeilijk ontgaan zijn in september 1970. Hij praatte enthousiast en uitvoerig met een kleine kring geboeide studenten. Hillary merkte later op dat hij meer op een Viking in een rechtszaal leek dan op een eerstejaarsstudent rechten die wat vrienden probeerde te overtuigen.

De eerste woorden die Hillary hem hoorde zeggen, met een mierzoet zuidelijk accent, waren: '... en dat niet alleen, bij ons groeien de grootste watermeloenen ter wereld!'[1]

'Wie is dat?' vroeg Hillary aan een vriendin.

'O, dat is Bill Clinton,' antwoordde de vriendin. 'Hij komt uit Arkansas en dat is het enige waar hij het altijd over heeft.'[2]

Hillary maakte die dag geen kennis met Bill. Pas twee semesters later stelden ze zich eindelijk aan elkaar voor. De hele herfst tot in het voorjaar hielden ze elkaar voortdurend in het oog in de studentenlounge of de rechtenbibliotheek. Op een lenteavond zag Hillary vanuit de bibliotheek Bill in de gang staan praten met Jeff Gleckel, een student. Jeff probeerde Bill over te halen voor de *Yale Law Journal* te gaan schrijven. Terwijl hij naar Jeffs praatje luisterde, keek Bill onwillekeurig naar Hillary. Eindelijk, besloot Hillary: genoeg is genoeg. Ze stond op van achter haar bureau, liep op haar bewonderaar af, stak haar hand uit en zei: 'Als jij toch naar mij blijft kijken en ik naar jou blijf terugkijken, kunnen we maar beter kennismaken. Ik heet Hillary Rodham.'[3]

Bill was van zijn stuk gebracht en gevleid door de directheid van de jonge vrouw. Hij stond met een mond vol tanden door haar vrijmoedigheid, en dat was op zichzelf al een prestatie. Maar voor Hillary was het een verrassende noch een onkarakteristieke zet. Zolang iedereen zich kan herinneren, heeft Hillary Rodham altijd op zo'n manier initiatief genomen dat het iedereen begon te duizelen.

'Ik ben niet als First Lady of senator geboren,' schreef Hillary Rodham Clinton in 2003 in de openingsparagraaf van haar autobiografie *Living History* (Ned. *Mijn verhaal*). 'Evenmin ben ik als Democraat ter wereld gekomen. Ik ben niet geboren als advocaat, voorvechtster van vrouwen- en burgerrechten. Ik ben niet geboren als echtgenote of moeder. Ik ben als Amerikaanse geboren halverwege de twintigste eeuw, een bevoorrechte tijd en plaats.'[4]

Hillary Diane Rodham werd op 26 oktober 1947 in Chicago geboren. Haar jeugd bracht ze grotendeels door in de groene buitenwijk Park Ridge. Dankzij haar ouders Hugh en Dorothy Rodham was het een gelukkige jeugd. Haar vader was een strijdlustige en wat lompe Welshman uit Scranton, Pennsylvania, die werk had gevonden als handelsreiziger en textiel verkocht in het Midden-Westen voor de Colombia Lace Company.[5] Daar ontmoette hij Dorothy Howell, die naar een baan als typiste solliciteerde. Ze voelde zich onmiddellijk aangetrokken tot zijn zelfverzekerde gedrag en gedisciplineerde werkhouding. Zelfs zijn cynische humor vond ze leuk. Dorothy's ouders waren gescheiden in 1927, toen ze pas acht jaar oud was. Het was een beslissing waarvoor de familie zich schaamde omdat echtscheidingen in de jaren twintig nog niet zo vaak voorkwamen. Haar vader en moeder hadden Dorothy en haar broers en zusjes naar Californië gestuurd om bij hun grootouders te gaan wonen. Ondanks haar begrijpelijke gereserveerdheid ten aanzien van het huwelijk trouwden Hugh en Dorothy met elkaar begin 1942, kort na de Japanse bombardementen op Pearl Harbor. Al snel kwamen er kinderen: eerst Hillary, vervolgens Hugh junior en ten slotte Tony.

Haar ouders werkten hard, zodat Hillary en haar twee broertjes het zo goed mogelijk hadden toen ze opgroeiden in een plezierige en veilige omgeving. Ze woonden in een goed onderhouden stenen huis van twee verdiepingen op de hoek van Elm Street en Wisner Street. Hugh had het huis contant betaald. 'We hadden twee zonneterrassen, een afgeschermde veranda, een omheinde achtertuin waar de kinderen uit de buurt kwamen spelen of kersen kwamen stelen uit onze boom,' schreef Hillary in haar autobiografie. 'Door de naoorlogse bevolkingsexplosie waren er overal zwermen kinderen. Mijn moeder telde op een keer 47 kinderen in ons huizenblok.'[6]

Op hun oprit stond een glimmende Cadillac geparkeerd, wat ietwat misleidend was.[7] Hugh was een van de weinige handelsreizigers op Elm Street. De meeste vaders van Hillary's vriendjes en vriendinnetjes waren advocaten, dokters en accountants die elke dag met de trein naar hun kantoren forensden, hoog boven de Loop, het historische centrum van Chicago. Hughs luxeauto was niet zozeer een teken van welvaart als wel bittere noodzaak voor zijn werk. Hij was ervan afhankelijk om rond te reizen en gordijnen te verkopen voor Rodrik Fabrics, het bedrijf dat hij had opgericht een paar jaar voordat het gezin naar Park Ridge verhuisde. Hugh werkte veertien uur per dag voor zijn startende onderneming die gordijnen verkocht aan hotels en kantoren. Hij was verantwoordelijk voor elk onderdeel: van het telefonisch aannemen van orders tot het met de hand naaien van de gordijnen en het uiteindelijk zelf ophangen ervan. Pas jaren later kreeg hij hulp, toen zijn twee zonen oud genoeg waren om zo nu en dan op zaterdag te helpen.[8]

Hugh was een 'kleine ondernemer die ons voordeed hoe belangrijk hard werken en verantwoordelijkheid in het leven zijn',[9] zei Hillary eens. Hij was een Republikein en was er trots op dat hij als bootsman bij de marine had gediend, waar hij jonge rekruten had voorbereid op de strijd in de Stille Oceaan. Thuis accepteerde Hugh geen geintjes en hij eiste van zijn kinderen dat ze slim en sterk waren en dat ze de vele tegenvallers van het leven zonder klagen incasseerden. Hillary kan zich herinneren dat Hughs strengheid meer voor zijn zonen gold dan voor haar. Maar zijn hoge verwachtingen dat ze op school de besten waren en hun kansen benutten, golden ook voor Hillary.

Hillary's moeder Dorothy werd later door haar dochter beschreven als 'een klassieke huisvrouw'.[10] Ze stond om precies zes uur 's morgens op, maakte de bedden op, deed de was en de vaat en zette een zelfgemaakte lunch op tafel van kippensoep, tomatensoep, gegrilde kaas, boterhammen met pindakaas en boterhamworst. Van jongs af aan leek Hillary, zo had Dorothy opgemerkt, er stellig van overtuigd te zijn dat zij bijzonder was. Als jong meisje danste ze urenlang in de zon in de achtertuin met haar armen gestrekt boven haar hoofd, reikend naar de esdoorns en de zon. Ze beeldde zich dan in dat 'elke beweging van mij door een massa hemelse filmcamera's werd vastgelegd', herinnerde Hillary zich later.[11] En als ze met andere kinderen omging of volwassenen ontmoette, kwam Hillary veel volwassener over dan ze in werkelijkheid was. Dorothy Rodham zei vaak dat het net was alsof haar dochter als volwassene was geboren.[12]

Hoewel haar gratie en sterke karakter wellicht niet bij haar leeftijd pasten, kreeg Hillary toch te maken met de normale kinderproblemen. Toen ze vier was, kort nadat het gezin naar Park Ridge was verhuisd, had Hillary moeite haar plekje te vinden te midden van de chaotische groep kleuters uit de buurt. Het werd haar met name moeilijk gemaakt door Suzy O'Callaghan, een meisje dat sterker en minder zachtzinnig was dan al de andere meisjes en de meeste jongens. De kinderen uit de buurt werden vaak door Suzy in elkaar geslagen, dus ook Hillary, die op een dag huilend naar huis rende om het haar moeder te vertellen.

Als ze al meeleven van haar moeder verwachtte, was dat tevergeefs. 'In dit huis is geen plaats voor lafaards,' zei Dorothy tegen haar dochtertje. 'Ga meteen naar buiten en als Suzy je weer slaat, heb je mijn toestemming om haar terug te slaan. Je moet voor jezelf opkomen.'[13]

En inderdaad, Hillary liep met grote stappen naar buiten en omringd door toekijkende jongens en meisjes (en Dorothy die van achter het gordijn van de eetkamer naar buiten gluurde) betaalde ze Suzy een van haar klappen terug en sloeg de pestkop tegen de grond. Hillary kwam triomfantelijk weer thuis en ze vertelde haar moeder: 'Ik kan nu met de jongens spelen! En Suzy wordt mijn vriendin!' 'Hillary kon goed met jongens omgaan,' zei Dorothy later vol trots. 'Zij nam het initiatief en zij gaven haar de ruimte.'[14]

En dat deden ze inderdaad. Hillary bleek een natuurlijke leider te zijn als de kinderen basketbal, ijshockey en softbal speelden of balletje trapten. En toch gaf ze de voorkeur aan fantasiespelletjes, zoals een nogal ingewikkeld spel dat 'jagen en rennen' heette en dat een beetje op verstoppertje leek. Toen Hillary tien of elf jaar was, ging ze met de volwassenen meedoen. Ze speelde pinochle, een kaartspel, met haar vader, haar grootvader, haar oom Willard en wat van zijn maten, onder wie Old Pete en Hank, twee chagrijnige oude mannen die allebei slecht tegen hun verlies konden. ('Is die vent met zwart haar thuis?' vroeg Old Pete aan Hillary, doelend op haar vader, als hij al tik-kend met zijn wandelstok de trap van de veranda op kwam lopen. 'Ik wil een potje kaarten.'[15]) Old Pete gooide meer dan eens de kaarttafel omver na een zware nederlaag.

Van de mannen in haar familie leerde Hillary een aantal lessen over werk en sportiviteit, maar het was haar moeder die het duidelijkst en meest per-soonlijk liet zien hoe belangrijk het was dat meisjes naar school gingen, in een tijd waarin er nog maar weinig kansen voor hen waren. 'Mijn moeder hield van haar huis en haar gezin, maar ze voelde zich beperkt doordat ze zo weinig keuzemogelijkheden in haar leven had gehad,' schreef Hillary in haar autobiografie. 'We vergeten nu er zo enorm veel keuzemogelijkheden zijn zo gemakkelijk hoe weinig er mogelijk was voor mijn moeders generatie.'[16] Hillary zag de frustratie van haar moeder vanwege het beperkte aantal per-soonlijke kansen en beroepsmogelijkheden. De levenslange leergierigheid van haar moeder raakte haar. Dorothy volgde cursussen aan een college en hoewel ze nooit afstudeerde, lukte het haar toch om tientallen studiepunten te vergaren voor een heel scala aan onderwerpen. 'Mijn moeder wilde dat we door het lezen van boeken de wereld zouden leren kennen,' herinnerde Hillary zich. En dat is precies wat ze een groot deel van haar jeugd deed. 'Ze nam me iedere week mee naar de bibliotheek en ik vond het heerlijk om de boeken van de kinderafdeling een voor een te lezen.'[17]

Lang voordat ze een publieke persoonlijkheid werd, worstelde Hillary ermee om de vaak lijnrecht tegenover elkaar staande normen en standpunten van haar vader en moeder met elkaar te verzoenen. 'Ik groeide op tussen het duwen en trekken van de normen en waarden van mijn beide ouders. Mijn eigen politieke overtuigingen zijn een weerspiegeling van beide,' schreef Hillary in haar autobiografie. 'Mijn moeder was in feite Democratisch, hoewel ze daar niet over sprak in het Republikeinse Park Ridge. Mijn vader was een onwrikbare, conservatieve Republikein die zich op eigen kracht omhoog had gewerkt en daar trots op was. Hij was ook erg op de centen.'[18]

In *Mijn verhaal* legt Hillary een verband tussen haar vaders onwankelbare Republikeinse politieke overtuiging en een gedisciplineerd fiscaal conservatisme, en dat is beslist geen toeval. Zoals hij had laten zien met de aankoop van zijn Cadillac, was Hugh Rodham vurig overtuigd van zijn lijfspreuk: 'Handje contantje' en hij runde zijn zaak volgens een strak 'boter-bij-de-visbeleid'.[19] Net als velen die opgroeiden tijdens de crisisjaren, voelde hij de drang om hard te werken, uit angst weer in het drijfzand van de armoede terecht te komen. Een neveneffect van zijn zuinige manier van leven was een intense afkeer van verspilling, zelfs als het om niet meer dan een paar cent ging. 'Als een van mijn broers of ik het dopje op de tandpasta vergaten te doen, gooide mijn vader dat door het badkamerraam naar buiten,' herinnerde Hillary zich. 'We moesten dan naar buiten om, zelfs in de sneeuw, te gaan zoeken in de struiken voor het huis. Dat was zijn manier om ons eraan te herinneren dat we niets mochten verspillen. Tot op de dag van vandaag doe ik de olijven weer terug in het potje, pak de kleinste stukjes kaas in en voel ik me schuldig als ik iets weggooi.'[20]

Hugh Rodham had, op z'n zachtst gezegd, 'een uitgesproken mening', vertelde Hillary. 'We accepteerden allemaal zijn uitspraken, meestal over communisten, twijfelachtige zakenlieden of onbetrouwbare politici: in zijn ogen de drie laagste vormen van leven.'[21] Elke avond tijdens de maaltijd voerde hij felle discussies over politiek of sport, en op haar twaalfde had Hillary al geleerd haar eigen standpunt te verdedigen over een breed scala van onderwerpen. Ze besefte echter ook dat het nauwelijks zin had tegen haar vader in te gaan. 'Ik leerde ook,' schreef ze, 'dat iemand nog niet slecht hoeft te zijn alleen omdat je het niet met hem eens bent. En als je ergens in geloofde, moest je bereid zijn dat te verdedigen.'[22]

Toen ze op de middelbare school zat, Maine East junior high school, werd Hillary heel erg beïnvloed door Paul Carlson, haar eerste leraar geschiedenis.[23] Carlson, een forse, zeer conservatieve man, gaf een reeks lessen onder de titel 'De geschiedenis van de beschaving'. De lessen werden vooral heel levendig als het over de Tweede Wereldoorlog ging. De held van de meest lessen was generaal Douglas MacArthur, die vanaf een portret voor in het klaslokaal de leerlingen aanstaarde.[24]

Carlsons enthousiasme over de geschiedenis maakte diepe indruk op Hillary, maar hij liet ook in een ander opzicht een blijvende indruk achter. Op een dag liet Carlson in de klas een opname horen van MacArthurs beroemde afscheidstoespraak voor beide huizen van het Congres. Na de bekende uitspraak van de generaal 'Oude soldaten sterven niet, ze verdwijnen alleen in de verte', vertelde Carlson zijn leerlingen: 'Beter dood dan rood!' Ricky Ricketts, een leerling die in alfabetische volgorde precies voor Hillary zat, begon te lachen en Hillary deed met hem mee. Carlson vroeg hun: 'Wat is daar zo leuk aan volgens jullie?'

'Nou, meneer Carlson,' antwoordde Ricky, 'ik ben pas veertien en ik ben liever levend dan iets anders.' Door dit antwoord moesten Hillary en Ricky nog harder lachen, waarop Carlson woedend werd over hun respectloze lachsalvo. Zijn gezicht liep rood aan en hij schreeuwde: 'Stilte! Dit is iets heel ernstigs!' Maar Hillary en Ricky konden hun lachen niet inhouden en ze werden uit de klas gezet. Het zou de enige keer in Hillary's leven zijn dat ze straf kreeg van een van haar docenten.[25]

Hoewel Hillary nu volhoudt dat haar politieke visie beïnvloed werd door zowel de uiteenlopende politieke overtuiging van haar vader als die van haar moeder, is er geen twijfel mogelijk dat Hillary's vroegste politieke opvattingen voornamelijk beïnvloed zijn door die van haar vader, Hugh Rodham. Als een jonge tiener was Hillary een energieke en zeer conservatieve Republikeinse. In het najaar van 1960, toen ze in de tweede klas zat, steunde haar vader de presidentskandidatuur van toenmalig vicepresident Richard M. Nixon, net zoals meneer Kenvin, Hillary's docent maatschappijleer van de tweede klas.[26] En Hillary wilde vanzelfsprekend ook dat Nixon zou winnen. De dag na de verkiezingen liet Hillary's maatschappijleraar de blauwe plekken zien die hij naar zijn zeggen had opgelopen toen hij bij het kieslokaal van zijn district de vertegenwoordigers van de Democratische Partij had uitgedaagd. Hillary en haar vriendin Betsy Johnson waren woest. Wat haar leraar had doorgemaakt, bewees in Hillary's ogen klip en klaar haar vaders bewering dat het 'creatief stemmentellen' door de burgemeester van Chicago, Richard J. Daley, 'de doorslag had gegeven voor de overwinning van de nog niet beëdigde presidentskandidaat Kennedy'. Hillary en Betsy waren zo kwaad over wat meneer Kenvin was overkomen dat ze tijdens hun lunchpauze naar een telefooncel buiten het schoolrestaurant gingen om een klacht in te dienen bij het kantoor van burgemeester Daley.[27]

Op de zaterdagmorgen na de verkiezingen besloten de vastberaden meiden een Republikeinse groep te gaan helpen die de kiezerslijsten opnieuw naliep om kiezersfraude op te sporen. Beide meisjes namen daaraan deel zonder toestemming van hun ouders. Hillary werd naar een arme buurt gereden op South Side, waar ze de deuren langs ging. (Iets wat ze nu 'onvervaard en stom' noemt.) 'Ik maakte heel wat mensen wakker die naar de deur strompelden of schreeuwden dat ik moest ophoepelen. En ik liep een café in waar mannen aan het drinken waren, om te vragen of bepaalde mensen op mijn lijst daar echt wel woonden.'[28] Hillary vond duidelijk bewijs van kiezersfraude – een leeg perceel dat op de lijst vermeld stond als adres van een tiental zogenaamde kiezers. Ze was enthousiast over haar speurderswerk en kon niet wachten om haar vader te vertellen dat ze ontdekt had dat Daley inderdaad stemmen gestolen had voor Kennedy. 'Natuurlijk ging mijn vader door het lint toen ik thuiskwam en vertelde waar ik was geweest. Het was al erg genoeg om naar de stad te gaan zonder volwassenen en omdat ik alleen naar South Side was gegaan, schreeuwde hij helemaal moord en brand,' herinnerde ze zich. 'En bovendien, zei hij, zou Kennedy sowieso president worden, of we dat nu leuk vonden of niet.'

Een jaar na Kennedy's overwinning, in het najaar van 1961, zou Hillary's overtuiging door een andere regeringswisseling verder aan het wankelen gebracht worden. In de First Methodist Church in Park Ridge werd Donald Jones, een 26-jarige methodistische jeugdpredikant, aangesteld die een theologiestudie aan Drew University had afgerond en er vier jaar bij de marine op had zitten. Jones verschilde hemelsbreed van zijn drie vorige jeugdpredikanten.[29] Hij was lang, had blonde stekeltjes en reed in een vuurrode Chevrolet impala cabriolet uit 1959, nogal een 'controversiële' keuze, kon Jones zich herinneren.[30] Er waren heel wat meisjes die voor hem vielen, wat met name te merken was op de zondag- en donderdagavonden vanaf september, toen dominee Jones de cursus Universiteit van het Leven gaf. Die bevatte behoorlijk wat radicale politieke ideeën, poëzie, kunstgeschiedenis en opvattingen uit de tegencultuur. Zijn boodschap hield in dat het leven van een christen er een moest zijn van 'geloof in actie', wat onder andere inhield hulp aan de minderbedeelden. Hillary ging op dertienjarige leeftijd samen met Jones' groep een buurtcentrum bezoeken in Chicago's South Side. Daar brachten Hillary en de andere jongeren een paar uur door met een groep kinderen uit de binnenstad en ze trachtten de betekenis te achterhalen van een schilderij dat ze nooit eerder gezien hadden: Picasso's *Guernica*. Jones herinnert zich dat 'het erom draaide dat de kinderen van de binnenstad en van de buitenwijken met elkaar in gesprek raakten naar aanleiding van iets waar ze geen van beiden iets van af wisten'.[31] In tegenstelling tot de kinderen uit de buitenwijken die grotendeels zwegen, zei een zwart meisje dat het schilderij de vraag opriep bij haar: 'Waarom werd mijn oom doodgeschoten alleen omdat hij zijn auto verkeerd geparkeerd had?'[32]

Hillary zei dat dominee Jones haar hielp om 'mijn vaders overtuiging dat je voor jezelf moest zorgen te verzoenen met mijn moeders nadruk op sociale gerechtigheid'.[33] Maar door zijn standpunten en onderwijs kwam Jones ook rechtstreeks in conflict met Paul Carlson bij het winnen van de harten en gedachten van de jongeren. (Toen Carlson over hun uitstapje hoorde, was hij laaiend.) Hillary probeerde zich afzijdig op te stellen. Ze luisterde nauwlettend naar de lijnrecht tegenover elkaar staande standpunten maar weigerde partij te kiezen. Ze hield haar sympathie voor Jones verborgen voor haar vader, maar deelde die wel met haar moeder, 'die al snel in Don een gelijkgestemde geest ontmoette', zei Hillary later.[34]

De grootste openbaring van Jones' aanpak was misschien wel het besef dat er mensen waren die er minder fortuinlijk aan toe waren dan Hillary en haar vrienden in Park Ridge, en dat er steeds meer Amerikanen gedesillusioneerd raakten. 'Door de discussies in het souterrain van de kerk leerde ik dat wij en deze kinderen, ondanks de overduidelijk verschillende omstandigheden, veel meer gemeen hadden dan ik gedacht had,' zei Hillary. 'Ze wisten ook meer over wat er speelde binnen de burgerrechtenbeweging in het Zuiden. Ik had slecht vaag wat gehoord over Rosa Parks en dr. Martin Luther King Jr., maar door deze discussies raakte ik wel geïnteresseerd.'[35]

Toen Hillary zeventien was, kondigde Jones aan dat hij met de groep naar Chicago's Orkestgebouw wilde gaan, waar Martin Luther King Jr. zou spreken. Hillary was laaiend enthousiast, hoewel de ouders van een aantal van haar vrienden en vriendinnen geen toestemming wilden geven om hun kinderen naar die 'oproerkraaier' te laten luisteren. Er waren meer dan duizend mensen en Hillary was enthousiast over King en zijn toespraak, die de titel had 'Waakzaam blijven tijdens een revolutie'.[36] 'De oude wereldorde is aan het verdwijnen en er komt een nieuwe aan,' zei King die avond. 'We moeten allemaal die orde aanvaarden en als broeders leren samenleven in een wereldmaatschappij, of we zullen allemaal samen ten onder gaan.'[37] Na zijn toespraak nam Jones Hillary en haar vrienden mee voor een ontmoeting met King.

Ofschoon ze in contact kwam met wat in die tijd radicaal denken werd genoemd, was Hillary best tevreden met het 'napraten' van de conventionele en duidelijk conservatieve ideeën waar men in Park Ridge vast van overtuigd was.[38] Het politieke klimaat bleek Jones te veel te worden en na twee jaar van bittere confrontaties met Carlson verliet hij de methodistengemeente en werd professor aan Drew University, waar hij de rest van zijn loopbaan is gebleven.

'Het conflict tussen Don Jones en Paul Carlson zie ik nu als een eerste aanwijzing van de culturele, politieke en religieuze breuklijnen die er in de afgelopen veertig jaar in heel Amerika ontstaan zijn,' zei Hillary jaren later. 'Ik mocht hen allebei graag en naar mijn idee, toen en nu, staan hun denkbeelden niet lijnrecht tegenover elkaar.'[39] Haar bereidheid dit conflict te relativeren, duidt op een ideologische innerlijke strijd in Hillary zelf. Soms lukt het haar gemeenschappelijke kenmerken te vinden bij tegenstanders. Andere keren gooit ze olie op het vuur door in de aanval te gaan. Jones en Hillary hebben door de jaren heen nauw contact gehouden. Hij was ook betrokken bij het huwelijk van haar broer, Tony Rodham, in de Rose Garden van het Witte Huis, op 28 mei 1994.[40]

Hoewel ze politiek zeker niet tot de radicale groeperingen behoorde, hadden de toespraak van en de ontmoeting met Martin Luther King Jr. bij Hillary vanbinnen toch iets aangewakkerd: een verlangen om de wereld te veranderen of, als eerste stap, haar middelbare school, Maine South. Hillary kwam op sommigen van haar klasgenootjes afstandelijk over, maar een paar vrienden weten dat aan haar bijziendheid. 'Ze zag silhouetten maar kon pas zien wie het was als de persoon heel dichtbij was,' herinnerde klasgenoot Mike Andrews zich. 'En met alle kinderen die in de gang langs liepen, kon je gemakkelijk iemand over het hoofd zien. Daarom denk ik dat veel mensen zich haar herinneren als afstandelijk of zoiets, maar ik heb dat nooit een probleem gevonden.'[41]

In 1964 besloot Hillary haar best te doen om als voorzitter van de leerlingenraad verkozen te worden, of, met andere woorden 'the presidency' (het voorzitterschap), zoals ze het in een brief aan een vriendin noemde. Hoewel Hillary al vicevoorzitster was van haar klas, was dit een grote stap. In Park Ridge gingen meisjes meestal niet voor de hoogste rang.

Ze moest het opnemen tegen twee jongens. Een van hen vertelde haar dat ze 'echt stom was als ze dacht dat een meisje tot voorzitter gekozen zou worden', zei Hillary jaren later.[42] Zijn belediging geeft wel aan hoe de sfeer was bij die verkiezingen. De negatieve houding ten opzichte van haar persoonlijk raakte haar zeer. Ze hield een toespraak voor een gehoor van vijfduizend studenten en haar welsprekendheid en houding maakten indruk, niet alleen op de studenten maar ook op veel van de docenten. Zoals haar moeder altijd opmerkte: ze was te volwassen voor haar leeftijd. Maar het was niet genoeg om voldoende aantal studenten achter zich te krijgen. Haar verlies (van John Kirchoff) kwam bij Hillary hard aan. Maar, zoals ze zo vaak zou doen in haar leven, ze ging niet vol zelfmedelijden zitten treuren. Integendeel, ze rechtte haar rug en zocht nieuwe uitdagingen, waaronder het voorzitterschap van de organisatiecommissie van de leerlingenraad.[43]

Op dit punt aanbeland richtte Hillary zich ook op haar vervolgonderwijs. Het merendeel van haar vrienden meldde zich aan voor scholen in het Midden-Westen, om dicht bij huis te blijven. Hillary was dat ook van plan totdat twee docenten van Maine South, de een recent afgestudeerd aan Smith College en de ander aan Wellesley, er bij haar op aandrongen om zich bij hun *alma mater* aan te melden. Een vrouwencollege was bijzonder, zeiden ze, met minder 'afleidingen'. Hillary vroeg haar ouders om advies. Dorothy zei dat ze zelf moest bepalen waar ze naartoe ging. Haar vader aarzelde om haar naar een college in het oosten van het land te laten gaan, met name Radcliffe, dat naar hij gehoord had 'vol beatniks' zat. Hillary heeft geen van beide campussen bezocht maar ze ging in Chicago naar avonden voor alumni van Wellesley en Smith, en ze was er onder de indruk van hoe energiek de studentes waren en hoe beide colleges ernaar streefden om uit te blinken op academisch gebied. Uiteindelijk koos ze voor Wellesley, 'op grond van de foto's van de campus', zei ze.[44]

Gerald Baker, haar docent maatschappijleer van de middelbare school, waarschuwde Hillary dat haar conservatieve politieke ideeën waarschijnlijk bijgesteld zouden worden door de invloed van dat college. 'Je gaat naar Wellesley,' zei hij tegen haar, 'en je zult progressief en een Democraat worden.' Bij die voorspelling trok Hillary bleek weg.

'Ik ben intelligent,' antwoordde ze. 'Ik weet wat mijn standpunten zijn. En daar zal niets aan veranderen.'[45]

Toen haar ouders haar van Park Ridge naar Boston reden, verdwaalde de familie en kwamen ze uit op Harvard Square. De beatniksfeer die ze daar zagen, bevestigde Hughs vermoedens nog meer dat Wellesley misschien een slecht idee was. Maar toen de Rodhams uiteindelijk op de campus van Wellesley buiten Boston aankwamen, waar nergens hippies te zien waren, 'leek hij gerustgesteld', herinnerde Hillary zich.[46]

Jaren later zei Hillary dat haar moeder 'de hele vijftienhonderd kilometer lange terugrit van Massachusetts tot Illinois gehuild had'.[47] Haar tranen vielen te begrijpen. Ze hadden een nauwe band als gezin en na Hillary's vertrek zou dat nooit meer hetzelfde zijn. Dorothy Rodhams enige dochter moest het nu zelf zien te redden.

## 2

# De kunst van het mogelijk maken

Ik kwam op Wellesley aan met mijn vaders politieke overtuiging en mijn moeders dromen, en ik ging er vandaan met mijn eigen ontluikende ideeën en dromen,' schreef Hillary in haar autobiografie. 'Maar die eerste dag, toen mijn ouders wegreden, voelde ik me eenzaam, heel erg onder de indruk van alles en kon mijn draai niet vinden.'[1]

Die gemengde gevoelens waren begrijpelijk. Wellesley College verschilde hemelsbreed van Park Ridge. Halverwege de jaren zestig ontstonden er overal in het land studentenprotesten, aangewakkerd door een toenemende desillusie in de oorlog in Vietnam en het racisme in eigen land. Wellesley begon ook te veranderen, hoewel voorzichtiger dan andere campussen. Het College behield de reputatie als een instelling waar de studentes meer op het vinden van een echtgenoot gericht waren dan op hun carrière. (Een onderzoek dat aan het begin van Hillary's collegeperiode gepubliceerd werd in het tijdschrift *McCall*, zei van de meisjes op Wellesley dat ze 'goede toekomstige echtgenotes' waren en merkte op dat van de laatstejaarsstudentes verwacht werd dat ze in het voorjaar een ring aan de vinger geschoven hadden gekregen.[2]) Hillary's klas zou Wellesley in een stroomversnelling brengen, waarbij het van een keurig eiland veranderde in een campus die veel meer gemeen had met de beatniksfeer van Harvard Square.

Toen Hillary er in september 1965 aankwam, was Wellesley negentig jaar oud, en het Latijnse devies van de school *Non ministrari sed ministrare* (Niet gediend worden maar dienen) was met name aantrekkelijk omdat het zo nauw aansloot bij wat ze geleerd had in de jeugdgroep van haar methodistengemeente. Zij was niet de enige. De meiden in het leerjaar van 1969 zagen het devies niet als een mantra specifiek voor Wellesley maar als een algemene oproep tot de strijd: trek de wereld in, was het bevel, en verander de status-quo door uitmuntendheid en ambitie binnen de beroepsgroep waarvoor je kiest.[3] De zeventienjarige Hillary Rodham besefte hoe haar moeders kansen enorm beknot waren geweest door de verwachtingen van een grotendeels door mannen beheerste maatschappij. Daarom was de belofte die Wellesley's devies inhield, niet aan dovemansoren gericht.

Maar eerst moest Hillary zich een plekje weten te veroveren op de campus, een luxueus nieuw thuis dat op haar zowel ontzagwekkend als intimiderend overkwam. De meeste jonge vrouwen uit haar leerjaar kwamen keurig en ontwikkeld over. Velen hadden al over de wereld gereisd. Hillary sprak met het nasale accent van een geboren en getogen Chicagose en ze was maar één keer buiten de Verenigde Staten geweest, voor een bezoek aan de Canadese kant van de Niagarawatervallen.[4] Een aantal studentes sprak op z'n minst een tweede (buitenlandse) taal en sommigen wel drie of vier, of zelfs vijf. Hillary had slecht twee jaar Latijn geleerd op de middelbare school. En veel van Hillary's studiegenootjes waren bevoorrechte intelligente meisjes die een aantal van New Englands exclusiefste kostscholen hadden bezocht. Hillary kwam van een openbare middelbare school die haar in haar ogen steeds slechter op de hoge intellectuele eisen van het college had voorbereid. Tot haar verbazing waren haar lessen wiskunde en aardrijkskunde in dit eerste jaar zo ingewikkeld dat ze al snel de gedachte opgaf dat ze ooit arts of wetenschapper zou worden. Met de traditionele alfavakken ging het nauwelijks beter. 'Mademoiselle,' vertelde Hillary's docente Frans haar, 'uw talenten liggen elders.'[5] Hillary moest eraan wennen dat ze niet meer de onbetwiste studiebol was, zoals thuis.

Er was nog iets anders wat haar somber stemde. Overal waar Hillary keek in haar studentenhuis, haar leslokalen, de bibliotheek, zag ze prachtige jonge vrouwen. Met name viel haar het aantrekkelijke uiterlijk op van twee nieuwe eerstejaars die ze al snel 'Carnegie' en 'Shell Oil' noemde.[6] Hillary schoof een andere eerstejaars al snel terzijde als 'de Swinger'. Het was een meisje dat er alleen in geïnteresseerd leek om een schare knappe huwelijkskandidaten van Harvard Yard om zich heen te verzamelen. Ervan overtuigd dat ze zelf duidelijk minder aantrekkelijk was, besloot Hillary bewust aan de zijlijn te blijven. Ze verborg haar aantrekkelijke gezicht voortdurend achter jampotten van brillenglazen en ze droeg het haar in een paardenstaart die ze bijeenbond met een elastiekje of in een stijf knotje rolde. Door weinig of geen tijd aan haar uiterlijk te besteden, creëerde Hillary in haar ogen 'een veilig gebied waar voorbij werd gegaan aan iemands uiterlijk – in elke zin van het woord – van maandag tot vrijdagmiddag'. Ondertussen schoof een aantal van haar bekoorlijkere jaargenootjes Hillary aan de kant als een afstandelijke schuwe boekenworm die nogal eenzelvig was.[7]

Toen ze steeds meer alleen kwam te staan en bleef twijfelen aan haar eigen studiecapaciteiten, belde Hillary in oktober haar ouders op om met de witte vlag te zwaaien. Ze vertelde hun ronduit dat ze niet intelligent genoeg was voor Wellesley. Haar vaders onmiddellijke reactie was niet onverwacht. Hij zei dat ze meteen terug naar huis moest komen. Maar Dorothy Rodham wilde daar niets van horen. Ze vertelde Hillary dat ze geen dochter had opgevoed die het bijltje erbij neergooide, en dat het een catastrofale vergissing zou zijn.[8] Hillary besefte dat ze, gezien haar moeders houding, gewoonweg niet terug naar huis kon. Daarom beet ze door de zure appel heen en probeerde er het beste van te maken.

'De crème de la crème'. Vanaf de eerste dag op de campus kregen de vrouwen op Wellesley voortdurend te horen dat zij de besten en de intelligentsten waren: kortom door iedereen 'de crème de la crème' genoemd. Johanna Branson, een danseres en kunsthistorica uit Lawrence, Kansas, was een jaargenote van Hillary. Ze herinnerde zich 25 jaar later dat het etiketje '"crème de la crème" nu echt verwaand en elitair klinkt, maar in die tijd was het geweldig om te horen dat je als vrouw... voor niemand onder hoefde te doen'.[9]

Voor niemand onder doen (en met name niet voor jongens) vormde een krachtige uitdaging voor Hillary, die ondanks haar aanvankelijke twijfels over haar eigen capaciteiten al snel had begrepen dat een vrouwencollege een scala aan mogelijkheden bood die er op een gemengd college niet waren. Door de afwezigheid van een concurrentiestrijd met mannelijke studenten kregen de studentes de ruimte om 'risico's te nemen, fouten te maken en zelfs af te gaan tegenover anderen', schreef Hillary in haar autobiografie. 'Het was een gegeven dat de voorzitter van de studentenraad, de redacteur van de krant en de beste student op elk vakgebied een vrouw zou zijn. En die positie lag voor ieder van ons open.'[10]

Hillary had moed gevat door haar moeders standvastige houding en zette zich meteen volledig in om met de studentes te wedijveren om een bestuurlijke functie. Als eerstejaars werd ze tot voorzitster van de Jonge Republikeinen van het college gekozen, een indrukwekkende prestatie. Maar kort na het winnen van die verkiezing begon ze twijfels te krijgen over het beleid van de Republikeinse Partij aangaande de oorlog in Vietnam en de burgerrechten. Hillary's standpunten werden ten dele beïnvloed door de colleges van haar liberale docenten politieke wetenschappen. Ze begon ook *The New York Times* te lezen, een ontwikkeling waar haar vader moeite mee had. Voor het eind van haar eerste jaar besefte Hillary dat ze het niet langer met haar geweten in overeenstemming kon brengen om voorzitster van de Jonge Republikeinen te blijven. Daarom trad ze terug en ging, zoals ze het zelf zei, 'alles leren wat er maar te leren viel over Vietnam'.[11] De laatste maanden van Hillary's tweede jaar, begin 1967, keerde het tij van de oorlog snel, en de onrust over de burgerrechtenstrijd nam toe. Zoals Hillary het later zei: 'De actuele gebeurtenissen boden meer dan genoeg aanleiding' om de conservatieve standpunten die ze vanuit Park Ridge had meegebracht, aan een nadere beschouwing te onderwerpen.[12]

Hillary's bestudering van wat er in Vietnam speelde, ging in zekere mate vanzelf, omdat bijna iedereen op de campus door de oorlog in beslag werd genomen. Het was een onderwerp dat grote verdeeldheid zaaide onder de jongeren, inclusief haar vriendinnen op Wellesley, en het leidde tot lange en vurige discussies over het nut van de oorlog. Op gemengde colleges kwamen de discussies soms nog dichter bij huis. Een aantal mannelijke studenten dat in programma's van het Reserve Officers Training Corps (ROTC) opgeleid werd tot officier, wilde na hun afstuderen maar al te graag naar Vietnam, vertelt Hillary in haar autobiografie. Maar anderen zeiden openlijk dat ze dienst zouden weigeren.[13] Soms vond ze het een gerechtvaardigde oorlog, maar andere keren geloofde ze weer dat het fout was. 'Hoewel ik als vrouw besefte dat ik niet opgeroepen kon worden,' zei Hillary, 'worstelde ik uren-lang met mijn tegenstrijdige gevoelens.'[14]

Ondanks het gecompliceerde onderwerp was Vietnam nog iets eenvoudigs vergeleken bij de problemen waarmee Hillary zelf worstelde. Ze stond voor een fundamentele vraag: wie wil ik op dit moment zijn? Ze worstelde voor-namelijk met het identiteitsprobleem tijdens haar tweede jaar en haar strijd kwam naar voren in een reeks brieven aan een vroegere klasgenoot van de middelbare school, John Peavoy. In die brieven schatte Hillary in dat ze in korte tijd minstens 'drie een halve metamorfose' had ondergaan. Ze noemde ook een aantal keuzemogelijkheden wie ze misschien zou willen worden en ze plakte daar zelf een etiket op:

- maatschappelijk en onderwijshervormer
- wereldvreemde academicus
- geëngageerde pseudohippie
- barmhartig misantroop of
- politiek leider[15]

In haar autobiografie zwijgt Hillary over dit verwarde hoofdstuk van haar studententijd. Natuurlijk proberen veel studenten in die periode allerlei 'pet-ten' uit. Dat Hillary er echter zo op was gespitst om een persoonlijkheid te kiezen die het best bij haar paste, valt op omdat ze zo vastberaden en welover-wogen te werk ging. Ze wilde alle voors en tegens afwegen, bekeek elke optie van alle kanten. Uit haar brieven aan Peavoy komt niet een studente naar voren die zich voorbereidt op een bepaalde manier van leven, maar iemand die zich met een bijna wetenschappelijke toewijding een persoonlijkheid wil aanmeten.

Ze probeerde de 'maatschappelijk en onderwijshervormer' een beetje uit door vriendschap te sluiten met een paar jonge zwarte studentes op de campus. Voordat ze naar het college ging, kende Hillary alleen de Afro-Amerikanen die voor haar vader of in hun huis werkten. 'Tot ik naar het college ging, had ik geen zwarte vriendinnen, buren of klasgenoten gehad,' schreef ze later.[16] Van haar vierhonderd jaargenoten waren slechts zes Afro-Amerikanen studenten. Hillary sloot vriendschap met een van hen, Karen Williamson, en ze gingen samen op zondagmorgen naar kerkdiensten buiten de campus. Hillary gaf later toe dat 'ik me geneerde voor mijn motieven en ik besefte heel goed dat ik verder afstand nam van mijn verleden'.[17]

Nadat ze met Karen Williamson naar de kerk was geweest, kon Hillary niet wachten om haar familie en een paar vrienden te bellen in Park Ridge en hun te vertellen wat naar haar idee prachtig nieuws was. Maar zij waren niet onder de indruk en hadden meteen kritiek omdat ze opschepte over een overduidelijk berekenende stap. Don Jones herinnerde zich later dat haar familie en vrienden 'dachten dat ze dit niet deed uit goedwilligheid maar als een symbolisch gebaar in de richting van een lelieblanke kerk'.[18] Hillary zelf erkende later dat ze zelf als eerstejaars bij het zien van een blanke studente die samen met een zwarte naar de kerk ging, gezegd zou hebben: 'Kijk eens hoe liberaal dat meisje probeert te zijn door naar de kerk te gaan met een zwarte.'[19] Nu was ze bezig om dat meisje te worden.

Toch was ze er nog niet aan toe om een definitieve keuze te maken. Hillary had het gevoel dat de 'wereldvreemde academicus' beter bij haar paste. Ze hunkerde ernaar de beste studente van haar klas te zijn en ze zat elke dag en avond urenlang in de bibliotheek te studeren. Ze kreeg haar eerste voorproefje van wat het inhield om hard te studeren tijdens de zomer van haar tweede jaar, toen ze als researcher werkte voor de docent politieke wetenschappen Anthony D'Amato, die later gevraagd werd om Wellesley te verlaten vanwege zijn dissidente opvattingen. Hillary aanbad hem en vertelde haar vrienden en vriendinnen ademloos dat hij rechten gestudeerd had aan Harvard en dat hij aan zijn doctoraal werkte aan Columbia University. Die zomer hielp Hillary D'Amato drie maanden lang met zijn onderzoek in een afgelegen huis aan de kust van Lake Michigan.[20]

De derde persoonlijkheid die Hillary uitprobeerde, was de 'geëngageerde pseudohippie', een optie die (zoals het 'pseudo' al aangeeft) meer een modeuitspraak was dan een levensstijl. Ze besloot om zich die persoonlijkheid, indirect, via vrienden aan te meten. Ze bezocht in juni 1967 een beatnik-bruiloft op Cape Cod en vond het geweldig.[21] In een brief aan Peavoy maakte Hillary grapjes over een sensationeel gerucht dat rondging onder de huisvrouwen in Park Ridge dat ze in alle stilte verloofd was op Wellesley. 'John,' schreef ze, 'nee – ik ben niet verloofd. Ik ben getrouwd. Serieus, hoewel ik nog in "zonde" leef deze zomer.'[22] Maar dit was allemaal voor de grap. In werkelijkheid hield Hillary zich aan de regels. Hoewel ze eruitzag als de 'hippies', heeft ze zichzelf nooit als een echte hippie beschouwd.

De vierde categorie, 'barmhartige misantroop', was slechts een onuitvoerbare droom van Hillary. Als de stress van het studentenleven te veel werd, fantaseerde ze over een leven van 'teruggetrokken eenvoud', bij voorkeur op een plaats waar ze zich volledig kon inzetten voor anderen en haar boeken kon lezen. 'We leven allemaal om anderen te helpen,' vertelde ze vrienden vaak.[23] Maar Hillary wist dat je voor dit soort werk graag onder de mensen moest willen zijn en dat je een groot geduld moest hebben. Geen van beide lag haar erg. Deze fundamentele tegenstrijdigheid ontging Hillary niet. 'Kun je een misantroop zijn en toch van een aantal mensen houden of genieten?' vroeg ze aan Don Jones in een brief.[24]

Worstelend met deze identiteitsvragen ging Hillary door een zeldzaam neerslachtige periode. Het begon in februari van haar tweede jaar en verergerde door een periode van erge kou. Plotseling wilde ze 's morgens haar bed niet meer uit. Ze begon te spijbelen en verwaarloosde haar huiswerk. Haar docenten begonnen zich zorgen om haar te maken. In beslag genomen door haar ernstige identiteitscrisis worstelde Hillary met dezelfde vragen: wie moet ik zijn? Wie wil ik worden? Door de stress omdat ze er niet uitkwam, begroef ze haar hoofd onder het kussen. 'Het is gevaarlijk voor me om te denken,' gaf ze toe in een brief aan Don Jones.[25]

Tijdens deze duistere periode vroeg Hillary herhaaldelijk aan haar beste vrienden of zij gelukkig waren. Of ze sprak mijmerend tegen hen over hoe je het ware geluk zou kunnen bereiken. Ze zette het woord 'geluk' altijd tussen aanhalingstekens, alsof het iets vluchtigs was, iets wat anderen overkwam maar dan door de een of andere ondefinieerbare toverformule.[26]

Hillary ontsnapte aan deze depressiviteit door te doen wat ze later steeds weer deed in haar leven: minder naar binnen gericht zijn. Zelfs op deze jonge leeftijd was Hillary er goed in alles in hokjes in te delen. Ze wist nare gedachten achter slot en grendel in een hokje te stoppen in haar hoofd. Als ze zich richtte op hoe ze anderen advies kon geven over hun problemen – en vrienden en anderen kon helpen om zelf tot oplossingen te komen –, had ze minder tijd over om zich met haar eigen problemen bezig te houden. En als ze geen tijd had om op zichzelf gericht te zijn, was er ook geen kans dat ze iets in zichzelf zou ontdekken wat haar dwars kon gaan zitten. Die oplossing had bijna van het ene moment op het andere effect.

De vijfde en laatste persoonlijkheid, die van 'politiek leider', is de identiteit die Hillary uit alle macht wilde gaan bereiken nadat ze haar depressiviteit had overwonnen. Haar angst van februari werd niet alleen veroorzaakt door haar gevoel van onvermogen om de juiste koers te vinden. In een andere brief vertelde ze Peavoy: 'Ik heb mezelf er nog niet bij neergelegd dat ik niet de beste van iedereen ben.'[27] Ze wilde drie zorgvuldig geregisseerde stappen nemen tijdens haar studietijd. Als eerste wilde ze een 'Vil Junior' worden, lid van een vereniging binnen Wellesley.[28] Vervolgens wilde ze deel uitmaken van de studentenraad. Ten slotte richtte ze haar blik op het voorzitterschap van de College Government Association (Centrale Studentenraad) van Wellesley.

Ondanks haar overwinning bij de Jonge Republikeinen tijdens haar eerste jaar stond het vers in Hillary's geheugen gegrift dat ze de verkiezing tot klassenvoorzitter verloren had op de middelbare school. En zelfs als Vil Junior legde ze nauwgezet de basis voor een succesvolle poging om voorzitter van de studentenraad te worden. Ze ging op elk onderwerp in en nam krachtige standpunten in die goed zouden liggen bij de meerderheid van haar jaargenoten. Zo hadden de studenten een hekel aan het verplichte gebed in de eetzaal. Hillary voerde daar campagne tegen. Studenten maakten bezwaar tegen de hoge curriculumeisen die volgens hen hun keuzevrijheid en studieflexibiliteit inperkten. Uiteindelijk lukte het Hillary de leiding ervan te overtuigen dat die regels minder streng gehanteerd moesten worden. De meerderheid van de studenten wilde dat hun werk beoordeeld werd volgens het zakken/slagenprincipe. Hillary lobbyde daar hard voor. Haar jaargenoten en docenten wilden graag een grotere diversiteit zien binnen Wellesley. Hillary voerde actief campagne voor meer zwarte studenten en faculteitsmedewerkers.

Maar de jonge vrouwen van Wellesley ergerden zich aan niets meer dan aan het uitgangspunt van het college dat het de rol van pseudo-ouderschap vervulde, met de daarbij behorende plicht om hen te beschermen en zo nodig te corrigeren. Het college had een streng *in loco parentis*-beleid, dat volgens de studenten een relikwie was uit de jaren vijftig, waarbij ze behandeld werden als onvolwassen schoolkinderen. Hillary herinnerde zich: 'We mochten geen jongens op onze kamers ontvangen, behalve van twee tot half zes op zondagmiddag, met de deur gedeeltelijk open en ons houdend aan wat we de 'tweevoetenregel' noemden; twee (van de vier) voeten moesten altijd op de grond blijven. We moesten om één uur 's nachts binnen zijn in het weekend en Route 9, de weg van Boston naar Wellesley, leek op vrijdag- en zaterdagnacht wel op het circuit van de Grand Prix wanneer onze vriendjes naar de campus terugscheurden, zodat wij niet in de problemen zouden komen.'[29] Hillary verklaarde dat het tijd werd daar wat aan te doen. Daar had ze politieke en uiteindelijk ook persoonlijke redenen voor. Hillary had twee keer serieus vriendschap met een jongen toen ze aan Wellesley studeerde. Beiden waren jongemannen van een Ivy League-universiteit, die allebei verschillende keren met Hillary terug naar Park Ridge gingen om kennis te maken met haar ouders. Maar 'gezien mijn vaders houding ten opzichte van de jongens met wie ik uitging, leek die ontmoeting meer op een ontgroening dan op een normaal bezoek'.[30]

Hillary's politieke leven speelde zich ook buiten de campus af. In 1968 waren er minder bittere discussies tussen studenten over het nut van de oorlog, met name na het Têt-offensief. De journaals brachten avond na avond gruwelijke beelden van hoe de Vietcong en de Noord-Vietnamezen slachtoffers maakten onder de Amerikaanse troepen in hartje Saigon. En de geschreven pers beschreef de oorlog op steeds zorgelijker toon. In die tijd probeerde Hillary niet langer haar tegenstrijdige gevoelens met elkaar te verzoenen over de oorlog en over het naar links verschuiven van haar eigen politieke overtuiging. Ze begon zichzelf al een 'ex-Goldwater Girl' te noemen en gaf zeer duidelijk blijk van haar nieuwe politieke overtuiging door zich achter de antioorlogscampagne te scharen van senator Eugene McCarthy van Minnesota, die de plaats wilde innemen van president Lyndon B. Johnson als de genomineerde van de Democratische Partij. Samen met een paar klasgenoten reisde Hillary in het weekend naar Manchester in New Hampshire, om enveloppen te vullen en campagne te voeren voor senator McCarthy.

Hillary mag zich dan in eerste instantie geïntimideerd gevoeld hebben door haar studiegenootjes maar nu waren zij volkomen onder de indruk van haar harde werken, organisatietalent en haar niet te stuiten vastberadenheid. Bevrijd van haar depressie door vooruit en niet naar binnen te kijken, lukte het Hillary bijzonder goed haar medestudentes te helpen bij het bepalen en bereiken van hun doelstellingen. De meeste studiegenoten kunnen zich niet herinneren of Hillary het er openlijk over gehad heeft of ze zich op een dag kandidaat zou stellen voor het presidentschap. Dat hoefde ook niet, want velen zeiden het zelf al. Het zat in haar. 'Andere mensen rondom haar hadden het erover in plaats van zijzelf,' zei haar studiegenote Jan Piercy.[31] Karen Williamson, de studente met wie Hillary naar de kerk was gegaan, vertelde dat de jonge bevoorrechte Wellesley-studentes zeiden dat als er ooit een vrouw president van de Verenigde Staten zou worden tijdens hun leven, het vast Hillary Rodham zou zijn, uit de klas van '69.[32]

Tijdens het tweede semester van haar eerste jaar nam Hillary het tegen twee jaargenotes op bij de verkiezing om het voorzitterschap van de studentenraad. Drie weken lang ging ze van studentenhuis naar studentenhuis om de studentes uit te leggen hoe zij verbetering wilde gaan aanbrengen in hun studentenleven.

In een debat georganiseerd door *Wellesley News* nam Hillary het op tegen haar tegenkandidaten Francille Rusan en Nonna Noto. Gekleed in een zwarte coltrui, wit vest en met een groot zwart montuur ging Hillary direct op elke vraag in. Ze reeg complete zinnen aaneen tot knappe, schitterende alinea's. Haar houding ontging niemand. Onder degenen die onder de indruk waren van haar pragmatisme en no-nonsensemanier van communiceren, was een van haar docenten politieke wetenschappen, Alan Schechter, die toen begin dertig was. Het viel Schechter op dat ze even ongedwongen met mensen uit hogere bestuurskringen sprak als met studenten.[33]

Op een bitter koude februaridag in 1968 won Hillary Rodham de verkiezing. 'Ongelooflijk!' vertelde ze een van haar docenten. 'Ik ben net gekozen tot voorzitter van de studentenraad. Ongelooflijk, hè? Ongelooflijk dat dat gebeurd is.'[34] Maar natuurlijk was het helemaal niet zo onverwacht.

Ze had ongeveer zes weken om van haar overwinning te genieten. Op 4 april werd Martin Luther King Jr. doodgeschoten op het balkon van zijn hotel in Memphis, waar hij een groep aanhangers toesprak. Hillary was volkomen van slag door de moord. Een van haar eerste helden en rolmodellen was er niet meer. Vrijwel direct nadat ze het nieuws hoorde, vloog ze de kamer van een vriendin binnen, gooide haar boekentas tegen de muur en riep: 'Ik kan het niet aan! Ik kan er niet meer tegen! Ik kan het niet aan!'[35] Ze huilde en beefde.

Er volgde nog meer slecht nieuws, midden in de nacht, kort nadat Hillary begin juni weer thuis was gekomen in Park Ridge. Haar moeder maakte haar wakker en zei dat er 'weer iets vreselijks was gebeurd'.[36] Robert F. Kennedy was neergeschoten en vermoord in een balzaal van een hotel in Los Angeles. Een diepbedroefde Hillary zocht de volgende dag troost en voerde een urenlang telefoongesprek met Kevin O'Keefe, een bevriende Iers-Poolse jongen uit Chicago die de familie Kennedy adoreerde. Samen spraken ze over hun zorgen over Amerika nu Jack en Bobby Kennedy er allebei niet meer waren.

Hoewel 'van haar stuk gebracht' door de moorden, reisde Hillary al snel daarna naar Washington voor een stage van negen weken, als onderdeel van een studieprogramma van Wellesley. In het kader van dat programma werden studenten bij kantoren van het Congres en van overheidsinstellingen geplaatst om zelf te zien 'hoe de regering werkte'. Alan Schechter, die de leiding had over het programma, besloot Hillary bij de House Republican Conference onder te bengen, een instelling belast met de communicatie van de Republikeinen naar het grote publiek. Hij wist dat ze zich aan het losmaken was van haar Republikeinse opvoeding en haar vaders invloed. Maar, zei Hillary, 'hij dacht dat deze stage me zou helpen om mijn koers te bepalen – hoe mijn besluit daarna ook zou mogen uitvallen'.[37] Ze maakte bezwaar tegen die stageplaats maar meldde zich vervolgens zelf bij een groep, die onder leiding stond van minderheidsleider Gerald R. Ford, Congreslid Melvin Laird en Charles Goodell. Op de eerste dag poseerden de stagiairs voor een foto met leden van het Congres. Haar vader was enorm ingenomen met de foto van Hillary met de Republikeinse leiders.[38] Hillary merkt in haar autobiografie op dat hij hem in zijn slaapkamer had hangen toen hij overleed.

Hillary, hoofd van de afvaardiging van Wellesley, wilde zo veel mogelijk van de nationale politiek meemaken. Ze werkte nauw samen met Goodell, die westelijk New York vertegenwoordigde en die door gouverneur Nelson Rockefeller was aangesteld als Senaatslid in de plaats van Robert Kennedy, totdat er speciale verkiezingen waren gehouden. Tegen het eind van de stage vroeg Goodell Hillary en een paar andere stagiairs om met hem mee te gaan naar de Republikeinse nationale conventie in Miami Beach. Ze moesten meehelpen aan gouverneur Rockefellers allerlaatste poging om Richard Nixon zijn nominatie te ontfutselen. De kans was te mooi om voorbij te laten gaan.

Hillary was zowel onder de indruk als onzeker door deze eerste glimp van de grote top van de Amerikaanse politiek. Ze logeerde in Florida in het Fontainebleau Hotel, het enorme art-decohotel aan het strand dat door elke Amerikaanse president sinds Eisenhouwer was bezocht. Het was het 'eerste echte hotel' waar Hillary logeerde.[39] Tot die tijd was ze gewend geweest aan motels tijdens hun vakanties. Door die week kwam ze in een maalstroom terecht – ze ontmoette onder andere Frank Sinatra en John Wayne – en het duizelde haar. Haar enthousiasme werd enigszins getemperd door de onvermijdelijke mislukking van Rockefellers poging Nixons plaats in te nemen. Hillary zag zichzelf in vele opzichten niet langer als een Republikeinse de avond dat Nixon in Miami Beach zijn nominatie door de partij accepteerde. 'Door de nominatie van Richard Nixon werd het binnen de Republikeinse Partij een onomstotelijk feit dat de conservatieve ideologie steeds meer de overhand kreeg op de gematigde. Een feit dat in de loop der jaren alleen maar duidelijker is geworden naarmate de partij meer naar rechts opschoof en de gematigden steeds kleiner werden wat aantal en invloed betreft,' schreef Hillary in haar autobiografie. 'Soms denk ik wel dat ik niet zozeer de Republikeinse Partij had verlaten, maar dat het andersom was.'[40] In feite werd die zomer de 'Grand Old Party' slechts de partij van haar vader en niet langer een die ze samen deelden. Als het aantal en de invloed van de gematigden niet afgenomen waren, was de partij haar wellicht niet kwijtgeraakt, tenminste, niet zo snel.

Een paar weken nadat Hillary thuis was gekomen van Miami Beach, werd de nationale Democratische conventie in Chicago gehouden, en haar vriendin Betsy Johnson belde haar met de mededeling: 'We moeten dit met eigen ogen gaan zien.'[41] Weer was dit een kans om vooraan te staan bij een historische gebeurtenis, en Hillary stemde er meteen mee in.

Hillary noch Betsy vertelde hun ouders waar ze heen gingen. Ze maakten hun wijs dat ze naar de film gingen in de stad. Op de laatste avond van de conventie bezochten ze Grant Park, de plaats waar zich veel van de problemen van die week hadden voorgedaan. 'Je kon het traangas ruiken nog voor je de rijen agenten zag,' wist Hillary nog.[42] Ze was geschokt door het schaamteloos geweld van de politie tegen de jonge demonstranten. Maar ze walgde ook van wat de andere partij deed: jongeren die de wereld op gewelddadige wijze probeerden te veranderen onder het mom van 'burgerlijke ongehoorzaamheid'. Na lange gesprekken met haar vriend Kevin O'Keefe die zomer besloot Hillary, ondanks haar desillusie over de richting waarin het land koerste, dat er alleen via de weg van de politiek 'vredige en blijvende veranderingen bewerkstelligd zouden kunnen worden in een democratie'.[43]

Dit gevoel werd versterkt toen Hillary die herfst weer terugkwam op Wellesley en besloot voor haar afstudeerscriptie de activiteiten te bestuderen van Saul Alinsky, een gekleurde buurtwerker in Chicago die ze de vorige zomer had ontmoet. In tegenstelling tot Hillary geloofde Alinsky dat overheden en bedrijven alleen vanaf de basis veranderd konden worden, door de basis te organiseren en de machtsdragers te confronteren met de feiten.

Conservatieve verslaggevers zouden later de connectie Hillary-Alinsky noemen als bewijs van wat zij haar verborgen radicale agenda noemden. Maar hoewel ze zijn argument bewonderde dat mensen in staat gesteld moesten worden zichzelf te helpen, had dit geen invloed op Hillary's overtuiging dat het moeilijk zou zijn om van buitenaf verandering te bewerkstelligen. Ze concludeerde daarentegen dat 'het systeem van binnenuit veranderd zou kunnen worden'.[44]

Ondanks hun verschil van inzicht bood Alinsky Hillary aan dat ze met hem zou kunnen gaan samenwerken als ze haar diploma had. Het was een vriendelijk gebaar maar het zou tegen Hillary's gevoel van macht en politiek ingaan als ze dat aanbod zou aannemen. In plaats daarvan koos ze ervoor van binnenuit te gaan werken: ze zou rechten gaan studeren.

Hillary werd zowel door de universiteit van Harvard als die van Yale aangenomen. Ze kon maar geen keuze maken totdat ze naar een cocktailparty ging aan de rechtenfaculteit van Yale. Een vriend stelde haar voor aan een professor die naar haar zeggen zo uit het boek *The Paper Chase* gestapt kon zijn. Toen de professor hoorde dat Hillary haar keuze probeerde te bepalen tussen Harvard en 'zijn grootste concurrent', zei hij neerbuigend: 'Nou, ten eerste hebben we geen echte concurrenten. Ten tweede hebben we niet nog meer vrouwen nodig op Harvard.'

'Ik neigde toch al naar Yale,' zei Hillary later, 'maar deze ontmoeting nam alle twijfel weg over mijn keuze.'[45]

Ze moest alleen nog afstuderen aan Wellesley, wat naar Hillary's idee een rustige gebeurtenis zou zijn – een inschatting die volkomen bezijden de waarheid zou blijken te zijn. Eleanor 'Eldie' Acheson, een studiegenote en vriendin en de kleindochter van Dean Acheson, president Trumans minister van Buitenlandse Zaken, kwam met het idee een van de studentes tijdens de diploma-uitreiking een toespraak te laten houden. Dit zou voor het eerst zijn in de geschiedenis van het college. Het hoofd van Wellesley, Ruth Adams, verwierp dat voorstel meteen.

Eldie legde zich niet bij die weigering neer en verklaarde dat ze dan een alternatieve afstudeerplechtigheid zou organiseren dat weekend, en dat ze er zeker van was dat haar beroemde grootvader daarbij aanwezig zou zijn. Als voorzitster van de Centrale Studentenraad werd Hillary ontboden bij president Adams in haar huis aan Lake Waban, op de campus.

'Wat is de werkelijke reden van uw bezwaar?' vroeg Hillary
'Het is nog nooit eerder gedaan,' antwoordde mevrouw Adams
'Nou, we zouden het toch kunnen proberen?'
'We weten niet wie ze willen vragen als spreekster,' zei mevrouw Adams.
'Nou,' antwoordde Hillary, 'ze hebben mij gevraagd om te spreken.'
'Ik zal erover nadenken.'

Mevrouw Adams gaf uiteindelijk toestemming, waarschijnlijk op grond van haar vertrouwen in Hillary. Later gaf Hillary toe: 'Ik had geen idee wat ik zou kunnen zeggen dat aansloot bij onze vier roerige jaren op Wellesley.' Vriendinnen opperden ideeën of kwamen gedichten en briefjes met opmerkingen brengen. Op de vooravond van de toespraak wist Hillary nog steeds niet zeker wat ze zou gaan zeggen. Veel studenten raadden haar aan iets te zeggen over 'vertrouwen, het gebrek aan vertrouwen, zowel in ons als in de manier waarop we naar anderen kijken'. Snel zette ze die nacht een toespraak in elkaar, haar laatste hele nacht 'blokken' in haar collegeperiode.[46]

Op 31 mei 1969 kwamen 's morgens meer dan tweeduizend ouders, leden van de staf, docenten en studenten bij elkaar in de felle zon op het grasveld tussen de kapel en de bibliotheek voor Wellesley's 91ste diploma-uitreiking. Eerder die ochtend was mevrouw Adams Hillary tegengekomen en had haar gevraagd wat ze wilde gaan zeggen. Hillary antwoordde dat de toespraak nog steeds aan het 'percoleren' was.

Tussen het publiek zat Hillary's vader, Hugh Rodham, die laat de vorige avond vanuit Chicago naar Boston was komen vliegen en die vervolgens de trein naar de campus genomen had. Hillary's moeder was niet in orde en kon er tot Hillary's grote teleurstelling niet bij zijn. 'Dit was in veel opzichten net zozeer haar moment als dat van mij.'[47]

Hillary, moe door het slaapgebrek, was één brok zenuwen. Door haar baret zag haar kapsel er niet uit en ze kwam 'angstaanjagend' over.[48] De officiële spreker bij de diploma-uitreiking was senator Edward Brooke uit Massachusetts, een Republikein en het enige Afro-Amerikaanse lid van de Senaat. Senator Brooke erkende dat het land met 'ernstige en acute problemen' te kampen had, maar hij keurde het 'dwingende protest' af.[49] Zijn toespraak 'kwam over als een verdediging van president Nixons beleid', zei Hillary.[50] Ze was teleurgesteld dat de senator niets zei over Vietnam, de burgerrechten, Martin Luther King Jr. of Bobby Kennedy. 'De senator leek de aansluiting te missen bij zijn gehoor: vierhonderd intelligente, welingelichte en kritische jonge vrouwen', zei ze later.[51]

Toen senator Brooke klaar was, stond president Adams op en zei: 'Naast de uitnodiging aan senator Brooke om deze morgen te spreken, heeft de klas van '69 ook de wens geuit dat een van hen tot, en namens hen zou spreken tijdens de afstudeerplechtigheid van deze morgen. Voor zover ik weet, was er geen enkele discussie over wie er namens hen zou mogen spreken: mejuffrouw Hillary Rodham.' Mevrouw Adams somde Hillary's studieresultaten en buitenschoolse prestaties op en zei vervolgens: 'Ze is ook opgewekt, goed gehumeurd, prettig in de omgang en een goede vriendin van ons allemaal. Het is me een waar genoegen aan u voor te mogen stellen: mejuffrouw Hillary Rodham.'

Hillary begon: 'Ik ben heel blij dat mevrouw Adams duidelijk gezegd heeft dat ik hier vandaag spreek namens ons allemaal, alle vierhonderd van ons en ik bevind me in een vertrouwde positie, namelijk dat ik nu een reactie mag geven, iets waar onze generatie al een tijdje mee bezig is. We hebben nog geen positie van leiderschap en macht bereikt, maar we hebben wel de onmisbare opdracht om kritiek te leveren en opbouwend protest te laten horen. En ik zou graag kort reageren op enkele punten die senator Brooke genoemd heeft.'[52]

Bijna veertig jaar later kan Brooke zich nog herinneren dat Hillary van de toespraak gebruikmaakte 'in haar eigen voordeel... Ik was aanwezig als vertegenwoordiger van het gezag en zij was daar om de frustraties van haar generatie te uiten, wat ze uitstekend deed.'[53]

Hillary's wat onsamenhangende toespraak ging over zaken als het vertrouwen in overheidsfunctionarissen en Amerikaanse instellingen, wederzijds respect tussen jongeren en degenen die boven hen stonden. Ook sprak ze over de uitdagingen waar de afstuderende laatstejaars voor zouden komen te staan. Toen zij voor het eerst op Wellesley kwam, zei Hillary, vonden zij en haar klasgenoten dat 'er een kloof was tussen verwachting en werkelijkheid. Maar het was geen ontmoedigende kloof en we zijn er geen cynische, bittere oude vrouwen van achttien jaar van geworden. Het zette ons er juist toe aan iets aan die kloof te doen.'

Ze sloot af met een gedicht, geschreven door Anne Scheibner, een van haar studiegenoten. De laatste paar regels luidden:

De aarde kon rechtvaardig zijn. En jij en ik moeten vrij zijn
Niet om de wereld te redden met een roemrijke kruistocht
Niet om onszelf te doden met een naamloze knagende pijn
Maar om in praktijk te brengen met heel ons wezen
De kunst van het mogelijk maken.

Haar toespraak werd begroet met een staande ovatie van haar klasgenoten, maar mevrouw Adams was zeer teleurgesteld over de boodschap en met name over Hillary's spontane beslissing om opmerkingen te weerleggen van de officiële spreker van de plechtigheid. Dat getuigde naar haar idee van een gebrek aan respect.

Later die dag nam Hillary afscheid van Wellesley met een overtreding van de regels. Ze sprong in Lake Waban vlak bij haar studentenhuis, een gebied waar het streng verboden was te zwemmen. Ze legde haar afgeknipte spijkerbroek, t-shirt en pilotenzonnebril op de kant. 'Ik zwom volkomen onbezorgd naar het midden en vanwege mijn bijziendheid zag mijn omgeving eruit als een impressionistisch schilderij.'[54] Toen ze weer aan de kant kwam, waren haar kleren en bril weg. Een beveiligingsfunctionaris van de campus vertelde Hillary dat mevrouw Adams haar vanuit haar huis had zien zwemmen en dat ze opdracht had gegeven alles in beslag te nemen.

Hillary had dan misschien wel mevrouw Adams' woede opgewekt maar haar toespraak kreeg nationale aandacht. De belangrijkste punten eruit verschenen met haar foto in het tijdschrift *Life* van juni 1969 en ze werd ook geïnterviewd door een televisiestation uit Chicago. Hillary's moeder genoot volop van de media-aandacht waarmee haar enige dochter werd overspoeld en ze vertelde dat ze het hele scala aan reacties had gehoord, van complimenten als: 'Ze sprak namens een hele generatie' tot kritiek als: 'Wie denkt ze wel dat ze is?'[55]

'De loftuigingen en de aanvallen,' bespiegelde Hillary later, 'bleken een voorproefje van wat er nog komen zou.'[56]

# 3

# Het hart achterna naar Fayetteville

Voordat ze van de campus vertrok naar Alaska, waar ze die zomer in een fabriek in Valdez vis ging grommen, vertrouwde Hillary aan haar vriend John Peavoy toe dat ze nog steeds heel erg aan zichzelf twijfelde. Jazeker, ze ging rechten studeren. Maar daarna? Wat ging ze met haar leven doen? 'Ik vraag me af: wie ben ik nu echt?' vertelde ze hem. 'Ik vraag me af of ik mezelf ooit zal tegenkomen. Maar als dat gebeurt, denk ik dat we heel goed met elkaar overweg zullen kunnen.'[1]

Een idealistische Hillary stapte in september 1969 de rechtenfaculteit van Yale binnen, vol verlangen om een burgeractivist te worden die misschien de wereld wel zou veranderen. Haar besluit rechten te gaan studeren, was voor een groot deel beïnvloed door de verontrustende gebeurtenissen in Amerika, eind jaren zestig. 'Het besluit om me in te schrijven en rechten te gaan studeren, was voor mij een uitdrukking van [dit] geloof: het systeem kan van binnenuit veranderd worden,' vertelde ze *Newsweek* in een online interview, vijfendertig jaar nadat ze afstudeerde. 'De wet kan een ongelooflijk voertuig zijn voor sociale veranderingen – en juristen zitten achter het stuur,' voegde ze eraan toe. 'Alleen al door krachtige argumenten kun je wat fout is recht-zetten, de maatschappij beschermen tegen misbruik en wat betekenen voor de bevolking.'[2]

De rechtenfaculteit van Yale was in Hillary's ogen de volmaakte plaats om dergelijke doelen te bereiken. Yale worstelde niet alleen met een revolutie van de Amerikaanse juridische beroepsgroep maar ook met de manier waarop de instelling zelf omging met de wervelwind van maatschappelijke en cul-turele veranderingen. Hoewel talloze jonge vrouwen de imposante gotische architectuur en de oude door mannen gedomineerde school wellicht inti-miderend zouden vinden, voelde Hillary zich er zelfs juist door aangetrok-ken. De langzame verschuiving onder juristen naar gelijkheid tussen man en vrouw was nog maar net begonnen, maar Yale was daarin een van de felste en invloedrijkste pioniers. Van de studenten die in september 1969 aan een rechtenstudie begonnen aan Yale, was Hillary een van de 27 vrouwen, nauwelijks tien procent. Hoewel, zoals Hillary opmerkte, 'het toentertijd een doorbraak betekende en inhield dat vrouwen niet langer een symbolische aanwezigheid hadden als studenten aan Yale University'.[3]

Het eerste jaar van de rechtstudie – contract-, eigendoms- en aansprakelijkheidsrecht onder de knie krijgen – is meestal wat materie betreft het moeilijkst. Maar in april 1970, toen Hillary's eerste jaar bijna voorbij was, begonnen de studenten zich met een veel krachtigere uitdaging bezig te houden. Het is wellicht geen verrassing dat Hillary daar zelf middenin sprong.

Dat voorjaar stonden acht leden van de Zwarte Panters, onder wie hun leider Bobby Seale, in New Haven terecht op verdenking van moord. De stad werd overspoeld met duizenden boze demonstranten die ervan overtuigd waren dat de Panters in de val gelokt waren door overijverige FBI-agenten en aanklagers van de federale overheid die buiten hun boekje waren gegaan. De onrust verspreidde zich naar de lommerrijke campus van New Haven. Op 27 april stak iemand, woedend over de rechtszaak, de International Law Library in brand die zich in het souterrain van de faculteit bevond. 'Geschokt vloog ik ernaartoe en ik vormde met de faculteitsmedewerkers, brandweer en andere studenten een aaneengesloten rij om water door te geven om de brand te blussen en de boeken met brand- en waterschade te redden,'[4] vertelde Hillary.

Tijdens een vergadering over de aangestoken brand kreeg Hillary spontaan de rol van gespreksleider toebedeeld die de studenten opriep kalm te blijven en die de kloof probeerde te dichten tussen hun behoeften en die van het faculteitsbestuur. 'Hillary voerde wat we nu "pendeldiplomatie" zouden noemen. Ze vloog heen en weer tussen beide partijen,' zei Kristine Olson Rogers, zowel aan Yale als aan Wellesley een jaargenote. 'Zij is altijd degene die de behoefte aan evenwicht opmerkt.'[5]

Vier dagen later werd er een 1 meibijeenkomst gehouden op de campus waarin gewoonlijk stilgestaan wordt bij de vrijheid. Er kwamen veel meer mensen dan door de organisatoren verwacht werden, vanwege president Nixons aankondiging de dag ervoor dat hij Amerikaanse troepen naar Cambodja wilde sturen. Dit was een onverwachte, dramatische en in de ogen van velen, onwettelijke uitbreiding van de oorlog. Een groot deel van de chaos naar aanleiding van Vietnam waarmee veel andere campussen overspoeld werden, was aan Yale voorbijgegaan. Ten dele omdat het hoofd van Yale, Kingman Brewster, en de predikant van de universiteit, dominee William Sloane Coffin, publiekelijk vraagtekens hadden geplaatst bij de escalatie van de oorlog. Met name Coffin was een leider geworden van de nationale vredesbeweging, en veel Yale-studenten die tegen de oorlog waren, bewonderden het feit dat zowel Brewster als Coffin niet alleen naar hen luisterde, maar het ook met hen eens was.

De rust was echter van korte duur. Op 4 mei schoten leden van de Nationale Garde vier protesterende studenten dood aan de Kent State University in Ohio. Bij het horen van dat nieuws rende Hillary huilend het faculteitsgebouw uit. Een van de eerste mensen tegen wie ze opbotste, was professor Fritz Kessler, die Hitlers Duitsland ontvlucht was. 'Hij vroeg me wat er aan de hand was en ik vertelde hem dat ik niet kon geloven wat er gebeurd was,' zei Hillary later. 'Hij deed me de rillingen over de rug lopen met zijn opmerking dat dit hem allemaal heel bekend voorkwam.'[6]

De volgende morgen publiceerden de meeste Amerikaanse kranten de veelzeggende foto van een ontstelde jonge Mary Ann Vecchio, die neerknielt bij het voorover liggende lichaam van Jeffrey Miller, de neergeschoten student van Kent State. Mary Ann houdt haar armen uitgestrekt alsof ze om hulp roept. Hillary zag de foto als een symbool van 'alles wat ik en vele anderen vreesden en haatten aan wat er zich in ons land afspeelde'.[7]

Het gematigde radicalisme dat kenmerkend was geweest voor Yale, begon te wankelen door de dodelijke slachtoffers in Kent State. Hillary had de keuze. Ze kon zich achter de Zwarte Panters scharen, evenals anderen die de campus en de overheidsgebouwen in brand wilden steken. Of ze kon de moeilijkere taak op zich nemen 'het systeem van binnenuit te veranderen'. 'Trouw aan mijn opvoeding,' herinnert ze zich, 'pleitte ik voor maatschappelijke betrokkenheid, en niet voor ontwrichting of "revolutie".'[8]

Op 7 mei sprak Hillary tijdens een bijeenkomst ter ere van het vijftigjarig jubileum van de League of Women Voters (Bond van Vrouwelijke Kiezers) in Washington, D.C. Hillary was daar voornamelijk voor uitgenodigd vanwege de nationale mediabelangstelling rond haar toespraak bij de diplomauitreiking op Wellesley, de vorige lente. Hillary's 'emoties zaten dicht onder de oppervlakte toen ze de toespraak hield waarin ze beargumenteerde dat de Amerikaanse militaire actie in Cambodja niet illegaal en ongrondwettelijk was. Haar mederechtenstudenten hadden kort daarvoor met 239 stemmen voor en twaalf tegen gestemd over een voorstel om mee te doen aan een landelijke staking van meer dan driehonderd scholen, uit protest tegen 'de gewetenloze expansie van een oorlog die nooit gevoerd had mogen worden'. Hillary had de vergadering voorgezeten waarin die naar één kant doorslaande stemming had plaatsgevonden en die bijeenkomst kon omschreven worden als een 'weldoordacht, zij het juridisch' debat.[9]

Naast Hillary stond die dag in mei bij de League of Women Voters ook Marian Wright Edelman op het podium, de inleidende spreekster van de bijeenkomst. Deze vrouw zou een van Hillary's belangrijkste en invloedrijkste vriendinnen worden. Nadat Marian in 1963 haar rechtenstudie aan Yale had afgerond, werd ze de eerste zwarte vrouw die als advocaat werd toegelaten in Mississippi. Vervolgens zette zij zich onafgebroken in voor de rechten van het kind. Een paar maanden daarvoor had Hillary, tijdens een conferentie in Colorado, Marians man Peter Edelman leren kennen. Hij had rechten gestudeerd aan Harvard en had griffierswerk gedaan voor rechter Arthur J. Goldberg van het Hooggerechtshof en hij had ook voor Bobby Kennedy gewerkt. Peter en Marian Edelman lobbyden bij het Congres en probeerden via een amendement op de grondwet de stemgerechtigde leeftijd verlaagd te krijgen van eenentwintig naar achttien. Hillary stond achter die aanpassing: 'Als jongeren oud genoeg zijn voor de oorlog,' zei ze, 'moesten ze ook kunnen stemmen.'[10]

Tijdens de conferentie werd Hillary voorgesteld aan de directeur van het Voter Education Project (het Kiezersscholingsprogramma) van de Zuidelijke Regionale Raad in Atlanta. Zijn naam was Vernon Jordan en hij pleitte net als Peter en Marian Edelman vurig voor verlaging van de stemgerechtigde leeftijd. (In 1971 werd die verlaagd naar achttien jaar, toen het 26ste amendement aangenomen werd.) Hillary's vriendschap met Jordan zou een van de belangrijkste en invloedrijkste zijn van haar leven – en ook van dat van haar toekomstige echtgenoot.

Hillary hoorde van Peter over de plannen van zijn vrouw om een organisatie voor armoedebestrijding op te zetten in Washington D.C. met de naam Washington Research Project. Later zou de naam veranderd worden in Children's Defense Fund (Kinderbeschermingsfonds). Die zomer werkte Hillary, geholpen door een particuliere beurs, voor het Washington Research Project. Dit was het begin van haar toewijding aan talloze zaken waar Marian Wright Edelman zich voor inzette. Diezelfde zomer besloot senator Walter F. Mondale van Minnesota door middel van hoorzittingen onderzoek te doen naar de werk- en leefomstandigheden van seizoenarbeiders in de landbouw, met name degenen die zwoegden in de suikerrietvelden van de Everglades in Florida. Die hoorzittingen vonden plaats tien jaar na de bekroonde documentaire *Harvest of Shame* (Oogst der schande) van Edward R. Murrow. Het was de bedoeling te onderzoeken of de situatie verbeterd was sinds Murrow het lot van de arbeiders aan het licht had gebracht voor iedereen in het land. Hillary moest onderzoek gaan doen naar het onderwijs en de gezondheid van de kinderen van seizoenarbeiders.

Het was een opmerkelijke ervaring. Hillary was geraakt door de opgewekte, hoopvol gestemde kinderen die hun ouders enthousiast begroetten wanneer die 's avonds stoffig thuiskwamen na een lange dag van werk op het veld. Ze kreeg met name een nauwe band met de zevenjarige Maria. Het meisje bereidde zich voor op haar eerste communie, als haar gezin na de oogst terugging naar Mexico. Haar familie had echter niet genoeg geld om voor die gelegenheid een speciale jurk voor hun dochtertje te kopen. 'Ik vertelde mijn moeder over Maria en ze ging samen met mij een prachtige jurk kopen,' vertelde Hillary jaren later. 'Toen we die aan Maria's moeder gaven, begon ze te huilen en ze viel op haar knieën om mijn moeders hand te kussen. Mijn moeder, die zich opgelaten voelde, zei maar steeds dat ze wist hoe belangrijk het voor een meisje was om bij zo'n gelegenheid het gevoel te hebben dat ze bijzonder was.'[11]

Hillary was stomverbaasd te merken dat het de landarbeiders en hun kinderen voortdurend aan de basisbehoeften ontbrak, zoals huisvesting, voedsel en sanitaire voorzieningen. Bij Mondales hoorzittingen in juli 1970 gaven getuigen de ondernemingen waarvan de grote boerenbedrijven in Florida waren, de schuld van de smerige en onveilige omstandigheden die, zo bleek, nauwelijks verbeterd waren sinds Murrows documentaire. Verschillende medestudenten van Hillary werkten die zomer bij advocatenkantoren en behartigden de belangen van die landeigenaren. Haar medestudenten leerden 'hoe ze het besmeurde imago van de ondernemingen die ze als cliënt hadden weer konden oppoetsen', schreef ze. 'Ik stelde voor dat ze dat het beste konden doen door beter om te gaan met hun landarbeiders.'[12] Het was een idealistisch, en misschien wel bijna onmogelijk doel om collega's zo ver te krijgen dat ze niet langer meer wilden werken voor rijke ondernemingen. En het was een doel dat Hillary al spoedig zou loslaten.

Op grond van Hillary's ervaringen die zomer besloot ze zich tijdens haar studie aan Yale op het kinderrecht te gaan richten. Toentertijd was dat juridisch nauwelijks ontgonnen terrein aangezien de rechten van het kind tot dan onder het familierecht vielen. En dat lag ook voor de hand. De meeste rechters legden zich in de rechtszaal neer bij alles wat de ouders het beste voor hun kind vonden. Daar waar de ouders van mening verschilden, koos de rechter meestal de kant van de moeder. Vanaf begin jaren zestig echter schiepen verschillende rechtbanken precedenten die bepaalden dat kinderen los van hun wettelijke verzorgers een aantal beperkte wettelijke rechten hadden.

Door haar vrijwilligerswerk bij de New Haven Legal Services, die juridische bijstand verleenden aan de armen, kwam Hillary erachter dat verwaarloosde of mishandelde kinderen vaak hun eigen advocaten nodig hadden. Het ging niet meer zo goed met de industrie van New Haven en de eens zo mooie stad in Connecticut kampte met toenemende armoede, segregatie en verval. Die achteruitgang was voor niemand zo schokkend als voor de kinderen van New Haven. Tijdens haar tweede jaar aan de rechtenfaculteit werkte Hillary bij het Yale Child Center waar de situatie van een bepaald kind diepe indruk op haar maakte.[13] De jonge sociaal advocaat Penn Rhodeen spande een rechtszaak aan namens een zwarte vrouw van in de vijftig die de pleegmoeder was van een tweejarig gekleurd meisje dat al sinds haar geboorte bij haar was. De pleegmoeder spande een zaak aan tegen het departement van Sociale Zaken van Connecticut, in een poging om de beslissing terug te draaien dat pleegouders niet voor adoptie van kinderen in aanmerking kwamen. Hillary stond Penn Rhodeen bij en samen pleitten ze ervoor dat de peuter geen andere moeder kende dan haar pleegmoeder. En dat het zo traumatisch zou zijn om die twee te scheiden dat het kind blijvende psychologische schade zou oplopen. Hillary en Penn verloren de zaak maar zij kreeg er een nieuwe roeping door. 'Ik besefte dat ik de wet wilde gaan gebruiken om kinderen naar wie niemand luisterde, een stem te geven,' zei ze.[14]

Hillary's voornemen werd nog versterkt door de kinderen die ze was tegengekomen bij het Yale Child Center: jonge kinderen die geslagen waren of brandwonden hadden, en anderen die in de steek waren gelaten. Het contact met hen diende als brug over de generatiekloof met Hillary's moeder, die zelf als kind door haar ouders en grootouders verwaarloosd en mishandeld was, iets waar Hillary als kind achter kwam. Dorothy Rodham had de diepe emotionele littekens weten te overwinnen door de onbaatzuchtige hulp van andere volwassenen die haar onder hun hoede hadden genomen. En nu besefte Hillary dat zij zich ook zo wilde gaan inzetten: 'Ik wilde een spreekbuis zijn voor de kinderen van Amerika,' verklaarde ze.[15]

In november 1973 publiceerde Hillary haar eerste artikel waarin ze ervoor pleitte de wettelijke rechten van kinderen vast te leggen. Het was niets minder dan pionierswerk en werd in de *Harvard Educational Review* gepubliceerd onder de titel 'Children Under the Law' (Kinderen onder de wet). Hillary pleitte er in dat artikel vurig voor dat de wettelijke status van kinderen als 'minderjarigen' werd afgeschaft. Kinderen moesten daarentegen de status krijgen van 'kinderburgers', zo beargumenteerde ze, voor wie al de grondwettelijke rechten van volwassenen gelden. 'Het is te kunstmatig en te eenvoudig om iedereen onder de achttien of twintig minderjarig te noemen. Het dringt de enorme verschillen naar de achtergrond tussen kinderen van verschillende leeftijden, en de opvallende overeenkomsten tussen oudere kinderen en volwassenen,' schreef Hillary.[16]

Jaren later werd Hillary's artikel door rechtse Republikeinen als bewijs aangevoerd dat ze radicaal tegen het gezin was. Hillary werd er door een paar critici ten onrechte van beschuldigd dat ze gezegd zou hebben dat kinderen hun ouders zouden moeten kunnen vervolgen, zodat ze geen klusjes in huis meer hoefden te doen, zoals het vuil buiten zetten of bedden opmaken. Diep geraakt door dergelijke kritiek zei Hillary tientallen jaren later: 'Ik kon niet voorzien hoe mijn artikel later verkeerd uitgelegd zou worden. Noch had ik de omstandigheden kunnen voorspellen op grond waarvan de Republikeinen mij zouden gaan afvallen.' Er was nog iets anders wat ze zich toen niet realiseerde: 'Ik wist zeker niet dat ik op het punt stond de persoon te ontmoeten door wie mijn leven een vlucht zou nemen in richtingen die ik nooit voor mogelijk had kunnen houden.'[17]

Bill Clinton herinnert zich nog exact het moment waarop hij Hillary Rodham voor het eerst zag. Het was tegen het einde van de herfst van 1970 en zijn eerste semester aan de rechtenfaculteit van Yale. Bill zat achter in de zaal bij een college van professor Emerson, over politieke en burgerrechten. Vooraan in de klas zat een voor hem onbekende blonde jongedame. Hij had nog niet veel colleges bijgewoond omdat hij druk was met de organisatie van politieke campagnes die herfst. En hij nam aan dat deze jongedame nog minder colleges had bijgewoond dan hijzelf. Waarom zou er anders een heel semester voorbij zijn gegaan zonder dat ze hem was opgevallen?

Bill voelde zich aanvankelijk niet tot Hillary aangetrokken vanwege haar uiterlijk; zij vond het nog steeds niets om met haar uiterlijk indruk te maken op de jongens. En op deze bepaalde dag droeg ze haar dikke donkerblonde haar in een knotje en ging haar onopgemaakte gezicht gedeeltelijk schuil achter veel te grote bruine brillenglazen. Maar Bil zag iets anders wat hem wel aanstond. Het was Hillary's houding, de zelfverzekerde manier waarop ze zich bewoog. Het was de aantrekkingskracht van een eigenschap die lastiger te beschrijven en moeilijker te weerstaan was. Bill gaf later toe dat Hillary op de eerste dag dat hij haar zag 'een gevoel van kracht en zelfbeheersing uitstraalde dat ik zelden in iemand anders, niet bij mannen noch bij vrouwen, gezien had'.[18]

Bill was zo weg van haar en zo nieuwsgierig dat hij Hillary het lokaal uit volgde om zich aan haar te gaan voorstellen. Maar toen hij haar op een halve meter was genaderd en haar op haar schouder wilde kloppen, werd hij door een kracht buiten hemzelf tegengehouden. 'Het was bijna lijfelijk,' herinnerde Bill zich later. 'Ergens wist ik dat dit niet zomaar een tikje op de schouder zou zijn als alle andere, maar dat ik misschien aan iets zou beginnen wat niet meer te stoppen was.'[19]

In de paar daaropvolgende maanden hielden Bill en Hillary elkaar steeds in het oog en uiteindelijk, tegen het eind van hun eerste jaar, maakten ze kennis met elkaar in de rechtenbibliotheek, toen Hillary met uitgestoken hand op Bill afstapte. Bill stond versteld over haar vrijmoedigheid maar achteraf besloot hij dat hijzelf nu aan zet was. Een paar dagen later zag Bill Hillary in de hal van de rechtenfaculteit. Vanwege haar lange, felgebloemde rok was ze moeilijk over het hoofd te zien en voor het eerst vatte Bill moed en stapte op Hillary af. Hillary was op weg naar een bureau om zich aan te melden voor de colleges van de komende herfst en Bill bood aan om met haar mee te gaan. Ze praatten en lachten samen toen ze in de rij stonden, maar toen ze aan de beurt waren, vroeg degene bij wie ze zich moesten opgeven aan Bill: 'Wat doe jij hier? Je hebt je toch vanmorgen al ingeschreven?'

'Ik kreeg een hoofd als een boei,' herinnerde Bill zich. 'En Hillary lachte met die schaterlach van haar. Ik was door de mand gevallen.'[20]

Hillary en Bill besloten toen om in de Yale Art Gallery een tentoonstelling van Mark Rothko te gaan bekijken. Het museum was gesloten vanwege een staking van het personeel maar Bill wist een bewaker zo ver te krijgen dat hij hen binnenliet. In ruil daarvoor zou Bill takken en rommel opruimen in de museumtuin. Nadat ze de kunstwerken bekeken hadden (en Bill zijn karweitje uitgevoerd had als tegenprestatie), gingen ze samen in de tuin zitten en daar begonnen ze een gesprek dat tot aan de dag van vandaag voortduurt.

Hillary was in zo veel opzichten onder de indruk van Bill. Doordat ze zo weg van hem was, was ze geïnteresseerd in de grootste en kleinste details van zijn leven, zelfs in de schijnbaar onbelangrijkste details van zijn uiterlijk: 'Hij heeft dunne polsen en lange, slanke vingers, als van een pianist of chirurg,' vertelde ze. 'Toen we elkaar pas hadden leren kennen als student, vond ik het geweldig om ernaar te kijken hoe hij de bladzijden van een boek omsloeg.'[21]

Bill en Hillary waren die eerste week onafscheidelijk. Maar Hillary verliet New Haven dat weekend voor een lang van tevoren afgesproken bezoek aan Vermont, om een man op te zoeken met wie ze bevriend was en uitging. In latere jaren was het haar man die zijn gevoelens niet altijd in bedwang had, maar in de begintijd was het Hillary die niet kon beslissen met wie ze verder wilde. Bill maakte zich het hele weekend bezorgd of hij haar zou kwijtraken. Toen ze op zondagavond weer terug op Yale kwam, belde hij haar op maar ze was 'zo ziek als een hond', herinnerde hij zich. Bill bracht haar meteen kippensoep en sinaasappelsap, en daarmee waren ze geen van beiden meer in iemand anders geïnteresseerd.[22]

Die lente zaten Hillary en Bill samen in de keuken van het strandhuis op Long Island Sound, in de buurt van Milford, Connecticut, waar Bill met drie andere huisgenoten woonde. Tijdens een van die typische feestjes besptaken ze zachtjes wat ze na hun rechtenstudie wilden gaan doen. Hillary wist slechts vaag dat ze zich wilde gaan bezighouden met burgerrechten of kinderrecht. 'Bill wist het absoluut zeker: hij wilde terug naar Arkansas om zich verkiesbaar te stellen voor een openbare functie,' vertelde ze.[23]

Er was nog iets anders waar Bill zeker van was: Hillary. 'Wat Hillary betreft was er geen sprake van een armlengte afstand,' herinnerde Bill zich. 'Ik zag haar voortdurend voor me en voor ik het wist, had ik haar in mijn hart gesloten.'[24] Die zomer wilde ze voor een klein advocatenkantoor in Oakland, Californië, gaan werken en Bill zei dat hij wel met haar mee wilde. Hij kon die zomer gaan werken aan de verkiezingscampagne van senator George McGovern in de zuidelijke staten, maar dat werk sprak hem niet langer aan.

Hillary was heel blij met Bills idee maar ze schrok er ook wel van. 'Waarom laat je de kans voorbijgaan om iets te doen wat je leuk vindt, alleen om met mij mee te gaan naar Californië?' vroeg ze.

'Omdat ik iemand leuk vind, daarom,' antwoordde hij.[25]

Ze huurden een flatje aan de rand van een groot park, vlak bij de Universiteit van Californië op de Berkeley-campus. Hillary besteedde vrijwel de hele zomer aan haar research en het schrijven van juridische resumés over een voogdijzaak, terwijl Bill boeken las en in de minder vaak bezochte wijken van San Francisco, Oakland en Berkeley rondkeek. Jaren later kon Hillary zich een bepaalde zomeravond nog heel goed herinneren. Bill zou Hillary in een gezellig restaurantje ontmoeten in Berkeley, maar ze was laat. Toen ze aankwam, was Bill al weg maar een andere gast vertelde Hillary dat hij Bill had zien wachten. 'Hij heeft hier heel lang zitten lezen,' vertelde de man Hillary. 'En ik knoopte een gesprek met hem aan over boeken. Ik weet niet hoe hij heet maar op een dag wordt hij vast president.'

'Ja, dat zal wel,' reageerde Hillary, 'maar weet u ook waar hij naartoe gegaan is?'[26]

Hillary werkte in Californië voor rechter Mal Burnstein. Die was onmiddellijk onder de indruk van Bills intelligentie en hij vertelde hem: 'Nou, jij zal wel een aanbod hebben gekregen van al die grote advocatenkantoren.'

'Nee,' antwoordde Bill. 'Ik ga terug naar Arkansas en ik word gouverneur.'[27]

Toen Hillary dit hoorde, schudde ze alleen haar hoofd en glimlachte, hoewel ze wist dat haar vriend het meende en dat hij vastbesloten was zijn plan te realiseren. Vanaf het begin accepteerde Hillary het feit dat het, als ze bij Bill zou blijven, een radicale koerswijziging voor haar zou betekenen, zowel geografisch als wat haar loopbaan betrof. Ze wist dat ze, als hun wegen in de toekomst samen zouden vallen, uiteindelijk op een plaats terecht zou komen die zo ver van Park Ridge verwijderd was als maar mogelijk was.

Het gelukkige koppel keerde in september 1971 weer op Yale terug en ze trokken in de benedenverdieping van een huis op Edgewood Avenue 21. De huur van 75 dollar per maand voor het appartementje was redelijk, de vloeren waren niet vlak, de wind floot door de kieren in de muren maar dat deed er allemaal niet toe. Hoewel ze die zomer hadden samengewoond, voelde dit plekje voor het eerst aan als hun eerste huis.

Het appartementje was eigendom van Greg Craig, een medestudent en vriend van de rechtenfaculteit van Yale. (Greg zou later een van de vurigste verdedigers van president Clinton worden tijdens de impeachmentprocedure door de Senaat, begin 1999.) Hij was een burgerrechtenactivist aan Yale en reisde regelmatig door New England en daarbuiten om protestbijeenkomsten en demonstraties bij te wonen. Hillary, zo kan hij zich herinneren, stond wel achter de zaken waarvoor hij streed maar ze koos ervoor om 'op de campus gericht' te blijven. Ze vormde op Yale, volgens Greg, coalities tussen verschillende groepen op de campus en bouwde 'een netwerk op dat groter was dan dat van anderen'.[28] Hij noemde Hillary 'een interne criticus van het systeem', met een groep vrienden en bondgenoten die varieerden van 'extreem linkse' activisten tot 'de conservatiefste elementen' van de faculteit. 'Ze was noch ideologe, noch een ware gelovige,' zei Greg en hij gaf toe dat het hem verbaasde hoe polariserend Hillary later werd.[29]

Na kerst dat jaar reed Bill van Hot Springs, Arkansas, naar Park Ridge voor een bezoek van een paar dagen aan Hillary's familie. Haar ouders hadden hem die zomer daarvoor al ontmoet, maar Hillary maakte zich wat bezorgd over dit bezoek omdat haar vader gewoonlijk erg kritisch tegenover haar vriendjes stond. Niemand was goed genoeg voor Hugh Rodhams enige dochter. 'Ik vroeg me af wat hij zou zeggen tegen een Democraat uit het Zuiden, met tochtlatten als Elvis,' schreef Hillary.[30]

Dorothy Rodham was vrijwel meteen positief over Bill en ze mocht hem nog meer toen hij erachter kwam dat ze een filosofieboek aan het lezen was voor een van de cursussen die ze volgde aan een college. Daarover praatte hij meer dan een uur enthousiast met haar. Ook haar broers, haar vrienden van de middelbare school en zelfs sommigen van hun ouders waren meteen weg van Bill. De moeder van een van Hillary's vrienden gaf Bill snel een stempel van goedkeuring toen ze tegen Hillary fluisterde: 'Het kan me niet schelen wat je doet, maar deze moet je niet laten gaan. Hij is de enige, voor zover ik kan zien, die jou ooit aan het lachen heeft weten te krijgen!'[31] Het lag voor de hand dat de verhouding tussen Bill en Hillary's vader wat stroever was, hoewel ze elkaar wel vonden als ze samen kaartten of naar footballwedstrijden op tv keken.

In de zomer van 1972 keerde Hillary weer naar Washington terug om voor Marian Wright Edelman te gaan werken. Bill nam ondertussen een fulltime baan aan voor de verkiezingscampagne van McGovern en hij was in Miami toen McGovern kandidaat gesteld werd. Toen die kandidaatstelling eenmaal zeker was, begon de volgende fase van de campagne. Bill twijfelde er niet aan dat hij betrokken zou zijn bij de eindsprint.

'Bill vroeg me of ik ook naar het Zuiden wilde komen,' herinnert Hillary zich. 'Dat wilde ik wel, maar alleen als ik een specifieke taak zou krijgen.'[32] Ze kreeg de mogelijkheid een kiezersregistratietoer te organiseren door Texas, die ze met beide handen aangreep omdat ze zo de kans kreeg om samen met Bill aan de campagne te werken. De kiesgerechtigde leeftijd was net omlaag gegaan in Amerika en Hillary en haar collega's richtten zich op deze pas toegelaten groep kiezers. Als ze maar genoeg studenten zo ver konden krijgen dat ze zich lieten registreren, zouden ze, hopelijk, letterlijk de staat Texas aan McGoverns lijstje kunnen toevoegen. Maar dit bleek niets meer dan een luchtkasteel en naarmate de weken verstreken ging het steeds slechter met McGovern in de opiniepeilingen.

Positief aan deze taak was wel de locatie: Bill en Hillary woonden in Austin, een aantrekkelijke stad met een gemoedelijke kleinsteedse sfeer ofschoon het de hoofdstad van de staat is en de Universiteit van Texas er is gevestigd. Bill en Hillary werden ondergebracht in het hoofdkwartier van McGoverns verkiezingscampagne in Austin, dat gevestigd was in een leeg winkelpand op West Sixth Street.[33] Hillary ontmoette tientallen studentenleiders van diverse Texaanse universiteiten en doorgewinterde politieke campagnevoerders uit Texas. Van die laatste groep zou niemand belangrijker blijken te zijn voor Hillary en Bill dan Betsey Wright, een briljante campagnemedewerkster uit Alpine, een klein stadje in het westen van Texas. Betsey had voor Common Cause (Algemeen Belang) gewerkt en de Democratische Partij van Texas. Ze viel op doordat ze groot, uitgesproken links, luid en zeer zelfverzekerd was. Hoewel pas dertig was ze al een mentor voor veel van de jonge vrouwen die meewerkten aan haar campagnes.

Wright was onmiddellijk onder de indruk van Hillary's intelligentie en ambities. 'Ik had minder interesse in Bills politieke toekomst dan in die van Hillary,' vertelde Betsey Wright Bills biograaf David Maraniss. 'Ik was gefascineerd door wat Hillary zou weten te bereiken met haar combinatie van intelligentie, ambitie en zelfverzekerdheid. Ze zou zo ongelooflijk veel kunnen bereiken in de wereld.'[34] (Nadat Bill en Hillary getrouwd waren, gaf Betsey

– een uitgesproken feministe – toe dat ze in Hillary teleurgesteld was omdat Hillary niet voor een zelfstandige politieke carrière had gekozen. Hillary leek te veel van haar toekomst aan Bill te wijden, een besluit waar Betsey moeite mee had. 'Het was vijfendertig jaar geleden dat ik ervan droomde dat Hillary zich voor president verkiesbaar zou stellen,' zei Betsey in 2007. 'Ik wilde niet dat ze naar Arkansas zou verhuizen en met Bill Clinton zou trouwen. Dat deed ze wel en ik liet mijn droom los.'[35])

Betsey Wright nodigde Hillary uit om in San Antonio mee te komen werken, voor de campagne dichter bij huis. Toen ze daar was, organiseerde Hillary twee weken voor de verkiezingsdag een verkiezingsbijeenkomst voor McGovern voor de Alamo, een bekend missiegebouw uit de Texaanse onafhankelijkheidsstrijd. Voor het eerst kwam Hillary in contact met het functioneren van de politiek aan de basis. Ze ontdekte dat het voorbereidende team van plaatselijke werkers 'onder enorme druk stond'[36] en – misschien nog gedenkwaardiger – dat McGoverns campagne over zo weinig geld beschikte dat de plaatselijke leveranciers bijna niets betaald kregen. Het gebrek aan fondsen zorgde voor spanning en leidde af van de zaak, waardoor de andere optie – een enorme verkiezingskas – bijzonder aanlokkelijk werd.

Twee weken later kreeg McGovern een enorm pak slaag van Nixon. 'De race van 1972 was onze eerste vuurdoop,' zei Hillary.[37]

Terug op Yale deden Hillary en Bill samen mee aan de Thomas Swan Barrister's Union Prize Trial, een proceswedstrijd voor studenten. Hillary nam de voorbereidende werkzaamheden voor de rechtszaak voor haar rekening en Bill voerde het woord in de rechtszaal.[38] Ze verloren maar het was wel een geweldig één-tweetje dat aangaf hoe sterk hun toekomstige politieke samenwerking zou zijn.

Nadat ze allebei hun rechtenstudie afrondden in het voorjaar van 1973, nam Bill Hillary mee voor haar eerste reis naar Europa. Hij was daar al eerder geweest voor een studie met een Rhodes-beurs en hij nam als vanzelf de rol van gids op zich. Ze begonnen in Londen, waar ze onder de indruk waren van de ontzagwekkende schoonheid van Westminster Abbey en de parlementsgebouwen, voordat ze zigzaggend door het Verenigd Koninkrijk trokken, Stonehenge bekeken en het groene landschap van Wales.

Op een zachte zomeravond, in het prachtige Lake District, langs de oever van Ennerdale Water, vroeg Bill Hillary ten huwelijk. Zonder aarzeling antwoordde ze: 'Nee. Niet nu.'[39]

Hillary vertelde later dat ze toen wel verliefd was op Bill, maar dat ze tijd en ruimte nodig had om haar gevoelens op een rijtje te zetten. Ze had gezien wat een enorme invloed de echtscheiding van haar grootouders had gehad op haar moeder en ze wilde gewoon te weten komen of Bill de ware was. 'Ik wist dat het voor het leven zou zijn als ik trouwde,' zei ze. En ze was bang voor twee ongrijpbare aspecten: betrokkenheid en Bills innerlijke kracht. 'Ik zag hem als een natuurkracht,' legde ze uit, 'en ik vroeg me af of ik het aan zou kunnen om in goede en slechte tijden in zijn leven naast hem te staan.'[40] Maar er was ook iets anders, iets wat ze tegenover niemand toegaf: Bill zou naar Arkansas gaan en Hillary had er diepe tegenstrijdige gevoelens over om hem daarheen te volgen.

Bill accepteerde echter geen weigering. 'Hij had zich doelstellingen voor ogen gesteld,' zei Hillary, 'en ik was daar een van.' Hij bleef Hillary maar vragen met hem te trouwen en zij bleef antwoorden: 'Niet nu.'[41]

'Nou, ik ga je nu niet meer ten huwelijk vragen,' zei Bill uiteindelijk. 'Als je ooit besluit dat je met mij wilt trouwen, moet je me dat maar zelf vertellen.'[42]

Na Yale gingen Bill en Hillary ieder hun eigen weg, maar niet voor lang. Bill ging terug naar huis, naar Fayetteville, om daar les te gaan geven aan de rechtenfaculteit van de Universiteit van Arkansas. Hillary verhuisde naar het noorden, naar Cambridge, Massachusetts, om bij het Children's Defense Fund van Marian Wright Edelman te gaan werken. Hillary woonde op zichzelf, op de bovenverdieping van een huurhuis in Cambridge, en ze werkte aan een project dat de belangrijke verschillen in kaart probeerde te brengen tussen de officiële cijfers van het aantal leerplichtige kinderen en het werkelijke aantal schoolgaande kinderen. In het kader van haar onderzoek ging Hillary de deuren langs en daar ontdekte ze kinderen die niet naar school gingen omdat ze bijvoorbeeld blind of doof waren.[43]

Het Children's Defense Fund zond de conclusies naar het Congres en lobbyde voor een wet om openbare scholen toegankelijk te maken voor alle kinderen. Twee jaar later nam het Congres de Education for All Handicapped Children Act aan, die openbare scholen verplichtte kinderen met fysieke, psychische of verstandelijke problemen onderwijs te geven.

Hillary vond erg veel voldoening in dit soort werk, maar ze voelde zich eenzaam en ze miste Bill 'meer dan ik aankon', herinnerde ze zich. Dat voorjaar had ze een toelatingsexamen gedaan voor de orde van advocaten in Arkansas en Washington D.C. Ze zakte voor dat van Washington, maar slaagde voor het examen in Arkansas. Hillary dacht: misschien wijzen mijn beste resultaten me de weg.[44]

Bill bereidde zich ondertussen voor op een zetel in het Derde Congresdistrict in het Huis van Afgevaardigden, om Noordwest-Arkansas (waaronder

Fayetteville en Hot Springs) te vertegenwoordigen. Het Watergate-schandaal bood in Bills ogen een onweerstaanbare kans dat de Republikeinse zetel misschien vrij zou komen. Hillary bezocht Bill in december 1973 en terwijl ze samen koffie zaten te drinken in zijn keuken, ging de telefoon. Aan de lijn was John Doar, die door de Juridische Commissie van het Huis van Afgevaardigden was gevraagd het impeachmentonderzoek van president Nixon te leiden. Bill en Hillary hadden Doar beiden ontmoet in Yale, waar hij een rechter was geweest in een nagespeeld proces. In Hillary's ogen was Doar een held, een 'soort Gary Cooper; een kalme, slungelige jurist uit Wisconsin'.[45] Ze bewonderde zijn inzet voor de burgerrechten in Mississippi en Alabama tijdens de jaren zestig en zijn vooraanstaande rol in federale rechtszalen waar hij in rechtszaken rond het stemrecht pleitte.

Doar vertelde Bill dat zijn naam boven aan een lijst jonge juristen stond die hem mochten helpen bij het impeachmentonderzoek. Bill wees het aanbod van de hand en vertelde Doar dat hij zich verkiesbaar stelde voor het Congres. Vervolgens bood Doar Hillary een baan aan. Die baan mag misschien wel onaantrekkelijk geleken hebben – er werd weinig geld geboden voor lange werkdagen – maar in Hillary's ogen was het een unieke kans. 'Het was, zoals ze zeggen, een aanbod dat ik niet kon weigeren,' zei ze later.[46] Haar verhuizing van Cambridge naar Washington betekende ook het uitstel van haar en Bills voortdurende gesprek over hun gezamenlijke toekomstplannen.

Voor de verhuizing bezocht Bill echter zijn vriend David Pryor, een jurist in Little Rock die net aan zijn gouverneurscampagne was begonnen. Bill besprak met hem of deze baan de juiste stap voor Hillary was en, daarmee ook, voor zijn eigen politieke toekomst. Bill vroeg David uit te zoeken hoe Hillary's werk voor de impeachment van Nixon zou overkomen bij de bevolking van de geïsoleerde conservatieve gebieden van Noordwest-Arkansas. 'Hij sprak met me over Hillary's plannen om voor de Watergate-commissie te gaan werken,' herinnerde David Pryor zich. 'Hij vroeg me of dat een goed idee was. Het was een overweging die verband hield met zijn carrière. Hij wist dat zijn loopbaan binnen de politiek zou liggen en de vraag was of Hillary's betrokkenheid bij de Watergate-commissie politieke gevolgen zou hebben.'[47]

Uiteindelijk kwamen ze tot de conclusie dat haar werk voor de commissie Bill geen noemenswaardige schade zou berokkenen; Hillary werd lid van het team van het Huis dat onderzoek deed naar de mogelijkheid Nixon af te zetten. Ze was een van de drie vrouwen in de groep van 43 meewerkende juristen. Het was een prima functie waardoor ze zich, op haar 26ste, in het epicentrum van de felste en belangrijkste juridische strijd van haar tijd bevond. De juristen – de meesten achter in de twintig of begin dertig en allen met een schitterende achtergrond van de Ivy League-universiteiten – werkten zeven dagen per week, vaak twintig uur per dag, in het oude Congressional Hotel op Capitol Hill, tegenover de kantoorgebouwen van het Huis. Ze voerden voor het overgrote deel saai werk uit. Doar stond erop dat elk feit – data van memo's, onderwerpen van vergaderingen – op een indexkaartje getypt werd met verwijzing naar andere kaartjes. Uiteindelijk maakten ze meer dan een half miljoen kaartjes. Hillary deed eerst onderzoek naar andere Amerikaanse impeachmentzaken en hielp toen procedureregels op te stellen voor de Juridische Commissie van het Huis. Hillary zat links van Doar aan de adviseurstafel tijdens een commissievergadering.

Hillary kreeg ook de opdracht een intern memorandum samen te stellen waarin de organisatie van Nixons Witte Huis uiteen werd gezet. De memo concludeerde dat Nixon, ondanks de hiërarchische opzet van het Witte Huis, een op details gerichte president was die in heel wat pannen (en plannen) wat in de melk te brokkelen had. Om erachter te komen wie wat deed, beluisterde Hillary urenlang in beslag genomen opnamen die ze van de Watergate Grand Jury had gekregen. In een muffe kamer zonder ramen op de tweede verdieping van het hotel probeerde ze met veel moeite Nixons woorden te ontcijferen. Al doende kon ze van dichtbij zien hoe de president de duistere kunst van de nationale politiek beoefende en alles in het werk stelde om de macht in handen te houden. Ze was met name verbaasd toen ze de opname hoorde die door de meewerkende juristen 'de opname der opnamen' werd genoemd. Daarop luisterde Nixon naar het geluid van zijn eigen stemopnamen en probeerde hij zijn opgenomen opmerkingen te rechtvaardigen in een poging zijn rol bij het toedekken van de inbraak in het Watergate-gebouw te minimaliseren. Hillary luisterde, als met haar oor tegen de wand, naar de president die de geschiedenis trachtte te herschrijven en zei: 'Wat ik bedoelde toen ik dit zei was...' of: 'Dit is wat ik echt wilde zeggen...' Jaren later zei Hillary: 'Het was heel bijzonder om te horen hoe Nixon repeteerde wat hij moest zeggen om zich in te dekken.'[48]

Doar kwam op 19 juli 1974 met de voorgestelde impeachmentartikelen, waarvan de Juridische Commissie er drie ontvankelijk verklaarde, te weten machtsmisbruik, belemmering van de rechtsgang en minachting van het Congres. Nog geen maand later, op 9 augustus, trad Nixon af als president en voorkwam daarmee dat er in het Huis over zijn impeachment gestemd zou worden en dat hij voor de Senaat moest verschijnen.

Tijdens een afscheidsdiner van de juristen van de commissie sprak iedereen over zijn of haar toekomstplannen. Hillary vertelde haar collega Bert Jenner dat ze net als hij procesadvocaat wilde worden.

'Onmogelijk,' was zijn reactie.

'Waarom?' vroeg Hillary.

Ze was stomverbaasd over zijn antwoord: 'Omdat je geen vrouw hebt.'

'Wat bedoel je daar in vredesnaam mee?'

Zonder vrouw die thuis voor haar zorgde, legde Bert Jenner uit, zou Hillary de extreem zware eisen van het beroep van procesadvocaat niet aankunnen. Jaren later vroeg Hillary zich af of Jenner haar slechts, op zijn eigen onhandige manier, had willen waarschuwen dat de advocatuur geen geschikt beroep was voor een jonge alleenstaande vrouw.[49]

Zonder werk nu richtte Hillary haar aandacht op Bill en hun gezamenlijke toekomst. In augustus 1974 besloot ze zich bij Bill te voegen in Arkansas. 'Ik was verliefd geworden op Bill tijdens de rechtenstudie en ik wilde graag bij hem zijn,' schreef ze in haar autobiografie. 'Ik wist dat ik altijd gelukkiger was met Bill dan zonder, en ik was er altijd van uitgegaan dat ik, waar ik ook zou wonen, voldoening zou kunnen vinden in het leven. Ik besefte dat de tijd nu voor me gekomen was, als ik als mens verder wilde groeien, om die stap te zetten – zoals Eleanor Roosevelt het verwoordde – waar ik het meest voor terugdeinsde.'[50]

En ze deinsde inderdaad terug voor Arkansas. Het was zo ver mogelijk verwijderd van het leven zoals ze zich dat had voorgesteld. Als ze daarheen verhuisde, hield dat in dat ze de deur sloot voor een dienstverband bij de chique advocatenkantoren in Washington D.C. of New York, en ook voor een baan als bijzonder raadsvrouwe bij de Children's Defense Fund. Natuurlijk wachtte er werk voor haar in Arkansas – een docentenfunctie aan de rechtenfaculteit van de Universiteit van Arkansas. Maar wat werk betreft was dit wel heel wat anders. Dit draaide dus niet om het werk. Ze ging erheen om bij Bill te zijn en hem te helpen. Hij stelde zich verkiesbaar voor het Congres en had daarbij haar hulp nodig.

Op een warme benauwde avond halverwege augustus arriveerde Hillary in Fayetteville. Die dag keek ze als betoverd toe hoe Bill een verkiezingstoespraak hield voor een behoorlijk grote menigte op het stadsplein in Bentonville. Hij maakte indruk.

Toch maakte hij niet veel kans. Het Zuiden onderging in de jaren zeventig een politieke transformatie. Het was altijd conservatief geweest maar de Democraten hadden de overhand in het electorale landschap. De Republikeinen begonnen het Democratische monopolie onderuit te halen om het uiteindelijk te vervangen door dat van henzelf. Noordwest-Arkansas was grotendeels conservatief, behalve het geïsoleerde gebied van de universiteit in Fayetteville. Bill nam het op tegen John Paul Hammerschmidt, na honderd jaar de eerste Republikein uit Arkansas die voor het Congres verkozen werd in 1966. Hammerschmidt was een uitermate populaire houthandelaar die perfect inspeelde op de behoeften van zijn achterban.

Voordat ze er zelfs maar arriveerde, belde Hillary Bill soms wel vier keer per dag op om hem met raad en daad bij te staan. Toen ze aankwam, nam ze het helemaal van hem over en al snel merkte ze dat de jonge universiteitsstudentes die als vrijwilligster aan de campagne meewerkten, alles voor hem wilden doen; sommigen zouden zelfs het liefst met hem naar bed gaan.[51]

Hoewel ze nog niet getrouwd waren, sloten Hillary en Bill al een geheim ambitieus pact, waarvan de omvang en het belang voor hen tweeën al die jaren hun geheim gebleven is. Ze kwamen samen overeen een politiek partnerschap aan te gaan met twee onthutsende doelen voor ogen: de Democratische Partij radicaal hervormen en daarbij bovendien het presidentschap van Bill. Ze noemden het hun 'twintigjarenplan', een vooruitstrevend tijdschema voor twee jonge mensen van halverwege de twintig. En ze besloten samen dat ze deze doelstellingen alleen konden bereiken door alles op alles te zetten, verkiezingen te winnen en hun tegenstanders te verslaan. Bill zou, vanzelfsprekend, naar buiten toe het gezicht zijn van het project. En Hillary zou achter de schermen de manager van de hele onderneming zijn die het project aanstuurde.[52]

Hillary zette een aantal van de details uiteen in een persoonlijke brief aan Bill, kort voordat ze definitief naar Arkansas verhuisde. Een van Bills vroegere vriendinnetjes Marla Crider had toevallig Hillary's brief zien liggen op Bills bureau in zijn huis in Fayetteville. Toen Marla de brief vluchtig doorlas, was ze geschokt door de inhoud ervan. Dit was nauwelijks een gewone liefdesbrief te noemen. Het ging helemaal om wederzijdse ambitie en het was een strategisch plan voor het realiseren van hun gezamenlijke roeping.

'De brief ging over hun toekomstplannen... politieke plannen; zo kan hij het best omschreven worden,' zei Marla. De brief 'had alles te maken met hun carrières', en Marla vond het 'zo vreemd dat er niets in stond over een huis, gezin of huwelijk'.[53] Nadat ze een blik op de brief had geworpen, verbaasde het Marla geenszins dat Hillary de leiding had van Bills eerste verkiezingscampagne voor het Congres.[54] Anderen zouden misschien hun voorhoofd gefronst hebben over Hillary's uitgebreide rol. Zij deed alles. Zij schreef Bills toespraak voor de partijconventie in Arkansas, in september. Ze hielp hem zijn boodschap bij te schaven en spoorde hem aan Hammerschmidts opvattingen en besluiten aan te vallen. Ze verkocht zelfs broodjes om geld te vergaren voor de campagne. Maar haar overheersende aanwezigheid bleek

een aantal mannen onzeker te maken, onder wie een plaatselijke verkiezingsmedewerker die gewend was de leiding te hebben.[55]

Tijdens de laatste weken van de campagne werd die medewerker benaderd
door een advocaat die de zuivelindustrie vertegenwoordigde. Hij was bereid
vijftienduizend dollar te schenken voor de verkiezingscampagne in Sebastian
County, 'om er zeker van te zijn dat jullie de verkiezingen winnen'. De niet-
uitgesproken boodschap was dat in sommige delen van Noordwest-Arkansas
dergelijke fondsen gebruikt konden worden om stemmen te kopen. En als
Bill won, verwachtte de zuivelsector er iets op politiek gebied voor terug.
Tijdens een gesprek op een avond laat legde de verkiezingsmedewerker aan
Bill en Hillary uit wat de voorgestelde overeenkomst inhield. Het geld lag al
op hen te wachten in het kantoor van de advocaat. Hillary luisterde zwijgend
naar zijn praatje en riep vervolgens tegen Bill: 'Nee! Jij wilt hier niets mee
te maken hebben!'

De man vertelde Bill: 'Kijk, je wilt toch winnen, of wil je verliezen?'

Voordat Bill iets kon zeggen, had Hillary al antwoord voor hem gegeven:
'Nou, op zo'n manier wil ik niet winnen,' zei ze. 'Als we het zelf niet verdienen, kunnen we niet [naar Washington] gaan.'[56]

En dat was dat. Op de verkiezingsavond, 5 november 1974, had Hammerschmidt met krap zesduizend stemmen gewonnen. 'Het was dat vervloekte
geld!' schreeuwde de verkiezingsmedewerker die avond laat.[57]

Bill en Hillary waren teleurgesteld over de nederlaag maar ze lieten zich er
geen van beiden door uit het veld slaan. Een paar ochtenden later was Bill
in Fayetteville, waar hij aanhangers de hand schudde, bedankte en meteen
plannen maakte voor zijn volgende verkiezingscampagne.

Ondertussen doceerde Hillary strafvordering en strafadvocatuur aan de
rechtenfaculteit. Dat voorjaar ging ze terug naar Chicago en de Oostkust om
wat oude vrienden te bezoeken, onder wie een aantal potentiële werkgevers.
Op weg naar het vliegveld in Fayetteville kwamen Bill en Hillary langs een
bescheiden roodstenen huis op California Street, vlak bij de universiteits-
campus. Er stond een bord met TE KOOP voor het huis en Hillary zei terloops
dat het een 'schattig huisje' was. Ze dacht er niet meer aan totdat ze een paar
weken later weer in Arkansas terugkwam. Toen Bill haar van het vliegveld
afhaalde, vroeg hij haar: 'Weet je nog dat huisje dat je zo leuk vond? Nou,
ik heb het gekocht, dus je kunt nu maar beter met me trouwen, want ik kan
er niet alleen in gaan wonen.'[58]

Dit keer zei Hillary ja.

# 4

# Persoonlijke overwegingen

Op 11 oktober 1975 werden Bill en Hillary in hun roodstenen huis in de echt verbonden door dominee Vic Nixon, een methodistenpredikant die Bill tijdens de verkiezingscampagne had leren kennen. Hillary droeg een victoriaanse jurk van kant en mousseline die ze de vorige avond samen met haar moeder was wezen kopen.

'Wie wil deze bruid weggeven?' vroeg dominee Nixon.

Iedereen keek naar Hugh Rodham, maar hij wilde de arm van zijn kleine meid niet loslaten. 'U mag haar nu laten gaan, meneer Rodham,' zei de predikant uiteindelijk.[1] En dat deed Hugh.

De jonggehuwden gingen twee maanden later op een ongewone huwelijksreis naar Acapulco, Mexico. Bill en Hillary werden daarbij vergezeld door Hillary's hele familie, inclusief een van de vriendinnen van haar broer. Ze verbleven allemaal in dezelfde penthousesuite.[2]

De verkiezingen van november 1979 betekenden een mijlpaal voor Bill en Hillary's twintigjarenplan. Jimmy Carter, de gouverneur van Georgia, liet zien dat de Democraten het Witte Huis weer in handen konden krijgen na acht lange jaren. Concreter nog, Carter bewees Bill en Hillary dat een onbekende gouverneur uit het Zuiden genoeg stemmen kon winnen om president te worden. Wat misschien nog wel het belangrijkst was voor Bill en Hillary, was Bills eerste verkiezingsoverwinning in 1976 in de strijd om Attorney General (minister van Justitie) te worden van Arkansas. Met deze overwinning lieten ze de ivoren torens van de academische wereld en het gemoedelijke stadje Fayetteville achter zich en verhuisden ze naar Little Rock, de hoofdstad van de staat. Het was een stad van ongeveer 150.000 inwoners, wat behoorlijk groot is voor dat deel van de wereld, met een gemoedelijke sfeer, wat geïsoleerd, een beetje ouderwets en een kleine gemeenschap waar veel gepraat wordt en waar geheimen niet lang bewaard blijven – iets wat Hillary al snel zou ondervinden.

Rose Law Firm, Hillary's nieuwe werkgever, bestond al honderdvijftig jaar en was opgezet als belangenbehartiger van de zakelijke elite. Arkansas behoort weliswaar tot de armste staten van de Verenigde Staten, maar er is zeker geen gebrek aan extreem welvarende zakelijke inwoners. Advocatenkantoor Rose vertegenwoordigde Worthen, de grootste bank van de staat; Stephens Inc., het grootste makelaarskantoor buiten Wall Street; de pluimveegigant Tyson Foods, en een snel groeiende detailhandel Wal-Mart, nu een grote supermarktgigant. Er bestond een enorme kloof tussen arm en rijk die in de loop der jaren alleen maar groter zou worden.

De botsende belangen van de welgestelden en de rest van Arkansas kwamen naar voren tijdens de verkiezingen van 1976 in de vorm van een populistisch initiatief. Voor Hillary illustreerde dit initiatief snel en pijnlijk de politieke en persoonlijke gevolgen van haar beslissing om bij Rose te gaan werken toen ze in Little Rock kwam wonen.

De verkiezingsactie was opgezet door de Association of Community Organizations for Reform Now (Associatie van Gemeenschapsorganisaties voor Onmiddellijke Hervorming; ACORN) die opkwam voor de armen. De grondlegger van de groep, Wade Rathke, had zich in 1970 in Arkansas gevestigd en was bevriend geraakt met Bill Clinton. Al snel werd Rathke ook aan Hillary voorgesteld. Ze schenen een gemeenschappelijke politieke visie te hebben: mensen helpen die zich onder aan de maatschappelijke ladder bevonden.

'Zij wist hoe je iets in een gemeenschap moet organiseren,' herinnerde Rathke zich.[3] Hillary wilde vooral weten in hoeverre ACORN's filosofie overeenkwam met de theorieën van Saul Alinsky, de linkse sociaal-cultureel werker over wie ze haar afstudeerscriptie op Wellesley had geschreven.[4] Toen in 1976 de vaste lasten van de nutsbedrijven in Arkansas omhoogschoten, plaatste ACORN een voorstel op de agenda dat nutsbedrijven ertoe dwong de lasten voor particulieren in Little Rock te verlagen, en te verhogen voor zakelijke klanten. Het voorstel werd aangenomen.

Het plaatselijke bedrijfsleven zou zich niet zonder slag of stoot bij zo'n wijziging neerleggen. De vertegenwoordigers ervan kwamen met het argument dat de hogere vaste lasten wellicht nieuwe bedrijven die naar Little Rock wilden komen, zouden ontmoedigen. Een energieleverancier die maar een klein deel van de stad van stroom voorzag, spande al snel een rechtszaak aan tegen de uitkomst van de stemming. En dat deden ook verschillende andere ondernemingen.

De motor achter het proces was het advocatenkantoor Rose, dat zijn nieuwe en enige vrouwelijke juriste aan het werk zette om het procesteam bij te staan en de confrontatie aan te gaan met de advocaten van ACORN en andere voorstanders van de maatregel.

'Ik was verbaasd en geschrokken haar daar te zien,' zei Rathke. Hij had, op grond van gesprekken met Hillary, aangenomen dat ze 'een bondgenoot zo niet een vriendin'[5] zou zijn.

Van juristen wordt verwacht dat zij hun cliënten vurig verdedigen, en het kantoor was trots op zijn 'traditie van een ijverige en succesvolle belangenbehartiging van onze clientèle'.[6] Daarom kon Hillary moeilijk weigeren het tegen haar oude vrienden op te nemen, vooral niet zo aan het begin van haar nieuwe loopbaan. En dit was natuurlijk het te verwachten bijkomend gevolg van Hillary's keuze bij Rose te gaan werken. Ze zou een pleitbezorgster worden voor cliënten die lijnrecht tegenover de zaak stonden waarvoor zij zich in het verleden had ingezet.

'Ze was intensief betrokken bij de formulering van het standpunt van de onderneming,' herinnerde de grondlegger van ACORN zich.[7] Hillary kwam aandragen 'met het onderzoek en de deskundigen' die de rechter wisten over te halen een streep te halen door het initiatief van ACORN, wist een vriend zich te herinneren.[8] De doorslaggevende pleitnota werd door Hillary en een collega opgesteld terwijl ze 's avonds laat een pizza aten in de bibliotheek van het advocatenkantoor.[9]

De rechter nam Hillary's juridische theorie over – dat de verordening neerkwam op een ongrondwettelijke beslaglegging op bezit – waarmee ze de woede van ACORN wekte.[10] 'Het is een droeve dag voor de democratie wanneer grote bedrijven erin slagen via de rechtbank de stem van het volk te smoren,' zei de voorzitter van ACORN in een verklaring.[11] De grootste verliezers waren de armen en de middenklasse van Little Rock, die het nu zelf maar moesten zien te redden.

Vanwege haar rol in deze zaak kreeg Hillary alle lof binnen Rose toegezwaaid, maar haar vriendschap met Rathke, die nog steeds voor ACORN werkt maar nu in het door de orkaan verwoeste New Orleans, bekoelde onmiddellijk. 'Na die rechtszaak heb ik nooit meer een persoonlijk gesprek met haar gehad,' zei hij. Op de vraag of hij een verklaring kon geven voor de verschillende koers die hij en Hillary gingen varen, zei Rathke eenvoudigweg: 'Zij ging van heel andere overwegingen uit.'[12]

Die overwegingen weerhielden Hillary, de politica, er niet van later met ACORN samen te werken als dat goed uitkwam. Dertig jaar later ijverde ze samen met ACORN voor de verhoging van het minimumloon en voor electorale hervormingen. Hillary kreeg in 2006 een warme ontvangst tijdens de jaarvergadering van ACORN in Columbus, Ohio, nadat ze gepassioneerd gesproken had over deze twee onderwerpen. Bovendien was Hillary beide keren dat ze campagne voerde voor een zetel in de Senaat, niet alleen door de Democratische Partij genomineerd maar ook door de Working Families Party (Partij voor Werkende Gezinnen), die met hulp van ACORN was opgericht. Voor beide partijen is Arkansas verleden tijd. Maar, zoals Hillary later zou ontdekken, een aantal mensen die ze teleurstelde, zou dat hoofdstuk niet zo gemakkelijk afsluiten. Jeugdig idealisme, zou ze later zeggen, ziet niet altijd het belang in van 'de politieke en maatschappelijke terughoudendheid waarmee men in de wereld te maken krijgt'.[13]

De advocaat die het voortouw nam in het protest tegen ACORN's initiatief, Herbert C. Rule III, was een van de twee partners van Rose die Hillary een baan hadden aangeboden na de verkiezingen van 1976. De andere jurist was Vincent Foster, die Hillary had leren kennen toen ze de rechtswinkel leidde aan de Universiteit van Arkansas in Fayetteville.

Rose noemt zich het oudste advocatenkantoor ten westen van de Mississippi, maar het kantoor nam nog maar net vrouwelijke juristen in dienst. En Bill en Hillary waren een opvallend stel in Little Rock. Een juristenechtpaar was in die tijd iets 'geheel nieuws' in Arkansas, herinnert Allen W. Bird II, een van haar vroegere partners, zich.[14]

Foster en Rule hadden Hillary voorgesteld aan hun partners, van wie er enkelen 'bijzondere belangstelling hadden voor het idee een vrouw in dienst te nemen' die zeer bekwaam was.[15] (De meeste vrouwelijke juristen in Arkansas hielden zich in die tijd met het familierecht bezig.) Hillary voldeed beslist aan die eis, evenals aan een paar andere. Joseph Giroir, de acquisiteur van het kantoor, 'liet me tijdens het sollicitatiegesprek naar zijn stinkvoeten kijken', klaagde Hillary later. Hij had net getennist, deed zijn schoenen uit en plantte zijn zweetvoeten boven op zijn bureau.[16] Werken namens grote bedrijven was heel wat anders dan doceren aan de rechtenfaculteit of hulp bieden aan verontwaardigde cliënten in een rechtswinkel. 'Particuliere cliënten vertegenwoordigen,' legde Hillary later uit, was 'een loopbaan waarvoor ik eerder nooit had willen kiezen.'[17] Maar op grond van haar pragmatische stijl en traditionele waarden was het gemakkelijk om zich erin te schikken.[18] Al snel kwam ze tot de conclusie dat een baan bij het advocatenkantoor 'een belangrijke ervaring zou zijn en ons financieel zou helpen omdat Bills salaris als minister van Justitie van Arkansas 26.500 dollar zou zijn'.[19] 'Als Hillary kon doen wat ze het allerliefst wilde, zou ze niet als juriste werken voor een kantoor gespecialiseerd in bedrijfsrecht,' legde haar vriendin van Wellesley, Jan Piercy, jaren later uit. Maar een baan bij dat grote kantoor, ging ze verder, was 'wat haar te doen stond' omdat ze de kostwinner van het gezin was.[20] Hillary, die 'het luxe zakelijke leven' openlijk afkeurde en 'niet onze stijl van leven' noemde tijdens haar toespraak bij de diploma-uitreiking op Wellesley, stond nu op het punt volledig deel te gaan uitmaken van het establishment.[21]

In 1979, toen Hillary de First Lady van Arkansas was na Bills verkiezing tot gouverneur het jaar ervoor, werd ze tot partner benoemd, de eerste vrouw die zo'n promotie maakte in de geschiedenis van het advocatenkantoor.[22] In die periode bleef ze wat pro-bonowerk doen zoals kinderbeschermingszaken. Zo zette ze zich in om maatregelen terug te draaien dat pleegouders hun eigen pleegkinderen niet mogen adopteren.[23] (Het kantoor beroemde zich erop dat het zich voor publieke zaken en burgerinitiatieven inzette.[24]) Maar wanneer Rose de belangen behartigde van haar zakelijke klanten, werd de kloof tussen de idealistische Hillary en de zakelijke Hillary steeds groter.[25]

Een rechtszaak in 1979 handelde ze met succes af. Haar cliënt was de Coca-Cola Bottling Company in Arkansas en het betrof het pensioenplan van de onderneming. Ronnie Weeks, een werknemer, had het bedrijf voor de federale rechter gedaagd met de aanklacht dat hij volledig arbeidsongeschikt was en ten onrechte geen pensioen uitgekeerd kreeg.[26]

Het betekende een hele omslag voor Hillary. Eerder tijdens de jaren zeventig had ze naar een bekende advocaat uit Washington uitgehaald omdat hij Coca-Cola vertegenwoordigde, een bedrijf dat naar haar idee werknemers verkeerd behandelde in zijn dochteronderneming Minute Maid. Tijdens een hoorzitting over seizoenarbeiders in de landbouw, in het Russell-kantoorgebouw van de Senaat, een verdieping lager dan waar zijzelf later haar eigen kantoor zou hebben, had ze Joseph Califano Jr., de advocaat van Coca-Cola, ermee geconfronteerd. 'Jij hebt verraad gepleegd, jij klootzak, je hebt verraad gepleegd,' had ze tegen hem gezegd.[27]

Tien jaar later, tijdens haar eerste juryrechtszaak, vertegenwoordigde Hillary een conservenfabriek die aangeklaagd werd door iemand die in een blik varkensvlees en bonen het achtereind van een rat had gevonden. Ze behaalde een morele overwinning toen de eiser slechts een symbolische schadeloosstelling werd toegekend. (Hillary kreeg nog jaren grapjes van haar man te verduren over wat hij haar 'rattenreetzaak' noemde.[28])

Hoewel haar verdediging van de conservenfabrikant in de ogen van haar collega's 'onberispelijk' was geweest, gaf ze toe dat ze 'vreselijk nerveus' was voor de jury en dat ze vanaf dat moment 'haar praktijk in de richting van alles behalve juryzaken stuurde'.[29] Jaren later zouden rechtbankverslaggevers

uit Arkansas zeggen dat ze Hillary zelden in de rechtszaal waren tegengekomen. Uit een onderzoek bleek dat ze 'in haar hele loopbaan slechts van vijf
zaken de procesvoering had gedaan'.[30]

Een van die rechtszittingen, een duistere zaak uit 1984 over landonteigening
bij het vliegveld van Little Rock, zou vragen opwerpen over Hillary's capa
citeiten als procesadvocate. Ze vertegenwoordigde de Little Rock Municipal
Airport Commission (Luchthavencommissie van de gemeente), een jarenlange cliënt. De luchthaven breidde zich uit en de commissie had naastgele-
gen onroerend goed onteigend dat aan de familie Rolf toebehoorde.

De familie had een bod van de commissie op haar land afgeslagen omdat
het te laag was, en op 23 februari van dat jaar kwam die zaak voor de rechter. Hillary's cliënt zat met een ernstig punt in hun nadeel: George Fox Jr.,
die al jarenlang de taxateur van de commissie was, was uiteindelijk met een
taxatie van het perceel van Rolf gekomen die de commissie veel te hoog had
gevonden. Uit protest had Fox zich teruggetrokken en de commissie had
vervolgens een andere taxateur gevonden die het lager taxeerde.

Een van de advocaten van de familie Rolf, Randy Coleman, was hiervan
op de hoogte en hij hoopte Fox in te schakelen als zijn belangrijkste getuige.
Maar hij liep tegen een schijnbaar onneembare hindernis aan. In 1979 had
het Hooggerechtshof van Arkansas beslist dat landeigenaren geen gebruik
mochten maken van het getuigenis van de onteigeningstaxateurs zoals Fox,
als het hof vaststelde dat ze tijdens de onteigeningsprocedure voor een over-
heidsinstantie hadden gewerkt.

Het gevolg was dat Coleman enthousiast met zijn openingsreferaat van wal
stak om te zien hoe ver hij kon komen voordat Hillary bezwaar maakte. Tot
zijn grote verrassing nam zij noch haar medeadvocaat Foster het woord.

'Ik vertelde de jury dat ik de taxateur het woord zou geven en ik dacht bij
mezelf dat ik zeker bezwaar zou uitlokken maar iedereen hield zijn mond,'
wist Coleman nog. Hij besefte dat Hillary en Foster 'zich totaal niet bewust
waren van de op dat precedent gebaseerde wet'.[31]

Coleman riep Fox snel op als zijn eerste getuige en hij liet zijn cruciale
getuigenis vastleggen.

Fox vertelde de jury dat een lid van de commissie had geprobeerd hem zijn
taxatie van 542.500 dollar naar beneden bij te laten stellen, maar dat had hij
geweigerd en vervolgens ontslag genomen. Het 'dictatoriale' bevel van het
commissielid, getuigde Fox, ging in tegen de onafhankelijke principes van
de beroepsgroep van taxateurs.[32] De jury schaarde zich meteen achter de
familie Rolf.

'Het was zonneklaar wat de luchthavencommissie gedaan had,' herinnerde de voorzitter van de jury, Andrew Cobb, zich tientallen jaren later nog. Het leek wel alsof ze, volgens Cobb, 'het perceel probeerde te stelen'.[33]

De jury kende de familie Rolf een bedrag toe dat overeenkwam met Fox' oorspronkelijke taxatie, 558.000 dollar.[34] Hillary ging daar meteen tegen in beroep, maar een paar maanden later belde ze Coleman met de mededeling dat ze ervan afzag. 'We zullen ons houden aan het oordeel van de rechtbank,' legde ze uit.[35] Coleman vertelde haar: 'Jullie hebben eindelijk die zaak uit 1979 ontdekt. Dat is de reden waarom jullie je erin schikken.'[36] Dat lag er dik bovenop. Omdat Hillary de beslissing van het Hooggerechtshof uit 1979 niet naar voren had gebracht tijdens de rechtszaak, kon ze er nu geen gebruik van maken om beroep aan te tekenen tegen Fox' getuigenis. Zij en haar kantoor zouden zo'n beetje afgaan als iemand haar blunder ontdekte. Coleman herinnert zich: 'Ze schudde het van zich af en ging verder.'[37]

Foster was Hillary's medeadvocaat bij een groot deel van haar zaken in Arkansas. De procesafdeling bevond zich op de eerste verdieping van het stenen kantoorgebouw van Rose, dat ooit gehuisvest was geweest in het gebouw van de Internationale Vrouwen Vrijwilligers Vereniging. De kantoren van Foster en Hillary lagen tegenover elkaar in dezelfde hal, en ze deelden een poosje een secretaresse.

Het was niet gemakkelijk een vrouw met een eigen carrière te zijn in Little Rock.[38] De eerste keer dat Hillary naar een restaurant ging met Foster en Webster Hubbell, een andere jurist van Rose, belde een verontruste burger hun vrouwen op om te vertellen dat ze met een vrouw geluncht hadden.[39] 'In Little Rock,' schreef Hillary, 'gingen vrouwen doorgaans niet uit eten met andere mannen dan hun echtgenoot.'[40]

Toch werd het een gewoonte voor dit trio om samen te lunchen. Ze gingen vaak naar de Villa, een afgelegen Italiaans restaurant waar ze over het werk en hun gezinnen praatten.[41] De nuchtere doch hoffelijke Foster werd een van Hillary's beste vrienden, en Hubbell, de vroegere 'offensive tackle' van de Razorbacks, een footballteam van de Universiteit van Arkansas, die 'er als een gemoedelijke vent' uitzag, was een trouwe aanhanger.[42] De twee mannen waren op hun beurt 'helemaal in haar ban'.[43] Soms, na een paar glaasjes, deden de drie juristen net alsof ze in Italië waren. Hillary gaf Foster de bijnaam 'Vincenzo Fosterini'.[44]

In 1980 nam Hillary na de geboorte van Chelsea vier maanden verlof van haar fulltimebaan bij Rose. 'Hillary had echt het gevoel dat dit de belangrijkste gebeurtenis van haar leven zou zijn,' zei een van haar vrienden.[45] Haar verlof lokte meteen klachten uit van enkele mannelijke collega's,[46] wat aangaf hoe er binnen het kantoor over vrouwen werd gedacht.[47] Maar kort nadat

Hillary weer aan het werk ging, werd ze door Joseph Giroir gevraagd een grotere verantwoordelijkheid op zich te nemen en leidinggevend partner te worden, een functie die Foster tot dan toe had vervuld.

'In 1981 stelde ik voor dat Hillary dat op zich zou nemen,' zei Giroir, 'maar omdat Bill zich herkiesbaar had gesteld, had ze er geen tijd voor.'[48]

'Gemiste kansen' was een steeds terugkerend thema tijdens Hillary's loopbaan bij Rose. Door haar politieke steun voor haar man en de talloze zaken buiten haar werk waarvoor ze zich inzette, kon ze niet fulltime gaan werken. Ze vertelde een verslaggever dat ze in 1982 en 1983, toen ze zich voor haar man inzette, 'geen tijd had voor juridische zaken en dat was ook een financieel nadeel'.[49]

Ondertussen werd er in de wandelgangen van het kantoor natuurlijk geklaagd dat 'Hillary niet genoeg factureerde'.[50] Rose heeft nooit openbaar gemaakt wat hun juristen verdienden. Maar in 1986, ongeveer halverwege haar periode als partner van het kantoor, was Hillary de laagst betaalde partner, volgens interne gegevens.[51] Haar aandeel in de winst van het kantoor bedroeg 2,04 procent. Dat was minder dan de helft van wat haar vrienden Hubbell en Foster kregen, en net een vijfde van dat van Giroir, de best betaalde partner.[52]

Tussen 1985 en 1989 verdiende Hillary gemiddeld ongeveer 80.000 dollar per jaar aan salaris van het advocatenkantoor, tot een maximum van 98.000 dollar, volgens de belastingaangifte van Bill en Hillary. Dat was beslist een behoorlijk inkomen voor Arkansas, maar nog steeds minder dan dat van haar collega's. In 1990 vertelde ze een plaatselijke krant dat haar salaris in een schaal van zes cijfers zat, wat natuurlijk waar was maar het hangt ervan af wat je definitie van 'schaal' is.[53]

De grootste smet voor zowel Hillary als haar toenmalige werkgever was het nu beruchte werk dat ze in de jaren tachtig verrichtte voor in problemen verkerende spaar- en kredietbanken die zich voornamelijk op hypotheken richtten. Een federaal onderzoek naar de mogelijke conflicten van het kantoor kostte Rose geld. Een ander liep uit op een strafrechtelijke veroordeling van een partner. Er werd onderzoek gedaan naar Hillary's betrokkenheid bij beide.

In Arkansas werden de problemen in de spaar- en kredietsector het eerst zichtbaar. Deze staat zou uiteindelijk de dubieuze eer krijgen van het hoogste percentage failliete banken.[54] Eind 1986 maakte FirstSouth, de grootste bank van Arkansas, een van de tot op dat ogenblik grootste faillissementen in de sector mee. Federale toezichthouders die FirstSouth overnamen, dachten dat ze grond hadden voor een aanklacht tegen Rose wegens wanbeleid. Dat was omdat Giroir, de belangrijkste partner van het kantoor, én een lening afgesloten had én als advocaat had opgetreden bij transacties die tot grote verliezen leidden voor FirstSouth.[55]

Hillary 'maakte zich zorgen dat een claim van tien miljoen dollar de oudste advocatenpraktijk ten westen van de Mississippi uiteindelijk de das zou omdoen', zei Hubbell later. 'Jaren later vertelde ze me dat 1987–1988 de twee moeilijkste jaren van haar leven waren geweest.'[56] Een jaar of tien nadat ze bij Rose was gaan werken voor het geld, moest Hillary de mogelijkheid onder ogen zien dat het kantoor de deuren zou moeten sluiten vanwege twijfelachtig gedrag, met een beschadiging van haar eigen carrière als bijkomend gevolg.

Begin 1988 stemde het kantoor er, na slepende onderhandelingen, mee in de overheid drie miljoen dollar te betalen: een half miljoen zou van de partners komen en de rest van de verzekeraar van het kantoor. Bovendien gingen Rose en Giroir ieder hun eigen weg. (De FirstSouth-schikking bleef vertrouwelijk en kwam pas jaren later in de openbaarheid, nadat Bill en Hillary naar Washington waren verhuisd.) Rose vond al snel een nieuwe verzekeraar en de praktijk werd, nu met een schone lei, door toezichthouders uit Washington ingehuurd voor miljoenen dollars aan nieuwe zaken.[57]

Dit betekende overigens niet het einde van de spaar- en kredietbankproblemen van Rose. Het was gebruikelijk binnen het kantoor om gesloten dossiers door te lopen om te zien wat bewaard, op microfilm gezet of vernietigd kon worden. Zes maanden na de FirstSouth-schikking liet Hillary twaalf gesloten dossiers vernietigen, waaronder vier over een in problemen verkerende bank waarvoor zij de facturen opgesteld had, Madison Guaranty.[58] Later werden er talloze onderzoeken verricht naar de vraag waarom Madison bij Rose was gebleven, waarom Hubbell en Foster niet konden laten zien wat voor werk het kantoor eerder voor Madison had verricht, of wat het kantoor precies had gedaan voor Madison en waarom Hillary haar Madison-dossiers vernietigd had. Die onderzoeken zouden er uiteindelijk toe leiden dat Hillary voor een grand jury verscheen en dat er een mogelijke aanklacht tegen haar werd opgesteld.

Madison vormde blijkbaar maar een klein onderdeel van de totale portfolio van Rose. Het kantoor besteedde het grootste deel van zijn juridische werk uit aan een ander advocatenkantoor in Little Rock. Het betaalde ook een klein maandelijks voorschot aan Rose, tweeduizend dollar per maand, of er nu wel of geen werk voor hen verricht was. Dit was niet gebruikelijk, noch voor Rose, noch voor Madison.

Rose voerde uiteindelijk een scala aan werkzaamheden uit voor Madison op het gebied van overheidsvoorschriften, vastgoedzaken en leningen. Hillary was, als leidinggevende partner, verantwoordelijk voor een bescheiden aantal te factureren uren. Maar in juli 1986, vijftien maanden na opening van de rekening, werd die weer gesloten door Hillary. Ze stuurde het vooruitbetaalde maandelijkse voorschot terug zonder het zelfs te gebruiken voor een uitstaande rekening die Madison nog bij Rose had.[59] Pas later zou de curieuze relatie tussen Hillary en Madison aan het licht komen.

Toen ze in 2007 aan haar verkiezingsstrijd voor het presidentschap begon, zei Hillary vrijwel niets over haar beroepsleven in het Zuiden. Op haar website kreeg het verhaal van haar jaren in Arkansas de titel 'Moeder en advocaat'. Haar vijftien jaar als juriste voor Rose Law Firm, het grootste deel van haar beroepsleven, werd terloops genoemd zonder vermelding van de naam van het advocatenkantoor: 'Ze zette ook haar juridische loopbaan voort als partner van een advocatenkantoor.'[60] De redenen voor haar terughoudendheid worden duidelijk bij een nadere beschouwing van wat er bij Rose gebeurde in relatie tot Madison Guaranty. Het onderzoek naar wat er bij Madison gebeurde, zou naar Hillary's advocatenpraktijk leiden – en een falende vastgoedonderneming in een landelijk gebied in Arkansas dat bekend kwam te staan als Whitewater.

# 5

# Investering 101

Om te begrijpen wat er tussen Madison Guaranty en Rose speelde, moeten we teruggaan naar het moment dat Bill Clinton gouverneur van Arkansas werd. Door Bills verkiezingsoverwinning in de eerste ronde van 1978 was het vrijwel zeker dat hij die herfst gouverneur zou worden, gezien de grote Democratische meerderheid van de staat. Maar het jaarinkomen van de gouverneur kwam nooit boven de 35.000 dollar, waardoor Hillary als belangrijkste kostwinner van het gezin voortdurend in financiële onzekerheid verkeerde.

Zuinig van aard – iets wat ze van haar vader geleerd had – wilde Hillary ervoor zorgen dat het appeltje voor de dorst van het gezin wat groter werd. Hugh Rodham had zijn dochter ook geleerd wat geld betreft beslist geen risico's te nemen. Maar dat jaar besloot ze die waarschuwing in de wind te slaan en mee te doen aan twee twijfelachtige investeringen. Voor beide hoefde weinig of geen geld neergelegd te worden en ze vertrouwde op de deskundigheid van goede vrienden. Bij beide investeringen kon de familie Clinton echter ook voor honderdduizenden dollars aansprakelijk gesteld worden, en dat terwijl hun gezamenlijke jaarinkomen krap 54.000 dollar was.[1]

Hoewel de twee zaken op elkaar leken, leverden ze volkomen verschillende financiële resultaten op. De ene, de handel op de goederentermijnmarkt, was een enorm succes en leverde binnen negen maanden een winst op van bijna tienduizend procent. Daarvoor kon Hillary een gewiekste vriend bedanken, Jim Blair, die ook een extern adviseur was voor pluimveegigant Tyson Foods. De andere, een mislukte vastgoedtransactie bekend als Whitewater, was een financiële ramp en kostte Bill en Hillary 36.862 dollar. Van haar vastgoedverlies gaf Hillary Bills politieke maat en haar cliënt Jim McDougal de schuld.

In werkelijkheid bleken beide ondernemingen gecompliceerder te zijn dan een eenvoudige zaak van winst of verlies. McDougal hield zich bezig met illegale transacties om Whitewater overeind te houden en Hillary's tussenpersoon op de termijnmarkt hield zich ook niet aan de verplichte handelsregels. Hillary was zich niet van deze twijfelachtige activiteiten bewust, maar ze zouden haar nog jarenlang achtervolgen, zowel politiek als financieel, omdat de juridische kosten van Whitewater opliepen tot in de miljoenen dollars.

Toen het speelde, kwam de verlieslijdende investering eerst. McDougal ontmoette Bill en Hillary in het voorjaar van 1978 in het Black-Eyed Pea-restaurant in Little Rock en bood hun terloops een 'gegarandeerd winstgevende deal' aan. Concreet werden ze zakenpartners met McDougal en zijn vrouw Susan, bij de aankoop van zo'n 93 hectare onontgonnen grond aan beide kanten van de White Rivier in het noorden van Arkansas.[2]

Het leek logisch het land op te delen in kleinere percelen en die vervolgens te verkopen aan senioren of voor vakantiedoeleinden. Het leek Hillary 'een aantrekkelijk plan' omdat de bosrijke percelen noorderlingen die land zochten voor vakantie of vanwege lage belastingen, wel zouden aanspreken.[3] Bill en Hillary brachten echter nooit een bezoek aan Whitewater, zoals het project genoemd werd. Ze lieten Bill en Susan McDougal alles regelen en 'als alles volgens plan verlopen zou zijn', zei Hillary, zouden Bill en zij 'de investering er binnen een paar jaar weer aan onttrokken hebben en dat zou dan het eind van onze betrokkenheid geweest zijn'.[4]

De twee echtparen gingen een joint venture aan die later een onderneming zou worden: 'The Whitewater Development Company'. Geen van beide echtparen investeerde met eigen geld: de aankoopsom van 203.000 dollar werd gefinancierd met bankleningen. Een van de betrokken banken concludeerde dat het een 'zeer verantwoorde lening' was omdat McDougal in het verleden al zaken had gedaan met de vroegere senator J. William Fulbright.[5] (En zo werkte dat vaak in Arkansas.)

De eerste twee jaren betaalden de Clintons (Hillary schreef alle cheques uit) geld aan McDougal voor de rentebetaling aan de bank. Maar in de zomer van 1980 werd het 'behoorlijk duidelijk' voor McDougal dat Bill en Hillary ervan uitgingen dat hij alle financiën en de volledige organisatie van Whitewater op zich nam.[6]

De presidentsverkiezingen van 1980 kwamen hard aan bij de Democratische Partij. Ronald Reagans overwinning op president Jimmy Carter betekende het begin van een twaalf jaar durende Republikeinse regering in Washington. Alsof dat resultaat nog niet deprimerend genoeg was voor de Clintons, verloor ook Bill zijn herverkiezing als gouverneur in november van dat jaar. Het was een vernederende nederlaag die hij later zou omschrijven als zijn bijnadoodervaring.[7] De 33-jarige Hillary was in tranen over de nederlaag van haar man. Dorothy Rodham vertelde in 1992 tegen een verslaggever dat dit de enige keer was dat zij haar dochter als volwassene had zien huilen.[8] Bills nederlaag moet een onvoorstelbare hinderpaal geleken hebben die zij samen nooit hadden voorzien toen ze aan hun twintigjarenplan begonnen. Hillary huilde niet alleen over Bills toekomst maar ook over die van haarzelf.

Nog maanden na zijn nederlaag worstelde Bill met depressieve buien en was hij in zichzelf gekeerd. Hoewel hij pas 34 jaar was, leek hij lusteloos en doelloos. Het was Hillary's taak hem op te beuren en zijn politieke adrenaline weer te laten stromen. Hillary verstond 'buitengewoon de kunst om me op het heden en de toekomst gericht te houden', zei Bill jaren later. En die taak was wellicht nooit zo zwaar als in de eerste maanden van 1981.[9] McDougal zei later dat Hillary het onomwondener zei: 'Bill zou niets bereikt hebben als ik hem geen trap onder zijn achterste gegeven had.'[10] Bill zou later de 'Comeback Kid' genoemd worden, maar het was Hillary die zijn politieke wederopstanding zorgvuldig plande en regisseerde.

Bills onthutsende nederlaag had wellicht voorkomen kunnen worden als Hillary dat jaar meer tijd en aandacht aan zijn verkiezingscampagne had kunnen besteden. Na de geboorte van Chelsea op 27 februari 1980 was Hillary grotendeels aan de zijlijn gebleven tot de laatste paar weken van de campagne.

Ze werden zelden door verslaggevers gezien bij de verkiezingsbijeenkomsten dat jaar. Als ze zich uiteindelijk in de woelige massa begaf, probeerde ze meteen van alles te wijzigen, maar dan was het al te laat. Kiezers namen het Bill kwalijk dat hij de kentekenbelasting van auto's verhoogd had, en tevens dat Arkansas de plaats was geworden waar Cubaanse vluchtelingen gedumpt werden die naar de Verenigde Staten waren gekomen en vanuit Mariel per schip naar Amerika overgebracht werden. Hun opstand en ontsnapping uit een federaal herhuisvestingskamp leverden voer voor Bills Republikeinse tegenstander Frank White. Tijdens de laatste weken van de campagne had White een serie negatieve reclamespotjes laten uitzenden die Hillary in eerste instantie schouderophalend naast zich had neergelegd.[11] Hoewel ze zich uiteindelijk probeerde te verdedigen door in de aanval te gaan, in de hoop 'terug te slaan' en de beschuldigingen 'niet zomaar te accepteren', was de schade al aangericht.[12] Door die wonden, zei Hillary, ging ze begrijpen 'wat een venijnige kracht negatieve spotjes hebben om kiezers te winnen door een verdraaiing van feiten'.[13]

In de laatste dagen van de campagne probeerde Hillary de publiciteit van haar man te regisseren door inzet van een plaatselijke verslaggever, John Brummett. Die moest verslag doen van Bills laatste cruciale fase van de campagne.[14] Brummett volgde Bill al terwijl een andere verslaggever mee op campagne was met White. Brummett had moeite met 'Hillary's controlerende houding'.[15] 'De vrouw van de gouverneur hoeft mij niet voor te schrijven hoe ik moet werken,' zei hij, toen hij met zijn redacteur over zijn ergernis sprak. Daarna werd er een andere verslaggever naartoe gestuurd. Tegen het eind van de campagne waren Bill en Hillary 'zo doodsbang dat ze zich ervan verzekerden dat ze de allervriendelijkste verslaggevers'[16] kregen.

Een angstige Hillary smeekte op het laatste ogenblik nog of Dick Morris, de politiek adviseur die er deze hele campagne bij was gebleven, onderzoek kon doen naar de sombere vooruitzichten.[17] Morris had eerst voor Bill gewerkt in 1978 en hij had hem geholpen om de gouverneursverkiezingen te winnen, maar hij was niet geliefd bij Bills idealistischere medewerkers. Een van hen, Nancy Pietrafesa, sprak Hillary erover aan in de keuken van de woning van de Clintons en ze wilde weten waarom zij en Bill op Morris vertrouwden. 'Die vent is vergif,' vertelde Nancy Hillary.

'Als je bij dit alles betrokken wilt zijn,' antwoordde Hillary, 'is dit het soort mensen met wie je moet omgaan.'

Nancy antwoordde: 'Meen je dat?' Ze kon zich later herinneren: 'Haar houding was er een van: daar moet je je niet aan storen.'[18]

Twee jaar later zagen alleen Hillary en Morris in hoe slecht Bill er werkelijk voorstond bij de kiezers in Arkansas. 'Ik kon niemand ervan overtuigen de peilingen naast zich neer te leggen die aantoonden dat Bill een voorsprong had,' schreef ze in haar autobiografie.[19] Met als gevolg dat de duistere verkiezingsavond nog somberder werd voor de vele aanhangers van Bill die helemaal nergens van wisten.

De dag na Bills nederlaag belde Hillary Dick Morris op met de vraag of hij haar man weer nieuw leven kon inblazen. Bovendien nam ze contact op met Betsey Wright, de Democratische verkiezingsmedewerkster die ze nog kende van de McGovern-campagne in Texas. En ze vroeg haar hulp bij de organisatie van Bills zaken voor een politieke comeback.[20]

Hillary zag ook duidelijker dan Bill dat ze, als ze zijn politieke carrière weer wilden opbouwen, dat in Arkansas moesten doen en niet in Washington. Omdat hij het strategisch belang hiervan inzag, werd Bill raadsman bij een plaatselijk advocatenkantoor in Little Rock. Dit was een baan die niet veel van hem zou vergen en die hem de flexibiliteit zou geven die hij nodig had om zich weer in de politieke arena te begeven.

Het paste niet helemaal bij Bill gezien de veranderingen die nog zouden volgen. Het feit dat Hillary haar meisjesnaam gebruikte, werd binnen het Clinton-kamp steeds meer een onderwerp van discussie omdat sommigen het als een politieke dwangbuis voor Bill zagen. Een paar maanden na de verkiezingen, tijdens een ontbijt van kant-en-klare grutten in de kleine keuken van het nieuwe huis in Little Rock dat ze gekocht hadden nadat ze uit de gouverneurswoning moesten, had Hillary een gesprek met Vernon Jordan, toen de vertrouweling van de Clintons. Hij zei tegen haar: 'Je bent in het Zuiden. En in het Zuiden ben je niet Hillary Rodham, je bent mevrouw Clinton.'[21] Hillary bestreed die botte opmerking niet.

'Ik heb door schade en schande moeten ondervinden,' zei ze jaren later, 'dat sommige kiezers in Arkansas serieus aanstoot namen aan het feit dat ik mijn meisjesnaam bleef gebruiken.'[22] Uiteindelijk besloot ze haar naam te veranderen in Hillary Rodham Clinton. 'Ik concludeerde dat het belangrijker was dat Bill weer gouverneur zou worden, dan dat ik mijn meisjesnaam bleef gebruiken,' schreef ze in haar autobiografie.[23] Wat Hillary persoonlijk ook gevoeld mag hebben als een feministe die volwassen werd in de jaren zestig en zeventig, haar toewijding aan Bills politieke ambities – en dus ook aan die van haarzelf – woog zwaarder dan wat dan ook. 'Het was nogal ironisch,' mijmerde Pietrafesa. 'Als je het hebt over een vrouw die achter haar man staat. Er was geen minuut in haar leven dat ze niet achter hem en zijn inspanningen stond.'[24]

De inspanningen voor een comeback verliepen uitstekend: in 1983 woonden Bill en Hillary weer in de gouverneurswoning. Gouverneur Clinton vroeg de wetgevende macht al snel of hij Hillary de leiding mocht geven van een project om de kwaliteit van het openbare onderwijs te verbeteren, een van de lastigste problemen van de staat.

Bill erkende dat hij door de keuze voor zijn vrouw 'iemand zou hebben die dichter bij me staat dan wie dan ook om leiding te geven aan een project dat belangrijker voor me is dan wat dan ook'.[25] Hillary zegt dat ze de onderwijstaak 'politiek riskant' vond omdat het een verzoek om belastingverhoging zou inhouden. Ze twijfelde of ze het wel moest doen, schreef ze in haar autobiografie, maar 'ik stemde uiteindelijk in' nadat 'Bill van geen weigering wilde horen'.[26] Dat was haar versie. Toen jaren later aan Bill gevraagd werd hoe Hillary de leiding had gekregen van de werkgroep, vertelde hij een tegenovergesteld verhaal. Hij zei dat het Hillary's idee was om voorzitter te worden van de commissie. 'Ze zei: "Ik denk dat ik dat wel graag zou willen doen,"' herinnerde Bill zich en hij voegde eraan toe dat hij er niet zo van overtuigd was of dat een goed idee was. Hij herinnerde Hillary eraan dat ze net acht maanden verlof had genomen van haar juristenpraktijk om bij zijn herverkiezing te helpen. Maar ze hield vol. 'Ja, maar dit is misschien wel je belangrijkste werk ooit,' vertelde ze hem. 'En dat moet je goed aanpakken.'[27] 'Goed aanpakken' betekende volgens Hillary dat Hillary er de leiding van kreeg.

Ze had vrijwel meteen haar handen vol. Arkansas stond in bijna elke nationale peiling van de economische of sociale toestand helemaal of bijna

onderaan en voor het onderwijs was het niet anders.[28] Toen Hillary's commissie met haar eerste rapport kwam in september 1983, probeerde ze de problemen van de staat niet mooier voor te doen dan ze waren. 'Onze scholen
presteren niet zo goed als ze zou moeten,' zei ze tijdens een persconferentie.
'Wij, inwoners van Arkansas, moeten niet langer met verontschuldigingen
komen maar daarentegen eens en voor altijd de uitdaging aannemen om er
iets bijzonder goeds van te maken.'[29]

Bill stelde als oplossing een verhoging van de omzetbelasting met één procent voor, en een controversiële aanbeveling die van Hillary en haar commissie afkomstig was: een docententoets. Hillary verscheen voor een speciale
bijeenkomst van het parlement en verdedigde het werk van haar commissie,
waaronder het voorstel van een competentietoets. De reacties waren enthousiast. Lloyd George, de afgevaardigde van Yell County, zei vervolgens: 'Het
lijkt erop dat we de verkeerde Clinton hebben gekozen.'[30] Weinigen besteedden aandacht aan het feit dat haar oorspronkelijke evaluatiecommissie nou
niet precies een docententoets had voorgesteld 'maar slechts vaag iets over
dat onderwerp had gezegd'.[31]

Een groep die daar wel op lette, was de Arkansas Education Association
(Onderwijsbond van Arkansas). Die probeerde de maatregel in de Senaat
van Arkansas tegen te houden. Uiteindelijk kregen de Clintons toch hun
wetsvoorstel erdoor en dat werd alom als een succes beschouwd. Al doende
had Hillary bewezen dat ze politiek inzicht had door een van haar grootste
critici in de pers, John Robert Starr, de hoofdredacteur van de *Arkansas
Democrat*, voor zich te winnen. Starr vertelde een andere verslaggever uit
Arkansas zelfs dat hij 'Bill Clinton' anders beoordeelde nadat hij Hillary
ontmoet had en 'zo onder de indruk' van haar was geraakt in 1982.[32] Starr
raakte er uiteindelijk (enigszins) van overtuigd dat Hillary 'nogal vaak de
drijvende kracht geweest was achter Bill Clinton'.[33]

Hillary gaf zichzelf hoge cijfers voor de onderwijsvernieuwing. 'Arkansas
had nu een programma om de schoolnormen te verhogen, tienduizenden
kinderen hadden meer kans om zich optimaal te ontplooien en docenten
kregen de zo broodnodige salarisverhoging.'[34] Zelfs haar vroegere bondgenoot en vervolgens meedogenloze criticaster Dick Morris vond haar onderwijsvernieuwing prijzenswaardig en zei dat ze 'nooit voortreffelijker was'
en duidelijk gematigd.[35] Hillary zelf zou op haar internetpagina voor de
presidentsverkiezingen heel bescheiden doen over haar onderwijswerk in
Arkansas. Tweemaal verwijst ze er naar de rol die ze heeft gespeeld bij 'de
vernieuwing van het onderwijs' in de staat waar ze heeft gewoond.[36]

Hillary richtte haar aandacht al snel op andere zaken, evenals op haar werk voor Rose, en volgens Starr gebeurde er niet veel nadat ze de draad weer had opgepikt.[37] De vernieuwingspoging, bleek uit een volgend rapport, had niet direct effect op de docenten zelf en de docententoets werd als de 'veruit minst effectieve vernieuwing' gezien.[38] Niettemin zou Hillary's voorzitterschap van de onderwijscommissie een van de redenen zijn waarom Bill haar in de eerste week van zijn presidentschap vroeg leiding te gaan geven aan zijn taskforce voor de gezondheidszorg.[39]

Nadat Bill begin 1981 de herverkiezingen had verloren en niet langer het ambt van gouverneur vervulde, stelden de Clintons McDougal weinig vragen en hij verschafte hun ook weinig informatie. Het nieuws, bleek later, was vreselijk slecht. De verkoop van percelen liep helemaal niet en de rentepercentages schoten omhoog. Op de laatste grote cheque die Hillary voor Whitewater uitschreef (van negenduizend dollar, in augustus 1980), vulde ze geen begunstigde in. McDougal gebruikte hem blijkbaar voor een eerste aflossing van een lening voor Whitewater. Maar de Clintons vermeldden de negenduizend dollar als renteaftrek op hun belastingaangifte van dat jaar, met McDougal als de begunstigde.[40]

'We gaven het bedrag waar Jim McDougal ons om vroeg,' vertelde Hillary later tegen verslaggevers. 'We namen gewoon aan dat hij vroeg om wat hij nodig had.'[41] Op de vraag of zij en haar man niet meer aandacht hadden moeten besteden aan de schulden van Whitewater, antwoordde ze: 'Hadden, moeten, zouden... dat deden we niet.'[42]

In januari 1982 leende McDougal geld en kocht hij een kleine hypotheekbank in Arkansas die hij de nieuwe naam Madison Guaranty gaf. Hij begon die te gebruiken als zijn persoonlijke spaarpot, om illegaal de rekening te vereffenen voor Whitewater en andere uitgebreide vastgoedprojecten.[43] De Clintons waren niet op de hoogte van McDougals frauduleuze gedrag maar profiteerden er wel zodanig van dat de hoogte van hun aansprakelijkheid afnam door zijn aflossingen van de Whitewater-leningen.[44]

In 1985 had Madison Rose en Hillary ingeschakeld om wat van hun juridische werk voor hen te verrichten, in een tijd dat het slechter ging met de financiën van de bank. In 1986, nadat McDougal uit zijn hypotheek was gezet door federale toezichthouders en in een diepe depressie was beland, nam Hillary de leiding over van Whitewater en zij zorgde ervoor dat de belastingen van het project op tijd betaald werden.[45] Dat jaar ondernam McDougal nog een laatste poging de Clintons erbuiten te houden. In een persoonlijke brief bood hij aan hen uit te kopen 'vanwege de enorme potentieel gênante situatie voor jullie beiden'.[46] Een reden voor McDougals voorstel was dat hij de verliezen wilde aftrekken van zijn belasting. Maar Hillary weigerde dat en ze voer haar gebruikelijke voorzichtige koers. Zolang zij aansprakelijk bleven voor de bankleningen voor Whitewater, redeneerde ze, had het geen zin hun aandeel in het project aan McDougal terug te verkopen, zodat hij het als aftrekpost kon gebruiken.[47]

Hillary vroeg McDougal echter wel de naam van de Clintons van de hypotheek te halen.[48] Dat weigerde hij. Vervolgens vroeg Hillary naar de boekhouding van het project omdat zij en Bill nog steeds aansprakelijk konden worden gesteld voor verliezen. Ze ontdekte dat die heel chaotisch was. Daarop vroeg Hillary zich af waarom zij en Bill zo veel vertrouwen hadden gesteld in McDougal en de zaak zo weinig in het oog hadden gehouden. 'Er was voor mij geen reden om aan McDougal te twijfelen,' schreef ze in haar autobiografie en voegde eraan toe: 'Ik bleef McDougal alles betalen wat we hem, naar zijn zeggen, schuldig waren en ik hield me bezig met belangrijkere zaken in mijn leven.'[49]

Kort nadat ze de boekhouding had overgenomen, was het Hillary gelukt nog een beetje geld uit Whitewater te halen, een winst van 1640 dollar voor Bill en haar beiden, doordat ze een klein perceel verkocht dat als modelwoning was gebruikt.[50] Maar, besefte ze al snel, 'Whitewater was een fiasco' en het echtpaar moest ervan af zien te komen.[51]

Het nam bijna vijf jaar in beslag, tot 1990, om het benodigde papierwerk rond te krijgen en de desbetreffende belastingen te betalen.[52] Geen wonder dat Hillary's sombere kijk op McDougal in die periode alleen maar erger werd. In 1990 'praatte ze Bill om' dat hij niet moest getuigen over McDougals zedelijk gedrag tijdens een federale strafrechtszaak, waar hij terechtstond wegens bankfraude in verband met Madison Guaranty.[53] Later, toen de mogelijkheid werd besproken om McDougals aandeel in het avontuur van hem over te kopen, klaagde Hillary er bitter over dat ze niets meer wilde betalen aan iemand die haar zo veel ellende had bezorgd. 'Ik betaal die vent geen cent meer,' vertelde ze een collega.[54]

De onderzoeken naar Madison liepen af in 1991 en McDougal werd vrijgesproken. Whitewater bleek in alle opzichten een verliesgevende zaak voor alle betrokkenen. Maar de storm over de zakelijke activiteiten van McDougal zou snel weer opsteken.

In tegenstelling tot haar mening over vastgoedpartner McDougal had Hillary niets dan lof voor haar termijnmarktadviseur Jim Blair. 'Ze mocht Jim Blair enorm,' wist een van Hillary's vrienden uit de jaren tachtig te vertellen. 'Blair was haar financiële man.'[55]

Hillary en Jim Blair waren vroeger in Fayetteville bevriend geraakt. Blair, een jaar of tien ouder dan Hillary, was een topadvocaat en iemand die wist hoe hij geld kon verdienen. Het grootste deel van zijn leven bracht hij in het politiek conservatieve Arkansas door maar hij beschouwde zichzelf als een *limousine liberal*, een progressief die zich wel in woorden maar niet in daden om minder bedeelden bekommert.[56] Blair en Hillary wonnen eens samen een tennisbeker tijdens een dubbel bij de Fayetteville Country Club.[57]

Ondanks al zijn succes werd Blair op een dag in 1977 wakker en zei tegen zichzelf: 'Dit is niet de manier waarop ik verder wil leven.'[58] In die tijd deed hij juridisch werk voor cliënten als Tyson Foods en later werd hij de externe adviseur voor die pluimveegigant. Hij besloot om in de termijnmarkt te gaan en bulkgoederen te verhandelen, met als doel 'genoeg geld te verdienen' om te kunnen stoppen. Het bedrag dat hij in gedachten had, was vier miljoen dollar.[59] Terzelfder tijd werd Blair gebeld door Robert 'Red' Bone, een gekleurde termijnhandelaar, die hem vertelde dat hij bij zijn praktijk – Refco – in de buurt van Springdale langs moest komen, zodat hij hem een gouden tip kon geven.

Het Refco-kantoor was onder Bones leiding een 'geldmachine voor iedereen' geworden, inclusief de termijnhandelaren die tienduizenden dollar per maand verdienden aan provisie.[60] Een wanhopige groep cliënten, van boeren tot juristen en bankiers, bezocht regelmatig het kantoor. Nu had Bone wat 'goede informatie' over de veehandel die hij wilde doorgeven. Hij vertelde Blair eerst dat hij in al zijn 'jaren in de handel – en dat zijn er nu acht of negen – nog nooit zo'n goede deal was tegengekomen'.[61] Een overtuigde Blair stapte erin, hoewel eerst 'heel terughoudend', vertelde hij later.[62]

Bone had een heel ongewone achtergrond. Hij was pokerspeler van beroep geweest in Las Vegas. Hij had diverse baantjes gehad bij Tyson, onder andere een poosje als lijfwacht van de bestuursvoorzitter. En hij aarzelde niet om met geld te smijten. Blair vertelde eens een verslaggever een verhaal over een avond waarop Bone en zijn vrouw bij een pizzarestaurant aankwamen, net toen het personeel de deur op slot deed.[63] Hij vroeg om een pizza maar kreeg te horen dat de oven al uit was. Bone hield vol dat hij echt een pizza wilde maar hij kreeg hetzelfde antwoord. Vervolgens bood hij vijfhonderd dollar voor de pizza. Het antwoord was: 'Oké, we zijn nog open.'[64]

Bones pokerervaring en extreme karaktertrekken bleken een goede voorbereiding op het spelen op de termijnmarkt. Maar met de goederenhandel kun je meer verliezen dan de fiches die voor je opgestapeld staan. Je kunt ook fiches verliezen die je niet bezit. Bij de termijninvesteringen gok je op de toekomstige prijzen van goederen, vandaar de naam termijnmarkt. Het wispelturige spel is niet voor mensen die bang zijn risico's te nemen. Drie van de vier investeerders verliezen geld op de termijnmarkt.[65]

De reden van al deze risico's is dat je maar een klein gedeelte van de totale prijs van een contract hoeft te betalen. Bijvoorbeeld duizend dollar inleg voor 25.000 dollar aan rundvlees. Een slimme – of fortuinlijke – gok kan heel wat opleveren. Als het tijd wordt het rundvlees op de markt te brengen, kan de prijs tien procent gestegen zijn, tot 27.500 dollar. Dan heb je 2500 dollar winst gemaakt. Dat is een winst van honderdvijftig procent op je investering van duizend dollar. Maar als de prijs op de markt met hetzelfde bedrag gedaald is, verlies je je duizend dollar en heb je daarbovenop nog een schuld van 1500 dollar, of honderdvijftig procent van je oorspronkelijke investering.

Als gevolg van deze fluctuatie zijn de termijnhandelaren verplicht van hun klanten een bedrag als onderpand te vragen, dat heet de 'marginverplichting'. Dit om de termijnhandelaar te beschermen tegen mogelijke verliezen op de termijncontracten. Maar bij Red Bones kantoor ging het eind jaren zeventig zo goed dat ze niet veel aandacht aan die marginverplichting schonken.

In de herfst van 1978 had Blair al twee miljoen dollar vergaard en hij naderde zijn doel van vier miljoen. 'In 1978 zag ik een gouden kans,' zei Blair later. 'En ik moedigde mijn advocatenkantoor aan om mijn raad op te volgen. Ik spoorde ook mijn vrienden aan een rekening te openen en mijn advies te volgen. Een van de mensen wie ik dat advies gaf, was Hillary Rodham.'[66]

Bill en Hillary waren toen al nauw bevriend met Blair en zijn toekomstige vrouw Diane Kincaid.[67] Bij hun huwelijk in 1979 in Fayetteville hadden Jim en Diane aan Hillary gevraagd hen ter zijde te staan, in plaats van een 'best man' en een bruidsmeisje. De altijd correcte Jim en Diane noemden Hillary hun 'best person'.[68]

Hillary volgde Blairs advies op en opende in oktober 1978 een rekening bij Refco in Springdale, met een bescheiden duizend dollar. Alles werd zo nonchalant geregeld dat haar naam op haar rekening zelfs verkeerd gespeld werd als 'Hilary Rodham', met één 'l'.

In haar boek legt Hillary haar beslissing uit om op deze manier op de termijnmarkt te gaan investeren. 'Ik was bereid duizend dollar te riskeren en liet op advies van Jim mijn handel via Red Bone lopen.'[69] Maar Hillary's goede vriendin uit die periode, Nancy Pietrafesa, kon maar moeilijk begrijpen dat Hillary zo graag wilde gokken. 'Je gooit op de leeftijd van dertig niet zomaar een hele zwik geld in de termijnmarkt,'[70] zei Nancy. Maar, voegde ze eraan toe, de investering was 'iets van Blair' en Hillary 'prees Blair altijd als iemand die veel geld wist te verdienen'.[71]

Op de vraag van een verslaggever in april 1994 waarom ze zo'n risicovolle investering had gedaan, verweerde Hillary zich tegen die insinuerende vraag. 'Ik vond het helemaal niet zo risicovol,' zei ze, want Blair 'en de mensen met wie hij sprak wisten wat ze deden'.[72]

Ze kon ook niet verklaren waarom ze slechts een cheque van duizend dollar had uitgeschreven voor haar eerste veehandel, terwijl ze volgens de marginverplichting van die tijd een veel groter bedrag bij haar makelaar had moeten neerleggen als onderpand. Niet alleen was haar eerste inleg abnormaal, maar 'ze handelde soms ook met onvoldoende margin'.[73] De termijnmarktexpert die dit opmerkte, wees erop dat het kantoor, en niet Hillary, zich niet aan de marginregels had gehouden.

Toch kunnen weinigen iets inbrengen tegen het feit dat Hillary, voor een investeerder voor wie zo veel op het spel staat gezien haar totale jaarinkomen, zich opmerkelijk afzijdig hield. Ze gaf het geld aan Blair en liet het daarbij. Hillary's advocaat bevestigde dat ze 'onder de margin' bleef maar ontkende dat ze bevoorrecht werd. Hij merkte ook op dat 'de margin ter bescherming van de termijnmakelaar dient'.[74]

Hoewel ze zich afzijdig hield, behaalde Hillary wel opmerkelijk veel succes. Uiteindelijk wist Hillary in een periode van negen maanden met haar duizend dollar bijna honderdduizend dollar te verdienen, een buitengewoon goed, hoewel niet uniek, resultaat.[75] (Als er winst geboekt wordt met een gok op de termijnmarkt, kan dat ook echt een grote winst zijn.) Haar termijnwinst in 1978 en 1979 werd door de Clintons duidelijk opgegeven voor de belasting en er werd nooit officieel geconstateerd dat Hillary iets fout gedaan had. Toch zou het verhaal over haar termijnactiviteiten een grotere rol gaan spelen toen de Clintons in het Witte Huis woonden. En toen Hillary op het nationale toneel terechtkwam, moest ze veel actiever een afstand proberen te scheppen tussen haar zakelijke activiteiten op privégebied en haar publieke beeld.

# 6

# Invloed

Gedurende vrijwel de gehele Amerikaanse geschiedenis leefde een vrouwelijke jurist in een eenzame wereld. Op de elitaire rechtenfaculteiten was er waarschijnlijk, ondanks de herhaalde officiële beweringen van het tegendeel, een wijde kloof tussen de beide seksen.[1] Zelfs in 1973, toen Hillary afstudeerde van de rechtenfaculteit van Yale, was ze een van de slechts 29 vrouwen in een groep van 178 laatstejaars.[2] Landelijk gezien maakten de vrouwen een nog kleiner percentage uit van de afstuderende rechtenstudenten, ongeveer zeven procent.[3] Zelfs tot begin jaren zeventig was het percentage vrouwen onder de werkende juristen rond de drie procent.[4] En in Arkansas waren de vooruitzichten voor vrouwelijke juristen nog grimmiger. Eind negentiende eeuw werden vrouwen niet toegelaten tot de orde van advocaten van die staat, waardoor ze dus ook niet in de rechtszaal mochten verschijnen. Het duurde 44 jaar, tot 1917, voor die uitsluiting werd opgeheven.[5]

In de jaren zestig en zeventig, toen er overal door maatschappelijke onrust vraagtekens werden geplaatst bij de vaststaande normen, vond er ook een omwenteling plaats binnen de Amerikaanse juridische wereld. Een van de pioniers van die omwenteling was Brooksley Born, een jonge advocaat bij Arnold & Porter, een hoeksteen van de gevestigde orde in Washington. Begin jaren zeventig richtten Brooksley en anderen een vrouwensectie op binnen de American Bar Association (Amerikaanse Orde van Advocaten; ABA), een organisatie die naar haar idee 'heel mannelijk en patriarchaal'[6] was.

De vastberaden groep vrouwen (die pioniers geweest waren binnen hun rechtenfaculteit en deel uitmaakten van de grotere maatschappelijke beweging die door het land ging) wendde zich tot Washington om hulp. In 1972 aanvaardde het Congres een reeks educatieve amendementen, waaronder een, Titel IX, die seksuele discriminatie verbood binnen het hoger onderwijs, alsmede het universitaire en beroepsonderwijs. Deze wetten zijn vooral bekend omdat ze leidden tot een explosieve toename van het aantal vrouwen binnen de universitaire sporttakken, maar ze veranderden ook geleidelijk aan het gezicht van de juridische beroepsgroep. (In 2006 lag het percentage vrouwelijke eerstejaars van de rechtenfaculteit van Yale op 46 procent.[7])

Tijdens een groot deel van de jaren zeventig en begin jaren tachtig bracht Brooksley Born als eerste heel wat vrouwenzaken naar voren binnen de landelijke Orde van Advocaten. Door haar inzet voor de vrouwensectie hielp zij de weg banen voor het aannemen van Goal ix (Doel Negen) door de landelijke Orde van Advocaten. Deze resolutie was bedoeld 'om de volledige en gelijkwaardige deelname in de beroepsgroep te stimuleren van minderheden en vrouwen'.[8] In de tekst van de resolutie klonk de overtuiging door dat het tijd werd een nieuwe generatie de leiding in handen te geven van de volgende fase van de vernieuwingen.

Gezien haar achtergrond als activiste en haar leidinggevende aard zou Hillary de aangewezen persoon geleken hebben om het stokje over te nemen, maar ze koesterde aanvankelijk ambivalente gevoelens over het vooruitzicht de strijd te gaan voeren tegen het glazen plafond binnen haar beroepsgroep.

De uitnodiging aan Hillary om zich ervoor in te zetten in de tweede helft van 1986, kwam uit een wel heel onverwachte hoek, wat aangeeft hoever de omwenteling al reikte, namelijk van Eugene Thomas, een conservatieve Republikeinse jurist uit Boise, Idaho, die toen de verkozen voorzitter was van de Amerikaanse Orde van Advocaten. Met de aanname van resolutie Goal ix ging Thomas op zoek naar een voorzitter voor de commissie die ermee aan de slag zou gaan. Hij zag Hillary als een 'sterke leider en een intelligente vrouw... naar mijn idee precies de persoon die we nodig hebben'.[9]

Maar toen hij haar het voorzitterschap aanbood, weigerde ze.[10] Hij was teleurgesteld over haar beslissing maar zei dat hij het begreep. Hoewel Hillary nooit uitgelegd heeft waarom ze het aanbod van Thomas afwees, had hij wel zijn eigen theorie: hij wilde dat de commissie zich zowel op minderheden als op vrouwen ging richten, maar veel vrouwen wilden dat liever gescheiden houden. 'Eerlijk gezegd,' legde hij twintig jaar later uit, 'vonden de leiders van de vrouwenbeweging in de ABA – en daar was zij een van – het niet fijn om op één hoop gegooid te worden met het allegaartje dat onder Goal ix viel.'[11]

Thomas kende Hillary van haar werkzaamheden bij de Legal Services Corporation, dat namens de federale overheid lokale programma's subsidieerde voor gratis juridische hulp aan armen. President Carter had haar in 1977 aangesteld als lid van het bestuur van de organisatie en het jaar daarna was ze er de eerste vrouwelijke voorzitter van. Hillary had al voor de lage inkomensgroepen gewerkt, maar haar werk voor Carters presidentiële verkiezingsprogramma van 1976 was ook een belangrijke factor die meespeelde bij de nominatie voor het voorzitterschap.[12]

Een aantal Republikeinen in het Congres bekeek de organisatie met argus-ogen, ervan overtuigd dat de plaatselijke programma's veel te zeer afgedreven waren in maatschappelijk en politiek activisme.

Maar Hillary hielp de Legal Services Corporation om meer budget te krijgen van het Congres. Nadat Ronald Reagan in 1981 president werd, ging de organisatie een onzekere toekomst tegemoet. Toen hij gouverneur van Californië was, had Reagan gesnoeid in de staatssubsidie voor het pro-gramma. Thomas had zijn Republikeinse contacten binnen het Witte Huis en op Capitol Hill gebruikt om de felste tegenstanders van de organisatie op een afstand te houden. En zo leerden de conservatieve man uit Boise en de liberale vrouw uit Little Rock elkaar kennen.[13]

Jaren later zouden conservatieve biografen van Hillary haar periode bij de Legal Services Corporation (die duurde tot in 1982) noemen als bewijs van haar linkse agenda. Een auteur noemde haar activiteiten 'een kundige bureaucratische manipulatie van binnen uit' het establishment om haar 'ra-dicalisme'[14] na te streven. Maar Hillary weet gemakkelijke en korte etiket-jes goed te ontlopen. Soms kwam ze op voor zaken waar linkse advocaten van juridische diensten tegen waren, zoals het inschakelen van individuele juristen om meer pro Deo te doen voor de armen, in plaats van de diverse stichtingen.[15] Mickey Kantor, een bestuurslid en latere vriend van Hillary, zag haar als een voorzitster die deel uitmaakte van de grote groep en die te dicht bij het establishment stond.[16] 'Ik vond haar heel gematigd,' zei Mickey Kantor. 'Ikzelf was de vlammenwerper.'[17]

Terwijl Bill zich voorbereidde op de herverkiezing van 1986, dit keer (dankzij de veranderingen in de grondwet van Arkansas) voor een vierjarige termijn, zag hij Hillary's werk voor het onderwijs als een belangrijk onderdeel van zijn platform.

Chelsea was bij de verkiezingscampagne van 1986 voor het eerst oud ge-noeg om er iets van te begrijpen. Hillary vertelde haar zesjarige dochtertje dat de mensen misschien 'vreselijke dingen zouden zeggen' over haar vader, misschien zelfs wel 'leugens'.[18] Maar het was Chelseas moeder die het doelwit werd van de felste aanvallen van Bills tegenstanders.

Hillary's weer opgepakte juridische loopbaan werd zo nu en dan het onderwerp van kritiek. Er werden met name vragen naar voren gebracht door Bills tegenstanders over haar inkomen bij Rose, en de zaken van het kantoor met de staat; eerst in de Democratische voorrondes, en later bij de algemene verkiezingen. Met Bills hulp wist Hillary de kogel te ontwijken.

In 1984 was het Public Service Committee in moeilijkheden geraakt door een slepende en dure juridische strijd over hoeveel een nieuwe kerncentrale de belastingbetaler zou kosten. De commissie had Rose gevraagd de zaak voor de rechter af te handelen. In de daaropvolgende twee jaar tekende het advocatenkantoor vijf contracten met het Public Service Committee, waarvoor de kosten die Rose rekende, opliepen tot net boven de 150.000 dollar.[19]

In september 1986 begon Frank White, opnieuw de Republikeinse gouverneurskandidaat, met radiospotjes waarin de belangenverstrengeling van de Clintons werd aangekaart. Hillary werkte immers voor het advocatenkantoor dat door de overheid van haar man was ingehuurd. Bill en White debatteerden hier vervolgens over in een televisieprogramma.

'Het geld dat de staat aan Rose betaalde, werd afgetrokken van het inkomen van het kantoor, voordat Hillary's partnerschapswinst berekend werd,' vertelde Bill. 'Ze verdient er dus niets aan.'[20] Bill reageerde op Whites aanvallen met de tegenvraag of hij zich verkiesbaar wilde stellen voor First Lady of voor gouverneur.[21]

Deze argumenten bleven hangen. Gebaseerd op haar winstpercentage van Rose die tijd, zou Hillary op z'n hoogst een paar duizend dollar gekregen hebben voor het werk. Bovendien had White zelf ook een mogelijke belangenverstrengeling. Hij had voor Stephens Inc. gewerkt, het bedrijf dat lange tijd de voornaamste speler was geweest in de effectenhandel van de staat. En Bills vraag of hij zich verkiesbaar stelde voor First Lady, was meteen aanleiding voor bumperstickers en buttons waarop stond: 'Frank als First Lady'.[22] White kreeg het ook nog 'benauwd toen de feiten aantoonden dat andere advocatenkantoren in Arkansas behoorlijk veel meer zaken met de staat gedaan hadden toen Bill gouverneur was', schreef Hillary later.[23]

Anderen mopperden in stilte. Jim Guy Tucker, een jarenlange tegenstander en Bills opvolger als gouverneur nadat hij president werd, vertelde onderzoekers dat hij en andere juristen in Arkansas geloofden dat Rose een oneerlijk voordeel genoot bij overheidsinstanties, zoals de Public Service Commission.[24] In de ogen van de kiezers was de relatie al lang niet meer van belang, maar na Whites mislukte aanval in 1986 besloot Hillary eens en voor altijd met de zaak af te rekenen. Haar openbare verslag van hoe ze dat deed is misleidend, zo niet onjuist.

In haar autobiografie schreef ze: 'Nadat Bill in 1983 gouverneur was geworden, vroeg ik mijn juridische partners om mijn winstaandeel te berekenen, exclusief de kosten die andere juristen verdiend hadden voor werk voor de overheid of een overheidsinstelling.'[25] Een aantal van de topadvocaten van Rose gelooft dat het beleid van het kantoor om Hillary uit te sluiten van overheidsverdiensten, in 1979 is genomen, nadat Hillary een partner werd en Bill gouverneur.[26] Vince Foster, Hillary's loyale bondgenoot, vertelde aan Bills presidentiële verkiezingsteam in 1992 dat 'het altijd het beleid was geweest van het kantoor om overheidsinkomsten strikt gescheiden te houden'.[27]

Uit de administratie van het advocatenkantoor blijkt dat Hillary hen pas een paar jaar later dan ze in haar boek beweert, en twee maanden na Whites mislukte aanval, vroeg om haar aandeel van de overheidsinkomsten apart te houden. In een tot nu toe niet openbaar gemaakte memo aan de partners van Rose vraagt Hillary of het kantoor 'alle honoraria die in 1986 en daarna verdiend zijn, apart wil houden' en die wil verdelen, 'zodat ik er niet recht-streeks of indirect een deel van krijg'.[28] In de memo staat ook dat ze in het verleden gedeeld had in wat er verdiend was met zaken voor overheidsinstan-ties. Dat was in tegenspraak met wat sommige collega's dachten. De kritiek van White, legde Hillary uit in haar memo, was onrechtvaardig omdat Rose al lang voordat haar man gouverneur werd, zaken deed met de overheid. 'Hoewel ik zelf geen zaken voor de overheid afhandel, en nooit enig betaald werk heb verricht voor de staat, wil ik niet als reden gebruikt worden om Rose werkzaamheden te onthouden waartoe het bevoegd is,' schreef ze aan haar partners.[29]

Hillary zette de situatie uiteindelijk recht door haar aandeel in de over-heidsinkomsten terug te betalen 'van de jaren waarin Bill gouverneur was', wat ze berekende op 12.235,83 dollar.[30] Ze tekende ook een schuldbekente-nis voor nog eens 10.510,03 dollar. Dat was haar aandeel in wat het kantoor verdiend had als garantieadviseur voor staatsobligaties.[31]

Alles bij elkaar en over de jaren bekeken was het totale bedrag alleszins bescheiden. Maar het ging niet alleen om geld. Het bleef aan Hillary knagen dat ze onder vuur kwam te liggen vanwege de man met wie ze getrouwd was. Aan haar weerzin om kleine onaangenaamheden naar buiten te brengen, zou een telkens terugkerende gewoonte worden – zowel in Arkansas als in Washington.

Ondanks de blijvende vraag hoeveel van Hillary's werk voor Rose ze nu kreeg of juist niet kreeg omdat ze met de gouverneur was getrouwd, zag Hillary's toekomst er boven alles zonnig uit. Ze had haar man geholpen met zijn herverkiezing. Ze ging deel uit maken van de directie van Wal-Mart. En ze werd voorzitster van de Children's Defense Fund, de progressieve kinderbescherming die in Washington was gevestigd. In het volgende jaar, 1987, werd ze tot voorzitster benoemd van een prestigieuze nationale commissie voor vrouwen binnen de juridische beroepsgroep. Ze had duidelijk een parttime-praktijk in Arkansas weten te gebruiken als een nationaal platform dat boven ideologische en geografische grenzen uitsteeg.

In 1987, toen Thomas voorzitter werd van de ABA, werd hij zoals verwacht opgevolgd door Robert Mac Crate, een gematigde Rockefeller-Republikein. Geboren en getogen in Brooklyn had Mac Crate eerder in zijn loopbaan als raadsman gewerkt van de gouverneur van New York, Nelson Rockefeller. Toen was het al duidelijk dat er een aparte commissie zou komen die alleen onderzoek zou doen naar vrouwelijke juristen en niet naar minderheden. Mac Crate ging dat voorjaar op zoek naar een voorzitter voor die groep. Hij wendde zich eerst tot Shirley Hufstedler, een vroegere federale rechter en minister van Onderwijs onder president Carter. Ze wees het aanbod af. 'Bob,' antwoordde ze, 'je hebt een jongere vrouw nodig. Jij zoekt een rolmodel.'[32]

En dus ging Mac Crate opnieuw op zoek. Hij vroeg Harriet Wilson Ellis, de directeur van het kantoor van de voorzitter, die voor Thomas werkte om hem ideeën aan de hand te doen. Ze noemde meteen Hillary's naam.[33]

'Ik ken haar niet,' zei Mac Crate tegen Harriet.[34]

'Ze is de First Lady van Arkansas en ik heb met haar samengewerkt bij de Legal Services Corporation,' antwoordde Harriet. 'Ze zal het nog ver schoppen.'[35]

Mac Crate was al snel enthousiast over Harriets voorstel nadat hij zich verdiept had in Hillary's referenties binnen de kringen van de Legal Services Corporation. De uiteindelijke doorslag gaf haar werk voor Rose Law Firm. De grondlegger van Rose, Uriah Rose, was een van degenen geweest die in 1876 de landelijke Orde van Advocaten hadden opgezet.

Nadat hij het vereiste onderzoek had gedaan, dacht Mac Crate dat de aanstelling van Hillary een 'schot in de roos' zou zijn, maar hij moest het idee nog wel verkopen.[36] 'Ik belde Hillary,' herinnert hij zich. 'We hadden elkaar nooit eerder ontmoet. We hadden elkaar nooit gesproken. Ik zei dat ik deze commissie aan het opzetten was en dat ik graag wilde dat zij de voorzitter zou worden. Ze antwoordde: "Ik heb zoiets nog nooit eerder gedaan. Ik heb me beziggehouden met kinderen en onderwijs."'[37] Toen hij haar aarzeling hoorde, stelde Mac Crate voor dat ze met verschillende mensen zou praten die hij in gedachten had voor de commissie.

Ondertussen probeerde Harriet Hillary over te halen. 'Ik denk niet dat ik dit wil doen,' vertelde Hillary haar vroegere collega.[38] Ze maakte zich zorgen over de hoeveelheid tijd die het zou vragen. Hillary had een druk leven: haar verantwoordelijkheden, waaronder haar advocatenpraktijk en de opvoeding van haar zevenjarige dochtertje. Ze zat ook in het bestuur van twee progressieve stichtingen in het oosten van het land: de New World Foundation en de Children's Defense Fund. Die laatste stichting had haar net gevraagd voorzitter te worden. Ze bezocht regelmatig vergaderingen van de stichting, hoewel de reis van Little Rock naar Washington veel tijd en energie kostte.[39] Ze had de Arkansas Advocates for Children and Families opgericht, die opkwam voor kinderen en gezinnen. Ze introduceerde een thuisprogramma voor kinderen onder de leerplichtige leeftijd. Ze gaf leiding aan de juridische hulpverleningsactiviteiten op nationaal en op staatsniveau, leidde gevangenisprojecten en was voorzitster van een gezondheidsprogramma op het platteland in Arkansas.

Hillary slaagde er zelfs in de zaken waarvoor ze zich inzette ter sprake te brengen binnen bestuurskamers van bedrijven, wat geen kleine prestatie was. Binnen Wal-Mart werd ze het eerste vrouwelijke directielid en een van de weinige partners van Rose die een externe functie aannamen. Als lid van de Wal-Mart-directie pleitte ze voor gelijke kansen bij de selectie van nieuw personeel en voor een beter milieubewustzijn.[40] (Later als senator, hield Hillary afstand van het bedrijf en de kritiek erop, nadat het controversiëler werd.[41])

Terwijl Hillary dit aanbod kreeg, dacht Bill ook na over een nieuwe verkiezingsstrijd voor het presidentschap. Maar in juli 1987 besloot hij die aan zich te laten voorbijgaan. 'Er is al veel geschreven over de reden voor de beslissing om niet mee te doen,' zei Hillary. 'Maar het kwam uiteindelijk maar op één woord neer: Chelsea.'[42]

Chelsea was ook Hillary's grote zorg, toen ze overwoog of ze de baan bij de Orde van Advocaten moest aannemen. Gezien al haar andere verantwoordelijkheden adviseerden vriendinnen als Harriet haar dat ze een manier moest zien te vinden om alle balletjes in de lucht te houden.

'Ik zei tegen haar: "Je kunt van grote invloed zijn en er is niet zoveel voor nodig als je denkt,"' vertelde Harriet.[43]

Chelsea was de reden dat Bill zich niet verkiesbaar stelde als president, maar die reden was voor Hillary niet belangrijk genoeg om er haar baan voor te laten schieten bij de Orde van Advocaten waardoor ze, niet toevallig, weg zou kunnen uit Arkansas. Bovendien zou ze een prestigieuze positie op nationaal niveau kunnen innemen die los stond van haar man en een mogelijke springplank was in de richting van haar levensdoel.

Hillary vertelde Mac Crate uiteindelijk dat ze het aanbod aannam. Toen hij Brooksley Born, die nog steeds een activiste was voor deze zaak, op de hoogte bracht van zijn keuze, was ze net zo verbaasd over Hillary's naam als hij in eerste instantie: Hillary? Wie is Hillary? Mac Crate beschreef haar als 'de vrouw van de gouverneur van Arkansas'.[44] Brooksley was geschokt over de opmerking dat een vrouw met een eigen carrière omschreven werd als de vrouw van... alsof dat de enige reden was voor haar benoeming.

Mac Crate ontmoette Hillary pas een paar maanden later voor het eerst, in oktober 1987. De commissie was voor haar eerste vergadering bijeengekomen in Chicago, waar de landelijke Orde van Advocaten gevestigd was. Mac Crate opende de vergadering met het voorlezen van een toespraak die zijn vader, een Congreslid, in 1919 had gehouden waarin hij pleitte voor het vrouwenkiesrecht. De Republikein die met Rockefeller samenwerkte en de Democrate uit Arkansas konden het meteen goed met elkaar vinden. (Mac Crate stapte later over naar de Democratische Partij en schonk duizenden dollars voor Hillary's campagne voor het senatorschap. Ook hing hij ingelijste portretten van Hillary in zijn kantoor in New York.)

De commissie ging meteen aan het werk. Er werden hoorzittingen gehouden en onderzoeken verricht naar de praktijken van advocatenkantoren om te zien wat het percentage vrouwen was dat in dienst genomen werd en hoe het zwangerschapsverlof geregeld werd. Daarbij werd een wijdverbreide discriminatie geconstateerd. Na een jaar kwam de commissie met een rapport waarin er bij de Orde van Advocaten op werd aangedrongen 'publiekelijk toe te geven dat er een discriminatie op grond van geslacht bestaat binnen de beroepsgroep, en om daar een eind aan te maken'.[45]

Tijdens haar jaarvergadering in 1988 in Toronto reageerde de landelijke Orde van Advocaten op het werk van Hillary's commissie met de aanname van een resolutie. Daarin weigerden de orde en de 346.000 aangesloten leden 'elke betrokkenheid bij, goedkeuring van of stilzwijgend instemming met alles wat de volledige integratie en gelijkwaardige deelname van vrouwen binnen de juridische beroepsgroep tegengaat'.[46] De mondelinge stemming was vrijwel unaniem. Hillary vertelde de gedelegeerden dat het werk van de commissie nog lang niet klaar was. 'Ondanks de vooruitgang die geboekt is,' zei ze, 'bestaan er nog steeds situaties waarin sprake is van een subtiele discriminatie van vrouwen.'[47] En dus creëerde de groep in 1991, tegen het eind van Hillary's voorzitterschap, de Goal IX Report Card, een jaarlijks rapport over de vooruitgang van de deelname van vrouwen aan de ABA. Brooksley Born vond dit 'een geweldig hulpmiddel' om de diversiteit binnen de verschillende secties van de ABA te meten.[48] Dit rapport werd in de ogen van conservatieve critici een ideologische rode vlag en sommigen beschouwden het zelfs als een heimelijke poging om 'quota' in te voeren'.[49]

In tegenstelling tot Hillary die zich met al haar kracht inzette, kon dit niet van haar man gezegd worden. Vandaag de dag lijkt het bijna onmogelijk voor te stellen dat Bill Clinton helemaal niet politiek meer actief was, gelet op wat er bekend is over zijn passie voor politiek, zijn ijver om in de schijnwerpers te staan en zijn bijna onoverwinnelijke bekwaamheid om zelfs ongeschonden door de grootste controverses heen te komen. Maar in 1987 leek Bills rol uitgespeeld te zijn. En dankzij, of misschien ondanks dit feit stond Hillary voor de eerste keer in de startblokken om zich in de politieke arena te begeven. Bill had in 1987 al besloten voor het jaar daarop niet aan de presidentsverkiezingen mee te doen. Voordat hij dat besluit nam, had Betsey Wright met Bill een lijst van vrouwen bekeken met wie hij een relatie gehad zou hebben. Ze vroeg Bill naar de waarheid en wat de vrouwen zouden zeggen. Nadat ze dat gehoord had, gaf ze Bill het advies niet aan de verkiezingen mee te doen.[50] Er gingen overal geruchten rond in Arkansas over Bills affaires en Hillary was daarvan op de hoogte.[51] Bill herinnerde zich dat 'Hillary opgelucht en gelukkig' was over zijn beslissing om niet mee te doen, omdat ze dacht dat zij zijn werk in Arkansas moest afronden, en omdat George H.W. Bush immers toch zou winnen.[52]

In 1990, twee jaar nadat hij voor het oog van de nationale televisie was afgegaan tijdens een toespraak voor de Democratische nationale conventie in Atlanta, had Bill nog niet besloten of hij opnieuw wilde meedoen aan de verkiezingen in Arkansas. Vervolgens vertelde Hillary aan Dick Morris dat ze tegen Bill gezegd had: 'Als jij je niet verkiesbaar stelt, wil ik het wel.'[53] Morris sprak erover met Bill, die er positief tegenover stond. 'Ze heeft altijd rekening gehouden met mijn carrière,' vertelde Bill aan Morris. 'Nu is het haar beurt.'[54]

Maar toen Morris twee peilingen deed voor Hillary, waren de resultaten niet bemoedigend. 'Ik kwam tot de conclusie dat ze niet kon winnen omdat niemand haar op dat moment los kon zien van Bill,' zei Morris later. Arkansas keek niet zo tegen het echtpaar Clinton aan als zijzelf deden. Hillary was 'enorm beledigd' door het idee dat ze een afgietsel van Bill was. Dus 'besloot ze vanaf dat moment dat ze vorm zou gaan geven aan haar eigen identiteit met haar eigen politieke imago'.[55]

Deze spanning tussen de voordelen van zo sterk geassocieerd te worden met haar echtgenoot enerzijds en Hillary's eigen verlangen naar een onafhankelijke carrière anderzijds, zou een van de kerndilemma's voor haar en Bill blijven. Misschien speelde ze wel eens met de roekeloze gedachte dat ze op een dag de gouverneur van de staat zou zijn waar hij geboren was, maar niemand kon haar het verlangen misgunnen onder zijn enorme schaduw te willen uitkomen. Ze wilde niet de rest van haar leven bekendstaan als de 'First Lady van Arkansas'.

Toen hij besefte dat de kiezers er anders over dachten dan hijzelf en niet klaar waren voor zijn vrouw, begaf Bill zich nogmaals in de verkiezingsring van Arkansas. Gezien zijn populariteit op dat tijdstip was het vrijwel zeker dat hij de eerste ronde zou winnen. Hillary slaagde erin voor het 'enige dramatische moment' te zorgen door onaangekondigd op een persconferentie van Tom McRae te verschijnen in de ronde zaal van het Capitool van Arkansas. Tom was Bills belangrijkste Democratische tegenstander. Hij liet de pers aan het begin van de persconferentie een cartoon zien van een naakte Bill Clinton met zijn handen voor zijn kruis, waaronder stond: 'De keizer heeft geen kleren.'[56]

'Plotseling hoorde ik luid tikkende hakjes de marmeren treden op komen: daar kwam ze,' vertelde Ron Fournier later, die de persconferentie versloeg voor de Associated Press. 'Alle camera's draaiden in haar richting om haar te filmen. Ze nam de persconferentie van McRae over.'[57]

'Laat dat, Tom!' riep Hillary tegen McRae.[58] Wapperend met een stapeltje papieren las Hillary een aantal van McRaes vroegere uitspraken voor, waarin hij Bills prestaties als gouverneur prees. 'Ik heb al je verslagen doorgekeken,' vertelde Hillary hem, 'omdat ik echt teleurgesteld ben in jou als kandidaat en ook echt teleurgesteld ben in jou als persoon, Tom.'[59]

Hillary's verrassingsaanval zorgde voor een rimpeling in de persvijver in Arkansas, en het zorgde voor nog wat rimpelingen in een staat waar kiezers van een gouverneursvrouw verwachtten dat ze liever achter de schermen wilde blijven. Maar het werkte. 'Ze greep op het juiste moment in en zwaaide met de bijl, en ook niet zo'n beetje,' vertelde Fournier.[60] Bill schreef over de episode in zijn autobiografie. Hij erkende dat Hillary's aanval eraan had meegewerkt dat hij in de voorronde op de overwinning aankoerste, doordat ze 'McRaes momentum' had doorbroken.[61]

De confrontatie met McRae bewees dat Hillary een belangrijke les getrokken had uit de nederlaag op White van 1980: de noodzaak van een felle, onbevreesde en onmiddellijke tegenaanval. Het was helemaal niet zo spontaan dat ze plotseling opdook tijdens de persconferentie. Ze had er de avond ervoor met haar man over gesproken,[62] en ze wist dat ze 'heel wat publiciteit'[63] zou krijgen als ze daar plotseling op het toneel verscheen.

De confrontatie met McRae bewees nog een andere geleerde les, een die Hillary veel moeilijker onder de knie zou krijgen: hoe goed die zet ook was, op velen kwam ze over als een irritante schooljuf die iemand ervan langs gaf die zijn huiswerk niet had gedaan.

De herverkiezingscampagne van Bill in 1990 zou uiteindelijk zonder opvallende gebeurtenissen verlopen. Maar er werd onder Bills vijanden wel
wrok gezaaid die de Clintons nog jaren daarna zou achtervolgen.

Bills Republikeinse tegenstander in de strijd om het gouverneurschap was
Sheffield Nelson, een rijke zakenman en jurist. Op het allerlaatste moment
wist hij via reclamespotjes Bills belasting- en budgetbeleid aan te vallen,
waardoor Hillary en Bill gedwongen werden honderdduizend dollar te lenen
voor een tegenaanval via de media.[64] Nelson vertelde later tijdens een televisie-interview dat zijn campagnemedewerkers in 1990 informatie over Bills
zedelijk gedrag hadden vergaard maar dat hij dat niet hadden willen inbrengen in de campagne.[65] Hillary antwoordde, tijdens hetzelfde programma, dat
Nelson erop uit was 'een knuppel in het hoenderhok' te gooien en vragen op
te roepen over Bills rokken jagen.[66] Daarbij noemde ze Nelson een 'verbitterde man' die na zijn nederlaag van 1990 alles geprobeerd had 'om wraak
te nemen'.[67] Dat alles kan dan misschien wel waar geweest zijn, maar het
was niet bepaald de verstandigste strategie om iemand tegen de haren in te
strijken die bereid was met zijn eigen geld modder op te graven om mee naar
Bill te gooien. En zeker niet als er, tenminste wat het de vrouwen betrof,
behoorlijk wat modder voorhanden was in Arkansas.

Met Hillary's hulp maakten ze nog een vijand tijdens de campagne van
1990, toen ze Bill dat jaar ervan overtuigde niet als *character witness* op
te treden in de rechtszaak over Jim McDougals bankfraude.[68] McDougal
werd vrijgesproken en hij bedreigde vervolgens Hillary in verband met hun
Whitewater-investering.[69] Het was niet in te schatten hoeveel schade hij
kon aanrichten. McDougal zat met zichzelf in de knoop en gebruikte anti-
depressiva. Hij bleef enigszins trouw aan Bill maar na zijn vrijspraak werd
hij negatiever over Hillary.[70] Ze kon zich in 1990 nauwelijks voorstellen wat
McDougal en Nelson en de andere vijanden van de Clintons nog konden
uithalen om 'hen terug te pakken'. Het zou niet lang meer duren voordat ze
daarachter kwam.

Hoewel vooroordelen tegen vrouwelijke juristen een probleem bleven in de
jaren tachtig en negentig, werd Hillary een van de invloedrijkste en machtigste leden van haar beroepsgroep, ten dele juist omdat ze een vrouw was.
In 1988 voegde de *National Law Journal*, een kleine maar prestigieuze en
invloedrijke krant, Hillary toe aan hun lijst van de honderd invloedrijkste
en machtigste juristen.[71] Ze was een van de slechts vier vrouwen wie deze
eer te beurt viel. (Shirley Hufdstedler, Mac Crates eerste keuze om voorzitster te worden van de commissie van de ABA, was een van de anderen.) De

krant zei in het voorwoord van de karakterschetsen van 1988 dat er op hun lijst alleen juristen stonden die 'actief betrokken waren bij de praktijk of die rechtsgeleerdheid doceerden'.[72] De redacteur en verslaggever die voor de lijst van 1988 verantwoordelijk waren, leven niet meer. Een definitieve reconstructie van de selectieprocedure is dus niet meer mogelijk. Maar een andere redacteur die betrokken was bij het samenstellen van de lijst, zegt dat Hillary met name uitgekozen werd omdat de krant een vrouwelijke bedrijfsjurist zocht. Volgens Hillary zelf werkte ze parttime als bedrijfjurist. De lijst van rechtszaken waarvoor ze optrad, was kort en zeker niet bijzonder. Ze was de laagstbetaalde partner van een advocatenkantoor in een stad ver van de handelscentra van Amerika. Peggy Cronin Fisk, de verslaggever die de karakterschetsen van 1991 opstelde voor de *National Law Journal*, erkende later dat het etiketje niet paste. 'Ze was niet wat ik een topprocesadvocaat noem, en wat anderen een topprocesadvocaat zouden noemen,' zei Fisk.[73]

'Het was omdat ze een vrouwelijke bedrijfsjurist was, en daar waren er niet veel van,' weet Anthony Paonita nog, die nu redacteur is van een andere juristenblad, *The American Laywer*.[74] 'We zochten iets bijzonders,' legde hij uit. Bovendien, voegde hij eraan toe, 'was ze niet een jurist die zich bezighield met abortus- of kinderbeschermingszaken, de typische activiteiten van de vrouwelijke advocaten uit die tijd'.[75]

Drie jaar later stelde de krant opnieuw een lijst samen van de honderd invloedrijkste juristen van Amerika. En opnieuw stond Hillary op de lijst. Fisk zei dat de selectie van Hillary vrijwel alleen gebaseerd was 'op haar werk bij de ABA en haar inzet voor vrouwenzaken binnen de juridische sector'.[76] Haar redacteur Doreen Weisenhaus betwistte die visie. 'Ze speelde een rol op nationaal niveau voor de juridische beroepsgroep, en voor de rechten van vrouwen en kinderen,' zei Weisenhaus. 'En daar was ik tevreden mee.'[77] Wat de reden dan ook geweest mag zijn dat ze als een van Amerika's machtigste juristen verkozen werd, Hillary maakte slim gebruik van die 'top-100' om haar cv op te poetsen voor de politieke wereld, te beginnen bij de verkiezingscampagne van haar man in 1992 voor het presidentschap en later in haar poging in 2000 om senator voor New York te worden. Zo nu en dan heeft zowel Hillary als de pers het ten onrechte over de lijst van het juristenblad met de honderd 'beste' of 'topadvocaten', hoewel het blad nadrukkelijk uitlegde dat die lijst niet als zodanig bedoeld was. Op een memo van 1992 gericht aan verkiezingsmedewerkers stond: 'HRC [Hillary Rodham Clinton] wil dat we niet vergeten te noemen dat ze op de lijst van beste advocaten staat van het *National Law Journal*.'[78] In 2000, nadat er in Hillary's campagnebiografie opnieuw opgeschept werd dat ze als een van de honderd 'topadvocaten' van het land gekozen was door de *National Law Journal*, berispte de hoofdre-dacteur van de krant haar voor de fout. 'We hebben moeite met het woordje "top" dat ze gebruikt,' schreef hoofdredacteur Patrick Oster tijdens Hillary's Senaatscampagne van 2000.[79] 'Naar ons idee verwijst het woordje "top" naar de "beste" of de "intelligentste", maar mevrouw Clinton was daarentegen een van de "invloedrijkste" advocaten,' gebaseerd op 'de mate van macht of invloed'.[80] (De laatste druppel voor Oster was dat op Hillary's eigen inter-netpagina vermeld werd dat de lijst was opgesteld door een concurrerend blad, *The American Lawyer.*)

Dergelijke verschillen van mening zijn misschien futiel in de ogen van buitenstaanders, maar ze wezen op een grotere trend: Hillary's loopbaan als praktiserend jurist was in veel opzichten niet bepaald indrukwekkend. Politiek gezien was het echter niet wijs om dat toe te geven. Toch was haar overdrijving in wezen overbodig en meer een teken van haar eigen onzeker-heid en berekening. Uiteindelijk bewees Hillary, hoewel ze zeker niet de 'beste' bedrijfsjurist was, dat ze wel zo veel invloed had als de *Law Journal* haar in 1991 had toegedicht. Het volgende jaar al hielp ze haar man de zit-tende president te verslaan. Acht jaar later won ze met gemak een zetel in de Senaat van de Verenigde Staten, voor een staat waar ze niet eens zelf oorspronkelijk vandaan kwam.

De lijst van 1991 was om een andere reden ook profetisch: naast Hillary stond er nog iemand anders op de lijst: een bebrilde jurist uit Washington, Kenneth W. Starr geheten.

# First Lady

'Ik denk dat je overal kunt opbloeien, waar je ook maar geplant bent.
Als je er maar genoeg moeite voor doet.'

HILLARY RODHAM CLINTON[1]

# 7

# Het 'Defense Team'

De campagneperikelen van James Carville gedurende de presidentiële campagne van Bill Clinton in 1992 werden een politieke legende door *The War Room*, een documentaire die voornamelijk was opgenomen in het hoofdkwartier van Clinton in het oude gebouw van de *Arkansas Gazette* in Little Rock. De coregisseur van de film, D.A. Pennebaker, was een meester van de 'cinéma vérité' en wist op briljante wijze de strategisch overlegsessies in beeld te brengen die het epicentrum vormden van gouverneur Clintons chaotische gooi naar het Witte Huis. Tot de hoogtepunten van de film behoren de landelijke gemoedelijkheid van Carville – *The Country's going 'el busto*, teemt Rajun Cajun vrolijk – en de scène waarin een frisse George Stephanopoulos een politieke chanteur, die dreigt op de vooravond van de verkiezingen een van de seksuele escapades van Bill te onthullen, toebijt: 'Je wordt uitgelachen.'

Maar niet ver van de camera's, in een eenvoudig, betonnen gebouw van één verdieping en met een plat dak op klein stukje lopen door een achterafstraatje, was de werkelijke strijd aan de gang. In dat gebouw, dat door de campagnemedewerkers 'de bunker' werd genoemd, lag de meest hachelijke taak tijdens Clintons tocht naar het presidentschap in handen van een handvol anonieme medewerkers, merendeels vrouwen.[1] Ze stonden simpelweg bekend als het 'Defense Team'. Het was een adequate benaming voor een groep waarvan de missie onder meer was de reputatie te verdedigen die Clinton de afgelopen twaalf jaar als gouverneur van Arkansas had opgebouwd. Dat was echter een van de makkelijkere taken. Van het team werd ook verwacht hem te beschermen tegen aanvallen met betrekking zijn persoonlijke gedragingen, waaronder zijn vermeende affaires met vrouwen en zijn zorgvuldige ontwijken van de militaire dienst tijdens de oorlog in Vietnam. Daarnaast had het team nog een delicate opdracht: het verdedigen van Hillary's professionele en ethische reputatie als partner bij Rose Law Firm. Van de leden van het Defense Team werd verwacht, dat ze zouden optreden als doorgewinterde privédetectives – aanwijzingen onderzoeken, feiten verzamelen en niet bang zijn een goede tik uit te delen – met één verschil: ze moesten dat in het geniep doen, onzichtbaar, zonder dat iemand wist waar ze mee bezig waren behalve een kleine groep vertrouwelingen van de Clintons. Het heimelijke werk stond onder leiding van Hillary.

In een niet eerder vrijgegeven memo van 25 maart 1992 werden meer dan 75 zaken vastgesteld 'waar het Defense Team zich over moest buigen' en die zich uitstrekten van de 'persoonlijke succesjes' van Bill tot problemen rond juridische werkzaamheden die Hillary had verricht in relatie tot de staat Arkansas.[2] Haar aanwezigheid op de lijst was meer dan aanzienlijk. Ruwweg twee derde van de kwesties waren zaken die ofwel betrekking hadden op zowel Bill als Hillary of op Hillary alleen. Veel van de zaken waar ze allebei mee te maken hadden, gingen over belastingaangiftes of financiële gegevens die al of niet openbaar waren gemaakt. Achttien van de kwesties hadden enkel en alleen te maken met Hillary's werkzaamheden bij Rose, waarvan sommige onder het kopje: 'Schijnbare invloed via HRC'.

Het was Diane Blair onmiddellijk duidelijk wat een enorme opdracht dat was. Blair was al vroeg toegetreden tot het Defense Team en was de beste vriendin geweest die Hillary in Arkansas had gehad. Blair was een 53-jarige professor politicologie aan de Universiteit van Arkansas.[3] Jaren later zei Blair eens dat ze vermoedde dat Hillary haar zag als de zus die ze nooit had gehad. Voor haar was het beschermen van de Clintons zo ongeveer een familie-zaak.

Er was een hoop te verdedigen en er was noch genoeg tijd, noch waren er de mensen om die verdediging goed te organiseren. Toen David Ifshin, de raadsman van het campagneteam, in het najaar van 1991 naar de ambtswoning van de gouverneur ging om de optie te bespreken vooraf de pers in te lichten over een aantal potentieel problematische zaken, was hij verbijsterd door Bills weigering. Ifshin herinnerde zich dat Bill tegen hem zei: 'Ik kan die kast niet opendoen... Ik word vermorzeld onder de lijken.'[4] Van gecontroleerde openheid kon dus geen sprake meer zijn, alleen van het zorgvuldig begraven van de feiten.

In maart 1992 zond het campagneteam ook een noodkreet naar Betsey Wright, een voormalig assistent van Bill, en vroeg haar vanuit Harvard, waar ze inmiddels wetenschappelijk medewerker was aan de John F. Kennedy School of Government, terug te komen naar Little Rock. Binnen de bunker van het Defense Team richtte Wright een speciale 'opslagruimte' in die werd volgestouwd met hele stapels uiterst gevoelige dossiers, waaronder Bills persoonlijke archief en materiaal uit zijn jaren als ambtsdrager.[5] In de bunker verzamelde Diane Blair ondertussen een hardwerkende, toegewijde groep onderzoekers, merendeels pas afgestudeerd, die ze ongeacht hun geslacht de 'Box Boys' noemde.

Wright had een sleutel van de kamer, maar Bill en Hillary hadden uiteindelijk de zeggenschap over haar werk en ook over dat van Blair en de anderen die in de bunker werkten.[6] Niemand kende de sterke en zwakke punten van haar echtgenoot beter dan Hillary zelf, dus het was al van tevoren een uitgemaakte zaak dat zij het Defense Team zou leiden, niet alleen omtrent vragen die zouden ontstaan over kwesties uit het openbare en privé-leven van Bill, maar ook over haar eigen professionele carrière. Dit alles was deel van een breed takenpakket dat nog nooit eerder aan de vrouw van een presidentskandidaat was toevertrouwd. 'Ze was een belangrijke figuur in die campagne, niet alleen maar als een van de vele medewerkers, maar als op zichzelf staande persoonlijkheid,' zei de voorzitter van het campagneteam, Mickey Kantor.[7] Hij voegde daaraan toe: 'Beslissingen werden nooit genomen zonder haar eerst te raadplegen, want ze had een heel helder beeld van hem en wat hij wilde bereiken.'[8]

Veeleer uit noodzaak dan omdat ze dat wilde, moest Hillary het campagneprotocol omgooien. Traditioneel viel de vrouw van de kandidaat onder de verantwoordelijkheid van de belangrijkste campagnestrategen, vooral als ze kon worden geconfronteerd met lastige vragen van journalisten. Maar Hillary had de touwtjes stevig in handen, zowel wat betreft haar eigen handelen als de boodschappen die ze uitzond. Ze stelde haar eigen persoonlijke staf van verscheidene betaalde krachten samen en vroeg daarnaast advies aan een groot aantal goede vrienden uit het hele land. 'Ik was anders,' zo schreef ze later over haar enorme rol tijdens de campagne van 1992, 'en dat werd in de volgende maanden steeds duidelijker.'[9]

De verdedigingsactiviteiten van Hillary strekten zich uit van het spelen van een inspirerende rol, het zich bezighouden met de meest microscopische details tot het vuile werk. Ze kreeg memo's over de status van de verschillende journalistieke onderzoeken die gaande waren,[10] ze trok de antecedenten na van belangrijk campagnemedewerkers[11] en luisterde zelf naar een in het geheim opgenomen geluidstape van een telefoongesprek tussen twee critici van Clinton, die hun volgende aanval bespraken. Het gesprek ging over een vrouw die misschien in de publiciteit zou komen met aantijgingen over een affaire die ze met Bill zou hebben gehad. Medestanders van Bill hielden namelijk bepaalde frequenties in de gaten die door mobiele telefoons wErden gebruikt. De opname was gemaakt tijdens een van die afluistersessies.[12]

Sinds die dag, achttien jaar geleden, dat Hillary verbluft was geweest toen werd gesuggereerd dat het campagneteam van Clinton onderhandse methoden zou moeten gebruiken om stemmen te winnen op het platteland van Arkansas, was er veel veranderd. Maar opnieuw liepen de kansen van Clinton risico door geruchten over zijn rokkenjagerij. En opnieuw was het aan Hillary om dat risico te beperken. En als dat inhield dat ze moest luisteren naar een geluidsopname die op een twijfelachtige manier was verkregen, dan moest dat maar.

De twee meest zorgwekkende zaken die Bill Clinton bedreigden, waren vrouwen en zijn militaire dienst. Zowel in het openbaar als privé dook Hillary in beide. Een paar weken voordat Clinton in oktober 1991 meedeelde dat hij zich kandidaat stelde voor het presidentschap, had het echtpaar in alle rust een ontmoeting met een groep journalisten tijdens een ritueel in Washington, dat naar Godfrey Sperling Jr. van *The Christian Science Monitor* het Sperling Breakfast werd genoemd. Het plan was om naar aanleiding van het rokkenjagen van Bill een preventieve aanval uit te voeren. Hillary was met het idee gekomen en had ook de onderwerpen verzonnen die Bill moest aansnijden als hij vragen kreeg over hun huwelijk.[13]

De sessie vond plaats in september in een hotel in Washington. Hillary was erbij om de journalisten alvast te onderwerpen aan wat een verslaggever later een 'modelvaccinatie' zou noemen.[14] Bill vertelde de verzamelde pers namelijk alvast 'dat ons huwelijk niet perfect is en niet zonder moeilijkheden is verlopen'.[15]

Kort daarop, in januari 1992, werden in het schandaalblaadje de *Star* gesprekken openbaar gemaakt tussen Bill en barzangeres Gennifer Flowers. Flowers, die de conversatie heimelijk had opgenomen, beweerde dat Bill en zij twaalf jaar lang een verhouding hadden gehad. Toen Clinton lucht kreeg van de voorgenomen publicatie, belde hij onmiddellijk zijn vrouw, die op dat moment op campagne was in Georgia en logeerde in de ambtswoning van de gouverneur van die staat. Hij vertelde haar 'wat er aan de hand was', schreef hij later.[16] De beschuldigingen, hoewel Clinton ze ontkende, 'sloegen in als een bom'.[17]

Hillary maakte zich echter veel meer zorgen over de mogelijke politieke gevolgen dan haar echtgenoot. Toen de opnamen in de openbaarheid kwamen, was Hillary in Pierre, South Dakota. Ze belde meteen naar Bill. Bill, op een of andere manier nog steeds zeker van zijn zaak, dacht dat niemand het verhaal van Flowers zou geloven, zeker niet omdat de *Star* ervoor had betaald. Maar Hillary schoot terug: 'Bill, mensen die je niet kennen zullen zich afvragen: "Waarom praatte je eigenlijk met dat mens?"'[18]

Ze had gelijk. De aantijgingen van Gennifer Flowers waren gefundenes Fressen voor de nieuwsmedia, en de het schandaal verspreidde zich dan ook met een opmerkelijke snelheid. Al snel huurde het Defense Team een privé-detective in die voorstelde om 'om [Flowers'] karakter en geloofwaardigheid zo in twijfel te trekken, dat ze zo kapotgaat dat haar eigen moeder haar niet meer zou herkennen'.[19] Maar hoe zwart ze haar ook maakten, de schijnwerpers bleven gericht op de gouverneur, niet op Gennifer.

Op 26 januari kwamen de Clintons in het programma *60 Minutes* van CBS News, waarin ze hun huwelijk verdedigden en probeerden de angel uit het schandaal te halen. Het interview werd op zondagavond opgenomen in een suite in een hotel in Boston en werd die avond onmiddellijk na de Superbowl uitgezonden. Het bereikte een enorm publiek. Zowel gezien haar bemoeienis met de hoeken waaronder de camera zou filmen, als hoe aanwezig ze was tijdens het interview zelf, was er bij de interviewer, Steve Kroft, en ook bij zijn collega's bij CBS, weinig twijfel over dat Hillary de regie had.

Maar de planning ging verder dan wat op het scherm zichtbaar was. Via geheime discussies met focusgroepen van burgers tijdens het verloop van het schandaal had het echtpaar geleerd het woord 'overspel' te vermijden.[20] (Uit de discussies kwam naar voren dat met name oudere vrouwen aanstoot namen aan welke uiteenzetting over overspel of ontrouw dan ook.[21]) Gewapend met voorzichtige bewoordingen, geselecteerd op maximaal politiek rendement, waren Bill en Hillary er klaar voor om de misstappen van Bill uit het verleden in eufemistische termen te bespreken. Met een gedenkwaardige zinsnede gaf Bill eenvoudigweg toe 'binnen zijn huwelijk pijn te hebben veroorzaakt'.[22]

De meest geciteerde zin van Hillary tijdens het interview was een ramp. Er was een Hollywoodster voor nodig om de rommel op te ruimen.

Toen Kroft erop wees dat het huwelijk van het echtpaar bij sommige mensen de indruk wekte van een 'overeenkomst', ontkende Bill dat onmiddellijk. Hij hield vol: 'Dit is een huwelijk.'[23] Ook Hillary was verbijsterd en ze liet haar verontwaardiging duidelijk blijken.

'Weet u, ik zit hier niet als zo'n vrouwtje dat naast haar man blijft staan net als Tammy Wynette,' zei Hillary. Ze verhief haar stem en haar ogen schoten vuur. 'Ik zit hier omdat ik van hem houd en uit respect voor hem. En ik heb afgewogen wat hij doorgemaakt heeft en wat we samen meegemaakt hebben. En weet u, als dat niet genoeg is voor de mensen, nou, stem dan niet op hem.'[24]

De verwijzing naar de beroemde country-and-westernzangeres veroorzaakte al snel een enorme rel. Nadat ze het programma had bekeken, belde Wynette onmiddellijk haar publiciteitsagent, Evelyn Shriver, en vroeg: 'Weet je wat ze net heeft gezegd?'[25] De volgende dag belden medewerkers van

Hillary naar Wynette om Hillary's verontschuldigingen aan te bieden, maar de zangeres wilde niet aan de telefoon komen.[26] In een wanhopige poging de faux pas achter zich te laten, belden Hillary's mensen Burt Reynolds, om via hem tot de zangeres door te dringen.[27] Reynolds 'zei tegen Tammy dat ze met haar moest praten', waarop de zangeres zich liet vermurwen en de persoonlijke verontschuldigingen van Hillary aanvaardde.[28] In haar autobiografie gaf Hillary toe dat ze onvoorzichtig was geweest in haar woordkeus en dat ze had willen refereren aan het liedje 'Stand by Your Man' en 'niet aan haar als persoon'.[29]

Voor miljoenen Amerikanen was het interview op *60 Minutes* de eerste keer dat ze de Clintons zagen. Bill, de klaarblijkelijke zondaar, kreeg wat klappen te incasseren maar bleef overeind. Hillary, het klaarblijkelijke slacht-offer, bleef dat niet. Het zou nog jaren kosten voordat ze iets van de schade zou kunnen herstellen die dat eerste optreden op prime-time op de nationale televisie aan haar imago had aangericht. Ze zou later de voormalige president Richard Nixon verwijten dat hij degene was geweest die ervoor had gezorgd dat zij op nationaal niveau zo hard werd aangevallen. Een paar dagen na het programma op CBS zei Nixon namelijk tegen Maureen Dowd van *The New York Times*: 'Als de vrouw te sterk overkomt, lijkt haar echtgenoot een sukkel.'[30] Hillary verklaarde later: 'Of hij had nog een appeltje met me te schillen, want ik had zitting in die impeachmentcommissie en hij heeft een geheugen als een olifant – óf hij legde de basis voor een aanval op mij, die er inderdaad aan zat te komen.'[31]

Thuis in Little Rock was een aantal campagnemedewerkers uit andere staten teleurgesteld over wat zij zagen als Hillary's uit berekening en elec-torale overwegingen voortkomende omhelzing van haar echtgenoot op de landelijke televisie.[32] Ze begrepen dat de beslissing van Hillary om bij Bill te blijven sterk was beïnvloed door haar wens te doen wat het beste was voor Chelsea,[33] iets wat Hillary ook zelf later zou erkennen.[34] Maar voor sommi-gen van de campagnemedewerkers klopte het nog steeds niet. Op een avond, niet lang na het interview op *60 Minutes*, vroeg een jonge medewerker van het campagnebureau in het oude gebouw van de *Arkansas Gazette* aan Diane Blair om nog eens uit te leggen waarom Hillary bij Bill bleef. 'Toen Hillary met hem trouwde,' antwoordde Blair, 'wist ze wat ze deed.'[35]

Blair bracht het gesprek daarop terug naar de uitdaging waar ze voor ston-den: 'Jullie taak is om ze te laten winnen,' zei ze, 'dus aan het werk.' Als ze het presidentschap in de wacht weten te slepen, 'zal het het allemaal zeker de moeite waard zijn'. Die filosofie, vond de vraagsteller, 'had te veel weg van een duivelspact', maar ook deze medewerker ging weer aan de slag.[36] Hillary had lang geleden haar eigen pact met Bill gesloten: geen enkele beschuldiging van rokkenjagerij, of die nu waar was of niet, zou het bereiken van hun beider doel in de weg staan. En als zij daarmee akkoord ging, hoe zou iemand anders daar dan bezwaar tegen kunnen hebben?

De problemen van Bill verdwenen natuurlijk niet met het verdwijnen van Gennifer Flowers. Al spoedig werd de campagne opgezadeld met vragen over zijn militaire dienst. Hillary assisteerde bij het coördineren van deze kwestie en hield goed in de gaten hoe het campagneteam ermee omging – zelfs tot op het punt dat zij bepaalde hoe het campagneteam voormalige medewerkers van het Selective Service System (Dienstplichtcommissie) moest benaderen.

De contouren van het dienstplichtverleden van Bill Clinton zijn wel bekend. Net als anderen van zijn generatie stond hij voor een pijnlijk dilemma: het vooruitzicht te moeten vechten in een impopulaire oorlog waar hij niet in geloofde. Bill had eerst aan Georgetown University gestudeerd en was daarna met een Rhodes-beurs naar Oxford gegaan. Ondertussen dreigde echter het zeer reële gevaar dat er bij hem een oproepkaart in de bus zou vallen. In juli 1969, na zijn eerste jaar aan Oxford, ging Bill akkoord om een ROTC-programma te volgen aan de Universiteit van Arkansas, want daardoor had hij meer kans op uitstel. Zodra zijn oproep zich te melden echter was ingetrokken, keerde hij terug naar Oxford – duizenden kilometers van Arkansas verwijderd – en trad hij nooit toe tot het ROTC, het korps van reserveofficieren. Er werd niets ondernomen om hem thuis te krijgen, maar hij verbleef in Engeland in de wetenschap dat hij verre van veilig was.

Op 30 oktober, een paar weken voordat de dienstloting werd ingesteld, werd Bill opnieuw oproepbaar verklaard. In december, nadat hij het hoge volgnummer van 311 had geloot, schreef hij zich formeel uit bij het ROTC-programma dat hij nooit had gevolgd en meldde zich aan bij Yale Law School. Net als sommige anderen van zijn generatie – maar niet allemaal – was Bill door de mazen van het net geglipt.

Maar veel vragen rond die ontsnappingstocht bleven onbeantwoord. En dat blijven ze tot op heden omdat er in de universiteits- en overheidsarchieven belangrijke documenten ontbreken. Een aantal cruciale getuigen is overleden en medewerkers herinneren het zich niet goed meer. En Bill was niet genegen, niet tijdens zijn campagne in 1992 en zelfs niet in zijn uitstekend verkochte autobiografie *My Life*, om volledige openheid van zaken te geven.

Bills duistere dienstplichtverleden trad begin februari 1992, vlak voor de doorslaggevende voorverkiezingen in New Hampshire, aan de oppervlakte toen *The Wall Street Journal* verslag deed van zijn handelen rond het ROTC-programma aan de Universiteit van Arkansas.[37] Niet lang daarna onthulde ABC's *Nightline* een brief uit 1969 van Bill aan kolonel Eugene Holmes, het hoofd van het ROTC-programma aan de universiteit, waarin Bills afwijzing van de oorlog naar voren kwam alsmede zijn dankbaarheid dat Holmes hem, door het verlenen van uitstel, 'van de dienst had gered'.[38] Hillary nam deel aan de vergaderingen over hoe op deze nieuwe ontwikkeling moest worden gereageerd en werd in bijna ieder stadium op de hoogte gehouden van hoe het campagneteam met de aanhoudende vragen omtrent Bills dienstplichtverleden omging.[39] Toen Bill bijvoorbeeld overwoog zelf de brief mee te nemen naar zijn optreden in *Nightline*, maakte zij korte metten met dat idee.[40]

Hillary's voorkeur voor versluiering boven openheid was karakteristiek voor de reactie van het campagneteam. Toen de brief van Holmes opdook, vroeg ABC-Jim Wootten aan Bill of hij zijn oproep had gehad voordat hij zich bij het ROTC had aangemeld. Dat ontkende de kandidaat. Wootten vermoedde al wel dat dat onwaar was, maar realiseerde zich pas later dat Bill hem een 'grove leugen' had verteld.[41] Het was niet de enige misleidende verklaring die Bill gaf tijdens zijn kandidatuur.

Meer dan tien jaar later gaf hij toe dat hij, toen hij had gezegd dat hij 'nooit uitstel had gekregen', 'een onjuiste verklaring'[42] had afgelegd. Bill bleef ontkennen dat hij zijn dienstplicht had ontweken, maar de kiezers waren wantrouwig. Achtervolgd door zowel deze kwestie als door de beschuldigingen van Gennifer Flowers daalde hij snel in de peilingen. Samen met zijn campagneteam vocht hij echter terug en eindigde als derde tijdens de massale voorverkiezing in New Hampshire. Dat hij niet lager eindigde, werd gezien als een grote triomf en het team vervolgde de campagne met hernieuwde kracht.

De kwestie van de dienstplicht bleef echter doorzieken. Bill was nog niet volledig ingegaan op de vraag of hij al of niet een oproep had gehad. Als hij het bevel had gehad zich te melden, hoe kon het dan dat dat bevel was ingetrokken? En was er naast kolonel Holmes misschien nóg iemand aan wie Bill te danken had dat hij de dienst was ontlopen?

Zowel de pers als de rivalen van Clinton bleven vragen stellen, maar slechts met beperkt succes. Ze waren echter niet de enigen die onwetend werden gehouden. Ook de gezichten van het campagneteam, zoals James Carville en George Stephanopoulos, werden niet nader ingelicht. Op 27 december 1991, tijdens een vergadering in de ambtswoning van de gouverneur, bracht Stephanopoulos naar voren dat de dienstplichtkwestie mogelijk een probleem zou kunnen vormen tijdens de campagne. Tegen de Clintons zei hij: 'We moeten een beter antwoord hebben.'[43] Hillary werd boos en beet hem toe: 'Bill gaat zich niet verontschuldigen dat hij tegen de Vietnamoorlog was.'[44]

Ook dat was persoonlijk. Net als veel andere potentiële dienstplichtigen en hun partners hadden ook Bill en Hillary met Vietnam geworsteld. 'Toen ik Bill voor het eerst ontmoette,' schreef Hillary in haar autobiografie, 'praatten we onophoudelijk over de oorlog in Vietnam, de dienstplicht en de conflicterende verplichtingen die we voelden als jonge Amerikanen die van hun land hielden maar het oneens waren met deze oorlog.'[45] Ze voegde daaraan toe dat Bill 'zou hebben gediend als hij was opgeroepen'.[46] Hij wás echter opgeroepen, maar diende nooit. De vraag die de journalisten stelden was: 'Waarom niet?'

Tegen 1992 waren bijna alle gegevens over Bills dienstplichtverleden vernietigd in opdracht van het Selective Service System, de instelling die de dienstplichtwet uitvoerde en die daar al medio jaren zeventig opdracht toe had gegeven.[47] Maar wat geen journalist op dat moment wist, was dat het campagneteam beschikte over kopieën van een groot deel van de belangrijke documenten die vernietigd waren. Daaronder waren een 'Bevel zich te melden voor indiensttreding', gedateerd 1 april 1969, van de indelingsraad van Hot Springs, een verklaring van uitstel van 16 mei 1969 en een brief waarin het bevel tot indiensttreding weer werd ingetrokken, gedateerd 23 juli 1969, een paar dagen nadat Bill had besloten deel te willen nemen aan het ROTC-programma.[48]

Van de vertrouwelingen van de Clintons wisten er maar een paar dat het campagneteam toegang had tot dat originele indiensttredingsbevel van 1 april.[49] De brief van 23 juli, waarin het indiensttredingsbevel aan Clinton werd ingetrokken, bevatte verder nog meer belangrijke informatie: de naam van de functionaris die de brief schreef.[50]

In april 1992 intensiveerden de journalisten hun jacht op deze documenten nadat Cliff Jackson, een oude vriend van Clinton uit Arkansas en Oxford die later een actieve tegenstander van hem werd, een brief naar de pers had gelekt die hij in 1969 naar Bill had geschreven en waarin een aanwijzing stond dat Bill inderdaad een oproep had gehad.[51] Hillary bezocht verscheidene vergaderingen in New York die werden belegd om te bepalen hoe het campagneteam op de brief van Jackson moest reageren.[52] Rijkelijk laat gaf het campagneteam daarop voor het eerst toe dat Bill inderdaad een oproep had ontvangen. Het team besloot die echter niet vrij te geven, in weerwil van vele verzoeken van de pers.[53]

Ondertussen maakten Hillary en Bill zich steeds meer zorgen over de resultaten van het onderzoek van het Defense Team naar het dienstplicht-verleden van Bill, dat er onder meer op was gericht vast te stellen welke documenten nog in overheidsarchieven te vinden waren. Op 20 april 1992 meldde een campagnemedewerker in een e-mail dat 'Bill en Hillary on-geduldig worden' en 'op papier willen zien waar we om gegevens hebben gevraagd over Bill Clinton en over de andere onderwerpen die ons zijn aangereikt. Dat heeft prioriteit.'[54] In een interne campagnememo aan Bill werd hem verteld dat de dossiers over zijn dienstplicht en het ROTC waar-schijnlijk waren vernietigd, maar dat het team daar onmogelijk zeker van kon zijn. En het kon zich nauwelijks permitteren dat de kwestie nog groter zou worden dan ze al was.[55]

Hillary en de rest van het Defense Team overwogen in het geheim of Bill de documenten die hij in bezit had, prijs zou geven of niet. Een voorstel voor een verklaring van hem luidde: 'Kennelijk zijn alle dossiers die bestonden vernietigd. Ik heb echter mijn oude documenten doorzocht en vond de bijgevoegde documenten, waarvan ik niet meer wist dat ik ze had.'[56] Maar omdat een dergelijke verklaring bijzonder riskant was,[57] werd hij nooit vrij-gegeven.[58] In plaats daarvan verzekerde Bill de pers ervan dat hij 'ongeveer de hele wereld' had aangeschreven en dat noch hij, noch zijn medewerkers 'van wie dan ook iets hadden teruggekregen wat niet al eerder in de pers had gestaan'.[59] Wat hij zei, was waar, want de dossiers waren nagenoeg leeg.

In de tussentijd had de onthulling dat Bill wel degelijk een oproep had gehad, een nieuw probleem gecreëerd voor het campagneteam. De functio-naris van het ROTC die aan het hoofd had gestaan van het programma waar-aan Bill indertijd zou deelnemen, zei tegen een verslaggever dat 'ze hem niet zouden hebben geaccepteerd' als ze van het indiensttredingsbevel hadden geweten.[60] Onder leiding van Bill en Hillary raadpleegden campagneme-dewerkers juristen van buiten en die waren van mening dat het binnen de wet zeer wel mogelijk was dat Bill was toegetreden tot het ROTC, terwijl hij al een oproep had ontvangen.[61] Maar de campagnemedewerkers wisten dat nog niet zo zeker. In een memo aan Bill uit april 1992 schreven ze: 'Onder geen enkele omstandigheid zien wij een mogelijkheid dat de gouverneur tot een ROTC-programma zou hebben kunnen toetreden terwijl er al een bevel tot indiensttreding lag.[62]

Hun conclusie liet echter de mogelijkheid open van een 'speciale uitzon-dering of ontheffing' waarmee Bills indiensttredingsbevel 'met succes zou kunnen zijn omzeild'.[63] Die bevelen werden gegeven door de lokale inde-lingsraden van de Selective Service, maar deze waren autonoom, dus de criteria varieerden en men was gevoelig voor druk van buiten. Net als in andere staten was de directeur van de Selective Service van de staat Arkansas een van de personen via wie invloed op dergelijke beslissingen kon worden uitgeoefend.

Het campagneteam wist dat het indiensttredingsbevel was opgeschort op instigatie van de directeur in Arkansas, kolonel William Hawkins,[64] en was ingetrokken op voorspraak van de assistent van Hawkins, majoor Middleton P. Ray Jr.[65] Hawkins was dood, maar Ray leefde nog en woonde in Little Rock. Op dat moment was Hillary persoonlijk betrokken bij verhelderende gesprekken met deskundigen over de dienstplicht, alsmede met het afschermen van gevoelige documenten, zoals Bills dagboek uit zijn studententijd.[66] Ze stond erop dat het campagneteam zou proberen Ray te spreken te krijgen voordat de pers of de Republikeinen dat deden. 'Hillary vindt dat we een geschreven verklaring van Middleton Ray moeten zien te krijgen voordat iemand anders bij hem aanklopt,' zei Betsey Wright op 6 mei 1992 tegen een medewerker.[67]

Ray, zo blijkt, had het campagneteam al verzekerd dat 'hij niet' met de pers zou praten over de documenten met betrekking tot de dienst van Bill.[68] Toch wilde het team verder onderzoek doen, zodat als Ray zou worden benaderd, 'hij zegt wat wij willen dat hij zegt'.[69] De juiste verklaring zou de kwestie in essentie om zeep kunnen helpen.

Uiteindelijk bleken alle zorgen onnodig. Ray werd door zowel de pers als de tegenstanders van Bill nagenoeg genegeerd. Hij werd in 1992 in één artikel kort geciteerd en zei in september van dat jaar tegen de *Los Angeles Times* dat de directeuren van de Selective Service de lokale indelingsraden konden vragen de geschiktheid van een bepaalde dienstplichtige opnieuw te overwegen. Hij voegde daaraan toe dat intrekking van een indiensttredingsbevel het meest voorkwam als een dienstplichtige dienst nam bij de marine of een ander wapen.[70] Ray ging ervan uit dat Bills indiensttredingsbevel wel móést zijn ingetrokken, want hij werd nooit gedwongen zich daadwerkelijk te melden.[71] Maar William Rempel, de verslaggever van de *Los Angeles Times* die het artikel schreef dat die september werd gepubliceerd, kwam er nooit achter dat het indiensttredingsbevel aan Bill door Ray zelf was ingetrokken. Rempel schreef: 'Er is nooit een document gevonden waarin Clintons indiensttredingsbevel formeel werd ingetrokken, noch in de archieven van de indelingsraad, waarin de *Times* zelf inzage heeft gehad, noch, althans volgens Betsey Wright, in Clintons eigen archief.'[72] En wat betreft Ray was dat het. (In de meest gedetailleerde gepubliceerde weergave van de wederwaardigheden rond de dienstplicht van Bill – een verhaal van 56 pagina's in de gevierde biografie van de hand van David Maraniss, *First in His Class* – wordt Rays naam niet eens genoemd.[73])

Het artikel in de *Los Angeles Times* en een ander, dat in *The New York Times* werd geplaatst, probeerden een ander verhaal van het campagneteam door te prikken. Dat ging over de rol die het bureau van senator J. William Fulbright had gespeeld toen Bill probeerde toe te treden tot het ROTC, want mede daardoor was voorkomen dat hij aan het indiensttredingsbevel gevolg had moeten geven. Toen hij op Georgetown zat, had Bill als kantoorbediende gewerkt voor de vooraanstaande senator uit Arkansas. Net als vele anderen werd de jonge student beïnvloed door de rol die Fulbright speelde bij het opzetten van de publieke opinie tegen de oorlog in Vietnam. Bill had herhaaldelijk ontkend dat hij van de dienstplichtautoriteiten een speciale behandeling had gekregen. 'Ik had zeker niet de invloed om die te verkrijgen,' beweerde hij.[74] Maar het campagneteam verspreidde zeer verschillende verhalen over of Bill contact met Fulbright had gezocht en hield vol dat ieder verzoek dat er geweest zou zijn, alleen ging over 'wat de mogelijkheden waren'.[75]

Zowel academische onderzoekers als journalisten verdiepten zich in de archieven van Fulbright bij de Universiteit van Arkansas, waarvan sommige nog steeds niet openbaar waren. De *Los Angeles Times* kreeg via onofficiële kanalen een briefje in handen van de belangrijkste medewerker van Fulbright, Lee Williams, aan kolonel Holmes, de baas van het ROTC. Williams bedankte Holmes hierin, dat hij in zijn eenheid plaats had geboden aan Bill, hoewel er in zijn eenheid eigenlijk geen plaats meer was.

Een brief van Fulbright naar een derde was echter niet hetzelfde als een brief waarin Bill zelf aan Fulbright om hulp vroeg. Randall Bennett Woods, een professor aan de Universiteit van Arkansas die een biografie van Fulbright aan het schrijven was, vond wel een brief van Bill aan Fulbright waarin hij vroeg om een vakantiebaantje. Woods verklaarde echter in het openbaar dat het briefje van geen belang was.[76]

De onthulling van Woods bracht Bill er echter toe om in een lokaal alternatief weekblaadje zeer stellig te ontkennen dat hij ooit een brief aan Fulbright of zijn medewerkers had gestuurd met het verzoek hem te helpen de dienst te ontlopen. 'Ik heb daar echt nooit iemand om gevraagd,' zei Bill beslist tijdens de campagne tegen journalisten. 'Nee. Nooit, nooit.'[77]

Hillary en de leden van het Defense Team wisten dat Bill niet oprecht was. Bill had in 1969 en 1970 een paar bijzonder openhartige brieven aan Williams geschreven, brieven die echter niet te vinden waren in de archieven van Fulbright bij de Universiteit van Arkansas.[78]

In een brief van 8 maart 1970, een van die brieven die het campagneteam nooit vrijgaf, bedankt Bill Williams dat hij voor hem de deur naar kolonel Holmes had geopend, maar liet daarin ook zijn spijt blijken dat hij zijn belofte om toe te treden tot het ROTC niet had gehouden.[79] Bill vertrouwde hem toe dat hij 'bij het ROTC was gegaan omdat dat de enige mogelijkheid leek zijn militaire dienst te volbrengen zonder naar Vietnam te hoeven, althans niet meteen'.[80] In de wetenschap dat Bill een hoog nummer had geloot, zo vervolgde het briefje aan Williams, had Bills stiefvader Holmes gevraagd zijn zoon van zijn verplichting te ontslaan. Holmes ging akkoord, hoewel 'hij vond dat ik het land twee jaar dienst verschuldigd was' en hij Bill 'intelligent maar verward' vond.[81]

'Twee dingen zitten me nog steeds dwars,' schreef Bill, nu 23 jaar oud. Hij refereerde daarmee aan het feit dat de belofte die hij Williams en Holmes had gedaan om bij het ROTC te gaan, niet gestand had gedaan.[82] Dat hij het vertrouwen van Williams had beschaamd, vond hij het ergst. 'Ik ben bang dat u zult denken dat ik op mijn woord ben teruggekomen en zelfs dat van u heb ondermijnd, omdat u voor mij het eerste contact met kolonel Holmes heb gelegd.'[83]

Williams herinnerde zich de brief veertig jaar later nog. 'Ik herinner me dat ik iets van een verontschuldiging van hem heb gehad,' vertelde Williams. Clinton, zo voegde hij daaraan toe, was gewoon 'een van de vele' tegenstanders van de oorlog die hij hielp de dienst te ontlopen.[84]

Op 21 maart 1970 schreef Williams Bill om een bericht van kolonel Holmes aan hem door te geven, dat hij, ondanks zijn hoge lotingsnummer, waarschijnlijk alsnog zou worden opgeroepen.[85] In zijn autobiografie noemt Bill Williams' brief wel,[86] maar laat hij na de openhartige brief te noemen die hij twee weken eerder naar Williams had geschreven. En tijdens zijn campagne had hij het over geen van beide.

Een andere brief van Bill aan Williams, gedateerd 8 mei 1969, vond het campagneteam ook te onthullend om vrij te geven.[87] Nadat Bill Williams heeft verteld: 'Ik ben opgeroepen,' wordt hij sarcastisch, zelfs bitter: ''t Ziet ernaar uit dat het eindelijk mijn beurt is om deel te nemen aan deze heilige, gerechtvaardigde moord op de Vietnamezen, om te voorkomen dat het verwerpelijke virus van het communisme hen zou besmetten. Het is toch prachtig wat deze nieuwe, krachtige medicijn wel niet vermag.'[88] Deze brief bleef geheim, net als alle andere en net als de meeste documenten die het campagneteam in bezit had en die te maken hadden met Bills dienstplicht.[89]

Intern werden, naarmate het Defense Team het materiaal rond de dienstplicht van Bill actualiseerde, af en toe vraagtekens gezet bij de 'inconsistenties' tussen de werkelijke feiten waar het campagneteam van op de hoogte was, en wat de pers te horen kreeg.[90] In september probeerde het campagneteam van Bush Bill erop aan te vallen dat hij niet eerlijk was geweest over zijn dienstplichtverleden. Een van die aanvallen kwam tijdens een televisie-interview met vicepresident Dan Quayle,[91] maar slecht een paar dagen later kwam Quayles eigen diensttijd gedurende de Vietnamoorlog in de schijnwerpers te staan, nadat *The New York Times* een 'opvallend patroon van voortrekkerij' had aangetroffen bij de inlijving van Quayle bij de Nationale Garde van Indiana.[92] Deze journalistieke aandacht werkte eraan mee dat de kritiek over welke bevoorrechting Bill dan ook mocht hebben genoten, de kop werd ingedrukt.

Naarmate de campagne haar duizelingwekkende hoogtepunt bereikte, ontstond bij het Defense Team de behoefte iets voor het nageslacht achter te laten. De camera van Pennebaker volgde dan wel al lang het werk in de War Room, maar van de bijdragen van het Defense Team bestond geen enkel blijvend bewijs. Voor de meeste mensen die eraan meehielpen Bill in het Witte Huis te krijgen, bleef het Defense Team immers nagenoeg onzichtbaar.

Diane Blair, Hillary's geliefde vriendin, kwam op het idee een laatste paragraaf toe te voegen voor het nageslacht. Ze legde het plan voor aan de Clintons en zij gingen onmiddellijk akkoord.[93] Blair verwisselde haar pet van campagnestrateeg weer voor die van professor in de politicologie en interviewde de hogere campagnemedewerkers, onder wie leden van het Defense Team. Haar vragen waren uitstekend voorbereid, ze had het vertrouwen van de medewerkers en wist zeer openhartige antwoorden los te krijgen. Ze boekstaafde de hoogte- en dieptepunten van de lange, uitputtende campagne en verzamelde in korte tijd een hele berg inzichtelijke informatie. Uiteindelijk legde ze haar lijvige verslag – de inleiding alleen al telde dertig pagina's – neer in 'dikke, gebonden delen'.[94]

Van het verslag van Blair werden maar twee exemplaren gemaakt. Ze gaf één exemplaar aan Blair en Hillary toen die in augustus 1993 een bezoek brachten aan de Blairs in hun huis aan de oever van een meer in Arkansas. Het tweede exemplaar hield ze zelf.[95]

Diane Blair wist dat de Clintons haar verslag liever niet gepubliceerd wilden zien. 'Ik wist gewoon wat er zou gebeuren,' toen de Clintons haar verslag hadden gelezen. 'Eigenlijk zeiden ze gewoon: laten we ermee wachten.'[96] Tijdens zijn eerste, lange zomer in Washington kreeg president Clinton vernietigende aanvallen te doorstaan van zowel de Republikeinen op Capitol Hill als activisten in het land. Bill en Hillary vertrouwden Diane Blair toe dat het project dat ze tien maanden eerder hadden toegejuicht, hun nu eigenlijk zorgen baarde. Het campagneteam had weerstand moeten bieden aan een groep toegewijde Clinton-haters en had ze met gelijke munt terugbetaald. Het leek de nieuwe president en de First Lady beter dat de wereld niet op de hoogte werd gesteld van waar het Defense Team zich mee bezig had gehouden – en waarom ze zich daarmee bezig hadden gehouden.

Toen Blair in mei 2000, tijdens een interview voor een archief voor orale geschiedenis aan de Universiteit van Arkansas, over het project vertelde, werd ze onderbroken door een telefoontje van Hillary. Blair leed op dat moment aan longkanker en de neveneffecten van chemotherapie, en Hillary, die op dat moment op campagne was voor een zetel in de Senaat, liet dagelijks alles uit haar handen vallen om te informeren hoe het met haar oude vriendin ging.

Diane Blair stierf de maand daarop in Fayetteville. Hillary leidde de uitvaartdienst en gaf, hoewel ze samen met haar echtgenoot een uitputtende vlucht uit Azië achter de rug had, een uitstekende toespraak ten beste. Het onderzoek van Blair is nooit in de openbaarheid gebracht. Zelfs de voorzitter van het campagneteam van Bill was, tot hem er in 2007 naar werd gevraagd, niet op de hoogte van het bestaan ervan.[97] Voor bijna iedereen blijft de documentaire *The War Room* de enige erfenis van de campagne van 1992. Maar een handvol mensen heeft weet van wat Bill Clinton te danken heeft aan het heimelijke werk van Hillary en haar Defense Team.

Uiteindelijk vonden de kiezers de staat van de economie en hun eigen financiële situatie belangrijker dan het privéleven van de kandidaten. Het resultaat was dat Bill Clinton de eertijds populaire zittende president, George H.W. Bush, versloeg met de hulp van een onverwacht populaire derde kandidaat, H. Ross Perot.

Toen de Clintons naar Washington afreisden, bleven de agressieve methoden die ervoor gezorgd hadden dat ze de campagne hadden doorstaan, niet in Arkansas achter. Gedurende de volgende acht jaar werd de politiek in Washington harder dan ze heel lang was geweest, wat nog versterkt werd door een bepaald type karakters en de opkomst van het 24-uursnieuws. Bill en Hillary beseften snel genoeg dat de campagne waarvan ze hadden gedacht dat die na de verkiezingen voorbij zou zijn, in feite altijd doorging. Soms leek die oneindigheid een weg die oneindig voorwaarts ging, soms een oneindige spiraal. En als ze in zo'n spiraal zaten, kwamen de spoken uit het verleden terug om de Clintons na te jagen. Een van die spoken was Whitewater.

# 8

# Het 'enige stomme idiote...'

Whitewater, de verliesgevende vastgoedinvestering van Bill en Hillary, was zo ver weg en was zo weinig lucratief geweest dat ze er jarenlang nauwelijks aandacht aan hadden besteed. Het perceel, gelegen langs de White River in landelijk Noord-Arkansas nabij het stadje Flippin, was moeilijk te vinden. Hoewel het gebied zeer afgelegen was, hadden Bill en Hillary er in eerste instantie vertrouwen in gehad dat het een lucratieve investering zou zijn. Maar tegen het einde van de jaren tachtig, toen de zakenpartner van de Clintons, Jim McDougal, het onderwerp werd van een federaal onderzoek, begon Hillary zich zorgen te maken. De investering was volgens haar een financiële puinhoop die nodig uit de weg geruimd moest worden. Ze zei dan ook tegen een van haar partners bij haar advocatenkantoor: 'We moeten Whitewater op orde brengen,' maar zelfs haar beste vrienden bij het kantoor hadden geen idee wat de naam Whitewater betekende.[1]

Bill hield zich nooit bezig met Whitewater en zei op een bepaald moment zelfs tegen een medewerker dat hij helemaal geen belang meer had in het vastgoedproject. Dat was niet waar, maar het was niettemin aan Hillary om zich zorgen te maken over Whitewater en de problemen die het project nog kon opleveren.[2]

Nadat gouverneur Clinton president Clinton was geworden, zouden haar zorgen over de verliesgevende vastgoedonderneming reëel worden.

Ironisch genoeg ontstond de vermaledijde zakenrelatie tussen Bill en Hillary en McDougal via Lee Williams, de medewerker van Fulbright, mede door wiens toedoen Bill niet in dienst had gehoeven. Het begon allemaal, heel onschuldig, in het begin van de zomer van 1968. Bill was eenentwintig, kwam net van Georgetown University en werkte nu in Arkansas als vrijwilliger tijdens de campagne voor de herverkiezing van Fulbright. Op het hoofdkwartier van de campagne, het Marion Hotel in Little Rock, stelde Williams, toen campagneleider van Fulbright, Bill voor aan McDougal, een kleurrijke politiekeling die ook voor Fulbright werkte.[3]

In het begin strekte de relatie tussen Bill en McDougal tot beider voordeel.

In 1977, toen Bill minister van Justitie van Arkansas was geworden, kocht hij wat vastgoed van McDougal en inmiddels ex-senator Fulbright. Hij verkocht het weer snel met een redelijk winst.

Een jaar later investeerden Bill en Hillary samen met McDougal en zijn vrouw Susan in het terrein in Whitewater. De band met Fulbright bezegelde de overeenkomst, net zoals die ervoor had gezorgd dat Bill Vietnam was ontlopen. De Clintons waren zeker onder de indruk van het financiële succes van McDougal, maar het was zijn connectie met 'de onberispelijke Fulbright' die 'ons beiden geruststelde', zo schreef Hillary jaren later.[4]

Een paar jaar na de investering in Whitewater had McDougal ook een bank aangekocht en een hypotheekbank, Madison Guaranty. De beide bedrijven stonden onder toezicht van federale toezichthouders en die van de staat Arkansas. Niemand in de staat liet echter enige zorg blijken over of het wel correct was dat de gouverneur en de gouverneursvrouw van Arkansas en McDougal samen een vastgoedonderneming hadden, ook niet nadat de laatste was aangeklaagd en vervolgens vrijgesproken voor fraude bij Madison.

Maar die kleine verwikkeling, die in een kleine staat nauwelijks stof deed opwaaien, bleek op het nationale toneel niet zo klein. Op het document waarin Bill bij zijn kandidaatstelling openheid van zaken gaf over zijn financiën, kwam ook de vastgoedonderneming voor. Niet lang nadat hij zich kandidaat had gesteld voor het presidentschap, werd Hillary opnieuw ongerust over de financiële en fiscale toestand van Whitewater en vroeg ze een van haar partners bij het advocatenkantoor, Bill Kennedy, om hulp.[5] Het was echter niet alleen Whitewater waar ze zich zorgen over maakte. De lijst van 75 zorgwekkende kwesties die het Defense Team had geïdentificeerd, omvatten ook kwesties rond mogelijke belangenverstrengeling. Hillary had namelijk, toen ze bij Rose zat, werkzaamheden voor Madison verricht.[6]

McDougal, ooit een invloedrijk man in de stad, was aan lagerwal geraakt en toen Bill in oktober 1991 aan zijn race naar het Witte Huis begon, woonde hij in een caravan in Arkadelphia, een plaatsje op ongeveer een uur rijden ten zuidwesten van Little Rock.[7] In een reeks interviews beweerde McDougal dat Bill hem had gevraagd Hillary en Rose Law Firm in te huren. Hij deed dat met tegenzin, want hij had al een advocatenkantoor voor zijn hypotheekbank. (Zoals eerder vermeld, kwam het er uiteindelijk op neer dat Madison Rose tweeduizend dollar per maand betaalde, ongeacht de werkzaamheden die waren verricht.) McDougal zei ook dat hij geloofde dat er documenten bestonden waaruit zou blijken dat Hillary juridische werkzaamheden had verricht, waarbij ze zijn belangen had behartigd tegenover het Arkansas

Securities Department, de instelling die toezicht hield op door de staat erkende spaarbanken als Madison Guaranty.

Op 11 februari 1992 bezocht een van de schrijvers van dit boek (Jeff Gerth, toen nog onderzoeksjournalist bij *The New York Times*) het Securities Department in Little Rock en verzocht op grond van de Wet Openbaarheid van Bestuur van de staat Arkansas het dossier-Madison in te zien. Een medewerker vond de gegevens en liet Gerth alleen met een microfichelezer om het dossier te bekijken. Spoedig vond hij in de correspondentie tussen Rose en het Securities Department twee brieven uit 1985 met Hillary's naam erop.[8]

Later die dag seinde Joe Madden, de Securities Commissioner van Arkansas, het kantoor van de gouverneur en de campagnestaf in over Gerths ontdekkingen. Madden vertelde dat tussen de documenten die Gerth had verkregen, een brief zat van zijn voorganger met de aanhef 'Beste Hillary'.[9] Het campagneteam en Rose kwamen onmiddellijk in beweging. Om 8:41 uur de volgende ochtend had iemand van het advocatenkantoor de declaratie- en betalingsgegevens met betrekking tot Madison achterhaald.[10]

Een paar dagen later belde Gerth Webb Hubbell, de partner van Rose Law Firm die belast was met vragen van de pers. Hubbell had de declaratiegegevens bestudeerd, maar wilde geen uitspraak doen over de werkzaamheden van het kantoor voor Madison, noch over hoe de hypotheekbank een klant van Rose was geworden. Wat hij echter wel meteen deed, was het inlichten van iemand bij het Defense Team over zowel de vragen van Gerth als de antwoorden die hij had gegeven.[11]

Inmiddels was de zaak zo ernstig geworden, dat Hillary de contacten tussen de media en het campagneteam over deze zaak had beperkt tot een handjevol medewerkers en advocaten. Voorts had ze een van haar beste vriendinnen in dienst genomen, de New Yorkse advocate Susan Thomases, met de specifieke opdracht de contacten met Gerth en *The New York Times* te onderhouden.[12] Nadat ze met Hillary had overlegd, belde Thomases Gerth op 20 februari en vertelde hem dat een van de jongere advocaten van Rose, Rick Massey, zichzelf verantwoordelijk stelde voor het als klant binnenhalen van Madison.[13] Gerth ging erachteraan en belde Massey in Little Rock. Massey weigerde echter meteen die verantwoordelijkheid te nemen en zei dat hij niet wist hoe Madison bij het kantoor terecht was gekomen.

Het campagneteam, dat zich op dat moment al bezighield met de affaires en de dienstplicht van Bill, zag de betrokkenheid van Hillary bij Madison als een mogelijke 'derde klap'.[15] Men maakte zich zorgen, zo herinnerden de campagnemedewerkers zich later, dat ze politiek in verlegenheid gebracht zou worden, niet zozeer dat ze juridisch in de problemen zou komen. De reputatie van Hillary als topadvocate, die een carrière had onafhankelijk van die van haar man, zou echter schade kunnen lijden als bekend zou worden dat ze voor iemand als McDougal zou hebben gewerkt, dat ze zaken zou hebben gedaan met toezichthouders die door haar echtgenoot waren aangesteld en dat ze door McDougal ook was ingehuurd op voorspraak van haar man, die immers op dat moment gouverneur was.[16]

Gerth was zijn onderzoek inmiddels aan het afronden en zou een ontmoeting hebben met Thomases en Loretta Lynch, een ander lid van het Defense Team, in het kantoor van Thomases in New York. In die periode had McDougal op verzoek van Gerth zijn papieren uitgezocht en was gestuit op een paar reçuutjes van cheques, die in een verkeerd dossier waren beland. Hij had gedacht dat ze al jaren geleden verbrand waren, maar ze waren 'per ongeluk' tussen andere financiële stukken terechtgekomen.[17] Uit de gevonden reçuutjes, die McDougal aan Gerth had gegeven, bleek dat de Whitewater-onderneming onvoldoende gedekte cheques had uitgeschreven op een rekening bij Madison Guaranty. Andere documenten toonden aan dat Madison Guaranty die cheques echter niet had geweigerd. Iemand had op een of andere manier de gelden gefourneerd om de schuld aan te zuiveren.

Tijdens de vergadering op het advocatenkantoor van Thomases liet Gerth de gevonden reçu's aan Thomases en Lynch zien. Hij vroeg Thomases daarop naar de financiën van Whitewater, maar op die vraag had ze weinig te zeggen.[18] Nog maar een paar dagen daarvoor hadden Bill en Hillary tegen haar gezegd dat Whitewater een pijnlijke fout was – in de woorden van Hillary: 'Het enige stomme idiote wat we ooit hebben gedaan.'[19] Bill had gezegd dat hij spijt had van de investering, deels omdat daardoor de schijn van belangenverstrengeling was ontstaan.[20]

Op zondag 8 maart publiceerde *The New York Times* een artikel van 1785 woorden dat het bestaan van het vastgoedvennootschap tussen de McDougals en de Clintons onthulde, almede de connecties tussen die onderneming en de failliete hypotheekbank. Ook kwam het feit aan de orde dat Hillary's naam was aangetroffen in documenten van haar advocatenkantoor die te maken hadden met de behartiging van belangen van de hypotheekbank ten overstaan van toezichthouders van de staat Arkansas.

In de conclusie van het artikel werden vragen gesteld over twee mogelijke belangenconflicten: een gouverneur die met iemand in zee was gegaan van wie het bedrijf onder toezicht stond van de overheid, en de vrouw van de gouverneur die deze zakenpartner vertegenwoordigde tegenover staatstoezichthouders die de gouverneur van die staat zelf had aangesteld. Met McDougals nieuwe gegevens over de hypotheekbank in de hand werd in het artikel ook gesteld dat de hypotheekbank van McDougal zijn weinig succesvolle vastgoedonderneming met de Clintons had gesubsidieerd. Uit het artikel bleek verder dat de Clintons 'weinig financieel risico hadden gelopen' omdat McDougal de meeste betalingen had gedaan in de onderneming, terwijl het risico eigenlijk gelijkelijk verdeeld had moeten zijn.[21]

Op zaterdagavond had het campagneteam via de fax een eerste versie van het artikel ontvangen, zodat de campagnestrategen de gelegenheid kregen een lange weerlegging te schrijven voor de journalisten de volgende ochtend. Hillary bestudeerde de verklaring en keurde haar goed.[22] De timing was belangrijk: over twee dagen zouden in acht staten voorverkiezingen plaatsvinden, een dag die bekendstaat onder de naam Super Tuesday. Tijdens de campagne zou met name de titel van het artikel wel eens een probleem kunnen worden: 'Clinton met hypotheekbank in vastgoedonderneming in Ozark Mountains'. De titel zou zo kunnen worden gelezen dat het echtpaar de investering had gedaan toen McDougal de hypotheekbank al in bezit had, hoewel in het artikel stond dat hij die pas een paar jaar later had aangekocht.

De campagnemedewerkers van Clinton benadrukten dat de Clintons nooit iets aan Whitewater hadden verdiend. Ze beklaagden zich er ook over dat in het artikel niet werd gerept van 'het substantiële risico' dat het echtpaar had gelopen en dat het 'nog steeds persoonlijk aansprakelijk is voor de uitstaande schulden van het bedrijf'.[23] Intern wist men echter dat dat laatste argument niet al te sterk was, omdat Bill zijn aansprakelijkheid voor de schulden niet had toegevoegd aan het financiële rapport voor de federale kiesraad.[24] Binnen het team ontstond discussie. Moest Whitewater dan aan de bezittingen worden toegevoegd? Een medewerker merkte op dat het dan als een buitenkansje oogde, omdat McDougal er meer geld in had gestopt dan de Clintons. Of moest het campagneteam Whitewater voorstellen als een schuld en hen zo als slachtoffer afschilderen?[25] Uiteindelijk kozen de Clintons voor de laatste mogelijkheid en voegden Whitewater een paar weken nadat het artikel in de *Times* was geplaatst, in een gewijzigd rapport als schuld toe.

Hoewel Bill degene was die alle formulieren onder ede had getekend, was het Hillary die het heft in handen nam wat betreft de reactie van het campagneteam. Hillary stond er ook op dat de medewerkers alle vragen eerst aan haar zouden voorleggen. 'Ze zegt dat als het over belasting gaat, ze niet wil dat wie dan ook van ons ook maar iets antwoordt op welke algemene of specifieke vraag dan ook, voordat ze de vraag eerst zelf heeft gehoord,' schreef een medewerker van het campagneteam in een memo.[26]

Spoedig namen ook andere kranten het verhaal over Whitewater over. Ze begonnen verdere vragen te stellen over Hillary's rol bij het in de wacht slepen van Madison als klant van Rose, en over de invloed die haar advocatenkantoor in Arkansas zou hebben gehad.[27] Op 15 maart, aan de vooravond van de voorverkiezingen in Illinois, kwam de kwestie aan de orde tijdens een debat tussen de Democratische presidentskandidaten in Chicago. Voor het debat vroeg Hillary haar echtgenoot 'haar eer te verdedigen'.[28] Hij greep zijn kans toen Jerry Brown, de voormalige gouverneur van Californië, de Clintons betichtte van belangenverstrengeling en Bill voor de voeten wierp 'dat hij bij wijze van staatszaak geld naar het advocatenkantoor van zijn vrouw had gesluisd'.[29] Bill nam het voor Hillary op en beschuldigde Brown ervan zijn 'vrouw te pakken' en voegde daaraan toe dat hij 'het zelfs niet verdiende om naast mijn vrouw op één podium te staan'.[30]

Later die avond besloot Andrea Mitchell, de correspondent voor NBC News in Washington, te proberen een duit in het zakje te doen met wat vragen van haarzelf. Mitchell wilde Hillary persoonlijk ondervragen over de aantijgingen van belangenverstrengeling, maar ze besefte dat het voor haar niet makkelijk zou zijn tot haar door te dringen. Het echtpaar zou echter 's ochtends tussen halfzeven en zeven uur een bezoek brengen aan de Busy Bee, een restaurantje onder de verhoogde spoorweg van Chicago, om daar forensen te ontmoeten die al vroeg op weg waren naar hun werk. 'De enige manier om Hillary een vraag voor te leggen, was door vroeger op te staan dan wie dan ook, me naar het restaurantje te haasten en daar net als de andere klanten op een kruk te gaan zitten, voordat de veiligheidsdienst en de rest van de voorhoede de boel zouden afgrendelen,' zo herinnerde Mitchell zich later.[31]

Na ontelbare koppen koffie was Mitchell wakker genoeg en zat ze in de juiste positie om haar vraag af te vuren. Toen Hillary langsliep, vroeg Mitchell haar naar de beschuldigingen van belangenverstrengeling en het wegsluizen van geld.[32]

Hillary noemde de beschuldigingen van Brown 'zielig en wanhopig'[33] en op de tweede vraag antwoordde ze: 'Ik had ook thuis kunnen blijven, thee kunnen drinken en koekjes kunnen bakken.' Maar, vervolgde ze, 'ik besloot mijn beroep uit te oefenen en dat deed ik al toen mijn man nog niet eens een openbare functie bekleedde'.[34]

Haar medewerkers realiseerden zich onmiddellijk dat die opmerking een open zenuw zou raken. Campagnestrateeg Paul Begala zei tegen haar dat wat ze gezegd had kon worden geïnterpreteerd als 'kritiek op huismoeders'[35]. Hillary was het er niet mee eens en antwoordde met een gepijnigde, naïeve blik: 'Dat zal toch niemand denken.'[36] Hillary legde uit dat ze ook graag een huismoeder was geweest, maar dat ze zich dat vanwege het lage inkomen van Bill niet had kunnen permitteren.[37] 'Je maakt je er veel te druk over,' zei ze tegen Begala.[38]

Niettemin liep ze terug naar buiten om haar opmerking nader te verklaren. Hier, buiten het koffiehuis, werden de journalisten volgens Mitchell 'als vee samengedreven' en 'gingen keurig in het gelid staan toen een politiek correcte Hillary het restaurant uitkwam om hun te vertellen dat ze vrouwen die thuis werkten natuurlijk nóóit te min vond'.[39]

'Maar het was al te laat,' zei Begala later.[40] Haar opmerking was al in de lucht en zou natuurlijk in het hele land worden aangehaald.

Haar opmerking was koren op de molen van de Republikeinen, zoals ook Hillary later onderkende. Zelf dacht ze dat de kritiek die ze kreeg, voortkwam uit de rol die ze speelde 'als symbool voor de vrouwen van mijn generatie' en als personificatie van 'de fundamentele verandering in de manier waarop vrouwen in de maatschappij functioneerden'.[41]

De twee verklaringen die ze gaf, waren typisch Hillary: in geen van beide aanvaardde ze zelf de schuld. Die weerstand was een bijna instinctieve reactie als ze geconfronteerd werd met kritiek over een blunder die ze had begaan. Haar onwil om fouten toe te geven, zelfs zoiets kleins als je mond voorbij praten tijdens een campagne, wordt deels veroorzaakt door het geïdealiseerde beeld dat ze van zichzelf heeft – dat ze niets verkeerd kan doen zolang de fouten die ze maakt deel zijn van de inspanning een hoger, nobel doel te bereiken. Daar komt bij dat ze er zeker van is dat ze overal waar ze komt de slimste van het gezelschap is.

Maar er is nog een reden waarom Hillary moeite heeft de volledige verantwoordelijkheid te nemen voor de fouten die ze maakt: het zou haar tegenstanders in de kaart spelen. Hillary heeft een groot aantal persoonlijke aanvallen en door de media aangewakkerde vernederingen moeten incasseren. Ze is een pionier – maar een voorzichtige. Wat ooit misschien een licht defensieve houding was, is in de loop der tijd versterkt – een toenemende frustratie zich te moeten verantwoorden jegens degenen die haar willen treffen. Natuurlijk, waarschijnlijk heeft iedere politicus zulke gevoelens in zekere mate, maar weinigen hebben naast hun echtgenoot hoeven zitten terwijl hij zijn overspel opbiecht, weinigen hebben hun tegenstanders horen zeggen dat ze afschuwelijke mensen zijn of dat hun kind lelijk is, en weinigen hebben pijnlijke roddels over hun privéleven hoeven verduren. En dat allemaal in een tijd waarin het venijn en de zelfversterkende spiraal van wrede achterklap via de moderne media bijzonder hard en genadeloos snel kan toeslaan. Wat echter verbaast bij iemand die zo slim is, is hoe weinig gevoel ze heeft voor wat ze kan zeggen en wat niet – zoals in Chicago. En nog veelzeggender is dat ze al zo was voordat ze een prominente rol speelde op het nationale toneel. De Busy Bee onder het spoor was niet eens zo ver van Park Ridge, waar ze ooit van haar moeder leerde dat terugslaan de beste manier is om op een pestkop te reageren.

Het was niet verrassend dat het campagneteam uit eigen peilingen en onderzoek de conclusie trok dat Hillary op de kiezers overkwam als te agressief en te grof. In april 1992 schreven topadviseurs in een memo dat ze werd gezien als een vrouw 'die de baas wil spelen'.[42] Ze raadden dan ook een strategie aan waarbij Hillary een tijdje een stapje terug zou doen.

De aanbevelingen van de adviseurs werden voor het grootste deel overgenomen. Maar zoals ze al in hun vertrouwelijke stuk hadden voorspeld, werd Hillary het brandpunt van de aanvallen van de Republikeinen op de Clintons en hun waarden, met name tijdens een conventie van de Grand Old Party waarbij Pat Buchanan Hillary een 'radicale feministe' noemde, die het huwelijk vergeleek met slavernij.[43]

Eind maart was de kwestie-Whitewater als campagne-issue naar de achtergrond verdwenen, nadat een advocaat van het team een accountantsrapport had gepresenteerd waaruit bleek dat de Clintons bij die onderneming geld hadden verloren, hoewel niet bij benadering zoveel als de McDougals.[44] Maar in het rapport werd niet gerept van juridische werkzaamheden voor Madison of voor enige andere cliënt die door Hillary of iemand anders van haar kantoor zouden zijn uitgevoerd. Zowel het Defense Team als bepaalde journalisten probeerden echter nog steeds antwoord te krijgen op vragen die daarover waren ontstaan.

In dezelfde periode overwogen Hillary, Susan Thomases en Loretta Lynch wat ze tegen *The New York Times* en *The Washington Post* zouden vertellen omtrent de werkzaamheden waarbij Hillarys de belangen van Madison en andere cliënten had behartigd tegenover de toezichthouders van de staat Arkansas.

Aanvankelijk had Hillary verklaard dat ze helemaal geen cliënten had vertegenwoordigd tegenover die toezichthouders. Dat was niet juist.[45] De latere verklaringen van het campagneteam, waaraan Hillary overigens zelf ook bijdroeg, waren minder stellig. Daarin zei ze 'dat ze had geprobeerd dergelijke betrokkenheid te vermijden', 'dat ze zich geen enkele zaak anders dan die rond Madison Guaranty kon herinneren waarbij ze betrokken was en dat haar betrokkenheid bij die zaak minimaal was'.[46] Uit aantekeningen van Lynch komt echter naar voren dat uit de declaratiegegevens bleek dat er 'minstens één gesprek' was geweest tussen Hillary en de State Securities Commissioner.[47] Het campagneteam maakte dat feit nooit openbaar. Voorts schreef Hillary, geholpen door Vince Foster, een verklaring waarin ze haar onberispelijke reputatie als advocaat in Arkansas naar voren bracht. Tussen de regels door was te lezen dat ze aanvaardde dat het verkeerd was geweest om namens Madison met de commissaris in gesprek te zijn getreden. 'Ik zie in dat ik, gezien de schijn van belangenverstrengeling die ontstond, achteraf gezien beter iedere betrokkenheid had kunnen vermijden,' schreef ze.[48] Maar die verklaring werd evenmin vrijgegeven aan het publiek en wel met een duidelijke reden. 'Ze hield er niet van een fout toe te geven,' zei Kantor, hoofd van het campagneteam, deels 'omdat het haar kwetsbaar zou maken voor aanvallen' van Bills tegenstanders.[49]

Vijftien jaar later, tijdens een andere presidentiële campagne, zou Hillary's behoefte om onfeilbaar te zijn (of te lijken) opnieuw naar voren komen. Deze keer was het haar eigen campagne en de fout die ze niet wilde toegeven, was dat ze in 2002 vóór de oorlog in Irak had gestemd.

Hillary bood de campagnejournalisten ook een nieuwe uitdaging. De laatste keer dat de financiën van een echtgenoot tijdens een campagne een belangrijke kwestie waren geweest, was in 1984, toen Geraldine Ferraro, de Democratische kandidaat voor het vicepresidentschap, verantwoording had moeten afleggen voor de zakenactiviteiten van haar man. En in 1992 hing in Washington de ethiek zeker in de lucht. De voorzitter van het Huis van Afgevaardigden, Jim Wright, een Democraat uit Texas, was kort daarvoor afgetreden na een klacht bij de Ethische Commissie van het Huis, ingediend door het drieste Republikeinse Congreslid Newt Gingrich. En ook Hillary was niet onkwetsbaar voor dit nieuwe, wantrouwige klimaat. Volgens Hillary en Bill was Madison een uitzondering – en dan ook nog een weinig ernstige – op de regel dat Hillary geen werk had gedaan waarbij ze direct met de toezichthouders te maken had gehad. 'Ik doe geen toezichtszaken voor banken,' zei Hillary in maart 1992 beslist.[50] In feite wisten Hillary, maar ook sommige hoge campagnemedewerkers en een paar vertrouwelingen bij Rose, dat er wel degelijk zo'n zaak bestond. Het bewijs daarvoor werd niet vrijgegeven aan de pers en werd later door Hubbell uit de archieven van het advocatenkantoor verwijderd.[51] De cliënt was de Southern Development Bancorporation, een holding die een bank voor plattelandsontwikkeling bezat, de Southern Development Bank, gevestigd te Arkansas. Hillary was lid van de raad van bestuur en extern raadsvrouw van de bank. Gedurende de zes jaar dat ze als advocaat van het bedrijf fungeerde, betaalde de Southern

Development aan Rose Law Firm tussen de 100.000 en 200.000 dollar.[52] Nadat de bank in 1986 was opgericht, was bovendien op instigatie van Bill in totaal 300.000 dollar aan staatsmiddelen in de bank geïnvesteerd.[53] Toen hij president was geworden, pochte Bill zelfs 'dat Hillary en ik, toen we nog in Arkansas waren, hadden geholpen de Southern Development Bank in Arkansas op te richten' – en vergat te vermelden dat Hillary daarbij niet pro Deo werkte, maar uurtje-factuurtje was betaald.[54]

De reden voor deze staatssubsidie was dat de Southern Development Bank ten doel had leningen te verschaffen aan mensen die daar normaal niet voor in aanmerking zouden komen. Maar het was in veel opzichten een bank als alle andere – met dezelfde expansiedrang. Terwijl de voorverkiezingen voortduurden, kreeg het campagneteam van Clinton er lucht van dat journalisten van *The Washington Post* met mensen van de Southern Development hadden gepraat over de mogelijke betrokkenheid van Hillary bij de overname van een andere bank, Elk Horn, en werkzaamheden inzake de goedkeuring van die overname door de State Banking Commissioner.[55]

Loretta Lynch had een gesprek met Hubbell op 11 mei, nadat hij de archieven van Rose aangaande de Southern Development had doorzocht. Waar hij achter was gekomen, zei Hubbell, zou ze niet leuk vinden.[56]

De commissaris, die benoemd was door Bill, had Hillary een brief geschreven met de suggestie voor een bank die de Southern Development zou kunnen kopen.[57] Wat echter zorgwekkender was, zei Hubbell tegen Lynch, was een aparte transactie waarbij de Southern Development betrokken was.[58] De dossiers van het advocatenkantoor toonden aan dat Hillary 'gesprekken had gehad' met de State Securities Commissioner over een – overigens gebruikelijke – ontheffing die de Southern Development nodig had om effecten te kunnen uitgeven.[59]

De volgende dag belde Lynch de Securities Commissioner om erachter te komen wat er in de dossiers over de Southern Development en Hillary te vinden was. 'Hillary zit echt overal in dit dossier,' zei de commissaris tegen Lynch. 'Dat ziet echt iedereen.'[60]

Op 16 mei bracht Lynch Hillary en Betsey Wright van deze alarmerende feiten op de hoogte. Om de schade door de reportage van de *Post* zo veel mogelijk te beperken, zo schreef Lynch, konden de contacten tussen Hillary en de Securities Commissioner 'maar beter niet in de openbaarheid komen'.[61] (Na de verkiezingen werden de dossiers over de besprekingen, zoals de originelen van het dossier aangaande de Southern Development Bank, door Webb Hubbell uit het kantoor van Rose weggehaald. Hij nam ze mee naar zijn nieuwe huis in Washington D.C.[62])

De tegenwerking had succes. De gesprekken van Hillary met de toezichthouders bereikten het publiek nooit, evenmin als de rest waar Lynch achter
gekomen was. Toen het artikel van de *Post* eind juli eindelijk werd gepubliceerd, ging het slechts zijdelings over de ontwikkelingsbank en kreeg het
weinig aandacht. De journalisten kregen nooit lucht van connecties met
'Securities', noch kwamen ze achter de correspondentie met de Banking
Department.

Hillary had in 1997 nog een zakentransactie die ze onder de pet wilde
houden: haar winstgevende handel op de agrarische termijnmarkt in de jaren
zeventig. Ook daarin slaagde ze.

Het campagneteam was wat betreft de financiën van de Clintons enorm
terughoudend. In een memo herinnerde Betsey Wright een medewerker
daaraan. 'Laat het belastingverleden van de Clintons alsjeblieft tussen ons
tweeën blijven. Ik besluit wie het verder te weten komt. Hillary is van plan
het ook binnen het team niet aan iedereen te vertellen,' drukte Wright Lynch
op het hart.[63] Hillary was tijdens een vergadering dat voorjaar zelfs nog
duidelijker. Ze waarschuwde Lynch dat als de belastingaangiftes met haar
termijnhandelstransacties erin naar buiten zouden komen, dat grote conse-
quenties zou hebben: 'Je zou binnen de Democratische politiek nooit meer
aan het werk komen,' zei ze tegen haar.[64]

Bill had zijn aangiftes tot 1980 vrijgegeven, maar niet die waarop Hillary's
verdiensten uit haar termijnhandel stonden. Journalisten die nieuwsgierig
waren naar de enorme sprong in het gezamenlijk inkomen die het echtpaar
in die periode had gemaakt, kregen een andere uitleg: het geld was deels
een gift van de ouders van Hillary, deels gespaard geld uit eerdere verdiensten.[65]

'Het verhaal was te saai voor de voorpagina's,' zei een voormalige medewerker, maar het werkte en de aandacht van de pers 'verdween'.[66]

Toen het jaar 1992 ten einde liep en de Clintons zich voorbereidden op
hun verhuizing naar Washington, hoopten ze dat de vergissing die ze gemaakt hadden door zich met McDougal en Whitewater in te laten, achter
zich te kunnen laten. Ze wendden zich tot hun trouwe vriend Jim Blair – de
man van Diane Blair, hun vaste spil in het Defense Team – om de rommel
achter hen op te ruimen.

Op 22 december 1992 beëindigden de Clintons officieel hun betrokken-
heid bij Whitewater toen McDougal hen voor duizend dollar uitkocht. Jim
Blair zorgde dat het geld er was, stuurde een cheque naar de advocaat van
McDougal, die op zijn beurt weer een cheque stuurde naar de Clintons.[67]

Blair, die later zijn werkzaamheden met betrekking tot Whitewater als 'onderhoudswerk' kwalificeerde, moest hiervoor van Fayetteville naar Little Rock vliegen om de zaak persoonlijk af te ronden op het kantoor van de advocaat van McDougal. Vanwege slecht weer kon hij echter niet aanwezig zijn.[68] Dus werd op het laatste moment iemand anders gevonden om de Clintons te vertegenwoordigen: Vince Foster, die ooit secretaris van Diane Blair was geweest. Tijdens de bijeenkomst in Little Rock, die niet ver van zijn kantoor bij Rose plaatsvond, gaf Foster een aantal belastingdossiers aan McDougal en zei 'met een treurige intonatie' dat hij 'alleen maar als loopjongen fungeerde'.[69] McDougal gaf Foster vervolgens een document vol 'incorrectheden' – verzonnen details van een vergadering van de raad van bestuur van Whitewater, die die dag zou hebben plaatsgevonden. Foster nam het vervalste document in stilte aan.[70]

De connectie met McDougal lag Foster al zwaar op de maag. Eerder dat jaar had hij het Whitewater-dossier en andere documenten van het advocatenkantoor die met Hillary te maken hadden, onder zijn eigen beheer gesteld.[71] Zonder het iemand te vertellen had hij op een bepaald moment een aantal van die dossiers in zijn koffer gestopt, die vervolgens in zijn kelder in Little Rock terechtkwam.[72]

Voor Foster was McDougal iemand die maar beter met rust kon worden gelaten. Op een checklist met dingen die hij nog moest doen voordat hij van Little Rock naar Washington vertrok, schreef Foster: 'Trek je handen af van Whitewater.'[73] De handen van Whitewater aftrekken betekende ook dat de president en Hillary gescheiden moesten worden van alle verwikkelingen uit het verleden, waaronder deze zakenpartner, die ooit aangeklaagd was wegens fraude.[74]

Wat degenen die in die decembermaand de rotte draad met Arkansas wilden doorsnijden echter niet wisten, was dat de federale toezichthouders nog lang niet met McDougal en Madison klaar waren. Blair had begrepen, misschien met vooruitziende blik, dat McDougal een fout had gemaakt door zijn papieren aan *The New York Times* te geven.[75] Maar noch hij, noch Foster had kunnen voorspellen hoe een paar strookjes van geweigerde cheques het leven van Bill en Hillary in het Witte Huis zouden beïnvloeden.

# 9

# 'Welkom in Washington'

Op 20 januari 1993, de dag van de inauguratie, was Bill en Hillary's twintigjarenplan werkelijkheid geworden – precies op schema. Gezien de geschiedenis van het project stond vast dat Hillary binnen het president-schap van haar echtgenoot achter de schermen een doorslaggevende rol zou spelen. De vraag die in Washington rondwaarde, was of ze daarbinnen ook een formele rol zou spelen en, zo ja, welke.

Vijf dagen na het afleggen van de ambtseed maakte Bill een eind aan alle twijfel en kondigde de oprichting aan van de Presidential Task Force on National Health Care Reform, die door de First Lady zou worden voorge-zeten.

De crisis in de gezondheidszorg waar Amerika voor stond, was geen ver-zinsel. Ruim 37 miljoen Amerikanen waren niet verzekerd en waren niet in staat de almaar stijgende kosten van een zorgverzekering te dragen. Vanaf het begin was duidelijk dat het niet eenvoudig zou zijn om tot een oplossing te komen. Tijdens de lunch, vlak voor de bekendmaking, overlegden Bill en Hillary met Ira Magaziner, die zou assisteren bij de uitvoering van het taken-pakket, over de problemen die ze zouden kunnen tegenkomen. Magaziner, een consultant, was een vriend van de Clintons en had soortgelijke carrière gemaakt als Hillary. Ook hij was eerst student en activist geweest, maar was uiteindelijk binnen de gevestigde orde gebleven en was in het bedrijfs-leven gaan werken. Ook hij hield zich bezig met het openbaar bestuur en ontwikkelde een ambitieus economisch plan voor Rhode Island. Het werd door de kiezers van de staat echter overtuigend weggestemd, een les waaraan de Clintons echter voorbijgingen.[1] Net als Magaziner in Rhode Island had gedaan, stelden ze zich twee ambitieuze doelen: het herschrijven van de in-gewikkelde regels die betrekking hadden op maar liefst veertien procent van de Amerikaanse economie, alsmede het halen van de deadline om binnen honderd dagen een wetsvoorstel aan het Congres voor te leggen.

Vanaf het moment dat Hillary was benoemd, vroegen mensen zich af of ze wel de juiste persoon op de juiste plaats was. 'Ik besloot dat Hillary de hervorming van het zorgstelsel moest leiden, want ze was erg bij de kwestie betrokken en wist er veel van af,' schreef Bill later en hij voegde daaraan toe dat ze er zowel de tijd als het talent voor had om een goede belangenbehartiger van het Amerikaanse volk te zijn.[2] In juni 1993 erkende Hillary echter dat ze geen expert was wat betreft het zorgstelsel: 'Ik ben geen deskundige op het gebied van de gezondheidszorg,' zei ze later tegen Katie Couric. 'Ik heb er niet voor doorgeleerd.' Haar kwalificaties waren, zei ze daarop, 'haar bereidheid zich te verdiepen in de moeilijke keuzes die moeten worden gemaakt' en haar standpunt van consument 'die van de zorg gebruik moet maken'.[3]

Niettemin verwelkomde een groot deel van de Amerikanen buiten Washington deze bijzondere rol van Hillary. Het land leek geen enkel probleem te hebben met de historische beslissing een grote politieke uitdaging toe te vertrouwen aan de First Lady. In een peiling die één dag na de bekendmaking werd uitgevoerd, bleek dat 64 procent van de respondenten Hillary's benoeming steunde, terwijl maar 26 procent die afwees.[4]

Maar er waren tal van voortekenen van de problemen die in het verschiet lagen. Ira Magaziner schatte in dat de taskforce minstens vier jaar nodig zou hebben om het Congres ervan te overtuigen het systeem om te gooien. 'Ik hoor hetzelfde,' zei Bill, 'maar we moeten het proberen. We moeten gewoon zorgen dat het lukt.'[5]

Anderen beschouwden de opdracht echter als onmogelijk, gekkenwerk. 'Wat heb je gedaan dat je man zo boos op je is?' vroeg Mario Cuomo, de toenmalige gouverneur van New York, tijdens een bezoek aan het Witte Huis aan Hillary.

'Hoe bedoel je?'

'Nou,' antwoordde Cuomo, 'hij moet wel ergens heel kwaad om zijn om je met zo'n ondankbare taak op te zadelen.'[6]

Niettegenstaande alle waarschuwingen en voorspellingen dat de taskforce gedoemd was te falen, genoot Hillary van de belangstelling, vastbesloten als ze was om geschiedenis te schrijven. Een paar dagen nadat de taskforce was opgericht, kwam een vriend uit Arkansas op het Witte Huis langs om gedag te zeggen. Hij vond dat Hillary 'straalde' en merkte dat ze zo genoot van haar nieuwe huis en nieuwe werk en dat ze een 'zeer gelukkige lach' liet horen.[7] Ze leek volkomen onbezorgd over de nieuwe taak die voor haar lag.

Hillary nam twintig medewerkers in dienst, een groep die spoedig bekend zou staan als 'Hillaryland', een bijnaam die een medewerker had verzonnen. Ze betrok een kantoor in de begeerde West Wing van het Witte Huis, iets wat geen First Lady ooit eerder had gedaan. En ze verzekerde zich ervan dat haar chef-staf ook werd benoemd tot presidentieel assistent, ook een primeur.

Niet iedereen was daar blij mee. Uit één peiling bleek dat 36 procent van de mensen vond dat ze zichzelf een te grote rol had toebedeeld.[8] De grote schoenen van Hillary baarden ook sommigen van haar naaste medewerkers zorgen. Vernon Jordan, een van de mensen die haar er in 1982 van hadden overtuigd haar naam te veranderen en wiens wijze raad door Hillary evenzeer op waarde werd geschat als door Bill, had haar geadviseerd juist geen kantoor te betrekken in de West Wing, het politieke deel van het Witte Huis. Te symbolisch, vond Jordan, en hij zei tegen haar dat ze zich beter kon vestigen in de meer ceremoniële East Wing.[9]

Maar Hillary zag dat anders. 'Deze fysieke en personele veranderingen waren belangrijk,' schreef ze, 'als ik me wil inzetten in het belang van Bills beleidsagenda, zeker nu het ging om kwesties die vrouwen, kinderen en gezinnen aangaan.'[10]

De wittebroodsweken zouden snel voorbij zijn.

'Welkom in Washington.'[11] Dat zei een anonieme 'federale jurist' een paar dagen na de formatie van de taskforce cynisch. Het stond in een artikel onder de kop: 'Taskforce First Lady overtreedt wet geheimhouding' in de *Washington Times*, een in zowel zijn reportages als redactionele artikelen openlijk conservatieve krant. In het blad werd beweerd dat journalisten tijdens de eerste vergadering van de taskforce de toegang was ontzegd. Dat leek een duidelijk schending te zijn van een wet uit 1972, want Hillary was geen medewerker van de federale overheid en die wet staat alleen toe dat buitenstaanders bij vergaderingen van adviescommissies buiten de deur worden gehouden, als alle deelnemers medewerkers van de federale overheid zijn. De naamloze 'federale jurist' was zelf de voornaamste deskundige die in het artikel aan het woord kwam.[12]

De raadsman van het Witte Huis was Bernie Nussbaum, een vriend van Hillary, die ze kende uit de tijd dat ze allebei in dienst waren geweest van de Juridische Commissie van het Huis tijdens de impeachment van president Nixon. Nussbaum reageerde onmiddellijk op het krantenartikel en zei dat die maatregel beslist niet was genomen om de First Lady uit de wind te houden. Drie burgerorganisaties, waarvan twee belangenorganisaties voor de gezondheidszorg, maar de derde conservatief-politiek georiënteerd, spanden echter een rechtszaak aan om toegang te krijgen tot de dossiers en de vergaderingen van de taskforce. Jaren later betitelde Hillary de zaak als een 'slimme politieke zet met de intentie onze werkzaamheden te verstoren'.[13] Inderdaad begonnen nu ook de publieksmedia de taskforce 'geheim' en 'geheimzinnig' te noemen.[14] Het bleek een strategische meesterzet, zoals ook een van de conservatieve architecten van de rechtszaak enkele maanden later trots toegaf. De zaak werd gedelegeerd naar Vince Foster, nu de plaatsvervangend raadsman van het Witte Huis, waardoor zijn toch al buitengewoon zware takenpakket nog verder werd uitgebreid. Het proces werd in de zomer van 1994 afgerond – toen het werk van de taskforce er al op zat. Het gedeeltelijke gelijk dat de regering-Clinton toen bij het Hof van Beroep haalde, voelde tegen die tijd nogal wrang.

Terugkijkend kwam Hillary tot de conclusie dat ze op het punt van de zorg 'te snel' had willen handelen. Ze aanvaardde ook dat ze 'het grote rode licht' op Capitol Hill niet had gezien, waaruit bleek dat het Congres het rustiger aan wilde doen. Hillary probeerde dan ook de hervorming van de zorg een vliegende start te geven door middel van een parlementair slimmigheidje, waarbij ze probeerde de zorgwet te laten opnemen in het begrotingsvoorstel. De voorzitter van de Begrotingscommissie van de Senaat, Robert C, Byrd, was echter erg van de regeltjes en wilde niet dat zijn begrotingsvoorstellen werden vervuild met zaken die er niet direct mee te maken hadden.[15] Om de zorgverzekeringswet er op deze manier doorheen te kunnen jagen, zou hij dus een uitzondering moeten maken, iets wat hij uiteindelijk weigerde. Hij vond dat er binnen het tijdsbestek van het begrotingsdebat – twintig uur – geen tijd was om ook nog de hervorming van de zorg te behandelen. Met haar poging de wet door te drukken, had Hillary echter sommige mensen tegen de haren in gestreken. Zoals mensen die daar al langer zijn goed weten, vereist de politiek in Washington overleg, analyse en compromis. 'Je moet in staat zijn even goed achterover te gaan zitten, te kijken naar de spelers in het veld en te doorzien waar je beren op de weg zou kunnen tegenkomen,'[16] zei Leon Panetta eens, een voormalig Congreslid. Hij was Clintons eerste begrotingsadviseur en was later de tweede chef-staf van het Witte Huis.

'Het heeft er voor een deel mee te maken dat ze uit Arkansas komen. Daar hadden ze veel meer onder controle,' vertelde Panetta. 'In een kleine zuidelijke staat als Arkansas ken je niet alleen de spelers, maar kan je ze ook controleren. In Washington zijn er echter veel meer machtscentra en die kun je nooit allemaal in de hand houden.'[17] In Little Rock was er begin jaren negentig één dagblad en slechts een handjevol belangengroepen. Washington was daarentegen de thuishaven van duizenden lokale, landelijke en internationale tv-stations, kranten, persbureaus en correspondenten, beroepsorganisaties en waakhonden van allerlei slag met zeer, zeer verschillende en conflicterende belangen. Op de dag dat haar echtgenoot aantrad, zei Hillary tegen James A. Baker III, de vertrouweling van de familie Bush, dat de regering-Clinton alles op alles zou zetten om met de Republikeinen samen te werken. Maar de verwezenlijking van die intentie was voor de Clintons 'een zware opgave', zeker wat de zorg betrof.[18] Hillary zou later zeggen dat haar grootste misrekening was dat ze niet had begrepen 'hoe Washington werkte, hoe het Witte Huis werkte en dat ze vanaf het begin een duidelijk idee had moeten hebben van wat mogelijk was en wat niet'.[19] Het was een besef, maar slechts een half besef, want de schuld lag nog steeds bij anderen. Hillary's fout, zo vond ze zelf, was dat ze meer ambitie en meer durf had gehad dan de mensen die haar tegenhielden.

Zich bewust van de noodzaak een wat zachter beeld van haarzelf naar buiten te brengen, had de nieuwe First Lady voor haar eerste interview na de inauguratie van haar man een bekende kookjournaliste van *The New York Times* uitgezocht: Marian Burros, die net als Hillary aan Wellesley had gestudeerd. De staf van de First Lady had strikte regels gesteld: Burros mocht aan Hillary geen vragen stellen over het beleid en de werkwijze van de taskforce. In plaats daarvan werd Hillary gepresenteerd in de wat traditionelere rol van First Lady, waarbij meer nadruk werd gelegd op haar plannen voor de sociale gebeurtenissen op het Witte Huis en op de wijzigingen die ze inmiddels had doorgevoerd in het tafelmenu.[20]

In haar omgang met de pers had Hillary één stelregel: respect voor de privacy van Chelsea, die inmiddels de tienerjaren had bereikt. Ze werd ingeschreven aan Sidwell Friends, een exclusieve privéschool een paar kilometer ten noorden van het Witte Huis, niet ver van de National Cathedral. Hillary en Bill woonden regelmatig evenementen bij op Sidwell en ook waren ze aanwezig bij de balletvoorstellingen van Chelsea op een school bij hen in de buurt.

Een aantal maanden later had Hillary tv-verslaggever Kittie Couric uitgenodigd om haar van tijd tot tijd te interviewen.[21] De twee vrouwen keuvelden ontspannen en leken een goed koppel te vormen. Couric, op haar beurt, vond Hillary 'ongelooflijk gedisciplineerd' en 'een harde noot om te kraken om haar zo ver te krijgen dat ze iets blootgaf van zichzelf of enige kwetsbare kant van haar of haar echtgenoot liet zien'.[22]

De enkele keer dat Hillary in die eerste maanden van 1993 wel met de pers praatte, was dat, op z'n zachtst gezegd, oppervlakkig, en die weinige contacten waren ook onvoldoende om een goede indruk te maken op dat ene, zo belangrijke publiek: de 535 mannen en vrouwen van het Congres. Hoewel Hillary regelmatig met het Congres overlegde over haar werkzaamheden rond het zorgstelsel, vertrouwde ze vooral op oude vrienden zoals Nussbaum en Foster om als boodschappers te dienen in de contacten met Capitol Hill. In de periode dat ze haar werk binnen de taskforce uitvoerde, weigerde ze de meeste verzoeken voor interviews met de media. En toen haar vader in april 1993 overleed, trok ze zich nog verder uit de schijnwerpers terug.

Hillary mocht dan wat de media betreft even rustig aan doen, die pauze was verre van wederzijds. Of het op fictie of op waarheid berustte, het duurde niet lang of het eerste schandaal diende zich aan.

Tijdens een accountantsonderzoek was een aantal verontrustende financiële onregelmatigheden aan de oppervlakte gekomen bij het White House Travel Office. De audit was het resultaat van klachten die Hillary ter ore waren gekomen dat het bureau geen aanbestedingsprocedure volgde bij het charteren van vluchten voor journalisten die de president vergezelden.[23] Vervolgens werden op 19 mei alle zeven personeelsleden van de dienst ontslagen. Vervolgens zouden er zes onafhankelijke onderzoeken plaatsvinden naar de gang van zaken rond de ontslagen, en ten slotte werd het hoofd van de dienst aangeklaagd, maar daarna vrijgesproken. Niemand werd veroordeeld en uiteindelijk kregen vier regeringsfunctionarissen een reprimande vanwege hun onjuiste beoordeling van de zaak, waaronder William Kennedy, een voormalig partner van Rose Law Firm. Hij was toegetreden tot het Juridisch Bureau van het Witte Huis en had de beslissing genomen de FBI in te schakelen toen de onregelmatigheden aan het licht waren gekomen.

Uit documenten die nog niet eerder openbaar zijn gemaakt, waaronder een rapport van 347 pagina's dat in 1996 werd gepresenteerd aan Kenneth Starr, de onafhankelijke aanklager, blijkt dat Hillary beweerde dat haar betrokkenheid minimaal was geweest: 'Op z'n hoogst een gesprek van een kwartier.'[24] Maar uit het stuk wordt ook duidelijk dat de zaak om een of andere reden belangrijk genoeg was voor anderen, onder wie Vince Foster, om de exacte rol die zij had gespeeld toen het misging, zorgvuldig te omzeilen.[25] David Watkins, de directeur van de Office of Management and Administration van het Witte Huis, assisteerde bij het ontslag van het personeel van de reisorganisatie en vertelde later aan de aanklagers 'dat Foster en hij overeenkwamen mevrouw Clinton tijdens de gesprekken met de onderzoekers de hand boven het hoofd te houden'.[26] In eerste instantie, toen hij op 3 juni werd ondervraagd door medewerkers van het Witte Huis die de zaak onderzochten, wilde Foster geen namen noemen van anderen die bij het ontslag betrokken waren geweest. Uit zijn eigen aantekeningen over een gesprek met Hillary blijkt echter dat ze 'wilde weten wat er werd gedaan aan' mogelijke onregelmatigheden bij de reisorganisatie.[27] Tijdens een tweede ondervraging op 30 juni gaf Foster echter toe dat de First Lady 'haar zorg had laten blijken'.[28]

Op 17 juni, tussen de twee vraaggesprekken in, plaatste *The Wall Street Journal* een redactioneel artikel getiteld 'Wie is Vince Foster?'. De redacteuren van de *Journal*, die openlijk anti-Clinton waren, leverden kritiek op de regering vanwege haar 'nalatigheid bij het naleven van de wet'.[29]

De notities van Foster zelf zijn fragmentarisch, maar ze tonen duidelijk aan dat hij de beslissing de medewerkers te ontslaan wilde verdedigen, alsmede de rol van de First Lady daarbij, welke die ook geweest moge zijn: 'verdedig managementbesluit, alsook verdedig rol HRC wat die ook was of welke perceptie er ook van bestaat'.[30] Die perceptie leek het grootste probleem te zijn. Tijdens zijn tweede gesprek met het onderzoeksteam van het Witte Huis bleken Foster en zijn ondervrager 'beiden van mening dat HRC wordt beschouwd als betrokken bij beslissingen en gebeurtenissen waar ze part noch deel aan had'.[31] Die opmerking, zo concludeerden de aanklagers, 'was zeer schadelijk voor welke aanklacht tegen mevrouw Clinton dan ook'.[32]

Voor Hillary was de zaak rond de reisorganisatie en de vooringenomenheid van een aantal onderzoekers 'de eerste blijk van een onderzoeksobsessie die tot in het volgende millennium zou voortduren'.[33] Maar ook een andere obsessie kwam aan het licht: de overgevoeligheid van de Clintons voor de overreactiviteit van de media. Hun overtuiging dat de media altijd van het slechtste scenario uitgingen, leidde er keer op keer toe dat ze van geen wijken wilden weten en geen volledige openheid van zaken gaven.

Een van de redenen waarom de Clintons zo voorzichtig waren wat betreft het onthullen van de werkwijze binnen het Witte Huis, was dat de First Lady, buiten medeweten van de buitenwereld, een heel hoge positie had binnen de regeringshiërarchie. Dat werd ook onmiddellijk duidelijk gemaakt aan de eerste buitenstaander die tot de staf van het Witte Huis toetrad: David Gergen, voormalig politiek adviseur voor de presidenten Nixon en Reagan. Gedurende de eerste uren op zijn werkplek, eind mei, vroeg Gergen aan de chef-staf van het Witte Huis, Mack McLarty, hem te informeren omtrent de organisatiestructuur.

Boven aan het organogram stond één hokje. McLarty legde uit dat er 'zich in dat vakje drie mensen bevonden: de president, de vicepresident en de First Lady. Alle drie nemen ze belangrijke beslissingen. Daar zul je aan moeten wennen.'[34]

Daar moest Hillary ook aan wennen. Nooit eerder had ze hoeven concurreren om de aandacht van haar man voor bepaalde politieke kwesties. Gore deelde haar passie voor politiek, maar zijn aandachtsgebieden – technologie, milieu en een efficiënte overheid – waren anders dan de hare. Maar, zo herinnerde een hoge functionaris binnen de regering-Clinton zich, ze waren 'op een bepaalde manier hetzelfde' – in het openbaar. Ze waren dan 'te star en ze hielden er allebei niet van om tegengesproken te worden'.[35]

De twee hadden 'nooit een goede relatie' en streden met elkaar om de aandacht van Bill. Hillary was boos dat Gore zo veel invloed op haar man had. Gore, op zijn beurt, vond Hillary 'te betrokken' bij de beslissingen van de president. De slechte chemie tussen de twee was voor insiders in het Witte Huis overduidelijk: 'Je voelt het gewoon als je bij ze in de buurt bent.'[36] Niet lang daarna zou zich daarnaast nog een rivaliteit openbaren: de man uit Tennessee aasde al lang op het presidentschap, even lang of misschien nog wel langer dan Bill Clinton. Hij had zijn eigen plannen en die behelsden zeker niet dat hij zou afwachten tot Hillary zich kandidaat zou stellen.

Hillary werd nooit close met Gore, maar ze geloofde wel dat hij haar kon helpen haar relatie met de pers te verbeteren. 'Ze hebben het ons vanaf het begin niet makkelijk gemaakt,' zei ze tegen hem, 'maar we moeten de relaties herstellen. Daar kun jij ons echt mee helpen.'[37] De toegang van journalisten was beperkt doordat er een deur was geplaatst tussen de perskamer en de kantoren in de West Wing, die daar vlakbij lag. (Gergen zegt dat Hillary en Susan Thomases de persvertrekken zelfs helemaal uit de West Wing weg wilden halen en naar een nabijgelegen gebouw wilden verplaatsen.) 'Tijdens ons eerste gesprek,' vertelt Gergen in zijn memoires, 'vroeg ik Hillary de deur weg te laten halen. Ze ging onmiddellijk akkoord. Ze vroeg zich zelfs af waarom dat niet eerder was gebeurd.'[38]

Hillary was lang een knokker geweest die, in ieder geval in het veel kleinere Arkansas, had genoten van de politieke strijd, waarbij ze ook succes had gehad. En haar standvastigheid en toewijding aan haar echtgenoot en aan hun twintigjarenplan waren ook vooral in stand gebleven omdat zij en Bill in staat waren geweest resultaten te boeken en de aanvallen af te slaan van de weinige tegenstanders die ze in Arkansas hadden gehad. Zolang ze iets goeds kon doen, vond ze dat ze haar critici kon negeren. Het was geen verrassing dat Hillary's meest ambitieuze doelstelling, namelijk om binnen honderd dagen een zorgwet aan het Congres voor te leggen, ook de meest irreële was en zelfs door mede-Democraat senator Byrd werd afgewezen. Misschien was het gewoon omdat Hillary niet meer dacht met de omzichtigheid van een advocaat – ze was nu een cliënt, en wel een heel veeleisende. (In een aantal stukken van de reorganisatie verwezen medewerkers naar Hillary als 'TC', een afkorting van 'The Cliënt'[39] en Webb Hubbell, haar voormalige collega, beschreef haar als een 'heel veeleisende cliënt'.[40])

De man die vaak met deze veeleisendheid te maken kreeg, was Vince Foster, die heel veel moeite had met deze nieuwe omgeving, waar zoveel op het spel stond. Hij was ook onprettig verrast door een dramatische omdraaiing van de verhouding tussen Hillary en hem. Niet langer was Vince ofwel de intieme vriend, ofwel de wijze, geduldige leraar, zoals dat bij Rose het geval was geweest. Nu deelde Hillary de lakens uit en fungeerde Vince vaak als haar boksbal.

Volgens Hubbell 'had Hillary [Foster] afgeblaft over de taskforce voor de gezondheidszorg. "Regel het, Vince!" had ze hem toegesist. Het trof hem diep.' Al eerder had Hubbell verteld dat 'Hillary en de anderen hem dagelijks aan de tand voelden over de capaciteiten en de loyaliteit van de beroepsjuristen van het ministerie van Justitie die de zaak onder zich hadden'.[41]

Hubbell beschrijft de transformatie die Foster doormaakte als subtiel. Vrienden van Foster zagen de verandering scherper: hij was boos omdat hij naast Hillary de tweede viool moest spelen.[42] Maar Foster was zowel professioneel als persoonlijk gekwetst. Het dagboekachtige notitieboek van Foster, waarvan de details nu voor het eerst aan de openbaarheid worden prijsgegeven, bevatten een fragment waarin hij vertelt hoe diep hij zich geraakt voelde doordat Hillary hem sinds zijn komst naar Washington zo slecht behandelde.[43] Hubbell zei dat zowel hij als Foster op een bepaalde, platonische manier van Hillary hield. Hij beschrijft die genegenheid als een soort informele 'intimiteit van de werkvloer'.[44] Maar in Washington, zo leek het, had Hillary geen liefde meer voor hen over. Hoewel zijn kantoor in de West Wing maar op een paar passen van dat van Hillary verwijderd was, had ze in de laatste eenendertig dagen van Fosters leven geen woord met hem gewisseld.[45] En hun laatste gesprek voor die tijd was voor Foster een teleurstelling geweest, had misschien wel zijn hart gebroken. In het Witte Huis hadden de drie betrokkenen een afspraak gemaakt om op zaterdag 14 juni 's middags samen te gaan eten, want Hubbell, Foster en Hillary wilden vieren dat de president had bekendgemaakt dat hij Ruth Bader Ginsberg had verkozen om Byron White op te volgen als rechter van het Hooggerechtshof.[46]

'Wanneer gaan we uit, jongens?' had Hillary gevraagd, waarna ze haar vraag onmiddellijk zelf beantwoordde met het voorstel: 'Laten we Italiaans gaan eten.'[47] Daarmee herinnerde ze hen aan de vele lunches die ze hadden genoten bij hun favoriete Italiaan in Little Rock. Hubbell stelde voor eerst bij hem langs te gaan om wat te drinken. Hij was pas met zijn gezin verhuisd naar een statig huis in de lommerijke wijk Cleveland Park in Washington. Hillary stemde toe en de twee mannen omhelsden haar stevig.[48]

Tegen de avond was Hubbell er klaar voor: hij had speciaal voor Hillary Coca-Cola Light in huis gehaald, haar favoriete frisdrankje. Maar juist op dat moment belde de First Lady met de mededeling, dat *The Washington Post* op het punt stond een artikel te publiceren over de biologische vader van Bill en daarin het bestaan van een halfbroer bekend te maken, die 'plotseling was opgedoken'.[49] Hillary was erachter gekomen dat het artikel zou onthullen dat Bill Blythe, Bills biologische vader, minstens twee keer getrouwd was geweest voordat hij Virginia had ontmoet, de moeder van de president. Dat was iets, zo schreef Hillary jaren later, wat 'niemand in het gezin wist'.[50]

Dat was niet waar. In de eerste maanden van 1992 had een van de privé-detectives van Clintons campagneteam in alle stilte de genealogische achtergrond van Bill onderzocht en had hem persoonlijk op de hoogte gesteld van de ingewikkelde geschiedenis van zijn echte vader – én van het feit dat hij een stiefbroer had. Hubbell had het dossier rond Bills stamboom overgeerfd.[51] Bill was de stad uit, dus het was aan Hillary om deze, zoals zij dat zag, volgende potentiële obsessie van de pers het hoofd te bieden.

Tegen Foster zei Hillary: 'Ik moet Bill vinden. En dan moeten we zijn moeder vinden.'[52] De voorgenomen reünie van het drietal, in het chique restaurant I Matti in de binnenstad van Washington, moest nog even wachten.

'Ik vind dit zo jammer,' herinnerde Hillary zich dat Foster zei.

'Ik ook,' antwoordde ze. 'Weet je, ik heb hier zo schoon genoeg van.' Dat was de laatste keer dat Hillary Clinton met Foster sprak.[53]

Die zaterdagavond doorzocht Hubbell, geholpen door Foster, de dozen in zijn kelder, maar de twee mannen konden het dossier niet vinden. Hubbell belde Hillary en vertelde haar het slechte nieuws. Ze zei dat het wel kon wachten en vroeg hem of hij, als hij het had gevonden, het die maandag bij haar langs zou willen komen brengen op haar kantoor. Hij vond het de volgende dag.[54]

De reactie van Foster op het niet-doorgaan van het diner was zonneklaar.

'Vince zei de rest van de avond nauwelijks een woord.'[55] Hij was chagrijnig en schoof zijn stoel weg van de tafel, herinnerde Hubbell zich. De vrouw van Hubbell zei dat Foster zich gedroeg als 'een klein kind aan wie beloofd is dat een van de ouders iets met hem zou gaan doen, maar dat die ouder zijn belofte niet houdt omdat hij voor zaken wordt weggeroepen'.[56]

De volgende dag stortte Foster bij Hubbell zijn hart uit. Hij klaagde dat de First Lady en hij zo weinig met elkaar praatten omdat ze het 'zo druk' had. En als ze dat dan wel deden, leek het in niets op vroeger in Little Rock. In het Witte Huis had Hillary alleen maar tijd om haar mentor bevelen toe te snauwen: 'Regel dat, Vince!'[57]

En zelfs dat zou spoedig ophouden. In haar pijnlijke reconstructie van die laatste maand van stilte legde ze er echter niet de nadruk op dat zij hem niet had bezocht, maar dat hij niet de tijd had genomen met haar contact te maken. Hoewel hun kantoren in de West Wing vlak bij elkaar lagen, herinnerde ze zich later, 'had Vince het te druk'.[58]

Fosters wanhoop werd in de laatste paar weken van zijn leven erger. Nadat het Congres opnieuw opdracht had gegeven tot een onderzoek naar de ontslagen op de reisafdeling, won Foster advies in bij een onafhankelijk advocatenkantoor. Hij schreef een zeer bitter briefje, dat hij verscheurde maar dat later, de snippers verspreid over de bodem van zijn attachékoffertje, door de politie werd teruggevonden. Hij stelde zichzelf erin verantwoordelijk voor 'fouten uit onwetendheid, onervarenheid en door overwerk' en beschuldigde *The Wall Street Journal* van 'leugens zonder weerga' in het redactionele artikel over hem. En hij brak een lans voor 'de onschuld van de Clintons en hun trouwe medewerkers'. De meest geciteerde passage weerspiegelde zijn afschuwelijke situatie: 'Ik ben niet gemaakt voor een baan in de schijnwerpers van Washington,' schreef hij. 'Hier is mensen kapotmaken een tak van sport.'[59]

Op 20 juli, kort na zes uur 's ochtends, vond een federale parkwachter Fosters lichaam in Fort Marcy Park, een natuurpark in Virginia. De colt van zijn vader had hij nog in zijn hand, op de huid van de hand werden kruitsporen aangetroffen en een autopsie wees uit dat hij getroffen was door één enkel schot door de mond. In een handgeschreven briefje noemde Foster de belastingkwestie rond Whitewater 'een blik wormen dat je maar beter niet kunt openmaken'.[60] De dood van Foster werd tweemaal door aanklagers onderzocht en beide keren trokken ze de conclusie dat hij zelfmoord had gepleegd. Hillary zei dat de officiële rapportages 'de huisvlijt aan complottheorieën en onderzoek, waarmee men wil aantonen dat Vince was vermoord om wat hij over Whitewater wist', tot zwijgen hadden moeten brengen.[61] En inderdaad, uit het eerste rapport van onafhankelijk aanklager Robert Fiske bleek dat er geen bewijs was dat Foster was vermoord of dat de Whitewater-affaire bij zijn depressie een rol speelde. Maar Fiske trok die conclusie zonder dat hij over bepaalde documenten had beschikt die specifiek door het Witte Huis werden achtergehouden en waaruit bleek dat Foster zich gedurende zijn laatste weken had beziggehouden met belastingkwesties met betrekking tot Whitewater. Fiske had zich er vooral op gericht er op korte termijn achter te komen hóé Foster om het leven was gekomen, niet waarom. 'Het was een zaak van algemeen belang om zo snel mogelijk de vraag te beantwoorden of het om moord ging of om zelfdoding,'[62] zei Fiske in een interview. En zonder die documenten kon hij niet weten in welke mate Foster met het dossier-Whitewater te maken had en dat de connectie tussen beide helemaal terugging tot december 1992, toen Foster tijdens de afronding van de zaak in Little Rock op de valreep als 'loopjongen' van Hillary en Bill had gediend.

De documenten over de connectie Foster-Whitewater kreeg Kenneth W.

Starr, de opvolger van Fiske, wel in bezit, en zijn aanklagers stelden een langer en diepgravender onderzoek in. In zijn rapport zette Starr de verschillende spanningsvelden in Fosters leven op een rij met betrekking tot zijn werk voor 'de cliënt', waaronder de taskforce voor de gezondheidszorg, het ontslag van de medewerkers van de reisafdeling en de belastingkwesties rond Whitewater, die mogelijk hadden bijgedragen tot de depressie die hem ertoe gebracht had zich van het leven te beroven.[63]

Starr zegt nu zelfs dat zijn rapport over de dood van Foster nog veel kritischer had kunnen zijn ten aanzien van de kwesties rond Hillary die Foster voor zijn dood bezighielden. 'Ik had haar kunnen neersabelen,'[64] zegt Starr nu. Maar omdat de betrokkenheid van Foster bij Madison en Whitewater nog onderwerp van onderzoek was, zei Starr in zijn rapport dat het 'niet het juiste medium was om Fosters betrokkenheid bij deze gebeurtenissen te bediscussiëren'.[65]

Uiteindelijk bleek het onmogelijk om met zekerheid te zeggen waarom Foster zich precies het leven benam. Een zelfmoorddeskundige in dienst van Starr, dokter Alan Berman, concludeerde dat Foster was gepreoccupeerd met 'thema's als schuld, boosheid en de drang om anderen in bescherming te nemen'.[66] Een verdere aanwijzing is te vinden in een conversatie die nooit eerder openbaar is gemaakt.

In de laatste weken van zijn leven had Foster Loretta Lynch, voormalig lid van het Defense Team en het campagneteam, van advies gediend. Lynch was naar Washington gekomen om de mogelijkheid te bespreken van een betrekking bij het Juridisch Bureau van het Witte Huis, waarvan Foster plaatsvervangend chef was.

Na enige tijd gepraat te hebben met een van de andere advocaten, belandde Lynch in het kleine kantoortje van Foster in de West Wing van het Witte Huis. Lynch en Foster kwamen te spreken over moraal en ethiek. Foster en Lynch hadden in 1992 samengewerkt in de zaak-Madison en Whitewater en Lynch wist dat 'Foster altijd de meest ethische weg probeerde te bewandelen'.[67] Toen een eventuele baan bij het Witte Huis ter sprake kwam, raadde Foster Lynch aan zo'n baan niet aan te nemen. Ze zou, zo waarschuwde hij, haar morele kompas kwijtraken. 'Kom niet naar Washington,' zei hij, 'het kost je je ziel.'[68]

Foster werd begraven in het stadje waar hij vandaan kwam: Hope, Arkansas. Na de begrafenis, bij haar moeders huis in Little Rock, vertrouwde Hillary Webb Hubbell toe: 'We hadden hem nooit moeten vragen naar Washington te komen.'[69]

Foster ontleende mogelijk enige hoop aan een passage die hij vlak voor hij zich het leven benam had aangestreept. Er stond: 'Uit alles wat sterft ontspringt nieuw leven, tot in de eeuwigheid.' Bij de zin, die in een citatenboek stond waarop de onafhankelijke aanklager een paar jaar na Fosters dood de hand legde, stond in Fosters handschrift: 'Prettige gedachte.'[70]

In de zomer van 1993 hadden de Washingtonse manieren, soms de Potomac-koorts genoemd, Bill en Hillary niet van hun voornemen afgebracht. Volgens een van de beste vrienden van het echtpaar, Taylor Branch, stelden ze zich nog steeds eerst twee termijnen in het witte Huis ten doel voor Bill en dan, later, twee voor Hillary.

Tijdens een barbecue die zomer bij een rodeo in Aspen, Colorado, vertelde Branch twee Washingtonse vrienden, John Henry en Ann Crittenden, over het plan.[71] De president sprak vaak met Branch, een gerespecteerd schrijver en historicus, over zijn plaats in de geschiedenis. Kort nadat hij tot president was gekozen, vroeg Bill volgens Branch aan hem om 'dagboeksessies'[72] met hem te houden als deel van een project voor orale geschiedenis.

Branch kwam net van een van die gesprekken met Bill, een marathonsessie laat op de avond op het Witte Huis, waar de twee mannen op het achterbalkon hadden staan praten terwijl ze uitkeken op het Washington-monument. Nu, in de koelte van de bergen van Colorado, vertelde hij zijn vrienden over de presidentiële plannen van de Clintons. Het boude plan om zestien jaar in het Witte Huis door te brengen, deed Henry's adem stokken. 'Ik was geschokt,' zei hij.[73]

De zomer werd najaar en Hillary bleef in haar gewoonte volharden geen inhoudelijk diepgaande interviews te geven. Later realiseerde ze zich echter dat ze beter een 'off the record, hou ze bij de les'-beleid had kunnen voeren om de pers op de hoogte te houden.[74] Maar aanvankelijk bleek uit niets dat een agressief verkoopbeleid ten aanzien van de pers noodzakelijk was. In september 1993 getuigde Hillary vijfmaal in drie dagen voor het Congres over de zorg, een dramatisch en 'triomfantelijk'[75] optreden waarover in de pers nagenoeg zonder uitzondering positief werd bericht.

'Gedurende die laatste maanden, waarin ik me heb verdiept in de problemen rond de zorg waar ons land en de Amerikaanse burgers voor staan, heb ik heel veel geleerd,' zei ze op de eerste dag dat ze moest getuigen tegenover de Commissie Overheidsfinanciën (*Ways and Means Committee*) van het Huis van Afgevaardigden. 'De officiële reden dat ik hier vandaag zit, is omdat ik verantwoordelijk ben. Maar wat voor mij belangrijker is – ik zit hier als moeder, echtgenote, dochter, zuster en vrouw. Ik zit hier als Amerikaans

staatsburger, bezorgd om de gezondheid van haar gezin en om de gezondheid van haar natie.'[76]

De benadering van de gezondheidszorg zoals die door de Clintons werd
voorgestaan, behelsde een concept op basis van 'gecontroleerde concurrentie'. Het paste precies in de Nieuw-Democratische of Derde Weg, de koers
waarop Bill zich in zijn campagne had laten voorstaan. (Sommige journalisten gaven er een andere, minder idealistische naam aan en noemden deze filosofie 'trilateraal'.) In het plan zette de overheid werkgevers ertoe aan iedereen
in aanmerking te laten komen voor een zorgverzekering, waarbij de concurrentie tussen de verzekeraars de kosten laag zou houden. Ideologisch gezien
zat het precies in tussen twee wetsvoorstellen die reeds bij het Congres waren
ingediend. Het was niet zo links als het reeds liggende *single payer*-voorstel,
dat gebaseerd was op het Canadese zorgsysteem en waarbij de overheid alle
kosten zou dragen, maar het was ambitieuzer en omvatte meer controle van
de overheid dan het andere voorstel, dat niet alleen door Congresleden van
beide partijen werd gesteund maar ook door de grote bedrijven.

Bill en Hillary voelden zich beiden thuis in het pragmatische politieke
midden, maar hadden zeer verschillende routes gevolgd om daar te komen.
Hij had ervaring opgedaan in de politiek en was daarna een rasbestuurder
geworden. Zij had zich voornamelijk met sociaal beleid beziggehouden en
was na aankomst in Washington een relatieve nieuweling in de politiek met
daarnaast nauwelijks ervaring op het gebied van gezondheidszorg. Niettemin
nam ze de helmstok ter hand bij een politieke taak die zelfs voor de oudste
politieke rot een grote uitdaging zou hebben betekend.

En ze deed de journalisten versteld staan. Ze sprak met enthousiasme en
zocht bijna nooit iets op in aantekeningen, waaruit haar beheersing van het
onderwerp duidelijk bleek. Ook dit was typisch Hillary: briljant als het ging
om boekenwijsheid, een buitengewoon snelle leerling als het ging om beleid
– maar soms onhandig als het ging om de praktijk. De positieve pers die ze
na haar getuigenis kreeg, gaven Hillary en haar collega's een 'vals gevoel dat
ze gesteund werden en dat de vaart erin zat', zei Mickey Kantor, een man
die in die periode lid was van Clintons kabinet. Het gevolg was 'dat ze ge-
isoleerd raakte' en haar werk voortzette met een 'groep mensen die allemaal
dezelfde kant op liepen', herinnerde Kantor zich.[77] In plaats van haar aan te
raden anderen erbij te betrekken, zeiden Hillary's medewerkers tegen haar
dat ze 'de verdere ontwikkeling van het wetsvoorstel goed onder controle
moest houden', hoewel het nog 'duizenden wijzigingen, herzieningen en
aanpassingen aan amendementen zou ondergaan'.[78] (Het wetsvoorstel, dat
een maand na Hillary's succesvolle optreden aan het Congres werd voorge-

legd, omvatte toen 1342 pagina's.) Zelfs vooraanstaande kabinetsleden die twijfels hadden over bepaalde aspecten van Hillary's plannen, werden niet serieus genomen.[79] In de tussentijd had haar getuigenis haar tegenstanders in de benen gekregen, een formidabele groep opponenten die onder meer de verzekeringsbranche, de farmaceutische bedrijven en organisaties van artsen omvatte.

En ook Hillary's manier van besturen maakte, naarmate het werk vorderde, dat veel Amerikanen zich er onprettig bij begonnen te voelen. Toen een angstige zorgverzekeringsagent aan Hillary vroeg wat het wetsvoorstel, als het zou worden aangenomen, voor zijn baan zou betekenen, had Hillary hem killetjes aangeraden: 'Zoek maar wat anders om aan de man te brengen.'[80] Het botte antwoord liet de vertegenwoordiger geschokt achter en werd binnen de kortste keren landelijk nieuws. Thuis in tabellen, mappen en cijfers had Hillary geen besef van de menselijk kant van de zaak, die oppervlakkig leek maar van essentieel belang was voor de politieke kant van de hervorming van het zorgstelsel. Uit peilingscijfers van het Witte Huis bleek dat het publiek de hervorming van de zorg als een persoonlijke zaak begon te zien en dat 'het landsbelang ze geen reet kan schelen', zo herinnerde Harold Ickes zich, een medewerker van het Witte Huis. 'Het kritieke punt waarop dit wetsvoorstel hing,' was 'vertrouwen in de Clintons',[81] voegde hij eraan toe. En dat vertrouwen was er onvoldoende, deels door de onmacht van Hillary om emotionele warmte uit te stralen, deels door de voortdurende kritiek.

De aanvallen op Hillary waren buitengewoon persoonlijk. Sommige ervan hadden hun basis in beleid of politiek, maar andere waren ver onder de gordel. Hillary had dergelijke aanvallen aanvankelijk aanvaard als deel van het werk, maar deze hadden geen precedent. Dat kwam zowel doordat de opkomst van het 24-uursnieuws een nieuwe arena bood voor modder gooien, als door het feit dat er in het Witte Huis nog nooit iemand als Hillary was geweest. 'Alles kan tot problemen leiden,' zei ze.[82] Een deel van de kritiek herleidde ze ook naar haar 'partnerschap' met president Clinton en het feit dat dat voor sommige Amerikanen 'bedreigend' was. Maar, legde ze uit, 'ik kan niet anders dan trouw zijn aan mezelf'.[83] Daar voegde ze echter aan toe dat 'je dan maar beter in de problemen kan komen als je wat belangrijks doet voor mensen'. Opnieuw koos ze ervoor het op haar manier te doen, wat, zo geloofde ze heilig, ook de juiste manier was. Een dergelijke vastberadenheid was bewonderenswaardig onder de wrede aanvallen van buitenaf, maar getuigde ook van onbuigzaamheid en een ik-weet-wel-wat-goed-voor-u-is-mentaliteit die in haar zat. Toen de zorghervorming uiteindelijk op niets uitliep, bleek de betrokkenheid van Hillary daarbij fataal.

Jaren later erkende Hillary in haar autobiografie dat ze de 'tegenstand die ik zou krijgen als First Lady met een politieke taak, had onderschat'. Ze aanvaardde ook dat de mislukking deels was veroorzaakt door 'misstappen' van haarzelf, namelijk doordat ze 'te veel, te snel' had willen doen.[84] Maar in veel van zulke redeneringen wees ze uiteindelijk toch altijd naar anderen: haar tegenstanders en degenen die haar niet bij hadden kunnen houden. In de volgende jaren zouden die altijd weer de zwarte piet toegespeeld krijgen als het allemaal niet ging zoals Hillary wilde.

# 10

# De school van de kleine stapjes

Het eerste jaar van Hillary in het Witte Huis leek amper op het droomleven dat ze zich ervan had voorgesteld. Tegen de tijd dat het vakantieseizoen 1993 aanbrak, had Hillary te kampen met een diepe inzinking. Een aantal vrienden was zelfs bang dat ze aan een klinische depressie leed.[1] Haar neerslachtigheid had zowel persoonlijke als politieke oorzaken. In Hillaryland probeerde men uit alle macht de politieke schade te beteugelen van een reeks artikelen over Bills rokkenjagerij.[2] Hillary werd uitgenodigd voor een optreden bij de *Today Show*, maar het interview werd afgezegd nadat het tv-station een verzoek van de campagnestaf had geweigerd om haar niets te vragen over de recente aantijgingen dat Bill in Arkansas achter de vrouwen had aangezeten. Een van die vrouwen was een zekere 'Paula'.[3]

Op een bitterkoude ochtend tussen kerst en nieuwjaar waren Hillary en haar chef-staf, Maggie Williams, koffie gaan drinken in de West Sitting Hall van het Witte Huis. Achter een waaiervormig raam, hun favoriete plek in het gebouw, bladerden de twee vriendinnen door de dagbladen en probeerden positief het nieuwe jaar in te gaan. 'Hé, kijk hier eens,' zei Maggie Williams tegen Hillary en gaf haar een exemplaar van USA *Today*. 'Hier staat dat de president en jij de meest bewonderde mensen ter wereld zijn.'[4]

Overal elders waar ze keken, was echter slecht nieuws. Er deden verhalen de ronde over Whitewater en over de problemen waar de First Lady het komend jaar mee te kampen zou krijgen. Hillary was echter hoopvol dat de Amerikanen een zeker gevoel voor rechtvaardigheid bezaten, zelfs nu ze moeite moest doen om het hare te behouden.

Die strijd zou een zware worden, voor zowel Hillary als Bill.

In ieder geval gaven hun politieke tegenstanders hun geen kwartier. Op 26 juni 1994 stierf Bills moeder Virginia, van wie hij zielsveel hield, in haar huis in Hot Springs aan kanker. Een paar uur nadat ze hadden gehoord dat ze was overleden, hoorden Hillary en Bill toevallig een kort nieuwsflits tijdens de *Today Show*. 'De moeder van de president is vanochtend vroeg overleden na een lange strijd met kanker.' Vlak na het bericht kwamen senator Bob

Dole en Newt Gingrich op het scherm voor een interview dat al eerder was gepland. Geen condoleances, die ochtend – de twee Republikeinen begonnen onmiddellijk over Whitewater: 'Naar mijn mening schreeuwt dit om de benoeming van een toezichthoudende, onafhankelijke aanklager,' zei Dole.[5]

Hillary zag dat Bill door Doles uitlating volledig uit het lood was geslagen: 'Bills moeder had hem opgevoed met de opvatting dat je iemand die al ligt, niet schopt, dat je zelfs je tegenstanders in het leven en in de politiek netjes behandelt,'[6] herinnerde Hillary zich later.

Twee weken later benoemde minister van Justitie Janet Reno Robert Fiske, een gematigde Republikein en voormalig federaal aanklager in Manhattan, tot onafhankelijk aanklager. Fiske nam het onderzoek naar Whitewater en Madison Guaranty over, wat het ministerie van Justitie reeds in gang had gezet. Hillary had zich fel verzet tegen de benoeming van een jurist van buiten om de rommel rond Whitewater te onderzoeken, maar Bill had haar raad in de wind geslagen – iets waar hij later meer spijt van had dan van wat ook tijdens zijn presidentschap, zo bracht Bill in zijn autobiografie in herinnering. [7] 'Het was de slechtste beslissing die ik als president had kunnen nemen – feitelijk verkeerd, wettelijk verkeerd, politiek verkeerd en verkeerd voor het ambt van president en voor het Congres.'[8]

Op haar beurt wenste Hillary dat ze 'harder had gevochten en zich niet had laten overtuigen de weg van de minste weerstand te kiezen'. Mettertijd zou ze Fiske echter gaan zien als 'onpartijdig en vlot',[9] een positief beeld dat ontstond in het licht van Hillary's mening over zijn opvolger, Kenneth W. Starr.

Starr nam het ambt na acht maanden over van Fiske. In tegenstelling tot de laatste werd hij door een bepaalde wetswijziging niet door Reno aangewezen, maar door een raad van rechters onder leiding van een Republikein. De First Lady zag hem als een zeer partijdig lid van die partij wiens enige intentie was het nare onderzoek in ieder geval tot de presidentsverkiezingen van 1996 te rekken.[10] Veel van Starrs controversiële onderzoeken volgden echter uit wat Fiske al in gang had gezet. En het was Fiske geweest die persoonlijk bepaalde cruciale onderdelen had herschreven van de machtiging die de juristen van het ministerie aanvankelijk hadden opgesteld. De wijzigingen van Fiske omvatten onder meer de herformulering van een derde clausule, die hem het recht gaf iedere aantijging die tijdens het onderzoek aan de oppervlakte zou komen, te onderzoeken.[11] Fiske zei dat hij die 'zeer brede clausule' had opgenomen omdat het voor hem, een zeer ervaren aanklager, 'van groot belang was' die bevoegdheid te hebben. Die clausule, die ontzettend veel openliet, werd later onderwerp van een 'discussie van enorme omvang',zoals Fiske zich begrijpelijkerwijs herinnert.[12]

Starr, de opvolger van Fiske, erkende dat de kersverse clausule 'zeker hielp de weg te bereiden'[13] voor het onderzoek naar Bills affaire met Monica Lewinsky, een stagiaire bij het Witte Huis. Zowel Fiske als Starr zou de clausule ook gebruiken om onderzoek te doen naar Webb Hubbell.

De problemen rond Hubbell kwamen al vlak na Fiskes aantreden aan het licht. Twee maanden later trad Hubbell af als onderminister van Justitie, zodat hij vrij was zich bezig te houden met een conflict met Rose Law Firm over zijn declaratiegedrag. Dat conflict zou later leiden tot zijn gevangenneming nadat uit onderzoek van Fiske en Starr was gebleken dat toen hij nog bij Rose zat, Hubbell zowel zijn cliënten als zijn partners had bedrogen.[14] Honderden keren had hij zijn cheques van Rose gebruikt om persoonlijke uitgaven te doen.[15] Hillary geloofde in eerste instantie niet dat er iets serieus aan de hand was, voornamelijk omdat Hubbell haar verzekerd had dat dit niet zo was. Ze was daarop zelfs toegetreden tot een groep vrienden en medestanders die, voordat hij veroordeeld werd, nog werk probeerden te vinden voor hun oude compagnon van het advocatenkantoor.[16]

'Op dat moment,' vertelde Hillary aan een interviewer die naar Hubbell vroeg, 'hadden we geen reden aan zijn woord te twijfelen dat hij niets verkeerd had gedaan. Hij keek ons recht in de ogen en zei: "Ik heb niets misdaan, het waait wel over, er wordt alles aan gedaan om het op te lossen."'[17]

Maar de aanklagers bleken heel anders naar de zaak te kijken. Zij vroegen zich af of het advieswerk dat Hillary en de anderen Hubbell hadden helpen vinden nadat hij bij het ministerie weg was gegaan, niet bedoeld was geweest om zijn stilzwijgen te kopen over Hillary's juridische werkzaamheden voor Madison.[18] Hillary was verbijsterd over deze 'zwijggeldtheorie' van de aanklagers en beschouwde het als 'de nieuwste, meest vergezochte aanval van de oneindige zoektocht naar fictieve complotten die, eerlijk waar, mij doet denken aan de obsessie van sommigen voor ufo's en indertijd de komeet Hale-Bopp'.[19]

Bill was bij een fondsenwervingsdiner in het Park Plaza in Boston, toen het nieuws bekend werd dat Hubbell was afgetreden als onderminister van Justitie. Bill was stomverbaasd en vond het aftreden van Hubbell 'moeilijk te geloven'. 'Hij is een van de meest gerespecteerde mensen die ik ooit ben tegengekomen,' vervolgde de president nors.[20] Later, tijdens het diner, sprak Bill over hernieuwde samenwerking en zelfs over het vertrouwen dat tussen Democraten en Republikeinen zou moeten ontstaan. Overduidelijk met Hubbell in gedachten zei Bill dat de Republikeinen in Washington 'vastbesloten zijn tegen alles te zijn waar wij voor zijn, en vastbesloten zijn een politiek te voeren die gericht is op het persoonlijk kapotmaken van mensen'. Met een hoofd dat steeds roder werd, zei de president dat de Republikeinen Hillary 'liever op de huid zaten' dan met haar in debat te gaan over de noodzaak van een hervorming van het zorgstelsel.[21] De natie had met hardnekkige problemen te kampen. 'Waarom,' vroeg hij retorisch, 'wordt deze regering dan geconfronteerd met een oppositiepartij die alleen maar opstaat en "Nee! Nee! Nee! Nee! Nee! Nee! Nee! Nee! Nee!" roept?'[22] Bij iedere 'nee' werd Bills stem luider en sloeg hij harder op het spreekgestoelte. Zijn gehoor was perplex. De president leek voor hun ogen de controle over zichzelf te verliezen.

De advieswerkzaamheden van Hubbell leidden niet tot een aanklacht, maar Hubbell verklaarde eind 1994 wel dat hij schuldig was aan het feit dat hij zijn voormalige cliënten en partners – onder wie Hillary – minstens 394.000 dollar afhandig had gemaakt. Zijn schuldigverklaring 'schokte' Hillary, die het 'moeilijk vond te aanvaarden'.[23] Ze had Hubbell een week voor zijn verklaring opgebeld toen ze had gehoord dat hij misschien zou worden aangeklaagd. 'Je moet je hiertegen verzetten, Webb,' had ze tegen hem gezegd, en: 'Je moet het nu hard spelen.'[24] Het was Hillary's laatste gesprek met Hubbell.[25] Zo kwam er een einde aan een relatie die bijna twee decennia eerder was begonnen met de zaak van ACORN tegen de nutsbedrijven in Arkansas.

Van het trio van Rose Law Firm – Foster, Hubbell en Hillary – was er nu nog maar één over.

Een paar dagen na het ontslag van Hubbell publiceerde *The New York Times* een lang artikel over de handel van Hillary op de termijnmarkt. Haar medewerkers en raadslieden hadden uiteindelijk bepaalde financiële gegevens aan de *Times* verstrekt, maar hadden dat pas gedaan toen de krant duidelijk had gemaakt dat men een uitgebreide lijst van haar handelswinsten voorbereidde.

In eerste instantie, in 1994, beweerden vertrouwelingen van de Clintons dat Hillary 'haar commerciële beslissingen had gebaseerd op gegevens uit *The Wall Street Journal*'.[26] Die verklaring liet men vervolgens vallen.[27] Een medewerker van Hillary zei toen dat ze zich in de herfst van 1979 uit de markt had teruggetrokken, omdat ze de handel tijdens de laatste maanden van haar zwangerschap psychisch te belastend vond.[28] Een andere medewerker van het Witte Huis verklaarde echter algauw dat dat excuus 'geen steek hield'[29] nadat in april 1994 duidelijk was geworden dat Hillary in 1980 met een termijnhandelstransactie 6500 dollar had verdiend, maar die winst niet had opgegeven aan de fiscus.

Kort daarna nam Hillary – in haar geijkte combinatie van enkelvoudige erkenning maar meervoudige schuld – de verantwoordelijkheid voor de verwarrende antwoorden van de verschillende medewerkers aan de pers. Ze zei dat dit kwam omdat ze niet aanwezig was geweest en zich met andere zaken had beziggehouden. 'Ik heb er vermoedelijk onvoldoende tijd aan besteed, was niet precies genoeg,' legde ze uit, 'dus ik denk dat de verantwoordelijkheid voor de verwarring bij ons ligt.'[30]

Spoedig nadat het verhaal over de termijnhandel was gepubliceerd, probeerden Bill en Hillary hun relatie met de pers te verbeteren. Ze hadden hun vriendin Susan Thomases gevraagd contact te zoeken met James Stewart, een gelauwerd journalist die werkte voor *The New Yorker*. De Clintons, zo vertelde Thomases hem, wilden iemand die een eerlijk beeld gaf van de gebeurtenissen rond Whitewater en de dood van Foster en die ook onderzoek zou doen naar de ideologische vijanden van het echtpaar. Stewart, die geïntrigeerd was door het aanbod, vloog vervolgens van New York naar Washington, waar hij Hillary ontmoette in de Map Room van het Witte Huis.[31]

Na enige beleefdheden trok Hillary van leer tegen de methoden van de rechtse media en denktanks en liet haar verbijstering blijken dat als Bill en zij iets verklaarden, dat door de journalisten 'gewoon niet werd geloofd'.[32]

Hillary bleef volhouden dat ze niets te verbergen had, dus Stewart begon aan zijn project. Hij had vervolggesprekken met medewerkers van Hillary en in de overtuiging 'dat de First Lady met me zou meewerken',[33] begon hij aan een boek over de Clintons en hun tegenstanders.

Maar Hillary noch Bill werkte mee.[34] De houding van Hillary jegens de pers bleef tussen Little Rock en Washington onveranderd: wantrouwig en controlerend. De Clintons waren ook wat naïef door te denken dat als ze Stewart de gewenste richting zouden wijzen, hij ook gehoorzaam die kant op zou blijven lopen. Uiteindelijk werd zijn boek alom geprezen, behalve door de Clintons, en droeg het alleen maar bij aan de stortvloed van verhalen over Hillary's professionele carrière in Arkansas, die haar reputatie blijvend zouden schaden.

Medio april was het populariteitscijfer van Hillary gezakt van 56 procent in het jaar ervoor tot 44 procent, een historisch diepterecord voor een First Lady.[35] Hillary's medewerkers begrepen dat haar koppige onwil om met de pers te praten een van de oorzaken was van haar impopulariteit. Wekenlang hadden haar medewerkers op haar ingepraat om de negatieve publiciteit en alle aantijgingen open en oprecht tegemoet te treden. Op de achtergrond

blijven was één ding, maar door het Amerikaanse volk geen enkele tegenwicht te verschaffen van het negatieve beeld dat eerder naar voren was gekomen, liet ze het aan haar vijanden over om háár te definiëren.

Eind april zei Hillary tegen haar chef-staf Maggie Williams: 'Ik wil het wel
doen. We organiseren een persconferentie.'

'Je weet dat je dan álle vragen moet beantwoorden, wat ze je ook vragen?'
vroeg Williams daarop.

'Dat weet ik. Ik ben er klaar voor.'[36]

De persconferentie vond plaats in de State Dining Room, een minder
formele setting dan de East Room, maar de atmosfeer was niettemin geladen
met een afwachtende dramatiek.[37] Op het laatste moment besloot Hillary
een roze trui aan te trekken met een zwarte rok, waardoor deze 68 minuten
durende sessie bekend zou worden als de 'roze persconferentie'. (Sommige
journalisten trokken uit Hillary's kledingkeuze de conclusie dat ze haar
imago wilde 'verzachten'[38] – het soort kledinganalyse waar een mannelijke
politicus nooit aan zou worden onderworpen.)

Al meteen erkende Hillary dat ze nauwelijks toegankelijk was geweest voor
de pers. Ze legde uit dat ze door haar behoefte aan een 'privézone' vanwege
haar gezin, maar ook vanwege de eigen manier waarop zij de dingen deed,
'minder dan nodig heb beseft dat ik interessant ben voor pers en publiek en
dat ze het recht hebben bepaalde dingen te weten over mijn echtgenoot en
mij'.

Ze weet haar terughoudendheid ten aanzien van de pers aan wat ze als kind
had geleerd. Haar ouders hadden haar bijvoorbeeld altijd voorgehouden:
'Luister niet naar wat andere mensen zeggen. Laat je niet leiden door de
mening van anderen. Weet je, jij moet met jezelf leven.' Het mocht toen een
goed advies zijn geweest, nu werd het tijd dat ze wat opener werd, 'geherzo-
neerd', zoals ze dat zelf uitdrukte. De verslaggevers lachten.

Een journalist vroeg daarop of de kritiek op de Reagan-jaren als decennium van ongebreidelde hebzucht niet hypocriet was in het licht van haar
onverwachte winst op de lucratieve termijnmarkt, die recent was ontdekt.

'Ik vind het nogal een stap om te zeggen dat de keuzes die wij maakten om
enige financiële zekerheid voor ons gezin te creëren en enige investeringen te
doen, hetzelfde zijn als de excessen van de jaren tachtig,' antwoordde ze. De
waarheid verdraaiend, beweerde ze dat het juist de verbeten zuinigheid van
haar vader was geweest en zijn streven naar financiële zekerheid die haar bij
haar handelstransacties hadden geholpen.

Ze ging voorts akkoord met de suggestie dat door haar weigering haar
belastingaangifte van 1979 vrij te geven, alsmede haar felle verzet tegen de

benoeming van een raadsman van buiten om Whitewater te onderzoeken, de indruk was gewekt dat ze iets te verbergen had. 'Ik denk dat dit een van de dingen is waar ik het meest spijt van heb,' antwoordde ze, 'en dat is ook een van de redenen dat ik dit wilde.'[39]

Achteraf zeiden Hillary's medewerkers en vrienden tegen haar dat het best goed was gegaan. Zelf was ze daar echter niet van overtuigd. Tegen een van haar vrienden zei ze dat één persconferentie van een uur dit beleg niet zou opheffen. 'Ze geven het niet op,' zei ze. 'Ze zullen ons blijven lastigvallen, wat we ook doen.'[40]

In het voorjaar van 1994 voelde Hillary zich, als ze 's ochtends wakker werd, vaak ongelukkig en eenzaam. Ze herinnerde zich later dat ze 'terugverlangde naar al die goede vrienden, kennissen en verwanten die uit ons leven waren verdwenen of die op oneigenlijke gronden onder vuur waren genomen'.[41] De lijst omvatte onder anderen haar vader, Bills moeder Virginia en Vince Foster. Ze 'zat in de put'[42] en voelde zich afschuwelijk alleen.

Een deel van haar neerslachtigheid was terug te voeren op het Whitewater-feuilleton. (Op een ochtend in maart daalde de Dow Jones met 23 punten vanwege 'geruchten' over de affaire.) Voor een groter deel was haar teleurstelling echter te wijten aan haar sterke gevoel dat haar inspanningen voor het hervormen van het zorgstelsel tot mislukken gedoemd waren. Maar het had ook te maken met de rol die ze binnen de West Wing speelde. De ongekende machtspositie die Hillary op de dag van de inhuldiging had verkregen, brokkelde met de dag verder af. Van almachtige medepresident werd ze langzaam gereduceerd tot ondergeschikte, die evenwel over enorme invloed beschikte en directe toegang had tot de baas. De verandering was het resultaat van de voortdurende campagne van het Witte Huis. De meeste Amerikanen – in één onderzoek zelfs 62 procent – gaven aan dat ze niet wilden dat Hillary zich met beleid zou bezighouden, hoewel ze wel tevreden waren met haar rol als First Lady. Dat was een sterke aanwijzing dat een meerderheid van de Amerikanen van Hillary verwachtte dat ze binnen de traditionele grenzen van de rol van First Lady zou blijven en zich dus niet met staatszaken zou bemoeien.[43] Dat was echter onmogelijk. Daar was ze te slim, te krachtig en te trots voor en bovendien vertrouwde de president in de meeste gevallen op haar oordeel. Maar er was wel sprake van enige aanpassing en Hillary merkte dat ze langzaam naar de zijlijn werd gedrukt.

Die zomer trok Hillary ook de conclusie dat het hele gedoe rond Whitewater niet meer was dan, zoals ze schreef, 'een manier om het progressieve programma tot iedere prijs te ondermijnen... Als je in 1994 alles geloofde wat je op tv hoorde, móést je wel denken dat de president een communist was, de First Lady een moordenares en dat ze samen een complot smeedden om je je wapens af te nemen en je huisarts op te geven (als je die al had), die dan plaats zou moeten maken voor een socialistisch zorgsysteem.'[44]

Haar gevoel vervolgd te worden, zou alleen nog mee erger worden. Hillary maakte zich zorgen over het besluit Kenneth Starr tot onafhankelijk aanklager te benoemen, en het versterkte haar vrees voor een onderzoek uit politieke motieven.[45] Op hun beurt waren de advocaten en onderzoekers die voor Fiske werkten, onder wie agenten van de FBI en de belastingdienst, bezorgd dat het vertrek van Fiske het onderzoek zou doen verslappen. Daarom organiseerde Fiske vlak nadat was bekendgemaakt dat Starr hem zou opvolgen, een bijeenkomst in Little Rock.

Onder de medewerkers van de FBI en de belastingdienst was veel onrust over wat er met het onderzoek zou gebeuren, vertelde Fiske later. 'Dus riep ik een vergadering bijeen met zo'n veertig mensen van de FBI en de belastingdienst en drukte ze op het hart: "Maak je geen zorgen." Ken Starr is een prima vent. We waren gereed om in het najaar van 1994 en het voorjaar van 1995 acht aanklachten in te dienen tegen twaalf mensen. Ik zei dat ik er zeker van was dat die aanklachten er ook zouden komen. En ze kwamen er ook alle acht en resulteerden allemaal in veroordelingen.' Fiske concludeerde verder: 'Hij deed precies wat ik ook zou hebben gedaan.'[46]

Starr bevestigde die analyse: 'Alles in Little Rock erfden we van die prachtkerel, Rob Fiske.'[47] Maar Starr zou het onderzoek van Fiske natuurlijk ook uitbreiden naar gebieden die niemand ooit had kunnen voorzien. Vlak na Starrs aantreden zei Fiske tegen hem dat hij zich erop moest voorbereiden 'dat hij wel eens genoodzaakt zou kunnen zijn met zijn hele gezin naar Little Rock te verhuizen. Je bent hier nog een hele tijd.'[48] Dat bleek zo'n typisch understatement van Fiske te zijn. Het onderzoek naar de Clintons door de onafhankelijke aanklager zou nog jaren duren, kostte meer dan vijftig miljoen dollar en richtte enorme schade aan, niet alleen aan de president maar ook – afhankelijk van wie je het vraagt – aan het land.

Wie het onderzoek ook leidde, de woede jegens de Clintons was die zomer in heel Amerika voelbaar. Toen Hillary eind juli in Seattle aan een bustour langs de Westkust begon om steun te verzamelen voor de zorgwet, werd ze verbijsterd door een woedende menigte van honderden demonstranten die allerlei nare kreten riepen over het zorgstelsel, wapenbeheersing en abortus. De meeste demonstranten waren mannen, die op de been waren gebracht door een lokale talkshowpresentator. Hillary droeg een kogelvrij vest[49] en ze herinnerde zich het incident later als een van de eerste keren tijdens haar carrière in het openbaar bestuur dat ze het gevoel had dat haar leven werkelijk in gevaar was. 'Zulke gezichten had ik niet meer gezien sinds de burgerrechtenstrijd in de jaren zestig,' vertelde ze aan vrienden toen ze later terug was in Washington. 'In hun gezichten stond zo veel haat te lezen.'[50]

Nadat Hillary in Washington was teruggekeerd, trok ook de laatste Republikeinse senator die voor het hervormingsvoorstel was geweest, John Chafee van Rhode Island, zijn steun in. Tweeëntwintig maanden nadat de Don Quichotachtige kruistocht van Hillary was begonnen, was het afgelopen. Het wetsvoorstel werd door de Democraten niet eens meer in stemming gebracht, noch in het Huis, noch in de Senaat – een vernietigende laatste voetnoot, maar op dat moment nauwelijks meer een schok. Hoewel sommige adviseurs van Hillary haar hadden trachten over te halen een poging te ondernemen met de Republikeinen tot een compromis te komen, had zij de conclusie getrokken dat dat alleen maar zou betekenen dat de premies omhoog zouden gaan. Daar zouden Bill en Hillary voor verantwoordelijk gesteld worden en dat was onaanvaardbaar, gezien het feit dat er dat najaar tussentijdse verkiezingen zouden zijn. Daarom had Hillary geweigerd over het wetsvoorstel een compromis te sluiten.

Hillary was kapot. Bill probeerde haar te troosten door tegen haar te zeggen dat er grotere misstappen bestaan dan 'op heterdaad betrapt te worden' als je een zorgverzekeringswet probeert te regelen voor veertig miljoen Amerikanen die er geen hebben. Hij weet de nederlaag aan de driehonderd miljoen dollar die de zorgverzekeraars en al die andere lobby's die de wet om zeep wilden helpen, hadden gespendeerd. En hij koesterde inmiddels een diepe wrok tegen de Republikeinen, vooral omdat ze zijn vrouw met succes tot doelwit hadden gemaakt.[51]

'Op een dag hervormen we het systeem,' schreef ze later. 'Als we dat doen, is dat het resultaat van vijftig jaar inspanning van Harry Truman, Richard Nixon, Jimmy Carter en Bill en Hillary. Ja, ik ben nog steeds blij dat we het hebben geprobeerd.'[52] Maar voor dit moment moest Hillary, wier ambitie altijd haar motor was geweest, haar grote plannen opzij zetten en de verwachtingen die ze van zichzelf had naar beneden bijstellen.[53] Ze zou haar nieuwe rol als volgt beschrijven: 'Ik ben nu van de school van de kleine stapjes.'[54]

Ondanks alle tegenslagen waren de eerste twee jaar van het presidentschap van Clinton opmerkelijk succesvol. De begroting had de basis gelegd voor het doen verdwijnen van de staatsschuld, die de economische groei zou doen toenemen en zou zorgen voor tien miljoen nieuwe banen. In 1994 ging Noord-Korea ermee akkoord zijn kernwapenprogramma te bevriezen en vervolgens te ontmantelen. Jordanië tekende een nog niet eerder vertoond vredesverdrag met Israël, en in Haïti kreeg de gekozen president de macht weer in handen. Hillary zag dit alles als de 'mijlpalen van Bill'[55] en later, toen ze zelf ging voor het ambt van president, refereerde ze eraan als iets wat 'wij hebben klaargespeeld'.[55]

Maar 1994 was ook het jaar van het dieptepunt van Bills periode in het Witte Huis – de genocide in Rwanda, waarbij binnen een paar weken naar schatting 800.000 slachtoffers vielen. Hoewel hij wist wat er in Rwanda gaande was, deed Bill niets – evenmin als zijn ambtgenoten in andere landen trouwens. Terwijl zij het nemen van maatregelen voor zich uitschoven en voorwendden niets te weten van de ongelooflijke massaslachting die plaatsvond, kwamen honderdduizenden mannen, vrouwen en kinderen om het leven.

Zoals te verwachten legde Hillary de schuld van dit gebrek aan daadkracht niet bij Bill, maar bij de 'regering van mijn echtgenoot'.[57] Bill beweerde later dat hij en de andere wereldleiders 'zich niet ten volle hadden gerealiseerd' wat er in Rwanda gaande was.[58] Maar dat hadden zijn inlichtingendiensten en verscheidene kranten-, televisie- en radiojournalisten inmiddels overduidelijk aan de wereld kenbaar gemaakt. Om níét te weten wat er aan de hand was, had Hillary wekenlang het nieuws moeten negeren, net als de dringende verzoeken van mensenrechtenactivisten en leden van het Congres. En er is geen bewijs dat zij iets substantieels heeft gedaan om er wat aan te doen.

Als er dingen goed gingen, kwam dat door Bill en Hillary. Als het fout ging, lag het volgens Hillary vaak aan anderen.

Toen in Washington het voorjaar plaatsmaakte voor een ongebruikelijk vochtige zomer, organiseerde Stan Greenberg, de opiniepeiler van het Witte Huis, een groepsdiscussie. Hij gaf de aanwezigen een lijst zinsneden en vroeg hun er die uit te pikken die het best bij president Clinton pasten. 'Het groeit hem boven het hoofd' werd het meest gekozen. Op twee stond 'besluiteloos', gevolgd door 'onvolwassen'.

Zo konden ze de tussentijdse verkiezingen, die dat najaar zouden plaatsvinden, natuurlijk niet ingaan. Greenberg meldde het slechte nieuws direct aan Bill en Hillary via een vertrouwelijke memo. 'Als we niet snel handelen om de stemming in het land te veranderen, gaan de regering, de Democraten in het Congres en de partij in november een rampzalige uitslag tegemoet,' schreef Greenberg. In de ogen van de bevolking waren de Clintons door Washington overdonderd en overspeeld. Greenberg had ontdekt dat het continue lekken naar de pers een slechte indruk maakte, alsmede het gestuntel rond zaken als homoseksuelen in het leger en de voordracht van een kandidaat voor de post van minister van Justitie. (De aanvankelijke kandidaat, Zoe Baird, had zich moeten terugtrekken omdat ze geen belasting had afgedragen over het loon van haar hulp in de huishouding.) Daardoor was bij de kiezers in het land een beeld ontstaan van een Witte Huis in chaos. 'Dit gaat erover dat jullie jong en onervaren zijn, uit een kleine, achterlijke staat komen en dat jullie niet in staat zijn de kwade krachten van Washington te beteugelen,' schreef hij. 'Een paar maanden geleden werd Whitewater nog gezien als een hindernis, nu wordt het beschouwd als bewijs dat het Clinton allemaal boven het hoofd groeit. Dit gaat om Bill Clinton persoonlijk en dat is vernietigend.'[59] Bill Clinton en de Democratische Partij ondervonden voorts ook schade door de wijdverbreide mening dat Hillary bij de hervorming van de zorg buiten haar boekje was gegaan.

Toen ze door het land had gereisd om de zorgverzekeringswet te promoten, had Hillary gemerkt dat er gevoelens van onvrede bestonden over haar echtgenoot. Nu probeerde ze daar wat aan te doen. In september belde ze Dick Morris, de politiek adviseur die inmiddels vaker voor de Republikeinen werkte dan voor de Democraten. 'De president heeft je nodig,' zei ze tegen hem.

Het plan was dat Morris Bill nog één keer zou 'redden' zoals hij dat ook in Arkansas had gedaan. Maar ondanks het bijspijkerwerk van Morris – Bill zich wat meer laten gedragen als president en wat minder als een stuntelige, wanhopige kandidaat – werden de peilingen niet beter. Vier dagen voor de tussentijdse verkiezingen belde Morris Bill met het slechte nieuws. 'Je gaat én het Huis én de Senaat verliezen.'

'Niet het Huis,' antwoordde Bill. 'Nee toch.'

'Ook het Huis, en met een behoorlijke marge,' zei Morris.

'Nee, nee, niet het Huis,' herhaalde Clinton. 'Niet het Huis. Dat kan niet. Denk je werkelijk? Dat kan niet.'[60]

Morris had gelijk. Het was de grootste Republikeinse invasie van het Congres in veertig jaar. De Republikeinen wonnen een meerderheid in het Huis van maar liefs 26 zetels, de Democraten verloren in totaal 54 zetels. De Republikeinen wonnen ook een meerderheid in de Senaat van 52 tegen 48 zetels. Geen enkele zittende Republikein verloor zijn gouverneurswoning of zetel in Huis of Senaat.

Newt Gingrich, de Republikein uit Georgia, werd voorzitter van het Huis en daarmee de uitvoerder van het Republikeinse 'Contract met Amerika', een reeks politieke stellingnames die de Republikeinen hoopten in wetgeving te kunnen omzetten. Bijna onmiddellijk werd Gingrich genoemd als presidentskandidaat voor de verkiezingen van 1996. (Zijn vrouw, Marianne

Gingrich, zei echter dat ze niet geïnteresseerd was in de functie van First Lady. 'Laatst zag ik Hillary. Het was een afschuwelijke ervaring,'[61] zei ze tegen journaliste Gail Sheehy.)

Op de ochtend na de verkiezingen bleef Hillary buiten beeld. Bill sprak de pers toe, maar weigerde de vernietigende nederlaag aan één ding of persoon toe te schrijven. 'Ik denk dat de kiezers mij twee dingen hebben willen zeggen,' zei de president bedeesd. 'Of misschien wel drie... of driehonderd.'[62]

Dick Morris sprak Hillary een paar dagen later. 'Weet je, Dick,' zei ze, 'Ik ben gewoon zo in de war.' Ik snap niet meer hoe het moet. Ik vertrouw niet meer op mijn eigen oordeel.'

'Nou,' zei Morris, 'Je weet dat je heel ver naar links bent opgeschoven.'

Aan het eind van het gesprek vertrouwde Hillary Morris toe dat ze het niet meer wist: 'Ik weet gewoon niet hoe ik hiermee moet omgaan. Wat ik ook doe, het lukt gewoon niet. Niks gaat goed. Ik weet het gewoon niet meer.'[63]

Op een avond in het najaar van 1996, tijdens een potje kaarten in de Air Force One, vroeg Leon Panetta, de chef-staf van de president, waarom die Morris al die jaren had verdragen. De president, die zich na een lange, zware dag campagne voeren probeerde te ontspannen, werd door die vraag 'kortstondig van zijn stuk gebracht'.[64] 'Hij dacht even na en antwoordde toen 'dat je het in de politiek ook uit het oogpunt van de tegenstander moet bekijken. Morris vertegenwoordigde dat.' Met andere woorden, legde Panetta later uit, 'ze hadden, om te kunnen winnen, iemand als Morris nodig om hun richting te geven, om de Gingriches van deze wereld te kunnen begrijpen'.[65] En Morris was ook deel van dat andere grote, strategische plan dat bijna twintig jaar eerder door Hillary en hem was bedacht: hun twintigjarenplan. Het plan, zo vervolgde Panetta, 'was in Arkansas ontstaan en behelsde een verandering van richting in de Democratische Partij op lange termijn' en 'omvatte ook het bemachtigen van het presidentschap'.[66] Het doel was te winnen, het middel inspelen op de peilingen.

11

# De discipline van dankbaarheid

Ze noemden zich 'de Chix', een groep van tien vrouwen die Hillary be-schouwde als haar intiemste vertrouwelingen en beste vrienden. Elke week kwamen ze langs bij de First Lady voor een glimlach, een grap, een knuffel en indien nodig een schouder om op uit te huilen. De groep om-vatte haar secretaresse, haar speechschrijfster, haar chef-staf en de sociale secretaresse van het Witte Huis, naast een oude vriendin (Susan Thomases), een gerespecteerde mediaconsultant (Mandy Grunwald) en een ervaren Democratische activiste (Ann Lewis). De bijnaam 'Chix' was verzonnen door Evelyn Lieberman, op dat moment de vicechef-staf van het Witte Huis. De groep trof elkaar gewoonlijk in de Map Room op de begane grond van de presidentiële residentie. In dat historische vertrek had Franklin Delano Roosevelt in de Tweede Wereldoorlog met hooggeplaatste militairen bom-aanvallen beraamd. Hillary was verknocht aan de kamer en werkte hard aan de renovatie ervan. Ze had een ingelijste landkaart met de geallieerde posities die FDR in 1945 had geraadpleegd, boven de schoorsteen laten hangen.[1]

Eind november 1994 vormde het een toepasselijke omgeving voor de Chix om Hillary te helpen haar comeback uit te stippelen. Nu de Republikeinen op het punt stonden beide huizen van het Congres over te nemen, mede door haar mislukte plan om de gezondheidszorg te hervormen, en de president nog bijkwam van de verkiezingen, had de First Lady de steun en adviezen van de groep meer nodig dan ooit tijdens haar verblijf in het Witte Huis.

Toen Hillary de kamer binnenkwam, zaten de Chix al om een vierkante tafel. Hillary zag hun hoopvolle gezichten en werd overmand door emotie. Met overslaande stem verontschuldigde ze zich voor het feit dat ze iedereen had teleurgesteld. Ze onderdrukte haar tranen en beloofde haar vriendinnen dat het niet nogmaals zou gebeuren. De reden was eenvoudig: ze zou het beleidsdeel van haar baan opgeven, zei ze. Het experiment met co-president-schap had gefaald.

'Ik vertelde hun dat ik overwoog me terug te trekken uit de actieve politiek, vooral omdat ik de regering van mijn man niet voor de voeten wilde lopen,'

154

schreef ze jaren later.[2] Die avond organiseerde de George Washington-universiteit een openbare discussie over First Lady's. Hillary zei dat ze niet van plan was naar die bijeenkomst te gaan, ondanks haar toezegging.

Het was geen geheim dat Hillary's rol in beleidskwesties ingeperkt maar nog steeds buitengewoon substantieel was, om niet te zeggen ongekend voor een First Lady. De vrouwen waren met stomheid geslagen. Toen zeiden ze een voor een tegen Hillary dat ze niet moest opgeven of terugkrabbelen. Hun boodschap was: 'Te veel mensen, vooral vrouwen, rekenen op je,' niet alleen om verder te gaan, maar om te slagen.[3]

Lissa Muscatine, Hillary speechschrijfster, die later fungeerde als de ghostwriter van *Mijn verhaal*, zei tegen de First Lady: 'Jonge mensen zoeken naar een rolmodel voor hun eigen leven. Jij bent zo'n rolmodel. Wat moeten zij wel niet denken als jij nu besluit geen actieve rol meer te spelen?'[4]

Aangespoord door haar vriendinnen woonde Hillary die avond de openbare discussie bij in het Mayflower Hotel in het centrum van Washington. Het enthousiaste onthaal van het publiek gaf haar een emotionele oppepper die ze goed kon gebruiken. Na afloop voelde Hillary zich voor de eerste keer sinds de offers die ze had gebracht bij de hervorming van de gezondheidszorg, weer bereid zich in het strijdperk te begeven. Ze herinnerde zich de bemoedigende woorden van haar heldin, Eleanor Roosevelt: 'Als ik me gedeprimeerd voel, ga ik aan het werk.' En dat was wat Hillary deed. Bill had haar tenslotte nodig.

Al zolang Hillary zich kon herinneren, was het haar werk geweest om namens haar echtgenoot te werken. Haar vertrouwen in haar eigen beoordelingsvermogen had een stevige knauw gekregen; ze 'betwijfelde' of ze Bill nog tot hulp kon zijn.[5] Maar ze wist dat Bills zelfvertrouwen ook verzwakt was. En dus zocht ze contact met de enige persoon in de politiek die ze kende die de intelligentie, het temperament en het ego bezat om Bill te helpen Bill te zijn.

Dat was Dick Morris, en hij schoof in december aan in de Treaty Room van het Witte Huis voor een geheime bijeenkomst met de president en Hillary. Hillary was de 'voornaamste link' geweest tussen haar echtgenoot en Morris,[6] een egoïstische strateeg die zijn rol als de geheime, onmisbare man van de president koesterde. Hij had zelfs een codenaam: 'Charlie'. Niemand anders binnen de kring van intimi rondom Clinton wist dat hij er was.

Dat Hillary geneigd was Morris in te schakelen om Bill te helpen, was op zich geen verrassing. Van 1992 tot eind 1994 hadden zij en Morris elkaar een- of tweemaal per maand telefonisch gesproken. 'Ik gaf haar raad over haar eigen werk en haar eigen politieke stijl, en adviseerde haar werk te maken van de gezondheidszorg. Ook heb ik aangedrongen op meer nadruk op kostenbesparende maatregelen,' blikte Morris later terug. 'Meestal bracht ik mijn ideeën via de First Lady over aan de president.'[7]

Nog voordat Morris ging zitten in de Treaty Room, keek hij Bill recht aan en zei: 'Dus eigenlijk wil je dat ik voor je doe wat ik in 1980 en 1982 heb gedaan?'

'Ja,' zei Bill. 'Ik wil dat je terugkomt en hier voor me doet wat je in Arkansas ook al hebt gedaan. Ik heb nieuwe ideeën en een nieuwe strategie nodig. Ik krijg hier niet wat ik nodig heb, en ik wil dat jij erbij komt. Ik heb het vertrouwen in mijn huidige team verloren.'

Met een flauw glimlachje zei Hillary tegen Bill: 'Je moet echt een keer ophouden ons te vragen je uit de brand te helpen.'

Na die half gemeende opmerking stak de president zijn handen in de lucht. 'Laatste keer,' zei Bill. 'Ik zweer het.'[8]

Niet lang daarna voerde Morris een privégesprek met Bill in de Oval Office. Morris kwam met een alarmerende reeks onderzoekscijfers over de populariteit van de president. Ongeveer een derde van de ondervraagden vond Clinton 'immoreel', en nog een derde beschouwde hem als 'zwak'. Morris was ervan overtuigd dat Bill in staat was het beeld dat hij zwak was te wijzigen, maar er zou doortastend gehandeld moeten worden. Vervolgens sneed Morris een onderwerp aan waarover bij Bill bijna niemand durfde te beginnen: zijn zwakke plek, aldus Morris, was Hillary.

'Hoe sterker zij lijkt,' zei Dick Morris tegen de president, 'hoe onvermijdelijker het is dat men u zwak zal vinden.'

Bill trok wit weg en veranderde snel van onderwerp. Morris kwam er even later echter op terug. 'Luister,' zei hij, 'we weten allebei hoe jullie huwelijk in elkaar steekt. Jullie sterke punten stimuleren elkaar. Maar dat snappen de mensen niet. Ze vragen zich af of zij de broek aan heeft of jij.'[9] Morris drong er bij Bill op aan Hillary de onderzoeksuitslagen te laten zien, hun dilemma te bespreken en een oplossing te verzinnen. (Volgens een van Bills vrienden was het vrijwel zeker dat hij het advies van Morris in de wind heeft geslagen.[10])

Hillary was zich niet bewust van Morris' conclusies en was ervan overtuigd dat de president in goede handen was. Verscheidenen van haar vrienden zeiden dat Hillary Morris had teruggebracht in de kring van intimi om zich los te kunnen maken van het dagelijkse beleidswerk en de mallemolen van de West Wing. Ze had tijd en afstand nodig om zich op zichzelf, haar eigen behoeften en haar eigen doelen te richten.[11] 'Ik geloof echt dat ze lang nodig heeft gehad om te wennen aan de manier waarop ze was aangevallen in de kwestie rond de gezondheidszorg. Dat stond voorgoed in haar geheugen gegrift,' zei een van haar vrienden. 'En het gaf haar een reden om veel indirecter te zijn in de manier waarop ze haar macht gebruikte in het Witte Huis. Ze was daarna veel minder zichtbaar.'[12]

Met kerst kreeg de First Lady twee identieke cadeaus, die een krachtige indruk op haar zouden maken. Een lid van Hillary's gebedsgroep, die bestond uit vriendinnen en waartoe ook een aantal Republikeinen behoorde,[13] en een vriendin uit Arkansas gaven haar allebei een exemplaar van het boek *Eindelijk thuis: gedachten bij Rembrandts 'De terugkeer van de verloren zoon'*, geschreven door de Nederlandse priester Henri Nouwen. Hillary werd geraakt door Nouwens observaties over de parabel die Jezus Christus vertelde over de jongere van twee zoons die zijn vader en broer had verlaten om een eigengereid leven te leiden. Toen de zoon uiteindelijk terugkeerde naar huis, werd hij warm onthaald door zijn vader, maar zijn plichtsgetrouwe oudere broer was verontwaardigd. Hillary herinnerde zich dat 'een eenvoudige zinsnede in Nouwens boek een echte openbaring was: "discipline van de dankbaarheid."'

Ze had met zichzelf te doen gehad – daar hadden alle teleurstellingen in de afgelopen twee jaar voor gezorgd – en het resultaat was dat ze besefte dat het niet altijd meeviel om dankbaar te zijn voor al het goede in haar leven. 'Ik had zoveel om dankbaar voor te zijn, ondanks de verloren verkiezingen, de mislukte reorganisatie van de gezondheidszorg, de aanvallen door politieke tegenstanders, de rechtszaken en de dierbaren die waren overleden,' herinnerde ze zich jaren later. 'Ik moest mezelf eraan blijven herinneren hoe gezegend ik was.'[14]

Ook Bill had een advies om Hillary uit haar depressie te halen. 'Wanneer dit je overkomt, is het niet alleen de vraag of je er politiek, uiterlijk, erin slaagt terug te komen' zei hij tegen haar. 'Ik bedoel, het heeft innerlijk invloed op je. Je verschrompelt en wordt er kleingeestiger door, of het maakt je juist groter en je groeit erdoor.'[15]

Op een grauwe dag kort na de tussentijdse verkiezingen kwam Hillary langs haar kantoor en bleef even staan bij een ingelijste foto van Eleanor Roosevelt op een tafeltje. Ze werd getroffen door de ogenschijnlijk tegenstrijdige emoties van kalmte en vastberadenheid op Eleanors gezicht. Ze herinnerde zich Eleanors filosofie voor vrouwen die zo goed als verslagen waren: gewoon doorgaan. 'Een vrouw is net een keukenmixer,' was een beroemde uitspraak van Eleanor Roosevelt. 'Je weet pas hoe sterk ze is als ze in de puree zit.'

'Het was tijd voor een nieuw gesprek met Eleanor,' schreef Hillary later.[16]

Sinds de aanvang van Bills presidentschap had Hillary 'van gedachten gewisseld' met Eleanor, tijdens ingebeelde gesprekken met haar heldin, als een manier om inspiratie, kracht en richting uit haar leven te putten. Hillary verslond stapels boeken over haar en putte kracht uit haar moedige voorbeeld. Wanneer ze met een moeilijke beslissing werd geconfronteerd, vroeg Hillary zich letterlijk af: 'Wat zou Eleanor doen? Hoe zou Eleanor dit aanpakken?'[17]

Op 26 januari 1995 hield Hillary een toespraak bij de inwijding van het Eleanor Roosevelt College in San Diego, een bijeenkomst waar ze al maanden naar had uitgezien. De First Lady sprak lovende woorden over de moed van haar heldin, maar de toespraak verschafte ook inzicht in Hillary's eigen gedachten in die donkere tijden. Hillary sprak over het maken van de juiste keuzes, en over hoe belangrijk het is de verleiding te weerstaan om je door critici, lasteraars, ja, zelfs vijanden te laten veranderen in iemand voor wie je je schaamt.

'Eleanor Roosevelt begreep ook dat we allemaal elke dag keuzes moeten maken over het soort persoon dat we zijn en over wat we willen worden,' zei ze. 'Volgens mij krijg je elke dag de gelegenheid je moed te tonen. Je hebt een keuze. Je kunt beslissen iemand te zijn die mensen samenbrengt, of je kunt ten prooi vallen aan mensen die ons van elkaar wensen te scheiden. Je kunt stelling nemen tegen vooroordelen en onverdraagzaamheid, of je kunt je aansluiten bij de grote massa, leuke verhalen ophangen en mensen aanvallen. Je kunt iemand zijn die gelooft dat het zijn burgerplicht is zichzelf te ontwikkelen en te ontdekken wat er allemaal speelt, zodat je weloverwogen beslissingen kan nemen. Of je kunt je aansluiten bij mensen die geloven dat een negatieve, cynische houding modieus is, en dat je eigenlijk toch niets kunt doen.'[18]

Haar medewerkers wisten dat dit een uiterst persoonlijke speech was.[19] Hillary had al bedacht dat ze een keuze moest maken, meer dan één keuze zelfs.

De eerste keuze was zich vrijwel niet meer te laten zien op de woensdagavonden dat de president op de bovenverdieping van de residentie vergaderde met Dick Morris en andere adviseurs. Sterker nog, van januari 1995 tot augustus 1996, toen Morris werd verbannen uit het Clinton-kamp na de onthulling van zijn rendez-vous met een prostituee in het Jefferson Hotel in Washington, woonde Hillary slechts een handvol bijeenkomsten bij.[20] Een ambtenaar zei dat hij zich herinnerde dat Hillary tegen het eind van het voorjaar van 1995 een belangrijke fondsenwervingsbijeenkomst bijwoonde, en dat haar komst opmerkelijk was, omdat ze al maanden haar gezicht niet meer had laten zien.[21] Deze beslissing had niets subtiels: ze maakte iedereen duidelijk dat ze een stapje terug deed.

Voor het geval iemand de boodschap nog niet had opgepikt, bereidde Hillary zich erop voor zich duizenden kilometers van het Witte Huis te verwijderen. Ze besloot dat het tijd was Washington achter zich te laten en de wereld te verkennen.[22] Voor sommigen in de West Wing was het alsof Hillary wegvluchtte.

Op 25 maart 1995, zeventien uur na het vertrek vanaf Andrews Air Force Base net buiten Washington, zette Hillary's militaire straalvliegtuig de landing in bij Islamabad in Pakistan, op haar eerste buitenlandse reis zonder echtgenoot. Chelsea maakte deel uit van haar grote gevolg.

In zekere zin trad Hillary in de voetstappen van een minder ambitieuze First Lady, Jacqueline Kennedy, door naar vijf landen in Zuid-Azië te reizen. Jackie had in maart 1962 een bezoek gebracht aan India en Pakistan, en Hillary's reisschema zou zeker herinneringen aan die reis oproepen.[23] Maar dit was een persoonlijke reis; ze moest haar positie bepalen, en ze begaf zich weer op vertrouwd terrein – vrouwenrechten.[24] Misschien was deze buitenlandse reis wel Hillary's eerste, voorzichtige stap op weg naar haar politieke wederopstanding, aldus een van haar vrienden.[25]

Op haar eerste dag in Islamabad woonde ze een lunch bij die ter ere van haar werd gegeven door de verkozen president, Benazir Bhutto, de eerste vrouw in de geschiedenis van Pakistan die de hoogste positie had bereikt. De lunch werd verder bijgewoond door hoogopgeleide Pakistaanse vrouwen, onder wie een plaatsvervangend politiecommissaris en een piloot. Het was nog een uitzondering dat vrouwen in een islamitisch land zo succesvol waren, en Hillary vond het ironisch dat Zuid-Azië smachtte naar vrouwelijke leiders. 'Pakistan, India, Bangladesh en Sri Lanka hebben alle een vrouwelijk staatshoofd gehad,' merkte ze op, 'terwijl er in de regio zo weinig prijs wordt gesteld op vrouwen dat sommige meisjes worden verwaarloosd of gedood.'[26]

Bhutto stelde dat 'vrouwen die zich bezighouden met lastige onderwerpen en nieuwe terreinen verkennen, vaak op onbegrip stuiten'. Daar kon Hillary zich in vinden.[27] (Bhutto had ook een echtgenoot met juridische problemen. Hij werd uiteindelijk veroordeeld wegens corruptie en zat in Pakistan een gevangenisstraf uit.) Tien jaar later moest Bill zich bezinnen op de mogelijkheid dat zijn vrouw een gooi zou doen naar het presidentschap. Hij bereidde zich voor door Bhutto's leven en carrière te bestuderen, als een voorbeeld van politieke nalatenschappen binnen families.[28]

De volgende dag bezocht Hillary de Amerikaanse ambassade in Islamabad om medewerkers een hart onder de riem te steken na de aanslag twee weken eerder in Karachi, waarbij twee van hun collega's waren omgekomen. Die aanslag werd gezien als vergelding voor de recente uitlevering aan de Verenigde Staten door Pakistan van het brein achter de bomaanslag op het World Trade Center in 1993. Een paar dagen voor Hillary's reis hadden enkele Congresleden de Verenigde Staten opgeroepen meer te doen tegen Pakistaanse scholen die terroristen opleidden.[29] Maar Hillary's bezoek draaide niet om politiek en terrorisme.

Van Islamabad vloog Hillary naar Lahore, de hoofdstad van Punjab. Daar richtte ze haar aandacht op de benarde positie van vrouwen. Zittend onder een boom vlak buiten Lahore luisterde ze naar een vrouw met tien kinderen – vijf jongens en vijf meisjes – die vertelde dat haar dochters minder mogelijkheden hadden om voortgezet onderwijs te volgen dan haar zoons. 'Ik weet dat mijn meisjes ook gevoel en verstand hebben,' zei de vrouw tegen Hillary, 'en ik wil ze dezelfde kansen geven die mijn jongens hebben.'[30] Op de Lahore University of Management Sciences hield Hillary haar toehoorders voor: 'Als vrouwen niet gedijen, zal de wereld niet gedijen.'[31] Ze vertelde ook een verhaal over een man die op zoek was naar zijn identiteit. De anekdote had universele zeggingskracht. 'Het kost ons allemaal moeite onze positie te bepalen,' zei ze.[32] De woorden hadden net zozeer betrekking op de man in haar verhaal als op haar.

Van Pakistan reisde Hillary naar India, waar ze voor de Rajiv Gandhi Foundation een toespraak hield over vrouwenrechten. Gandhi was een voormalig premier, evenals zijn moeder, Indira Ghandi, en zijn grootvader. Indira was net als Benazir Bhutto een vrouwelijk leider geweest met een politiek erfgoed, een ander voorbeeld dat Bill zou bestuderen toen hij Hillary hielp bij haar beslissing zich kandidaat te stellen voor het presidentschap.[33]

In New Delhi was Hillary geraakt door een gedicht dat was geschreven door een jonge student van het Lady Shri Ram College. Ze eindigde haar speech ermee.

> Te veel vrouwen
> In te veel landen
> Spreken dezelfde taal
> Van de stilte...[34]

De dichtregels ontroerden ook de verslaggevers die met de First Lady meereisden – nog een teken dat ze zich nu op haar gemak voelde met de pers, in elk geval met de journalisten die haar vergezelden op haar reis door Azië. 'De verbeterde verstandhouding met de pers was een van de aangename verrassingen van de reis,' herinnerde Hillary zich[35]. Die verbeterde verstandhouding was voor een deel het gevolg van het feit dat Hillary's opmerkingen off the record waren en niet werden weergegeven, wat haar aanmoedigde meer te zeggen en meer te ondernemen.[36]

In september 1995 reisde Hillary naar China om de vierde jaarlijkse Wereldconferentie over Vrouwen van de Verenigde Naties bij te wonen. Ze was slechts erevoorzitter van de Amerikaanse delegatie, maar ze bleek een actieve rol te krijgen. Ze hoopte 'zo ver mogelijk te gaan in [haar] bevordering van de rechten van vrouwen en meisjes', en haar speech voor de plenaire vergadering was een duidelijke oproep om vrouwenrechten eindelijk gelijk te trekken met mensenrechten, 'voor eens en altijd'.[37] Minister van Volksgezondheid Donna Shalala, die als lid van de regering in Beijing aan de Amerikaanse tafel zat, vond dat Hillary 'het moment in één enkele zin had weten te vangen'.[38] Hillary's twijfel aan zichzelf na de nare gebeurtenissen uit 1994 leek voorgoed verdwenen toen ze haar 21 minuten durende toespraak afrondde.

Maar Hillary's idealistische doelen werden getemperd door haar pragmatische politiek. Ze noemde niet de naam van het gastland of welk land dan ook in haar toespraak, hoewel ze op de hoogte was van China's pogingen tegenstanders de mond te snoeren. Zo waren niet-gouvernementele organisaties naar een plek zestig kilometer van de conferentie verbannen.[39] Zelfs nadat de Chinese regering haar toespraak had gecensureerd, die werd uitgezonden op het gesloten televisiecircuit in de conferentiezaal van Beijing, zei ze niets waarmee ze hen tegen de haren streek.[40]

Hillary zei vervolgens tegen CNN dat ze wel degelijk had gerefereerd aan schendingen door China.[41] Maar Bill, die niets liever wilde dan de relatie met Beijing verbeteren, hield vol dat 'er geen poging was gedaan er één land uit te pikken'.[42] En wat ze later ook zei, in haar toespraak had Hillary in elk geval geen namen genoemd.

De speech in Beijing werd, schreef ze, 'een manifest voor vrouwen over de hele wereld'.[43] Haar boodschap werd inderdaad over de hele wereld uitgezonden, al was het dan niet in de conferentiezaal in Beijing. Door haar speech veranderde ze 'van een eersteklas First Lady in een buitengewone', observeerde Donna Shalala.[44] Misschien was ze zelfs wel van dezelfde klasse als Eleanor Roosevelt, hoewel Hillary dergelijke loftuitingen altijd wegwuifde. 'Ik maak niet graag vergelijkingen,' zei ze, 'omdat ik denk dat er nooit iemand zal zijn als zij.'[45] Maar een vergelijking niet graag maken is iets anders dan haar afwijzen.

Op het eerste gezicht leek Hillary veel minder actief, zelfs toen ze was hersteld van het fiasco rond de gezondheidszorg.[46] Ze woonde geen kabinetsbijeenkomsten en minder beleidsbesprekingen bij in het Witte Huis. En ze 'probeerde te allen tijde te voorkomen dat ze aan tafel zat en beleid ontwikkelde', zei Donna Shalala.[47] Maar hoewel ze zich meer op de achtergrond hield, bleef Hillary een 'vastberaden, uitgesproken pleitbezorgster', aldus Shalala.[48] Robert Reich, de voormalige minister van Arbeid en goede vriend van de Clintons, zei dat het 'onmogelijk was haar invloed te onderschatten'.[49] Reich herinnerde zich dat hij via Hillary berichten naar de president stuurde, wat hij een 'uiterst handige achterdeur' noemde.[50]

Formeel gezien werd de afname van Hillary's invloed in de West Wing nog versneld na het aftreden van de chef-staf van het Witte Huis, Thomas 'Mack' McLarty, een jeugdvriend van Bill uit Arkansas en een intieme vertrouweling van Hillary. De nieuwe baas was Leon Panetta, de voormalig begrotingsdirecteur en iemand met ruime ervaring in Washington.

Onder McLarty had Hillary meer macht gehad dan Al Gore, de traditionele nummer twee. Maar na de komst van Panetta moest de First Lady een stapje terug doen en belandde ze op het niveau van Gore.[51] De First Lady en de vicepresident hadden al voortdurend gestreden om de aandacht van de president, en nu werd die strijd nog verhevigd. Een medewerker van Clinton herinnert zich dat Hillary tegen haar echtgenoot zei dat hij Gores adviezen moest negeren. 'Vergeet niet dat hij niet de president is, dat ben jij,' zei Hillary tegen Bill.[52] Hillary had het voordeel altijd in de buurt van de president te zijn, wat haar het laatste woord gaf, maar Gore had ook zijn middelen en bondgenoten.

Aan een hele reeks onderwerpen bleef de First Lady een belangrijke maar stille bijdrage leveren. 'Wanneer ze het gevoel had dat een bepaald programmapunt verkeerd begroot was, zei ze dat, tijdens een kleine stafbijeenkomst of in de Oval Office,' herinnerde Panetta zich.[53] Op Capitol Hill werd Hillary zelfs nog gezien als hét aanspreekpunt in het Witte Huis wanneer het ging om begrotingskwesties. 'Als ik wilde dat de cijfers over kinderopvang in de begroting van het Witte Huis verbeterd werden, belde ik niet met het Office of Management and Budget en belde ik niet met de chef-staf. Ik belde de First Lady,' zei de Democratische senator Christopher Dodd uit Connecticut.[54] En na het debacle rond de gezondheidszorg was Hillary 'erop teruggekomen via andere kwesties, zoals de gezondheid van veteranen die terugkeerden uit de Golf, en vrouwenkwesties', aldus Panetta.[55] Over een gezondheidsprogramma van vele miljarden lobbyde Hillary volgens een voormalige hooggeplaatste medewerker 'zeer actief' bij het Congres, en ze bleef betrokken bij de kwestie toen de wet werd ingevoerd, om ervoor te zorgen dat dit zorgvuldig gebeurde.[56]

In het openbaar schetst Hillary van haar jaren als First Lady het beeld dat ze volledig ondergeschikt was aan de president. 'Ik ondersteunde zijn agenda,' schrijft ze in haar autobiografie, 'en werkte er hard aan mee zijn visie om te zetten in daden.'[57] Dat was in veel gevallen waar, maar niet altijd. En naarmate haar echtgenoot zwaarder gebukt ging onder slechte waarderingscijfers en de ontevredenheid van de Republikeinen, was het Hillary die haar best deed stand te houden. Op wat misschien wel Bills belangrijkste onderwerp was, burgerrechten, spande Hillary zich in om te voorkomen dat hij zich al te zeer terugtrok onder Republikeinse oppositie of Morris' oprispingen. Opiniepeilingen toonden aan dat een meerderheid van de Amerikanen tegen positieve discriminatie van minderheden was. Panetta probeerde de president duidelijk te maken dat er 'belangrijkere zaken waren dan opiniepeilingen'.[58] Hillary spoorde haar man ook aan te blijven vechten. 'Je kunt deze kwestie niet naast je neerleggen,' zei ze tegen Bill. Op het gebied van burgerrechten was Hillary volgens Panetta 'de stem van het geweten – haar stem was de stem van wat juist was, haar stem was de sterke stem'.[59]

Hillary's onthaal in het buitenland had haar zelfvertrouwen weer doen opbloeien, evenals haar betrokkenheid bij de kwesties die haar na aan het hart lagen – waaronder een bereidheid een principiële houding in te nemen tegen de twee grootste opiniefreaks die ze kende: haar echtgenoot en Dick Morris.[60] Deze stem werd buiten Washington steeds vaker gehoord. Opnieuw nam Hillary een voorbeeld aan Eleanor Roosevelt, die in 1941 een opvallende post op het gebied van burgerbescherming had gekregen, maar een jaar later na felle kritiek weer was afgetreden. Roosevelt had zich hervonden en gekozen voor een zachte benadering van kwesties die haar dierbaar waren, zoals die van vrouwen, minderheden en immigranten, door middel van radio-interviews en een krantencolumn. Het duurde niet lang voordat haar populariteit een grote vlucht nam. Dat Hillary zich de 'Eleanor Roosevelt-methode' had eigen gemaakt, bleef niet onopgemerkt bij adviseurs van beide partijen. Ze begon aan een boek, *It Takes a Village*, en met een landelijke krantencolumn. Zowel het boek als de columns waren zeer toegankelijk, zonder scherpe randjes, en ze mochten op geen enkele manier aanstoot geven. Hillary zag haar boek over kinderen in elk geval als tegengas

tegen de dickensiaanse vergezichten van Newt Gingrich en zijn bondgenoten, en dan met name de 'reactionaire betweters en radio- en tv-persoonlijk-
heden'.[61] Maar op een uiterst subtiele manier was het toch politiek.

Deze openbare 'verzachting' bleef achter gesloten deuren uit. Rond de
publicatie van haar boek besefte Leon Panetta voor het eerst hoezeer Hillary
zich kon opwinden over de gestage stroom aanvallen van rechts op haar en
Bill. Tijdens een helikoptervlucht vanaf het gazon van het Witte Huis naar
Andrews Air Force Base probeerde Panetta een praatje te maken, en hij zei
iets over iemand in Arkansas, waarop Hillary opeens uitviel.

'De rechtervleugel zit al sinds Arkansas achter ons aan. Ze hebben ons geen
seconde met rust gelaten. Ze zijn oneerlijk.'[62] Hillary's plotselinge uitbarsting 'duurde tot we landden op Andrews', herinnerde Panetta zich.[63]

Toch vond Hillary manieren om tegemoet te komen aan Gingrich en zijn
kornuiten over kwesties als welvaartsverbetering. Gaandeweg veroorzaakte
ze een permanente breuk met haar oudste bondgenoot op het gebied van
kinderrechten. Toen Hillary in 1996 haar boek promootte, dwong Gingrich
de president te overwegen een derde veto uit te spreken over sociale wetgeving die door het Congres was goedgekeurd. De baanbrekende maatregel die
uiteindelijk door het door Republikeinen gedomineerde Congres was opgesteld, was bedoeld om uitkeringsgerechtigden weer aan het werk te krijgen,
door een tijdslimiet te koppelen aan hun uitkeringen. De hervorming van
het socialezekerheidsstelsel was aanvankelijk voorgesteld door Bill, maar aspecten die Gingrich en zijn bondgenoten hadden ingebracht, hadden de wet
geamendeerd op een manier die Bill verontrustend vond. Een belangrijke
tegenstander van de wetgeving was Marian Wright Edelman, de oprichtster
van het Children's Defense Fund, en de vrouw die voor Hillary in 1970 een
inspiratiebron was geweest voor haar keuze zich de rest van haar leven in te
zetten voor kinderen.[64]

Vijfentwintig jaar later was Hillary echter niet langer een idealistische pleitbezorgster. Ze was net als haar echtgenoot een berekenend, pragmatisch politicus geworden. Pleitbezorgers als Edelman, concludeerde Hillary, 'waren
niet gebonden aan compromissen'.[65] Ze zette hun weigering om te buigen af
tegen de verzoening die zij en haar echtgenoot regelmatig zochten.

In het openbaar ontkende Hillary dat ze haar principes en waarden ver-
loochende omdat ze de steun van haar echtgenoot aan de sociale wetgeving
onderschreef terwijl hij hoopte herkozen te worden. Ze zei dat ze van mening was dat de derde wet die het Congres had goedgekeurd, ver genoeg
ging wat betreft de garanties op het gebied van gezondheidszorg, kinderopvang en voedselbonnen om door haar en Bill gesteund te kunnen worden.[66]

(Anderen, zowel liberalen als conservatieven, merkten op dat de derde wet bijna identiek was aan de twee waarover Bill eerder zijn veto had uitgesproken.[67]) 'Er moet flexibel met strategieën en tactieken worden omgegaan als het doel dichtbij is,' schreef ze, 'vooral in de moeilijke politieke omstandigheden waarmee we werden geconfronteerd.'[68] In een privégesprek over de hervorming van de sociale zekerheid, een paar maanden voordat het wetsvoorstel werd goedgekeurd, vertelde ze een medewerker van het Witte Huis: 'We moeten doen wat nodig is, en ik hoop dat onze vrienden dat begrijpen.'[69] Hoewel ze nog niet openlijk politiek bedreef, toonde Hillary's uitleg aan hoe ze zou handelen als het zo ver was – indien nodig zou ze de weg van electorale winst op de korte termijn kiezen, en zonder daar spijt over te betuigen.

Jaren later werd de hervorming van het uitkeringsstelstel door velen gezien als een succes; anderen waren van mening dat degenen die werkelijk hulp nodig hadden, werden veronachtzaamd voor politiek gewin. In haar boek *Mijn verhaal* vond Hillary de ruimte om meer dan vierhonderd vrienden, collega's en medestanders te bedanken. In die opsomming ontbreekt Marian Wright Edelman.

# 12

# 'Op naar het vuurpeloton'

Voor Hillary betekende januari 1996 een onverwachte en dramatische wending. Tot die tijd was het de goede kant op gegaan. Haar buitenlandse reis was een succes geweest en had geholpen de wonden die de mislukte hervorming van de gezondheidszorg hadden geslagen, te helen. Het manuscript voor *It Takes a Village* was eindelijk afgerond. En Bills kansen om opnieuw verkozen te worden, waren vergroot nadat hij de Republikeinen in het stof had laten bijten toen zij de werkzaamheden van de overheid, op advies van Gingrich, probeerde lam te leggen.

Zelfs de eindeloze onderzoeken, waarvan de omvang eindelijk hanteerbaar leek te zijn, leken af te stevenen op een gunstige afloop. Een paar weken eerder, eind november, had Jean Lewis, de onderzoeker die in 1992 het federale onderzoek naar Madison Guaranty was begonnen, toegegeven een conservatieve Republikein te zijn.[1] Opeens klonken de claims van de Clintons over een politieke heksenjacht een stuk geloofwaardiger. Eind december rondde het advocatenbureau Pillsbury Madison & Sutro een verslag af voor federale toezichthouders, waarin stond dat er geen reden was verscheidene partijen, waaronder de Clintons, voor het gerecht te dagen voor verliezen die terug waren te voeren op de ondergang van Madison. De Clintons en hun aanhangers waren in hun nopjes met het rapport en stelden dat de conclusies – dat ze slechts passieve investeerders in Whitewater waren geweest, samen met Jim en Susan McDougal – opnieuw bevestigden wat Bill en Hillary altijd al hadden beweerd: dat ze zich niet bewust waren van Jims rentmeesterschap van de onroerendgoedmaatschappij. Hillary en Bill schreven later enigszins verbitterd dat de media de bevindingen van het advocatenkantoor niet of nauwelijks hadden opgepikt.[2]

Iets wat begonnen was met een paar onvoldoende gedekte cheques voor een paar duizend dollar, had geleid tot een rapport van 3,6 miljoen dollar waarmee de Clintons van blaam gezuiverd werden. Maar het besluit ze niet te vervolgen, was niet voldoende om de wolk van achterdocht te verdrijven die boven de president en de First Lady hing.

'Een geboren leugenaarster.'[3] Dat waren de woorden die William Safire, columnist voor *The New York Times*, gebruikte om Hillary Clinton begin 1996 te beschrijven, en de kwalificatie trof de First Lady als een mokerslag. Ze raakte in een diepe depressie.[4] Haar echtgenoot was woedend. Als Bill Clinton geen president was geweest, zei perschef Mike McCurry, 'dan had hij een krachtiger antwoord gegeven, en wel op Safires neus'.[5]

'Het eerste woord dat bij me opkwam, was *veinzer*, wat leugenaar betekent, en het tweede was *huichelaar*, wat ook leugenaar betekent,' legde Safire, een voormalige speechschrijver voor Nixon, na de publicatie van zijn column op televisie uit. 'En toen zei ik tegen mezelf: ik handel in meningen. Waarom kan ik mijn mening niet geven met een eenvoudig woord dat iedereen begrijpt?'[6]

Safires beschrijving ging een eigen leven leiden na de ontdekking van de honorariumadministratie van Hillary's advocatenkantoor voor werk dat ze voor Madison Guaranty had verricht; hij was van mening dat de gegevens haar herinnering weerspraken dat ze nauwelijks werk had verricht voor de hypotheekbank in Arkansas. Hij dacht ook dat ze niet de waarheid had gesproken over andere kwesties die werden onderzocht, zoals haar handel op de goederentermijnmarkt. Safires opmerkingen gonsden door heel Amerika; conservatieve commentatoren als Rush Limbaugh herhaalden nog wekenlang vrolijk de woorden 'geboren leugenaarster'. Later die maand zei de meerderheid van de deelnemers aan een opinieonderzoek Hillary te beschouwen als een leugenaarster.[7]

Toen Safire die zaterdag, 14 januari, op televisie uitlegde waarom hij die woorden had gekozen, en commentatoren de dreiging van de president herhaalden om Safire op zijn neus te slaan, belde Bill Clinton Monica Lewinsky in haar moeders appartement in het Watergate-complex in Washington. Bill en Monica hadden op dat moment al een week of zes een seksuele verhouding. Hij nodigde Monica uit die middag naar de Oval Office te komen, waar hij op dat moment aan het werk zou zijn.

Monica was dolblij dat haar 'eerste echte afspraakje' met de president in de Oval Office was. Ze brachten ongeveer dertig minuten samen door in het toilet van de president, waar ze hem oraal bevredigde.[8]

Minder dan een week later, op 19 januari, keerde Hillary terug naar haar alma mater, Wellesley College, om over haar levenslange passie voor kinderwelzijn te spreken. Toen ze werd geïntroduceerd aan de overvolle zaal, herinnerde de voorzitter van het college Diana Chapman de toeschouwers eraan dat Hillary haar medestudenten 27 jaar eerder had opgeroepen 'ons in het tumult te storten'.[9] Haar terugkeer naar het pastorale vrouwencollege aan de oever van Lake Waban zou het begin markeren van de meest tumultueuze week uit Hillary's leven, een week waarin haar verdriet een dieptepunt zou bereiken.

Eerder diezelfde vrijdag hadden de advocaten van de First Lady in Washington van de onafhankelijke aanklagers te horen gekregen dat ze werd gedagvaard om voor een grand jury te verschijnen, in verband met de recente ontdekking in het Witte Huis van de honorariumadministratie van haar advocatenkantoor. Carolyn Huber, Hillary's trouwe assistent, zei dat ze de papieren in augustus 1995 had gevonden in kamer 319A, die deel uitmaakte van de woonvertrekken van het Witte Huis.[10] De documenten bevatten het aantal uren dat Hillary tien jaar eerder in rekening had gebracht bij Madison Guaranty, de ter ziele gegane instelling waarop het onderzoek zich had gericht. Toen Huber de papieren in haar eigen kantoor in de East Wing in een doos had gedaan, was ze zich niet bewust geweest van het belang ervan, en ze had ze pas in januari 1996 weer bekeken.[11] Eerdere zoekacties hadden de documenten niet boven water gebracht.[12]

De oproep van onafhankelijk aanklager Kenneth W. Starr aan Hillary om voor een grand jury te verschijnen – een unicum voor een First Lady – markeerde een fundamentele verandering van tactiek binnen zijn team. Hillary's vorige verhoren door Starr waren gehouden in het Witte Huis, buiten het zicht van de pers. 'Deze keer zou het geen rustige bijeenkomst in het Witte Huis worden,' aldus Hillary.[13]

Haar advocaten opperden een andere locatie. Maar 'Starr wilde per se dat ik voor de rechtbank zou verschijnen', zei ze.[14] Starr en zijn medewerkers stelden voor dat Hillary de rechtbank via een achterdeur zou binnengaan, om zo de televisiecamera's te vermijden.[15] Hillary bedankte voor het aanbod, want 'dat zou de indruk wekken dat ik iets te verbergen had'.[16]

Hillary's humeur werd er niet beter op door nog een kwestie in de kwestie-Whitewater. Eerder die week was ze te gast geweest in Diane Rehms talkshow op National Public Radio. Rehm had haar gevraagd over een aanbeveling uit 1993 van David Gergen, een medewerker van het Witte Huis, om Whitewater-documenten over te dragen aan *The Washington Post*, een suggestie die Hillary destijds naast zich had neergelegd.[17] Hillary antwoordde: 'Dat hebben we uiteindelijk met *The New York Times* gedaan. We hebben alle documenten gebracht die we hadden, en nogmaals, dat waren er niet veel. We hebben ze stuk voor stuk overgedragen.'[18]

In het Witte Huis wisten medewerkers dat Hillary's opmerkingen niet juist waren; in werkelijkheid had de *Times* niet veel documenten gekregen. 'We

wisten allemaal dat wat Hillary zei, onjuist was,' zei een van hen.[19] Eén medewerker die moest helpen de zaak recht te zetten, was niet blij geweest met
de taak. 'Ik dacht dat ik ontslagen zou worden,' aldus de medewerker, nadat
Hillary 'volledig flipte' en had opgehangen tijdens een telefonisch gesprek
met een andere ondergeschikte die zich met het probleem bezighield.[20]

Uiteindelijk belde Jane Sherburne, een advocaat van het Witte Huis, Hillary
om de kwestie op te lossen. De First Lady stortte haar hart uit. 'Ik kan er niet
meer tegen,' zei ze. 'Hoe moet ik nu verder? Op wat voor manier?'[21]

Uiteindelijk deed een andere adviseur van het Witte Huis een gedeeltelijk
mea culpa uitgaan. Volgens de verklaring had Hillary 'ten onrechte gesuggereerd dat *The New York Times* toegang had gekregen tot alle aan Whitewater
gelieerde documenten die in het bezit waren geweest van het campagneteam
van 1992'.[22] Daarnaast suggereerde de verklaring dat campagnewerkers, en
niet Hillary, de documenten hadden achtergehouden. Hillary, die haar fout
nooit publiekelijk heeft toegegeven uit angst haar opponenten van munitie
te voorzien, was niet van plan ook maar een duimbreed te wijken op een
cruciaal moment in haar oorlog met Starr.

De verklaring vervolgde: 'Hillary geloofde dat het campagneteam alle
documenten had overgedragen,' maar 'ze had sindsdien vernomen dat het
campagneteam bepaalde documenten niet aan verslaggevers had willen over-
handigen'.[23] In werkelijkheid was Hillary actief betrokken geweest bij de
beslissing in 1992 om documenten voor de *Times* achter te houden.[24]

Op 19 januari 1996, de dag van haar dagvaarding, haar speech op Wellesley
College en het mea culpa, was Hillary's waarderingscijfer gekelderd – in twee
weken van 59 tot 42.[25] Hillary was bezorgd dat ze op het punt stond 'het
laatste restje geloofwaardigheid dat [ze] nog bezat' te verliezen.[26] Ze was zo
bezorgd dat ze de week erna nauwelijks sliep of at, tot haar verhoor achter
de rug was.[27]

Op een koude winterdag, een week nadat ze was gedagvaard, verscheen
Hillary voor de grand jury. Vlak voordat ze de rechtszaal betrad, brak ze
het ijs met een grapje: 'Hallo! Op naar het vuurpeloton!' zei ze tegen haar
advocaten.[28]

In de rechtszaal legde ze de juryleden (voornamelijk vrouwen en Afro-
Amerikanen) en de advocaten van het onafhankelijk onderzoeksteam (dat
alleen bestond uit blanke mannen) uit dat ze niet wist wat er gebeurd was
met de honorariumadministratie nadat ze verhuisd was van Little Rock naar
Washington.[29] Ze zei ook dat ze niet wist hoe ze terecht waren gekomen in
kamer 319A. Er werd haar gevraagd naar de nooit vrijgegeven verklaring uit

1992 waarin ze erkende dat ze 'zich nooit had moeten inlaten' met de verdediging van Madison tegenover staatstoezichthouders.[30]

Na afloop wachtte een menigte verslaggevers Hillary in het donker voor de rechtbank op. Ze vroegen haar hoe ze zich voelde. 'Het was een lange dag,' zei ze.

Een verslaggever vroeg: 'Had u de dag liever ergens anders doorgebracht?'

'O, ik kan wel duizend plekken verzinnen.'

Toen haar werd gevraagd naar de honorariumadministratie die zo lang zoek was geweest en plotseling weer boven water was gekomen, zei Hillary: 'Ik zou net als iedereen graag willen weten hoe het komt dat die documenten na al die jaren weer tevoorschijn zijn gekomen. Ik heb mijn best gedaan zo goed mogelijk mee te werken met het onderzoek.'[31]

Net als bij de roze persconferentie viel het verslaggevers op dat Hillary een zwarte wollen jas met geborduurde achterkant droeg, 'waarop een gouden draak was aangebracht'.[32] Haar kleding bracht verscheidene verslaggevers ertoe haar 'de drakenvrouw' te noemen, en Hillary's staf deed een persbericht uitgaan waarin werd gemeld dat ze de jas, gemaakt door Hillary's vriendin Connie Fails, een ontwerpster uit Little Rock, ook had gedragen tijdens de inauguratiefeestelijkheden in januari 1993.[33]

Na haar bezoek aan de rechtbank keerde Hillary terug naar het Witte Huis, waar Bill en Chelsea haar opwachtten in de Diplomatic Receiving Room en haar stevig omhelsden.[34] Bill haastte zich vervolgens naar een chique fondsenwervingsbijeenkomst. Nadat Hillary zich later die avond door advocaten had laten bijpraten, ging ze naar de privévertrekken boven, waar een diepe eenzaamheid over haar neerdaalde. Dit had ze allemaal niet voorzien. Toen senator Chris Dodd later die avond belde om zijn steun te betuigen en te vragen hoe ze zich voelde, vertelde Hillary hem dat hij de enige was die had gebeld.[35]

De onafhankelijke onderzoekers hebben nooit iemand aangeklaagd in verband met de juridische documenten die zo lang op zich hadden laten wachten. Maar het verhaal van de ontbrekende documenten markeerde een keerpunt in de onderlinge verhouding tussen de Clintons en Kenneth Starr.

Aanklagers vroegen zich achterdochtig af waarom documenten die negentien maanden geleden al waren opgevraagd, opeens waren opgedoken. Ook al zei Hillary dat ze van niets wist, Starrs vermoedens werden nog versterkt omdat zijn onderzoek onder meer drie werknemers had opgeleverd die Hillary in juli 1995 een kartonnen doos, mogelijk met de honorariumadmi nistratie, naar de tweede verdieping van de residentie hadden zien brengen.[36] Er waren ook verdenkingen in Hillary's kamp. Een advocaat van het Witte Huis zei dat ze Starr niet langer zag als iemand die de waarheid zocht, maar iemand die Hillary 'wilde kwetsen'.[37]

Op een koude vrijdag in januari 1996 werden aan het eind van de middag kopieën van de 116 pagina's aan honorariumdocumenten beschikbaar gesteld aan verslaggevers bij het kantoor van Hillary's advocaten in Washington. De verslaggevers hadden weinig tijd om de gegevens te bekijken, wat uiteindelijk nadelig voor de Clintons bleek te zijn, aangezien de eerste verhalen in de media bepaalden hoe er de eerstkomende jaren tegen de zaak werd aangekeken.

Op het eerste gezicht maakten de documenten duidelijk dat Hillary in 1985 en 1986 zestig uur had gefactureerd voor werk aan de zaak-Madison. Haar honorarium bedroeg tussen de 125 en 140 dollar per uur. Het grootste deel van de uren had ze besteed aan een onroerendgoedproject dat Madison had gefinancierd en dat in de documenten IDC heette, maar dat bekendstond als Castle Grande. Hillary had uren genoteerd voor veertien bijeenkomsten met Seth Ward, een sleutelfiguur in het onroerendgoedproject. Haar medestanders betoogden dat de documenten, die aantoonden dat ze gedurende vijftien maanden ongeveer vier uur per week aan de zaak had gewerkt, overeenkwamen met Hillary's herinnering dat ze nauwelijks werk voor Madison had verricht.

Maar haar Republikeinse critici vonden dat de documenten in tegenspraak waren met haar eerdere uitlatingen dat ze er niet of nauwelijks bij betrokken was, vooral in verband met transacties voor Ward en Castle Grande.[38] Wat hun betrof toonden de documenten aan dat ze wekelijks een halve dag, gedurende een periode van anderhalf jaar, aan de zaak had gewerkt.

Ondertussen richtte de pers zich in honderden nieuwsberichten op de uren die Hillary had gefactureerd aan Seth Ward en IDC.[39] Al snel bleek namelijk dat de transacties voor Castle Grande, en dan met name die voor Ward, bedoeld waren om voor banktoezichthouders te verbloemen dat Madison federale kredietregels overtrad.[40]

Op basis van de honorariumadministratie werd Hillary niet alleen in verband gebracht met een cliënt die in de problemen zat – Madison – maar ook met een verdachte transactie, het onroerendgoedproject Castle Grande. Dat verband wakkerde de argwaan onder Starrs aanklagers aan: waarom was de honorariumadministratie überhaupt weggehaald bij Rose Law Firm, en waarom waren de documenten zo lang niet ter beschikking gesteld aan onderzoekers?

Het onderzoek werd deels bemoeilijkt door semantische kwesties. Hillary's verdediging voerde aan ze dat zich de kwestie herinnerde als IDC, de naam op de honorariumadministratie, en dus was het begrijpelijk dat ze niet aan Castle Grande had gedacht toen onderzoekers haar ernaar vroegen. Maar er was nog een andere mogelijkheid: Hillary had een deel van de uren die ze had genoteerd, niet gewerkt, of had dat niet kunnen doen. Bij nadere inspectie bleken haar facturen niet bewaard, onjuist of opgesmukt te zijn, zij het op subtiele manieren. Hillary bleek niet schuldig te zijn aan het bevorderen van onwettige transacties, ze was er schuldig aan minder uren gewerkt te hebben dan ze zichzelf had toegeschreven.

Hillary voegde haar grootste aantal gewerkte uren voor Madison, veertien-enhalf, toe aan de rekening voor de firma toen de zaak al was afgerond, in haar eigen handschrift, en zonder documentatie of uitleg. Toen een aankla-ger haar vroeg naar de handgeschreven 'toegevoegde uren', verklaarde ze dat dit zo nu en dan gebeurde 'omdat ik mijn gegevens niet altijd bijhield en niet altijd op kantoor was'.[41] In één intern memo schreven de onderzoekers dat ze 'niet in staat waren de aanleiding (zo die er al was) te reconstrueren voor de toevoeging van 1818,75 dollar door mevrouw Clinton' aan haar ho-norariumadministratie;[42] Hillary had net als andere vennoten in de firma grote vrijheid om te factureren.[43] (Rose Law Firm, die zich liet voorstaan op een ethische werkwijze,[44] verscherpte de procedures nadat in 1993 Hubbells fraude aan het licht was gekomen.[45])

In twee andere gevallen had Hillary met pen een aantal uren toegevoegd. Haar verklaring was dat de secretaresses van het kantoor naar alle waar-schijnlijkheid waren vergeten de juiste tijd in te vullen en dat zij de gegevens naderhand had gecorrigeerd.[46] Hillary factureerde ook voor afspraken en discussies die anderen zich niet herinnerden, of die volgens hen niet hadden plaatsgevonden. Hillary noteerde veertien gesprekken met Seth Ward over Madison, maar Ward herinnerde zich daar niet één van, hoewel hij haar goed kende en zich andere juridische kwesties die waren weergegeven in haar fac-turering wel herinnerde.[47] Ze voerde ook verscheidene bijeenkomsten met andere advocaten van Rose op die in hun eigen overzichten niet waren te-rug te vinden.[48] Op een optiecontract voor een onroerendgoedproject dat gerelateerd was aan Castle Grande en waarvoor ze twee uur had opgevoerd, gebruikte Hillary een verkeerde juridische beschrijving van het project, en de vergissing moest later door anderen worden gecorrigeerd.[49]

Toen aanklagers van het bureau van de onafhankelijk aanklager Hillary op 25 april 1998 ondervroegen over haar facturering van 1 mei 1986 voor het opstellen van het optiecontract, deed ze haar uiterste best haar rol te minimaliseren. 'Ik geloof niet dat ik het optiecontract heb opgesteld,' verklaarde ze.

'Maar u heeft er wel uren voor opgevoerd,' riposteerde een van de aanklagers.

'Ze... ze zijn opgevoerd,' antwoordde Hillary. 'Dat is juist, naast verscheidene andere activiteiten in een periode van twee uur... Ik geloof niet dat ik dat optiecontract helemaal heb opgesteld. Dat soort dingen deed ik niet.'[50]

In 1997 werd het idee dat Hillary niet al het werk deed waar ze uren voor opvoerde, heimelijk omarmd door verscheidene medewerkers van Starr en zelfs door sommige leden van Hillary's juridische team.[51]

'Hillary wilde dat haar kosten vergoed werden, dus voegde ze posten toe aan de facturen,' en dan 'vooral aan die voor Castle Grande,' legde een van Starrs onderzoekers destijds uit. 'Maar Hillary kon ook niet toegeven dat ze het werk níet had gedaan,' want dat zou haar imago van de uitstekende bedrijfsjurist ondermijnen.[52] Hoewel de waarheid voor Hillary niet erg vleiend was, roept ze ook twijfels op over de criminele theorieën die onderzoekers en de media jarenlang hebben aangehangen. Als ze al misstappen heeft begaan, waren die bescheiden, maar het schandaal dat zou ontstaan door Hillary's pogingen haar zonden uit het verleden te verbloemen, zou enorm zijn.

Jim McDougal begon met Starr samen te werken nadat hij in 1996 in Little Rock door een jury was veroordeeld voor fraude, en hij suggereerde tegenover onderzoekers dat de honorariumadministratie van Rose onjuist was. Ward had het met hem nooit over gesprekken met Hillary over IDC gehad, zei McDougal tegen onderzoekers. Daarnaast 'had Hillary Clinton zich niet met het optiecontract kunnen bezighouden, omdat ze dat niet begreep', aldus McDougal.[53]

Toen de onafhankelijk aanklager bewijzen verzamelde dat Hillary een andere klant had gefactureerd voor werk dat ze niet had gedaan, maakte dat aannemelijker dat haar facturen voor Madison kunstmatig waren opgedreven. 'Het is mogelijk dat mevrouw Clinton het aantal uren op de factuur (aan Madison) heeft verhoogd zonder extra werk te hebben verricht,' concludeerden de aanklagers. 'Er is bewijs dat ze dit ook heeft gedaan in een andere zaak die Rose behandelde.'[54] Dit bewijs, heimelijk verzameld door de grand jury, is nooit openbaar gemaakt.

Voor enkele haviken op Starrs kantoor 'had ze zich volgens de honorariumadministratie schuldig gemaakt aan bankfraude'[55] of 'dubieuze transacties',[56] dus Castle Grande vormde 'de sleutel tot het hele verhaal'.[57] En toch was de vraag wat haar honorariumadministratie werkelijk aantoonde — bewijs voor fraude, overfacturering, slordige facturering, of niets belangwekkends – onmogelijk te beantwoorden, want zowel onderzoekers die voor Starr hadden gewerkt als voor Fiske, hebben Hillary's urenschema's voor 1985 en 1986, de jaren waarin ze voor Madison werkte, nooit teruggevonden, legde een voormalige onderzoeker uit.[58] Hillary's secretaresse had die schema's in 1992 uit een opslagruimte gehaald, toen er tijdens Bill Clintons eerste verkiezingscampagne door de pers talloze vragen over waren gesteld, en ze waren verdwenen.[59] De mogelijkheid dat Hillary haar uren kunstmatig had opgevoerd, werd niets meer dan een voetnoot in Starrs onderzoek – letterlijk.[60]

Kort nadat Hillary op 22 juli 1995 onder ede was ondervraagd, had Starrs voorman in het onderzoek naar Hillary's rol in Madison, Hickman Ewing Jr., een bijeenkomst met een kleine groep stafmedewerkers. Ewing was van mening dat Hillary had gelogen, maar wist niet zeker wat ze ermee wilde verdoezelen: onregelmatigheden in haar urenadministratie of crimineel gedrag.[61] Omdat Hillary tijdens de ondervraging zo ongeveer vijftig keer had gezegd dat ze zich iets niet herinnerde, vertelde Ewing de groep dat hij haar 'een 1' gaf.[62]

Starr vond Ewings beoordeling van het optreden van de First Lady, die hij gaf in restaurant The Faded Rose in Little Rock, 'nogal schokkend'.[63] Starr vond haar kil en afstandelijk,[64] maar hij was van mening dat ze het beter had gedaan dan Ewing stelde.[65] Na de maaltijd reden Ewing en Starr samen naar huis, en Ewing, een voormalig landsadvocaat in Tennessee, vertelde Starr hoe hij getuigen moest verhoren.[66]

Starr, die op dat moment 48 en vijf jaar jonger dan Ewing was, was een voormalig rechter bij het hof van beroep en viceminister van Justitie, en had geen ervaring als aanklager. In zijn carrière had hij pleidooien gehouden in juridische en constitutionele kwesties, maar hij had geen getuigen ondervraagd. In de tijd dat Starr opiniestukken schreef en talloze prijzen en onderscheidingen won, had Ewing als aanklager in strafzaken gewerkt. Ondanks die verschillen hingen de mannen hetzelfde geloof en ideologie aan en ze waren beiden door Republikeinen voorgedragen voor federale posten. Bovendien verlangden ze er allebei hardnekkig naar om wat de Clintons betrof de onderste steen boven te halen.

Ewings theorie ging als volgt: Hillary en Hubbell hadden in 1992 'onjuiste verhalen' naar buiten gebracht over Hillary's juridische werkzaamheden voor Madison, toen de kwestie tijdens Bills verkiezingscampagne aan het licht kwam. Vervolgens zaten ze 'opgescheept' met die onjuiste verhalen toen ze later door onderzoekers werden ondervraagd, wat had geleid tot nog grotere onjuistheden en weglatingen.[67]

Het is echter geen misdaad de pers onjuiste verhalen op de mouw te spelden en ze onder ede te herhalen, tenzij ze moedwillig onjuist zijn, een van de obstakels die Ewing niet kon overwinnen.[68]

Terwijl Starr op het punt stond te beslissen of hij Hillary zou aanklagen, richtten onderzoekers zich vooral op de honorariumadministratie, omdat die 'aantoonde dat Hillary Clinton veel meer werk voor Madison Guaranty had gedaan dan aanvankelijk bekend was'.[69] (En ook hier zat Hillary in de val: als ze toegaf dat ze dat werk niet had gedaan, zou ze onmiddellijk zijn vrijgepleit, maar ook een heel nieuw probleem creëren.) Daarnaast bleek dat de onderzoekers niet wisten dat Hillary kennelijk betrokken was geweest bij transacties die aan Castle Grande waren gerelateerd.[70]

Het juridische team van de Clintons staarde zich ook blind op de honorariumgegevens. Terwijl de advocaten publiekelijk volhielden dat ze Hillary's naam zuiverden en aantoonden dat ze niets verkeerd had gedaan, hielden enkele leden van haar juridische team er achter de schermen een genuanceerder beeld op na: de documenten lieten enige overfacturering zien, maar het was een praktijk die oogluikend werd toegestaan door McDougal, de man die Hillary in dienst had genomen.[71]

'McDougal wist dat de rekeningen kunstmatig waren verhoogd,' zei een lid van het juridische team van de Clintons. 'Daar is bewijsmateriaal voor, maar McDougal kon hun regeling over facturen niet toegeven.'[72] De reden daarvoor was dat McDougal Hillary had ingehuurd als gunst aan Bill, en hij had Hillary's overfacturering oogluikend toegestaan, als onderdeel van die gunst aan gouverneur Clinton.[73] Hoe dan ook, Hillary's advocaten hadden zich nooit erg druk gemaakt over wat Jim McDougal zou zeggen: aan zijn geloofwaardigheid werd al getwijfeld voordat hij werd veroordeeld voor achttien aanklachten van samenzwering en fraude. Waar de Clintons zich druk om maakten, was het papierspoor.[74]

Te midden van dit alles begon Hillary aan haar eigen politieke toekomst te denken, hoogstwaarschijnlijk in de Senaat. Ze zag het senatorschap als de meest prestigieuze functie in Washington naast het presidentschap, en het zou fungeren als springplank naar het Witte Huis.[75] Aangezien ze sinds haar eindexamen niet meer in Illinois had gewoond, en ze zich in Arkansas nooit op haar gemak had gevoeld, moest ze een staat adopteren waar ze zich kandidaat kon stellen. Al in maart 1996 presenteerde New York zich als een verrassend uitnodigende en verfrissend ruimdenkende plek.

Haar vriend, Sid Blumenthal, de voormalig Washington-correspondent voor *The New Yorker* die in het Witte Huis was komen werken als medewerker van de president en een van Hillary's vertrouwelingen was geworden, stelde de First Lady voor naar Manhattan af te reizen. Blumenthal verzekerde haar dat de reis een welkome afwisseling zou vormen van de hysterische jacht naar schandalen en de chaos in de hoofdstad. Op 19 maart 1996 werd in de Century Association een lunch ter ere van Hillary gehouden. De lunch werd bijgewoond door tientallen redacteuren en schrijvers van invloedrijke tijd-schriften en uitgeverijen. Hillary arriveerde niet met voorbereide antwoor-den, maar gaf er de voorkeur aan een breed scala aan vragen van de aanwezi-gen te beantwoorden. (Niemand begon over de wolk die boven Hillary hing, tot Sid zelf tegen het einde van de lunch voorzichtig de kwestie-Whitewater aansneed. Hillary 'sprak vrijuit', herinnerde Blumenthal zich, 'en legde uit hoe nietszeggend Whitewater was'.[76]) Hillary werd enthousiast onthaald.

Blumenthal zei dat Hillary door de dag in New York met andere ogen ging kijken naar de staat waarop ze tijdens de voorverkiezingen voor de Democratische presidentskandidaat in 1992 was afgeknapt. Ze begon New York te zien als een plek waar mensen slim genoeg zijn om het door de media gevoede stereotiepe beeld van haar af te wijzen, en haar op haar eigen merites te beoordelen. Blumenthal was van mening dat die ene dag in Manhattan zo'n diepe indruk op Hillary maakte dat hij de belangrijke eerste 'stap was op de weg die uiteindelijk leidde naar haar beslissing zich daar kandidaat te stellen voor het senatorschap'.[77]

Hillary had die toekomst in gedachten toen ze zich voorbereidde op haar toespraak voor de Democratische Conventie in Chicago, eind augustus 1996. Ze wist dat haar heldin, Eleanor Roosevelt, de eerste First Lady was geweest die een politieke conventie had toegesproken, maar dat was in 1940 geweest, lang voordat televisiecamera's gemeengoed waren geworden bij zulke bijeenkomsten. En hoewel ze de afgelopen vier jaar voortdurend in de belangstelling had gestaan, zag Hillary haar speech als niets minder dan haar eerste kans zich rechtstreeks tot de Amerikaanse bevolking te richten.[78] Dit zou haar moment worden, in het middelpunt van de belangstelling en ongefilterd. Ja, dit was Bills conventie, maar de speech zou haar kans zijn om te stralen.

Toch wist ze niet goed wat ze moest zeggen, net als eerder bij haar afstudeer-speech op Wellesley. Ze was ontevreden over de voorbereide tekst, en Bill, die met Chelsea per trein van West Virginia naar Chicago op reis was, was er niet om zijn gebruikelijke goede raad te geven en haar op te vrolijken.[79]

Op de ochtend van haar toespraak raakte Hillary in paniek.[80] Ze wist niet wat ze moest zeggen en werd overmand door zenuwen. Haar gedachten scho-ten alle kanten op, tot ze stilstond bij een paar zinnen die de Republikeinse kandidaat, senator Bob Dole, eerder die maand op zijn conventie had gesproken. Dole had Hillary's boek *It Takes a Village* op nogal onbeholpen wijze aangevallen, en gezegd dat het dorp uit de titel een metafoor was voor 'de staat'. De senator van Kansas had duidelijk de belangrijkste boodschap van het boek gemist, dat gezinnen de eindverantwoordelijkheid hadden voor kinderen, terwijl het 'dorp', haar metafoor voor de maatschappij, 'de verantwoordelijkheid deelde voor de cultuur, economie en omgeving waarin onze kinderen opgroeien'.[81]

Doles kritiek vormde Hillary's inspiratie. Die avond bevonden zich bijna 20.000 gedelegeerden, gasten en journalisten in de arena. Thuis keken nog eens miljoenen Amerikanen mee. Toen Hillary het podium betrad, was ze buitengewoon nerveus, maar de menigte begroette haar met een enthousiast gejuich. 'Niemand sloeg acht op mijn aansporingen te gaan zitten,' schrijft Hillary in haar boek, 'dus bleef ik maar staan wuiven en liet het gejuich over me heen komen.'[82] Ze begon over Chelsea, die zich voorbereidde op haar laatste jaar op Sidwell Friends. Vervolgens ging ze over op Dole, en ze legde uit dat Bill en zij inderdaad nodig waren voor Chelseas opvoeding. Maar er was nog veel meer voor nodig. 'Er zijn leraren voor nodig,' zei ze. 'Er zijn geestelijken voor nodig. Er zijn ondernemers voor nodig. En zijn vooraanstaande personen in de gemeenschap voor nodig. Er zijn mensen voor nodig die zich om onze gezondheid en veiligheid bekommeren. Wij zijn er allemaal voor nodig... Ja, er is een dorp voor nodig. En er is een president voor nodig. Een president die niet alleen in het potentieel van zijn eigen kind gelooft, maar in dat van alle kinderen, die niet alleen op de kracht van zijn eigen gezin vertrouwt, maar op die van het Amerikaanse gezin.

Daar is Bill Clinton voor nodig!'[83]

De menigte brulde goedkeurend. Na afloop had Hillary het gevoel dat ze echt aansluiting had gevonden bij een publiek, en bij Amerikanen in het hele land. Eindelijk stapte ze uit Bills schaduw. Nu applaudisseerden ze voor haar. Daar kon niets tegenop. 'Ik weet dat ze op dat moment werd aangestoken,' herinnerde een van haar vrienden zich jaren later. 'Ik merkte dat ze dat gejuich steeds opnieuw wilde horen.'[84]

In november won Bill Clinton de verkiezingen op zijn sloffen: hij vergaarde landelijk acht procent meer stemmen dan senator Dole. Hillary zag voor Bills tweede termijn direct een veel zichtbaarder maar minder actieve rol achter de schermen voor zich, en merkte op dat ze 'in het openbaar wilde spreken over onderwerpen die betrekking hadden op vrouwen, kinderen en gezinnen'.[85]

Het eerste jaar van de tweede termijn werd gekenmerkt door meer 'pseudo-schandalen', zoals Hillary ze noemde. Het perskorps van Washington focuste zich op de buitensporige manieren waarop de Clintons fondsen hadden geworven: overnachtingen in de Lincoln Bedroom voor grote geldschieters, en koffiebijeenkomsten in het Witte Huis die waren verkocht aan politieke begunstigers. Het was ook een jaar van begrafenissen: tegen het eind van de zomer verongelukte prinses Diana en Moeder Teresa stierf enkele weken later; Hillary woonde beide begrafenisplechtigheden bij.

Maar niets was zo traumatisch voor Hillary als het vertrek van Chelsea uit het Witte Huis. In september 1997 begon Chelsea als eerstejaars aan Stanford University. Hillary ging naar Bed Bath & Beyond en Linen 'n Things om haar voor te bereiden op de reis. Toen de Clintons aankwamen in Palo Alto in Californië, hielpen ze Chelsea haar studentenkamer in te richten, die nogal vol was, met een stapelbed, twee bureaus en twee ladekasten. Bill leek zich in slowmotion voort te bewegen, en stond erop Chelseas koffers te dragen en het stapelbed met een moersleutel uit elkaar te halen. Tegen het eind van de middag moesten de ouders afscheid nemen.

'Hoe bedoel je: het is tijd om te gaan?' vroeg Bill onthutst. 'Moeten we echt al weg? We kunnen na het eten toch terugkomen?'[86]

De maand erna werd Hillary vijftig, maar ze had het zo druk dat ze de memorabele leeftijd nauwelijks opmerkte, zeiden zij en haar vrienden. Ze was veel meer van streek over Chelseas afwezigheid. Zonder haar dochter was het Witte Huis niet hetzelfde, zei Hillary tegen vrienden.[87] Gedurende hun jaren in Washington had Hillary altijd tijd vrijgemaakt voor haar dochter. Chelsea had haar moeder vergezeld op verscheidene staatsbezoeken. En ze had voor een soort evenwicht gezorgd te midden van alle schandalen en aanvallen. Nu bevond ze zich aan de andere kant van Amerika.

Na nieuwjaarsdag 1998 reisden Bill en Hillary met Chelsea naar St. Thomas op de Amerikaanse Maagdeneilanden voor een korte, vierdaagse vakantie. In een huis dat uitkeek op Magens Bay, ontspanden Bill, Chelsea en Hillary zich door te kaarten, te zwemmen, te joggen, te fietsen en te lezen, en met het maken van een puzzel van duizend stukjes. Bill golfde ook, terwijl Hillary en Chelsea de plaatselijke winkels afstruinden. Halverwege het uitje liepen Bill en Hillary naar zee om te gaan zwemmen.

Een fotograaf van Agence France-Press zat in de bosjes op een openbaar strand aan de andere kant van de baai. Met een telelens legde hij een privé-moment tussen Bill en Hillary vast: ze lachten en omhelsden elkaar zorgeloos, op een onbewaakt moment. De foto werd in kranten over de hele wereld afgedrukt. Mike McCurry, de persvoorlichter van het Witte Huis, was boos op de fotograaf vanwege de inbreuk op de privacy van de Clintons, en het incident wierp ook vragen op over hun veiligheid.

Sommige journalisten dachten dat de Clintons de foto in scène hadden gezet, in de hoop dat de foto twijfels zou wegnemen over de duurzaamheid van hun huwelijk. 'Hallo?' zei Hillary. 'Noem mij maar eens een vrouw van vijftig die bewust in haar badpak met haar rug naar de camera gaat staan.'[88]

Hoe onbewaakt het moment ook was, het was geruime tijd wellicht het laatste dat Bill en Hillary in het openbaar zouden delen. Enkele weken na hun vreugdevolle omhelzing op St. Thomas zou Hillary overwegen Bill voorgoed te verlaten.

# 13

## Aan de verliezende hand

Op de ochtend van 14 januari 1998 werd Hillary Clinton in de Treaty Room van het Witte Huis voor de vijfde keer de eed afgenomen door aanklagers van Kenneth Starr. Starr vond Hillary's 'afstandelijke gedrag' in 'sterk en duidelijk' contrast staan met de hoffelijkheid die de president ten toon had gespreid.[1] Maar ondanks de kilte verliep deze bijeenkomst ongedwongen en verrassend pijnloos. En het beste van alles: ze duurde slechts tien minuten. De drie mannelijke aanklagers stelden Hillary beleefd een paar afrondende, plichtmatige vragen over de laatste zaak die Starrs kantoor tegen de Clintons voerde. Die had betrekking op de beschuldiging dat medewerkers van Clinton op onrechtmatige wijze vertrouwelijke FBI-dossiers hadden bemachtigd, waaronder een groot aantal over prominente Republikeinen. Toen de bijeenkomst voorbij was, was de First Lady zo opgelucht dat ze waarschijnlijk geen vragen onder ede meer zou hoeven beantwoorden over een 'non-schandaal', zoals zij het noemde, dat ze niet opmerkte dat Starrs mannen er steeds zelfgenoegzamer hadden uitgezien.[2]

Maar haar advocaat, David Kendall, was iets vreemds, bijna aanstootgevends, opgevallen aan het gedrag van de aanklagers.[3] In plaats van de verslagen blik van advocaten die hulpeloos toekeken hoe hun laatste ingewikkelde aanklacht op niets uitliep, leken deze mannen energiek en vol verwachting. 'Als katten die een kanarie verslinden.' Zo beschreef Kendall het gedrag van de mannen tegenover Hillary toen ze waren vertrokken.[4] Er was iets vreemds aan hun gedrag, en aan hun zwierige tred. Ze gedroegen zich alsof ze nog een troef achter de hand hadden.

En dat was ook zo. Wat Hillary noch Bill wist, was dat slechts twee dagen eerder een 48-jarige medewerkster van het Pentagon, Linda Tripp, Starrs kantoor had gebeld met een nieuwe reeks beschuldigingen. Het was een smeuïg en pijnlijk verhaal vol seks en leugens, vastgelegd op heimelijk opgenomen audiocassettes. De president zou zijn verwikkeld in een affaire met een stagiaire van het Witte Huis, waardoor hij beschuldigd zou kunnen worden van meineed en belemmering van de rechtsgang. Tripp had haar verhaal aanvankelijk aangeboden aan de advocaten die Paula Jones verdedigden in haar aanklacht tegen de president. Jones, een voormalige ambtenaar van Arkansas, had Bill Clinton in 1994 aangeklaagd wegens ongewenste intimiteiten tijdens een vermeende ontmoeting in een hotel in Little Rock in mei 1991.

Tripp vertelde Starrs aanklagers dat Bill Clinton al sinds eind 1995 een seksuele 'stoplichtrelatie' had met Monica Lewinksy, een op dat moment 21-jarige stagiaire in het Witte Huis. Tripp vertelde de aanklagers ook dat de president Lewinsky aan een baan in New York had geholpen. En ze zei dat de president Lewinksy had aangespoord te liegen over de aard van hun relatie in een beëdigde schriftelijke verklaring die aan de advocaten van Paula Jones gegeven zou worden.

Hier kwam Robert Fiskes herschrijving van zijn handvest in het spel op een manier die de president behoorlijke schade zou berokkenen. Starr en veel van zijn manschappen waren er nu van overtuigd dat Bill en Hillary de waarheid achterhielden, en ze waren erop gebrand het te bewijzen. Met Linda Tripps geheime opnames van gesprekken die ze met Monica had gevoerd, hadden ze een sleutel in handen van een deur die ze heel graag wilden openen.

Later die week, op zaterdag 17 januari, zou de president een getuigenis moeten afleggen voor de advocaten van Paula Jones. Gedurende die bijeenkomst zou hem zeker gevraagd worden naar de aard van zijn verhouding met Lewinsky.

Het getuigenis bij advocaten van Jones was slechts enkele dagen nadat Starrs kantoor met het onderzoek naar de zaak-Lewinsky was begonnen, afgelegd. Het bleek niets minder te zijn dan een ingewikkelde val om de president voor politiek gewin te betrappen op een leugen onder ede. De val die Jones' advocaten hadden opgezet, was op z'n minst bedoeld om Bill politieke schade toe te brengen en mogelijk om hem uit het Witte Huis te verdrijven.

Die aanklacht, die nu vier jaar oud was, had zich voortgesleept tot deze gênante en riskante ontknoping omdat Hillary noch Bill met Jones wenste te schikken, zelfs niet nadat het Hooggerechtshof had verklaard dat de president van de Verenigde Staten niet onschendbaar was en gedaagd kon worden in een civiele rechtszaak. Bills advocaten, en ook Bill zelf, waren geneigd te schikken. Maar Hillary had hen uiteindelijk overstemd, want 'het publiek zou een schikking als een bevestiging zien',[5] en ze verklaarde dat als ze Jones ook maar een dollar zouden betalen, 'er geen einde aan de rechtszaken zou komen'.[6] Hillary leek te suggereren dat er andere vrouwen waren die het idee zouden kunnen opvatten een zaak tegen haar man aan te spannen. Dat was misschien wel waar, maar tactisch gezien bleek haar advies rampzalig.

'Achteraf bezien weten we natuurlijk dat niet schikken in de zaak-Jones toen we daar de kans toe hadden, de tweede tactische blunder was die we maakten in de stortvloed aan onderzoeken en rechtszaken,' observeerde Hillary jaren later. 'De eerste was geweest dat we überhaupt om een onafhankelijke aanklager hadden verzocht.'[7]

Tegen het eind van die week waren de laksheid van Bill en Hillary in de zaak van Paula Jones en Bills beslissing een onafhankelijk aanklager te benoemen om Whitewater te onderzoeken, samengesmolten tot een tastbare bedreiging van alles wat belangrijk voor hen was – zijn politieke nalatenschap en haar toekomst.

Gewapend met Linda Tripps smakeloze verhaal en audiocassettes zocht Kenneth Starr toestemming om het Whitewater-onderzoek uit te breiden met Tripps aantijgingen. Starr had al onderzocht of vrienden van de Clintons hadden geprobeerd 'zwijggeld' te betalen aan Webb Hubbell – een onderzoek dat op niets was uitgelopen –, maar in Starrs kantoor overheerste de mening dat de vermeende poging van de president om Monica Lewinsky's zwijgen 'af te kopen' met een lucratieve baan in New York, eenzelfde belemmering van de rechtsgang inhield. Een onafhankelijk aanklager had niet veel nodig om een onderzoek te beginnen. Sterker nog, in de vier jaar sinds hij onafhankelijk aanklager was geworden, had Starr een aantal ongerelateerde zaken op zich genomen die stuk voor stuk veel tijd hadden gekost maar nooit hadden geleid tot een aanklacht tegen Bill of Hillary. Niettemin had hij, krachtens de formulering van het statuut van de onafhankelijk aanklager, het volste recht van bijna elke aanwijzing werk te maken. Toen de zaak-Lewinsky in januari een aanvang nam, was het daarom geen verrassing dat minister van Justitie Janet Reno instemde met Starrs verzoek om een onderzoek te beginnen. Ze willigde het verzoek in op woensdag 14 januari, dezelfde dag dat Hillary haar laatste vraag-en-antwoordsessie had met Starrs aanklagers – vandaar de grijnzen.

Vrijdag 16 januari, om één uur 's middags, arriveerde Monica Lewinsky in het winkelcentrum Pentagon City, in een buitenwijk van Virginia, om te lunchen met haar vriendin Linda Tripp. Lewinsky was zich niet bewust van Tripps verraad. Diezelfde avond bleef de president laat op met zijn juridische team; hij oefende zijn vragen tijdens een marathonsessie van zes uur om zich voor te bereiden op zijn verhoor over Paula Jones de volgende dag. Op een getuigenlijst die de advocaten van Jones hadden verstrekt, stonden de namen van zeven vrouwen. Een van hen, Monica Lewinsky, had op 7 januari een beëdigde verklaring ondertekend waarin ze had gezworen geen 'geslachtelijke omgang' met de president te hebben gehad. Bill wist dat hij een reeks vragen zou moeten beantwoorden, niet alleen over Paula Jones, maar ook over de zeven vrouwen op de getuigenlijst, onder wie Lewinsky. En net als Monica in haar beëdigde verklaring had gedaan, was de president bereid te liegen.[8]

Zaterdag 17 januari 1998 was een zwaarbewolkte en voor het jaargetijde ongebruikelijk milde dag in de hoofdstad. Voordat Bill die ochtend het Witte Huis verliet voor het verhoor, omhelsde Hillary hem stevig en wenste hem geluk.[9] De president maakte vervolgens de rit van twee minuten van het Witte Huis naar advocatenkantoor Skadden, Arps van Robert Bennett, Clintons norse, botte en imponerende advocaat.

Nadat hij de eed had afgelegd, werd de president een juridisch document overhandigd dat de advocaten van Jones hadden opgesteld met een door de rechtbank goedgekeurde definitie van 'geslachtelijke omgang'. De definitie was buitengewoon specifiek: 'Contact met de genitaliën, anus, kruis, borst, binnendij of billen van een persoon met de intentie het seksuele verlangen van een persoon op te wekken of te bevredigen.'

Het doel van het verhoor was het incident af te handelen dat zich in mei 1991 in het Excelsior Hotel zou hebben afgespeeld tussen Clinton, op dat moment gouverneur, en Paula Jones. Jones' advocaat James Fisher begon echter met een reeks vragen over Kathleen Willey, een voormalig vrijwilligster in het Witte Huis, en een ontmoeting die zij vlak bij de Oval Office met de president zou hebben gehad. Vervolgens begon Fisher over Monica Lewinsky.

'Heeft u een buitenechtelijke seksuele verhouding met Monica Lewinsky gehad?' vroeg Fisher aan de president.

'Nee,' antwoordde Bill.

'Als ze iemand zou vertellen dat ze een seksuele verhouding met u heeft gehad die is begonnen in november 1995, zou dat dan een leugen zijn?'

'Het is in elk geval niet de waarheid,' zei de president. 'Dat zou niet de waarheid zijn.'[10]

James Fisher ondervroeg de president bijna anderhalf uur over Monica Lewinsky, en vroeg hem herhaaldelijk of hij 'geslachtelijke omgang' met haar had gehad zoals die was gedefinieerd in het juridische document. Elke keer antwoordde Bill dat dit niet het geval was geweest. Tegen het eind van de ondervraging over Lewinsky vroeg de voorzitter aan Fisher of hij nog iets 'specifiekers' wilde vragen over zijn omgang met de voormalige stagiaire.

Fisher sloeg het aanbod af. 'Meneer,' zei hij, 'ik denk dat dit snel aan het licht zal komen, en dan zult u het begrijpen.'[11]

Bob Bennett, Clintons advocaat, herinnerde Jones' advocaten er later aan dat Monica Lewinsky tien dagen eerder een beëdigde verklaring had ondertekend en onder ede had verklaard dat ze geen geslachtelijke gemeenschap met de president had gehad. De advocaten van Jones reageerden niet op Bennetts bewering, maar door Linda Tripps audiocassettes wisten ze dat Lewinsky in haar verklaring had gelogen.[12]

Na een sessie van zes uur verliet Bill aan het eind van de middag Bennetts kantoor en keerde terug naar het Witte Huis. Hillary merkte dat Bill er vermoeid en van streek uitzag.[13] Toen ze hem vroeg hoe de ondervraging was verlopen, snauwde Bill dat de hele procedure een 'een farce' was, en hij zei dat hij zeer beledigd was dat hij zo'n beproeving had moeten doorstaan. De Clintons waren van plan geweest die avond uit eten te gaan met Erskine Bowles, Bills chef-staf, en zijn vrouw, maar Bill zei dat hij geen zin had.[14] In plaats daarvan bleef de president thuis, belde met een paar vrienden en ging vlak na middernacht naar bed. Hij begreep ongetwijfeld dat zijn presidentschap en zijn huwelijk gevaar liepen.

Kort voor zonsopgang op woensdag 21 januari 1998 werd Hillary door Bill gewekt in hun slaapkamer in het Witte Huis. De president zat op de rand van het bed en zei: 'Je zult dit niet geloven, maar...'

'Waar heb je het over?' vroeg ze slaperig.

'Er staat vandaag iets in de kranten wat je moet weten.'[15]

Bill vertelde dat *The Washington Post* die ochtend een verhaal had over een affaire met een voormalige stagiaire van het Witte Huis, en dat Kenneth Starr nu onderzocht of hij er onder ede over had gelogen of dat hij de stagiaire had gevraagd erover te liegen tijdens het verhoor in de zaak-Jones. In het verhaal stond ook dat Starrs aanklagers naarstig onderzochten of de president en zijn vriend, Vernon Jordan, de rechtsgang hadden belemmerd toen ze Lewinsky aan een baan in New York hadden geholpen.[16]

Hillary luisterde verbijsterd, maar zei niets.

Over de bewering dat hij een affaire had gehad met een vrouw die jong genoeg was om zijn dochter te kunnen zijn, gaf Bill zijn vrouw de volgende uitleg: hij was twee jaar eerder bevriend geraakt met Monica, toen ze stage liep bij chef-staf Leon Panetta in de West Wing tijdens het regeringsreces van november 1995. Bill legde uit dat hij haar had aangeboden te helpen een baan te zoeken. Zij moet het hebben gezien als meer dan vriendschap, legde Bill uit.

Of het ook maar een moment bij Hillary opkwam dat Bills verhaal één grote leugen was, is onbekend. Twee goede vrienden van Hillary zeiden een paar maanden later dat ze onmiddellijk vermoedden dat Bill waarschijnlijk inderdaad een affaire met de jonge vrouw had gehad,[17] omdat, zoals een van de twee het uitdrukte, 'er zo veel andere affaires waren. Dit kwam niet uit de lucht vallen.'[18] Of, zoals een hooggeplaatste regeringsmedewerker het stelde: 'Je wist met de president nooit precies wat de waarheid was. Ik vermoedde dat er meer speelde, en ik geloof dat Hillary dat ook vermoedde.'[19]

Deze medewerker voegde eraan toe dat Hillary meteen nadat ze had gehoord over de vermeende affaire en Starrs onderzoek, met stomheid geslagen en woedend was. De medewerker zei dat ze een deel van haar woede uitte met de retorische vraag die ze Bill stelde: 'Hoe kun je zo stom zijn geweest om je vijanden van zulke munitie te voorzien?'[20] Bill had Starr een machtig wapen gegeven. De ambtenaar zei ook dat hij ervan overtuigd was dat Hillary wist 'dat er iets was gebeurd' tussen Bill en Monica. 'Ik weet zeker dat hij liet doorschemeren dat het hele verhaal een kern van waarheid bevatte.'[21] De ambtenaar benadrukte echter dat Hillary 'niet op de hoogte was van alle smerige details... die leerde ze pas in augustus kennen. Dus wat haar betrof lag het verraad in de details, en in hoe lang de affaire had geduurd.'[22]

Een andere vriend en raadgever van Hillary, die haar sprak in de 48 uur nadat het schandaal naar buiten was gebracht, zei dat Hillary zich gedroeg 'alsof ze wist dat Bill een affaire met Monica moest hebben gehad... en ze was vastberaden om terug te slaan en te winnen'.[23] De vriend vervolgde dat Hillary het gevoel dat ze bedrogen was, makkelijk van zich af kon zetten, omdat ze Starrs nieuwe onderzoek zag als 'een grootscheepse aanval op het presidentschap. Zelfs als [de affaire] echt had plaatsgevonden, zou ze een strijd op leven en dood aangaan om Bills presidentschap te redden.'[24] Omdat de president 'overdonderd' was door de 'meineedval' waarin de advocaten van Jones hem hadden gelokt, met hulp van Tripp en in samenspraak met Starrs bureau, merkte Hillary op dat ze diep beledigd was over 'de onrechtvaardigheid van dit alles'. Het was die onrechtvaardigheid die Hillary 'vastbesloten maakte om aan zijn zijde tegen de aanklachten te vechten'.[25]

Jaren later hield Hillary vol dat ze het zwakke verhaal van haar echtgenoot van begin af aan had geloofd. Hillary legde in haar autobiografie uit dat Bills verhaal, ondanks zijn vele eerdere affaires, logisch klonk, want een jonge vrouw helpen 'paste precies in Bills straatje'.

'Hij zei dat ze zijn aandacht verkeerd begrepen had, iets wat ik tientallen keren eerder had zien gebeuren,' vervolgde ze. 'Het was zo'n bekend scenario dat het me geen enkele moeite koste te geloven dat de beschuldigingen ongegrond waren.'[26]

Maar Hillary wist dat miljoenen Amerikanen – in het bijzonder miljoenen vrouwen – Bill Clinton niet zo makkelijk zouden geloven als zij. In haar autobiografie erkende ze dat de meeste mensen verbijsterd waren over haar ijzige vastberadenheid om zijn uitleg te accepteren, om door te gaan en bij haar echtgenoot te blijven. Hillary besefte dat veel mensen zich afvroegen 'hoe ze 's ochtends kan opstaan, laat staan naar buiten gaan? Zelfs als ze de beschuldigingen niet gelooft, moet het vreselijk zijn om ze te horen.' Het was een 'schrikbarend eenzame ervaring', erkende Hillary.[27]

Lewinsky's aantijgingen vormden de aanzet voor 'het eenzaamste en moeilijkste jaar van haar leven', zei een van haar vrienden.[28] Vanaf het begin was Hillary echter vastbesloten haar eigen plan te trekken. Ze besloot te doen 'wat goed voor mij was', zoals ze het stelde, 'zonder dat ik me iets aantrok van wat anderen zeiden of dachten'.[29] Voor Hillary was het verdedigen van Bill een daad van zelfverdediging en zelfbehoud. En ze besloot, zoals ze al veel vaker had gedaan, zich goed in te werken en haar echtgenoot te verdedigen. Een vriend zei dat het makkelijker voor Hillary was om te denken dat Bill een vermeende affaire in stand had gehouden in het kader van een ingenieuze politieke aanval dan als een verraad van hun huwelijkse geloften.[30] Op Wellesley College had Hillary destijds haar evenwicht hervonden door te weigeren bij zichzelf te rade te gaan, door haar aandacht te vestigen op het helpen van anderen. Nu ze een forse klap te verwerken kreeg, deed ze hetzelfde.

In Hillary's autobiografie schrijft ze slechts vluchtig over de pijn en de schok die ze voelde toen ze voor het eerst over de affaire hoorde. 'Kenneth Starr had een civiele smaadactie omgebouwd tot een crimineel onderzoek, en hij zou het ongetwijfeld zo hoog spelen als hij kon,' schreef ze. 'Lekken naar de media vanuit het kamp van Jones en het bureau van de onafhankelijk aanklager wezen erop dat delen van Bills verklaring onder ede niet helemaal overeenkwamen met beschrijvingen die andere getuigen hadden gegeven van zijn relatie met Lewinsky. Vragen in de Jones-verklaringen bleken alleen maar gesteld te zijn om de president van meineed te kunnen beschuldigen, waarna zijn terugtreden of impeachment geëist kon worden.'[31]

Achter gesloten deuren zei Hillary dat ze hoopte dat 'mensen zouden gaan begrijpen wat ik zei', en wat ze al jaren had gezegd, namelijk dat ze geloofde dat de aanklagers het presidentsambt en de agenda van haar echtgenoot ondermijnden door misbruik te maken van hun macht.[32] Wat ze weglie uit haar verslag, was de erkenning dat dit een gevaar vormde voor haar eigen politieke carrière. Haar vriend en adviseur Sidney Blumenthal observeerde: 'Voor haar stond er meer op het spel dan voor wie dan ook. Dit had niet alleen betrekking op al het politieke werk dat ze heel haar leven had verricht, maar ook op haar huwelijk. Ze moest ze allebei verdedigen.'[33]

Een politieke toekomst was geenszins een vage, hypothetische mogelijkheid. Ze was zo goed als zeker van plan in 1998 te proberen een Senaatszetel te veroveren, mogelijk in New York. En na de eerste berichten leek dit schandaal een directe bedreiging van dat voornemen te vormen. En ook het vermeende plan van de Clintons – hij acht jaar in het Witte Huis, gevolgd door acht jaar voor haar – kwam nu in gevaar. Hillary was ronduit woedend dat zo'n domme, treurige fout van haar echtgenoot al hun plannen in gevaar bracht, nee, al haar plannen.[34]

Over de hele wereld beschreven journalisten het gevaar voor de politieke nalatenschap van Bill Clinton. Maar het uitzicht vanuit Hillaryland liet niets te raden over: zij had het meeste te verliezen.

Enkele uren nadat ze haar echtgenoot voor het eerst de naam 'Monica Lewinsky' had horen uitspreken, moest Hillary het Witte Huis verlaten om een speech te geven in Baltimore, op uitnodiging van historicus Taylor Branch. De afspraak stond al een tijd, en het kwam geen moment bij Hillary op om af te zeggen.[35]

Veel keuze had ze ook niet. Ze moest wel doorgaan. Opnieuw dacht Hillary aan de wijze woorden van haar heldin, Eleanor Roosevelt, die had opgemerkt dat een vrouw die zich in de politiek begeeft, 'een olifantshuid moet kweken'.[36] Zoals ze in het verleden al had gedaan, concludeerde Hillary dat 'het belangrijk was dat de staf van het Witte Huis inzag dat we deze crisis aankonden en dat we ons opmaakten om terug te vechten... Het beste dat ik voor mezelf en voor de mensen om me heen kon doen, was om manmoedig door te gaan.'[37]

En dus zat Hillary die middag in een Amtrak-trein die naar het noorden reisde, naar het kleine Goucher College in Baltimore. Na haar speech van een halfuur werd Hillary op het treinstation van Baltimore geconfronteerd met een haag van verslaggevers en cameraploegen. Het was de grootste groep journalisten die ze in jaren had gezien, groter nog dan de meute die haar had opgewacht voor de rechtszaal in de zaak-Whitewater. 'Denkt u dat de beschuldigingen vals zijn?' riep een verslaggever.

Hillary zat op een bankje in het midden van het treinstation. Ze zweeg, stond op, liep naar de kluwen van microfoons en camera's en zei: 'Zeker, ik geloof dat ze vals zijn, absoluut.'[38]

Vervolgens werd Hillary gevraagd hoe ze de vragen kon verduren, en ze zei: 'Ik kan niet zeggen dat het niet moeilijk is. Het is altijd moeilijk en pijnlijk als iemand om wie je geeft, van wie je houdt en die je bewondert, wordt aangevallen en zulke onbeschaamde beschuldigingen voor de voeten krijgt geworpen als mijn man. Maar ik leef hier nu een jaar of zes mee, en ik heb gezien hoe die aanklachten en beschuldigingen in rook opgaan en verdwijnen, als ze het daglicht al zien. Dus ik voel hier hetzelfde over.'[39]

Ten slotte zei ze dat Starrs onderzoek slecht was voor Amerika. 'Dit alles... ik zou willen dat noch mijn echtgenoot, noch iemand die met hem te maken heeft, dit hoeft te doorstaan, want ik betreur het ten zeerste en het lijkt me niet goed voor het land,' zei ze. 'Het is niet goed voor ons land dat politieke beschuldigingen en conflicten veranderen in juridische zaken,' voegde ze er nog aan toe. 'Ze moeten worden uitgevochten in de politieke arena. Mijn echtgenoot heeft succesvol de koers van dit land gewijzigd en veel bereikt voor Amerika, en ik heb het idee dat zijn tegenstanders dat heel moeilijk kunnen accepteren.'[40]

Tijdens Hillary's verblijf in Baltimore schoof de president aan bij drie eerder geplande interviews, met *Roll Call*, National Public Radio en de omroep PBS. Jim Lehrer van PBS vroeg hem: 'U had geen seksuele verhouding met deze jonge vrouw?'

'Er is geen seksuele verhouding,' antwoordde Bill. 'Dat is juist.'[41]

In redactielokalen in het hele land gingen bij de keuze van de president voor de werkwoordsvorm 'is' luide alarmbellen rinkelen. Voor Bill, voor wie behendig taalgebruik tot zijn legendarische politieke vaardigheden behoorde, was de keuze van de tegenwoordige tijd ('is') allesbehalve subtiel, en zelfs klunzig te noemen.

Terwijl het voor verslaggevers en adviseurs duidelijker werd dat de president van de Verenigde Staten een seksuele relatie had gehad met een vrouw die jong genoeg was om zijn dochter te zijn, kwam Hillary terug in haar kantoor in het Witte Huis, klaarblijkelijk nog niet op de hoogte van de stemming in het land. Ze dacht minder aan Bills mogelijke schuld dan aan haar haatgevoelens jegens Kenneth Starr.[42] Ze belde Sid Blumenthal, met wie politieke strategen dikwijls de spot dreven omdat hij vaak ingewikkelde complottheorieën zag tussen 'de rechtervleugel' en hun favoriete doelwit, de Clintons. (Rahm Emanuel, een politiek adviseur van de Clintons, gaf hem de bijnaam 'G.K.', naar Grassy Knoll.[43]) (Grassy Knoll, het glooiende grasveldje in Dallas vanwaar John F. Kennedy op 22 november 1963 zou zijn doodgeschoten en waarover talloze complottheorieën de ronde doen – vert.) Blumenthal zou de komende dagen echter onmisbaar zijn voor

Hillary, voornamelijk omdat hij nog op vertrouwde voet stond met een aantal belangrijke journalisten en correspondenten in Washington, onder wie David Brock. Brock was de auteur die op de loonlijst van *The American Spectator* had gestaan, een rechts tijdschrift dat werd gefinancierd door de conservatieve Richard Mellon Scaife. Dat had in 1993 geleid tot een verhaal over twee politieagenten (*troopers*) die claimden dat ze seksuele ontmoetingen hadden geregeld voor Bill toen hij nog gouverneur was, een schandaal dat 'Troopergate' was gaan heten.[44] Sindsdien was Brock echter publiekelijk van ideologische kant gewisseld. Tijdens dat proces was hij een intieme vertrouweling van Blumenthal geworden. Uren na de primeur van de *Post* over Starrs onderzoek naar de affaire-Lewinksy had Brock Blumenthal informatie doorgespeeld over de nieuwerwetse manier waarop Starr over Monica Lewinsky en Linda Tripp te weten was gekomen. Ook beschreef hij de cruciale rol die verscheidene conservatieve advocaten daarin hadden gespeeld, een groep die 'de elven' werd genoemd.[45] Die advocaten hadden Paula Jones gratis rechtsbijstand gegeven, en een van hen had Ken Starrs kantoor getipt dat Linda Tripp met haar beschuldigingen en heimelijk opgenomen audiocassettes naar hem toe zou komen.

Blumenthal vertelde Hillary over zijn gesprek met Brock. 'We zagen de invloeden die aan het schandaal ten grondslag lagen, de oorzaak en het gevolg, het voornemen en de handelingen – en ze waren politiek en vertrouwd,' herinnerde hij zich later. 'En dus wisten Hillary en ik vanaf het eerste begin al af van wat zij al snel de grote, rechtse samenzwering zou noemen.'[46]

Blumenthal was onder de indruk van Hillary's kalmte en vastberadenheid terwijl het schandaal de hoofdstad en het land in zijn greep nam. 'Dit was politiek,' herinnerde Blumenthal zich later. 'Het was wellicht de grootste crisis ooit, maar het was wel degelijk politiek.'[47] Haar ijzige kalmte was echter misleidend; in de West Wing 'was het ronduit een chaos', aldus een voormalige regeringsmedewerker van Clinton. 'We vergaderden twee dagen aan één stuk. Het was een crisis. Niemand wist wat er moest gebeuren.'[48]

Achtenveertig uur nadat het verhaal was gepubliceerd, stelden hooggeplaatste Witte Huismedewerkers de 'handleiding' voor de toekomst vast. Dit was een juridische kwestie, en slechts een handjevol mensen zou zich bezighouden met de strategie en de details: David Kendall, Kendalls partner, Nicole Seligman, Cheryl Mills, een advocaat van het Witte Huis, en Hillary. 'Hillary was aanwezig bij alle vergaderingen,' zei de ambtenaar. 'Ze had dit eerder gedaan, en ze zou het opnieuw doen.'[49]

Hillary bekende aan Blumenthal dat de president dit ook zag als een crisis die in de politieke arena zou worden uitgevochten. Na de risico's voor zijn presidentschap en zijn plaats in de geschiedenis te hebben afgewogen, had Bill eerder die dag tegen Hillary gezegd: 'We moeten gewoon winnen.'[50] De keuze van de president voor het woord 'we' had niets subtiels. Als Bill kans wilde maken om weer aan een zeer benarde situatie te ontsnappen, had hij Hillary nodig, zoals altijd. Hij wist het, en zij wist het.

Vanuit zijn kantoor op het terrein van CBS in Burbank, Californië, had Harry Thomason naar het zwakke interview van de president met Jim Lehrer op PBS gekeken. Net als de journalisten die hadden gekeken, had Thomason, de televisieproducent en een oude vriend van Bill, een president gezien die zich legalistisch, schimmig en zelfs klunzig verdedigde. Hij legde zijn afstandsbediening neer, pakte de hoorn van de telefoon en belde Hillary om zijn bezorgdheid te uiten over wat hij had gezien.[51]

'Wanneer kun je hier zijn?' vroeg ze.[52]

De volgende avond drong Thomason er bij de president en de First Lady op aan het volk een gezamenlijk en strijdlustig front te tonen tegen de aantijgingen waarover het hele land nog lang niet uitgepraat was. Op maandagochtend 26 januari stond er een persconferentie gepland in de Roosevelt Room van het Witte Huis over de financiering van naschoolse kinderopvang. Dit bood Bill een uitgelezen kans om, met Hillary en vicepresident Gore naast zich, de beschuldigingen krachtig te verwerpen.

Het beviel Gore allemaal maar niets.[53] Het schandaal dat zich ontrolde, had een kloof tussen hem en de Clintons veroorzaakt. De trouwe vicepresident vond het schandaal smakeloos, en het verbaasde hem hoe snel Hillary de handschoen had opgepakt en hoe gemakkelijk ze zich over haar verbazing had gezet, als ze die al had, over de mate waarin Bills rokkenjagerij de agenda van de regering had geschaad. Op haar beurt was Hillary teleurgesteld in Gore; ze vond dat hij niet genoeg deed om de president uit de wind te houden.[54] Een adviseur legde uit dat Hillary 'volledige en totale loyaliteit aan de president eiste. Dus toen Al van streek was over wat er met de president was gebeurd, zal dat wel olie op het vuur zijn geweest.'[55] Dat vuur had al gesmeuld vanaf het begin. Een adviseur herinnerde zich dat Gore en Hillary verscheidene verhitte discussies hadden gevoerd die niet persoonlijk maar politiek van aard waren. 'Ja, ze hadden botsende karakters,' zei de adviseur.[56] Een ander zei: 'Ze lijken in niets op elkaar. Als je in hun buurt bent, voel je dat.'[57] (Jaren later erkende Gore dat er 'heel wat water naar de zee was gestroomd' in zijn relatie tot de Clintons.[58]) Gore vond op zijn beurt dat Hillary vreemd en zakelijk reageerde.[59] Haar echtgenoot had haar bedrogen en vernederd – wat kon er nog persoonlijker zijn? Toch leek haar filter alleen het politieke door te laten.

In de Roosevelt Room die ochtend in januari 1998 aarzelde de president even na zijn opmerkingen over de kinderopvang, en wierp een woedende blik op de rijen met een stuk of dertig televisiecamera's. 'Ik wil dat jullie naar me luisteren,' zei hij, hoewel het niet zozeer een verzoek als wel een opdracht was. 'Ik zal het nogmaals zeggen.' En toen, met zijn vinger in de lucht priemend en zijn ogen woedend samengeknepen tot spleetjes, zei de president langzaam en duidelijk: 'Ik heb geen seksuele relatie gehad met die vrouw' – en hij haalde even adem – 'juffrouw Lewinsky. Ik heb tegen niemand gelogen, niet één keer, nooit. Deze beschuldigingen zijn vals. En ik moet weer aan het werk voor het Amerikaanse volk.' Bill draaide zich vervolgens met een ruk om van de katheder, en met een uitdagend kijkende Hillary in zijn kielzog stormde hij het vertrek uit.

In haar autobiografie schrijft Hillary slechts het volgende over Bills optreden: 'Gezien de omstandigheden vond ik het gerechtvaardigd dat hij liet zien hoe kwaad hij was.'[60] Ze meldt niets over het feit dat zij er bij haar echtgenoot op had aangedrongen de aanklachten aan te vechten en dat ze erop aangedrongen had dat ze al die tijd aan zijn zijde zou blijven staan.[61] Dat ze later afstand zou nemen van Bills opmerkingen, is begrijpelijk: de reactie van haar echtgenoot was een leugen, en hij wist het, en diep vanbinnen wist Hillary het ook.[62] Destijds had ze er echter strijdlustig op gestaan dat hij zou zeggen wat hij had gezegd; Hillary Clinton was niet iemand die een fout erkende, en dat zou haar echtgenoot ook niet doen.

Die dag had Hillary aan zijn zijde gezwegen. Maar iedereen in Amerika leek iets van haar te willen horen. De volgende dag hield de president zijn State of the Union, en Hillary had al lang geleden toegezegd in New York in het tv-programma *Today Show* te verschijnen. 'Ik had nog liever een wortelkanaalbehandeling ondergaan, maar afzeggen zou nog meer speculaties teweegbrengen,' zei ze.[63] Hillary's adviseurs en Bills medewerkers drongen er bij haar op aan niets over Kenneth Starr te zeggen. De gedachte daarachter was dat een aanval door de First Lady 'Starr tegen haar in het harnas zou jagen', en de zaken voor de president alleen nog maar zouden verslechteren.[64] Advocaat David Kendall was het daar echter niet mee eens; hij vertelde de First Lady dat ze moest zeggen wat ze wilde, zonder zich druk te maken om de gevolgen.

Een naaste vriend van Hillary zei dat ze de avond voor haar optreden in *Today Show* had gezegd dat ze 'Starr de oorlog zou verklaren'.[65] De vriend zei: 'Ze wist dat ze alleen kon winnen als ze Starr in de verdediging drukte. En de beste kans om dat te doen was in New York, in *Today Show*.'[66]

Hillary bracht de nacht van 26 januari door in het Waldorf-Astoria Hotel en werd die ochtend om vijf uur wakker. Tijdens de korte rit naar het Rockefeller Center, waar vandaan het programma werd uitgezonden, was Hillary 'heel ontspannen', herinnerde haar chef-staf Melanne Verveer zich. 'Niet zenuwachtig. Niet ongerust.'[67]

Om tien voor zeven belde Hillary vanuit de studio nog even met Sid Blumenthal voor een paar laatste opbeurende woorden. Blumenthal stelde voor dat ze zou zeggen: 'Er zijn professionele krachten aan het werk die alleen maar tweespalt willen zaaien door schandalen te creëren.'[68]

Die ochtend was presentator Matt Lauer alleen op de bedrukte set in Rockefeller Center; Jay Monahan, de echtgenoot van zijn medepresentatrice Katie Couric, had drie dagen eerder zijn strijd tegen darmkanker verloren. Hillary, die er uitgeput uitzag en donkere kringen onder haar ogen had, zat recht tegenover Lauer, die na het nieuws van zeven uur direct met het interview begon.

'In "Close-Up" vanochtend de First Lady van de Verenigde Staten, Hillary Rodham Clinton.' Hij wendde zich tot Hillary en zei: 'De mensen in dit land hebben momenteel maar één vraag, mevrouw Clinton. Namelijk: wat is er precies voor relatie geweest tussen uw man en Monica Lewinsky? Heeft hij het met u uitvoerig over die relatie gehad?'

'We hebben het er uitgebreid over gehad,' zei Hillary. 'En ik denk dat de mensen meer informatie zullen krijgen naarmate de zaak zich verder ontrolt. Maar nu zitten we midden in een razend gekke tijd en mensen beweren van alles en verspreiden geruchten en insinuaties. En ik heb van de afgelopen jaren in de politiek geleerd, zeker vanaf het moment dat mijn man zich voor de eerste keer kandidaat stelde voor het presidentschap, dat je in dit soort zaken het best je geduld kunt bewaren, diep adem moet halen en dat de waarheid dan vanzelf boven water komt.'

Dit antwoord was opmerkelijk door de manier waarop ze de vraag ontweek. De waarheid was dat ze best wist of ze haar echtgenoot wel of niet geloofde.

Even later probeerde Lauer een andere benadering: hij zei dat James Carville het onderzoek van de onafhankelijk aanklager, waar weer met man en macht aan werd gewerkt, had beschreven als een persoonlijke oorlog tussen Bill en Starr. 'Ik heb begrepen dat u tegen goede vrienden hebt gezegd dat dit de laatste grote slag wordt. En dat de ene of de andere kant ten onder zal gaan.'

Hillary schudde haar hoofd en fronste haar wenkbrauwen. 'Nou, ik weet niet meer of ik zo dramatisch ben geweest. Het klinkt als een mooie zin uit

Hillary, hier op een foto uit het jaarboek van haar middelbare school in 1965, verliet Park Ridge, Illinois, als conservatieve 'Goldwater Girl', Maar tegen de tijd dat ze afstudeerde op Wellesley College, was ze een Democraat geworden die zich tegen de oorlog verzette. (AP Photo/File)

Bill en Hillary trouwden op 11 oktober 1975 in Fayetteville, Arkansas, het begin van een van de krachtigste en raadselachtigste (politieke) verhoudingen in de Amerikaanse geschiedenis. (William J. Clinton Presidential Library)

*Links:* Bill Clinton, toen nog gouverneur, en Hillary met hun dochter Chelsea in 1980. (William J. Clinton Presidential Library)

*Rechts:* Hillary bleef tijdens Bills gouverneurscampagne in 1980 grotendeels op de achtergrond. Het was geen toeval dat hij verloor. (Welwillend afgestaan door de *Arkansas Democrat-Gazette*)

Hillary staat bij haar opgetogen echtgenoot, juni 1982. Bill werd vijfmaal gekozen tot gouverneur van Arkansas. (Welwillend afgestaan door de *Arkansas Democrat-Gazette*)

Hillary, gekleed in een driedelig ensemble van goudlamé, bereidt zich voor op Bills inaugura-
tiefeestje op 13 januari 1985. (Welwillend afgestaan door de *Arkansas Democrat-Gazette*)

Bill en Hillary Clinton zijn even samen tijdens de 200ste verjaardag van het Witte Huis, die op 10 november 2000 in de East Room werd gevierd en werd bijgewoond door alle nog levende presidenten uit het verleden en hun echtgenotes, met uitzondering van president Reagan. (© Susana Raab 2000)

Hillary luistert naar president Bush in de Oval Office op 13 september 2001. Tijdens die bijeenkomst wees de president $20 miljard toe aan de staat New York ten behoeve van noodhulp na de aanslagen van 11 september. (AP Photo/The White House, Eric Draper, HO)

Hillary en senator Bob Graham van Florida praten op 10 maart 2004 met verslaggevers; ze werkten samen bij de totstandkoming van een wetsvoorstel. In 2002 riep Graham zijn collega's op alle inlichtingen van de regering-Bush met betrekking tot Irak te lezen. Hij stemde in oktober 2002 tegen de oorlogsresolutie, Hillary niet. (AP Photo/Manuel Balce Ceneta)

*Boven:* Hillary en senator Barack Obama in
gesprek tijdens de jaarvergadering van de
National Association for the Advancement
of Colored People in Washington, D.C. op
19 juli 2006. Minder dan een jaar later streden ze tijdens hun presidentscampagnes om
de steun van de leden van de Association.
(AP Photo/Evan Vucci, File)

*Boven:* Hillary, geflankeerd door haar
trouwe bondgenoten senator Carl Levin van
Michigan en senator Jack Reed van Rhode
Island, wacht totdat ze een toespraak gaat
houden tijdens een persconferentie van de
Democraten, die op 7 september 2006 een
nieuw wetsvoorstel aangaande nationale
veiligheid presenteerden op Capitol Hill.
(Photo by Brendan Smialowski/Getty
Images)

*Links:* Hillary beoordeelt op 15 november
2006 informatie over Irak tijdens een bijeenkomst van de Senaatscommmissie Armed
Services. (Photograph by Benjamin J. Myers)

Hillary tijdens een ontmoeting met de pers op 17 januari 2007, na haar reis naar Irak en Afghanistan. Eerder die dag nam ze een video op waarin ze zich kandidaat stelt voor het presidentschap, die drie dagen daarna op haar website werd geplaatst.

'Ik doe niet mee aan de presidentsverkiezingen omdat ik een vrouw ben,' zegt Hillary op 4 maart 2007 tijdens een forum op de campus van de University of Dubuque. 'Ik doe mee omdat ik denk dat ik de meest geschikte en ervaren persoon ben om president te worden.' (AP Photo/Matthew Putney)

een film. Maar ik geloof inderdaad dat het een veldslag is. Ik bedoel, kijk alleen maar naar de mensen die erbij betrokken zijn. Die speelden ook bij andere zaken een rol. Op dit moment is dit hét grote verhaal voor iedereen die ernaar zoekt en erover wil schrijven en wil uitleggen dat het een ultrarechtse samenzwering is, en dat al tegen mijn man wordt samengespannen vanaf het moment dat hij verklaarde presidentskandidaat te willen zijn. Een paar journalisten hebben dit opgepikt en toegelicht. Maar het is nog niet tot het Amerikaanse publiek doorgedrongen. En eigenlijk hoop ik dat het nu op deze bizarre manier wel lukt.'[69]

De uiterste gechargeerde woorden waarmee de First Lady Clintons vijanden beschreef – 'een ultrarechtse samenzwering' –, wekten de toorn van de mannen en vrouwen in Starrs kantoor op Pennsylvania Avenue, voor wie het woord 'samenzwering' suggereerde dat ze zelf strafbare handelingen pleegden.[70] Later die dag nam Starr de ongebruikelijke stap om een verklaring te doen uitgaan waarin hij Hillary's beschuldiging dat hij en zijn aanklagers onderdeel waren van een samenzwering, 'nonsens' noemde.[71] Maar de beschuldiging van de First Lady bereikte haar beoogde publiek. Een week later bleek uit een enquête van *The Washington Post* en ABC dat 59 procent van de ondervraagden geloofde dat 'Clintons politieke vijanden samenzweren om de president ten val te brengen'.[72]

Na het interview in *Today Show* voerde Hillary op de terugweg naar Washington nog een kort telefoongesprek met Kendall. 'Ik hoorde steeds jouw wijze woorden in mijn oren,' zei ze tegen hem.

'En welke woorden van onschatbare wijsheid waren dat?' vroeg Kendall.

'Neem ze te grazen!' zei ze lachend.

'Dat is een oude quaker-uitdrukking,' antwoordde Kendall, die zelf een quaker was.

'O,' zei Hillary, 'zoiets als "Men neme hen te grazen"?'[73]

Hillary had in tijden niet zo hard gelachen.


Terwijl het schandaal zich ontvouwde, stelde Hillary zich opnieuw de vraag wat Eleanor Roosevelt in een netelige positie gedaan zou hebben. Het antwoord kwam al snel: vechten. Vechten tot je erbij neervalt.[74] En dat deed Hillary dan ook. Vanaf de eerste dag nam ze de leiding over de omgang met de pers en de bijeenkomsten in het Witte Huis om de juridische strategie te bepalen.[75] Binnen een paar uur na de primeur van *The Washington Post* begon een fluistercampagne tegen Monica Lewinsky: verslaggevers kregen te horen dat de voormalige stagiaire niet zomaar gek was op de president, maar dat ze 'hem stalkte'. Een medewerker van het Witte Huis vertelde verslaggevers dat de jonge vrouw 'labiel' was, en dat ze had geworsteld met een 'gewichtsprobleem'. Medewerkers van het Witte Huis verzonnen nog meer gemene bijnamen voor haar: 'Elvira', vanwege haar lange, zwarte haar en strakke kleding, en 'Clutch', want wanneer de president of een andere beroemdheid haar de hand schudde, weigerde ze los te laten.[76] Rechtse critici van de Clintons staken al langer de draak met het uiterlijk van Hillary en zelfs met dat van Chelsea. Die wrede aanvallen hadden velen toen verachtelijk gevonden. Nu speelde het Witte Huis het spelletje zelf mee.

Bijna vijfduizend kilometer verderop zat Chelsea halverwege haar eerste jaar op Stanford University. Ze werd meegezogen in het gênante schandaal, wat haar eerste jaar van huis nog moeilijker maakte. Hillary belde Chelsea die eerste weken vaak. Eind februari maakte de First Lady een onaangekondigde reis naar Palo Alto om bij haar te zijn. Chelsea zei tegen haar moeder dat ze niet wilde dat haar vader de campus bezocht, een besluit dat hem 'vloerde', aldus een vriend.[77] Ze geloofde dat haar vader inderdaad een affaire had gehad met een vrouw die maar een paar jaar ouder was dan zij. Voor Bill, die verzot was op zijn enige dochter, was Chelseas veroordeling misschien wel de ergste.[78]

Niet alleen Monica Lewinsky's reputatie werd aangetast door medewerkers van het Witte Huis. Iedereen zou de naam Kenneth Starr straks kennen, 'en niet op een goede manier', voorspelde Carville, met een flinke scheut vrolijk Louisiaans venijn. 'Het wordt oorlog.'[79] Carvilles zelfverzekerde belofte was niet zozeer een dreigement als wel een opdracht, en die was vooral gericht op Hillary's getrouwen.

Bondgenoten van het Witte Huis richtten zich onder meer op Starrs religiositeit, en maakten zich er vrolijk over dat hij elke ochtend hymnes zong. Starr beschouwde het als 'religieuze laster' om hem te karikaturiseren als 'een gelovige'. Hij was er ook van overtuigd dat de aanval van de Clinton-aanhangers op zijn geloof 'bij een aantal groeperingen juist in mijn voordeel zal werken, maar niet bij de culturele elite'.[80]

Toch erkende Starr later dat de aanvallen uiteindelijk aansloegen bij het Amerikaanse publiek, deels omdat zich 'aan de andere kant niemand bevond' om zijn reputatie als rechter en medewerker van de rechtbank te verdedigen. Starr nam het zichzelf kwalijk dat hij niet naar minister van Justitie Janet Reno was gegaan om te vragen hem te verdedigen, aangezien hij zich juridisch gezien niet persoonlijk over de zaak kon uitlaten.[81] Toen hij Reno uiteindelijk maanden later sprak, bleek zij Starrs activiteiten te onderzoeken, waaronder zijn vroegere relatie met de advocaten van Paula Jones voordat hij onafhankelijk aanklager werd. (Destijds had hij een van Jones' advo-caten advies gegeven over een kwestie rond constitutioneel recht.[82]) Starr beschouwde Reno's onderzoek als 'een oorlogsverklaring', en op dat moment was het te laat om haar te vragen zijn optreden te verdedigen.[83]

Voor Hillary overtrof het optreden van bijna iedereen die werd ingescha-keld om de Clintons te verdedigen, haar verwachtingen. Voor het echtpaar werd loyaliteit pas echt geuit door de passie en toewijding die hun vrienden tentoonspreidden te midden van een regelrechte crisis. 'Iedereen had ruime ervaring, maar dit was een onversneden oorlog en niemand wilde van wijken weten, we deden het gewoon,' zei een van Hillary's vrienden.[84]

In maart werd het Witte Huis opnieuw opgeschrikt door een klein schan-daal: Kathleen Willey, een voormalig vrijwilligster in het Witte Huis, ver-telde het tv-programma *60 Minutes* dat de president haar in zijn studeerka-mer naast de Oval Office had betast en haar rechterhand op zijn stijve penis had gedrukt.

Bill zag haar aantijgingen als nieuw bewijs van het onfatsoenlijke gedrag van de aanklager, Starr.[85] De dag na het interview verklaarde hij 'verbijsterd en teleurgesteld' te zijn over Willeys verhaal.[86] Met Hillary's goedkeuring gaf het Witte Huis vervolgens negen dwepende brieven vrij die Willey Bill na het vermeende incident had gestuurd.[87] (Hillary zwijgt over Kathleen Willey in haar boek uit 2003, *Mijn verhaal.*)

Eind maart reisden Bill en Hillary naar Afrika bezuiden de Sahara om in elf dagen zes landen te bezoeken. Het was een welkome afleiding van de schandaalsfeer in de hoofdstad, hoewel ze benadrukten dat ze de reis niet maakten als reactie op het Lewinsky-schandaal.

Terwijl de Clintons en hun medewerkers in Senegal waren, gaf rechter Susan Wright op 1 april gehoor aan het verzoek van de advocaten van de president om de zaak-Paula Jones versneld te behandelen, en Wright ver-klaarde de zaak niet-ontvankelijk. De rechter concludeerde dat Jones geen overtuigend bewijs had om haar claim te ondersteunen. Hillary en Bill zagen de ironie van de hele situatie in. Onderling spraken ze er hun verbijstering over uit dat Clintons presidentschap gevaar had gelopen omdat hij onder ede gelogen zou hebben in een civiele zaak die een rechter nietig had verklaard.

'Dit is géén Watergate,' zei Hillary tegen vrienden.[88] Ze zou er al snel ach-ter komen dat het dat in zekere zin wel was.

# 14

## Aan de winnende hand

Toen de Clintons eind april 1998 terugkeerden uit Afrika, keerde ook bijna een gevoel van routine terug. Het onderzoek van Starr verliep in de lentemaanden relatief rustig, terwijl de aanklagers getuigen interviewden voor de grand jury, onder wie Linda Tripp. Achter de schermen bereidde Monica Lewinsky echter een deal voor met Starrs aanklagers, die haar zou vrijstellen van vervolging over het liegen onder ede over haar relatie met de president. Op 17 juli nam Starr de opmerkelijke beslissing een dagvaarding naar de president te sturen om voor een grand jury te getuigen. Het was de eerste keer in de Amerikaanse geschiedenis dat een zittende president voor een federale grand jury zou moeten verschijnen in een zaak waarin hij het mogelijke doelwit was.[1]

Jim McDougal zat niet langer in de weg: hij was in maart 1998 gestorven in een gevangenis. Niet lang daarna werd een groot deel van datgene waarover hij nog had kunnen getuigen, irrelevant. Voor Hillary's laatste ondervraging, op 25 april 1998, hadden Ewing en verscheidene andere aanklagers een stortvloed aan memo's opgesteld waarin bewijzen uiteen werden gezet. Daarnaast werd een eerste dagvaarding opgesteld. Aan de mogelijke dagvaarding voor Hillary en Hubbell wegens belemmering van de rechtsgang en het doen van valse uitlatingen lag de theorie ten grondslag dat de twee 'al dan niet bewust juridische diensten hadden verleend die [misdrijven] mogelijk hadden gemaakt', met name Castle Grande en het onroerendgoedproject, en 'zijzelf en Rose Law Firm konden mogelijk civiel aansprakelijk worden gehouden'.[2] Op 27 april 1998 besloten Starrs aanklagers na een vergadering van een dag echter geen aanklacht tegen Hillary in te dienen. De cruciale vraag of Hillary wist dat door haar juridische activiteiten misdaden mogelijk waren gemaakt, werd omzeild.

Het besluit Hillary niet aan te klagen was het resultaat van een lange lijst factoren: de verjaring van de onroerendgoedtransacties, het indirecte karakter van het bewijs, de dood van getuigen als McDougal, de zaak van Lewinsky tegen Bill Clinton die zich aan het ontwikkelen was, en de sympathie die potentiële juryleden wellicht zouden hebben voor Hillary terwijl ze tegelijkertijd antipathie koesterden jegens Starr.[3] Maar hoewel die antipathie groeide, weerhield die Starr er niet van verder te gaan met zijn onderzoek naar de president.

Op 27 juli sloot Monica Lewinsky de zogenoemde immuniteitsdeal, waardoor ze niet zou kunnen worden aangeklaagd wegens meineed. Terwijl ze zich de volgende dag voorbereidde op haar verschijning voor de grand jury, overhandigde ze wat het belangrijkste bewijsmateriaal van de zaak zou worden – een marineblauwe jurk die ze had aangeschaft bij Gap.

Die zomer had Hillary haar best gedaan de schijn op te houden dat er niets aan de hand was. Eind juli sprak ze in een opvanghuis voor mishandelde vrouwen in Cincinatti, en tijdens de lunch praatte ze met verscheidene vrouwen die daar werden behandeld.[4] Die avond bezocht ze een fondsenwervingsbijeenkomst. Daar kreeg Hillary een telefoontje van een medewerker in Washington: Bill zou getuigen voor de grand jury.[5]

Aangezien de president ermee had ingestemd vrijwillig te getuigen, trok Starr zijn historische dagvaarding in. Maar Bill stond erop de zaken deels op zijn voorwaarden te doen. Zo wilde hij zich de vernedering van een gang naar een federale rechtbank besparen. Starr stemde met die voorwaarde in omdat de onafhankelijk aanklager had gezien hoe negatief het publiek had gereageerd toen Hillary die vernedering had moeten ondergaan.[6] Men kwam overeen dat de vraag-en-antwoordsessie met de president door middel van een gesloten videosysteem zou worden uitgezonden in de ruimte waar de grand jury zich bevond. En de sessie zou worden opgenomen, voor het geval een lid van de grand jury die dag afwezig was.[7]

Nu Monica Lewinsky samenwerkte met de aanklagers, probeerden de advocaten van de president erachter te komen wat Starr wist. Een dag nadat Bill had toegestemd te getuigen, kreeg David Kendall zijn antwoord toen Starr hem meedeelde dat aanklagers een buisje bloed van de president moesten afnemen. Al maanden deden er in de media verhalen de ronde over een jurk met spermavlekken. Een dergelijk verzoek kon alleen betekenen dat Starr een dna-test zou gebruiken om zeven maanden van presidentiële leugens te ontrafelen.

Het bloedonderzoek was een 'dieptepunt' voor Bill, een van de ergste momenten uit zijn presidentschap,[8] en hij wees vrienden op de duistere symboliek van Starr, die letterlijk zijn bloed liet vloeien.[9] Op 3 augustus rolde de president, rood aangelopen van woede, in de Map Room van het Witte Huis zijn linkermouw op. De arts van het Witte Huis, dr. E. Connie Mariano, nam een buisje met bloed van de president af, terwijl een FBI-agent, een van

Starrs aanklagers en David Kendall toekeken bij deze unieke gebeurtenis. Voor Bill was dit voorval de ultieme belediging in een jaar vol vernederingen. 'Toen ze het bloed uit zijn arm haalden, realiseerde hij zich goed hoe beroerd hij ervoor stond,' zei een van Bills beste vrienden later.[10]

Nu werd de president geconfronteerd met het vooruitzicht dat zijn grillige leugens aan iedereen onthuld zouden worden – aan zijn vrouw en dochter, zijn vrienden en medewerkers, en aan het Amerikaanse volk. Bill had verscheidene opties, maar geen ervan was aantrekkelijk: hij kon zich voor de grand jury beroepen op het vijfde amendement (het recht niet tegen zichzelf te getuigen), maar dat zou neerkomen op politieke zelfmoord. Hij kon getuigen en de waarheid blijven ontkennen, maar het publiek zou hem waarschijnlijk niet vergeven voor leugens tegenover een grand jury. Een dergelijke strategie zou hem een aanklacht kunnen opleveren. Of hij kon de waarheid toegeven, uit juridisch standpunt de aantrekkelijkste optie, maar de ergste voor zijn verhouding met Hillary en Chelsea.

'Wat moet hij Hillary vertellen?' vroeg een van zijn vrienden zich kort nadat Bills bloed was afgenomen af. 'En wat zal zij tegen hem zeggen?'[11]

Hillary was een van de laatsten die de waarheid te horen kregen. Dat wil ze in elk geval de lezers van haar autobiografie laten geloven. Ze vertelt in haar boek dat ze er van eind juli tot half augustus voor pleitte dat Bill zou getuigen voor de grand jury. 'Volgens mij was er geen enkele reden om bezorgd te zijn,' schreef ze.[12] Maar in werkelijkheid, merkte een vriend van Bill op, had de First Lady privé het tegenovergestelde geopperd, en erop gestaan dat Bill zich ertegen zou verzetten om voor de grand jury te getuigen. Hij had haar overstemd.[13]

Op vrijdag 14 augustus publiceerde *The New York Times* een buitengewoon artikel op de voorpagina. Onder de kop 'President overweegt te bekennen dat hij seksueel contact had' schreven de vier auteurs van het verhaal:

> WASHINGTON, 13 aug. – President Clinton heeft uitgebreide gesprekken gevoerd met zijn kring van vertrouwelingen over een strategie om op maandag voor een grand jury te erkennen dat hij in het Witte Huis seksuele ontmoetingen heeft gehad met Monica S. Lewinsky, aldus hooggeplaatste medewerkers.[14]

Destijds benadrukte een medewerker van het Witte Huis dat het artikel bedoeld was om Hillary te waarschuwen dat Bill wel degelijk een seksuele verhouding met Monica Lewinsky had gehad.[15] Maar, zoals in het artikel werd gemeld en medewerkers van het Witte Huis bevestigden, Hillary was in augustus nauw betrokken bij de bijeenkomsten met Bills advocaten, David Kendall en Mickey Kantor, waarin zijn getuigenis werd voorbereid. Een aannemelijker verklaring voor het verhaal was dat het bedoeld was om het publiek voor te bereiden op de bekentenis van de president.

Hillary zelf schrijft in haar boek niets over het artikel in de *Times*. Ze zwijgt ook over de belangrijke rol die ze dagelijks speelde in de operatie van het Witte Huis om de schade te beperken, en over de cruciale hulp die ze de president bood bij zijn voorbereiding op zijn verklaring. In plaats daarvan haalt Hillary herinneringen op aan een intrigerend gesprek dat ze voerde op de avond dat het verhaal werd gepubliceerd, vrijdag 14 augustus. In de Yellow Oval Room van het Witte Huis had Hillary een afspraak met Bob Barnett, een van Washingtons invloedrijkste en discreetste advocaten, over een andere kwestie. Aan het eind van hun gesprek vroeg Barnett Hillary of ze zich zorgen maakte over de afspraak van haar echtgenoot met de grand jury, vermoedelijk omdat de *Times* zojuist had bericht dat Bill zich erop voorbereidde zijn verhaal te veranderen.[16]

'En als er nu meer speelt dan jij weet?' vroeg Barnett.

'Volgens mij is dat niet zo,' zei Hillary. 'Ik heb het Bill vaak genoeg gevraagd.'[17]

Even later zei Barnett: 'Je moet wel onder ogen zien dat er misschien een kern van waarheid in zit.'

'Luister eens, Bob,' zei Hillary, 'mijn man mag dan geen heilig boontje zijn, hij heeft nog nooit tegen me gelogen.'[18]

De volgende ochtend, zaterdag 15 augustus, werd Hillary al vroeg gewekt door Bill, die door hun slaapkamer ijsbeerde. 'Hij vertelde me voor het eerst dat de situatie veel ernstiger was dan hij eerder had toegegeven,' schrijft Hillary in haar autobiografie. 'Hij realiseerde zich nu dat hij zou moeten verklaren dat er sprake was geweest van een ontoelaatbare intimiteit. Hij vertelde me dat wat er tussen hen was voorgevallen, kort en sporadisch was geweest. Dat kon hij me zeven maanden geleden nog niet vertellen, zei hij, omdat hij zich toen te veel schaamde om het te kunnen toegeven en hij wist hoe boos en gekwetst ik zou zijn.'[19]

Hillary herinnerde zich dat ze amper kon ademhalen. Ze schrijft dat ze begon te huilen en te schreeuwen. 'Wat bedoel je? Waar heb je het over? Waarom heb je tegen me gelogen?'

'Het spijt me, het spijt me,' zei Bill. 'Ik wilde jou en Chelsea beschermen.'[20]

Hillary vertelde haar echtgenoot dat hij hun dochter de vreselijke waarheid moest vertellen. En op dat moment begon Bill te huilen.

Hillary was ten einde raad; Bill had niet alleen het vertrouwen in hun huwelijk geschonden maar ook zijn politieke toekomst op het spel gezet, en die van haar. Ze wist niet of hun verbintenis 'zo'n pijnlijk verraad zou kunnen – of zou moeten – overleven'. Ze wist dat ze tijd nodig had om haar gevoelens op een rijtje te zetten, 'zorgvuldig, in mijn eigen tempo'.[21]

Bill had die maandag tussendoor nog een afspraak met de grand jury. In de Map Room van het Witte Huis stond hij op maandag 17 augustus 1998 oog in oog met Sol Wisenberg en Robert Bittman, aanklagers van Starrs kantoor. Leden van de grand jury keken in de federale rechtbank live mee via een gesloten televisiecircuit. De president werd vergezeld door Kendall. Wisenberg begon de procedure door Bill eraan te herinneren dat hij 'onder ede' stond. Als hij onjuiste of misleidende antwoorden gaf, prentte Wisenberg hem nogmaals in, 'kunt u worden vervolgd voor meineed en/of belemmering van de rechtsgang'.

'Ik geloof dat dat correct is,' zei de president.[22]

Bill gaf niets prijs. Toen hem rechtstreeks werd gevraagd of hij 'intieme omgang had gehad met Monica Lewinsky', las hij een geschreven verklaring voor waarin hij 'ontoelaatbaar intiem contact' toegaf, maar hij zei herhaaldelijk dat dit 'geen geslachtelijke omgang inhield', noch 'seksuele omgang' volgens de drieledige definitie die hij in januari tijdens de getuigenis in de zaak-Jones had ontvangen.[23]

De president besteedde een groot deel van de vier uur die de sessie voor de grand jury duurde aan een verbitterde aanval tegen iedereen die hem beschuldigde, en zelfs tegen de aanklagers. Hij leek doelbewust tijd te rekken. Hij brieste dat de zaak-Jones niet zozeer seksuele intimidatie betrof, maar eerder een georganiseerde poging was hém te intimideren, voor politiek gewin. 'Ze dachten: laten we eens een sloopkogel op hem loslaten en kijken of we schade kunnen aanrichten,' zei hij.[24]

Bittman wees op een passage in Bills getuigenis in de Jones-zaak, waarin zijn advocaat, Robert Bennett, iedereen had verzekerd dat er 'geen seks, op welke manier, in welke vorm of van welke soort dan ook plaatsvindt' tussen de president en Lewinsky. Bittman vroeg de president of hij het ermee eens was dat dit 'een volledig onjuiste bewering' was.

Met een flauw glimlachje zei de president: 'Het hangt ervan af wat de betekenis van "plaatsvindt" is.'[25] De glimlach leek te suggereren dat Bill wist dat die uitspraak absurd was. 'Als "plaatsvindt" nu betekent en niet eerder, dan is dat één ding,' vervolgde hij. 'Als het betekent dat het nu niet plaatsvindt, dan was die opmerking volledig juist.'[26] Dat citaat kwam symbool te staan voor Bills haarkloverij om de boel in de war te sturen (en het werd later opgenomen in *Bartlett's Familiar Quotations*). Het antwoord wekte de toorn van Starrs aanklagers en sterkte hen in hun voornemen een rapport over de zaak naar het Congres te sturen, wat ze als hun plicht zagen onder de wet die betrekking had op onafhankelijke aanklagers.[27]

Starrs mannen verlieten het Witte Huis die avond met het gevoel dat de president duidelijk niet alleen onder ede had gelogen in de zaak over Paula Jones, maar dat hij die middag ook tegen de grand jury had gelogen.[28] Ondertussen stormde Bill om 18.35 uur de Map Room uit, kokend van woede. Na een korte maaltijd en een douche liep hij nog steeds woedend het Solarium in, waar zijn topadviseurs hem opwachtten: Charles Ruff, raadsman van het Witte Huis, zijn advocaten David Kendall en Mickey Kantor, zijn adviseurs Rahm Emanuel, Paul Begala, James Carville en zijn oude vrienden Harry en Linda Thomason. De taak van de president was een korte verklaring op te stellen waarmee hij later die avond het volk zou toespreken. Chelsea was ook aanwezig in het Solarium, maar Hillary was er niet, en haar afwezigheid was opmerkelijk.[29]

Een ambtenaar van Clinton die volhoudt dat Hillary in januari al 'een deel van de waarheid' kende, zei: 'Het waren de details die ze niet kende – alle details.'[30] Nu kende ze die wel.

'Ik voelde me niet geroepen Bill te hulp te schieten met het opstellen van zijn openbare verklaring over een kwestie die mijn gevoel van fatsoen en privacy aantastte,' herinnerde ze zich jaren later. 'Maar ten slotte ging ik, uit gewoonte, wellicht uit nieuwsgierigheid of misschien wel uit liefde, toch naar boven.'[31]

Bill was woedend op Starr. '"Haat" was nog te zacht uitgedrukt,' zei een van zijn beste vrienden na afloop.[32] Een aantal adviseurs in de kamer wilde dat de president meedeelde dat hij het volk had misleid, maar zich tegelijkertijd welgemeend verontschuldigde. De verklaring die Paul Begala voor de president had geschreven, was zorgvuldig geformuleerd en was een mengeling van bekentenis en berouw. Bill moest overbrengen dat het land door hem een vreselijke beproeving moest ondergaan. Zelfs Carville, die Starr in januari nog de oorlog had verklaard, dacht dat het beter zou zijn als de president ronduit zou toegeven dat hij fout zat, en niets zou zeggen om de onafhankelijk aanklager uit te dagen.[33]

Bill weigerde echter. Zijn woede over Starr stroomde uit zijn pen terwijl hij een nieuwe speech begon te schrijven, op een geel juridisch schrijfblok.[34]

Zijn adviseurs bleven hem waarschuwen tegen een boodschap die Starr als een uitdaging kon opvatten en de Amerikanen wellicht van streek zou maken. Bill stopte even en vroeg Hillary om advies. 'Het is jouw speech, Bill,' zei ze schouderophalend. 'Zeg maar wat je wilt.' Even later snauwde ze: 'Jij bent de president van de Verenigde Staten, dacht ik.'[35]

Om tien uur die avond zagen miljoenen Amerikanen Bill Clinton, uitgeput en met donkere kringen onder zijn ogen, toegeven dat hij een 'ontoelaatbare verhouding' had gehad met Monica Lewinsky, en dat die verhouding 'verkeerd' was geweest. Hij bood zijn verontschuldigingen aan. Maar halverwege zijn toespraak richtte hij zijn woede op Starr. Met toegeknepen ogen en gespannen kaken zei hij dat Starrs lange, omslachtige strafrechtelijke onderzoek naar zijn 'persoonlijke zakelijke transacties van twintig jaar geleden' – een onderzoek dat, zo voegde hij eraan toe, 'geen bewijs had opgeleverd van overtredingen van mij of mijn vrouw' – rechtstreeks had geleid tot deze pijnlijke beproeving voor het land. Het was Starrs schuld, betoogde de president.

Binnen enkele minuten bereikten de reacties vanuit de media op Bills speech het Witte Huis, en ze waren zonder uitzondering negatief. De politiek adviseurs die bij de president voor een verzoenende, verontschuldigende toon hadden gepleit, kregen gelijk – de commentatoren wilden een bekentenis en een verontschuldiging horen, niet meer venijn in de richting van Kenneth Starr.

De volgende dag gingen de Clintons op vakantie naar Martha's Vineyard. Voor hun vertrek deed Marsha Berry, Hillary's perssecretaresse, deze korte verklaring uitgaan: 'Dit is duidelijk niet de gelukkigste dag uit het leven van mevrouw Clinton. In een tijd als deze vertrouwt ze op haar sterke en diepe geloof.'[36]

Bill en Hillary liepen in de felle middagzon naar de 'Marine One', de helikopter die op de South Lawn op hen wachtte. Chelsea was tussen hen in geklemd. Ze hield hun handen vast en fungeerde als buffer. Bill grijnsde flauwtjes, een mengeling van gêne en schuldgevoel, en in zijn linkerhand hield hij de riem van Buddy, zijn hond. Hillary trok een grimas.[37] De treffende foto van de zwijgende, langzame wandeling van de Clintons, met Chelsea die iets meer naar haar moeder neigde, werd in kranten over de hele wereld afgedrukt. Het werd onmiddellijk een iconografisch beeld van een gezin dat voor het oog van de camera worstelt met gebroken harten. Hillary's stoïcisme in het oog van de storm trok de aandacht van miljoenen vrouwen die zich eindelijk konden inleven in haar problemen. Velen van hen hadden zelf te maken gehad met echtgenoten of vrienden die over de schreef waren gegaan, en het besluit hoe ze daarop moesten reageren, was altijd omgeven met zorgen om kinderen, geld, het web van het verleden en onzekerheid over de toekomst.

Op de dag na het getuigenis voor de grand jury vroegen veel Amerikaanse vrouwen zich af: wat zou ik in haar plaats doen? Zou ik zo onverzettelijk en sterk als Hillary kunnen zijn? Andere vrouwen vroegen zich af waarom ze vergevingsgezind was. Waarom was deze affaire niet de laatste druppel? Ongeacht tot welk kamp de vrouwen behoorden, velen waren het erover eens dat er niets onoprechts was aan de hachelijke situatie waarin Hillary zich nu bevond. Haar moed terwijl ze werd geconfronteerd met het bedrog van haar echtgenoot, leek echt, net als haar pijn. Haar kwetsbaarheid, vastgelegd op die foto, leek niet gespeeld. Voor veel van die vrouwen waren Hillary's rauwe, gekwetste emoties niet over het hoofd te zien. Eindelijk leek ze feilbaar te zijn, en echt.

Hoewel de betweters het misschien niet leuk vonden, had Bills opstandige speech, waarin hij zich niet had verontschuldigd, geen enkel effect op zijn torenhoge waarderingscijfers, terwijl Hillary's waardering 'niet lager kon zijn', observeerde ze.[38] Maanden eerder had een meerderheid van de Amerikanen besloten dat het Lewinsky-schandaal niet genoeg was om Bill Clinton uit zijn functie te ontheffen. De economie groeide, de antipathie jegens Gingrich' Republikeinen was toegenomen en de meeste mensen vonden de privézonden van de president van ondergeschikt belang. Bill zei graag: 'Het Amerikaanse volk krijgt altijd gelijk.'[39] Volgens die logica keurden ze ook Bills grote gok goed dat het privégedrag van een president, hoe smakeloos dat ook was, geen gevolgen had voor hoe men over zijn functioneren dacht.

In de West Wing werden nog meer waarderingscijfers bijgehouden – die van Hillary, die vrolijk omhoogschoten. Tegen het eind van de zomer piekte haar waarderingscijfer rond de 70, nog hoger dan dat van Bill.[40] Deze ontwikkeling moet Hillary wel het merkwaardigste resultaat van de hele zaak hebben gevonden. Ze had het respect en de bewondering van het publiek proberen te veroveren om zelf een politieke carrière te beginnen. Ze had zich ondergedompeld in de ontwikkeling van beleid, waaronder haar poging de gezondheidszorg te hervormen, en daarnaast had ze geprobeerd haar eigen publieke stem te vinden en was ze Bills meest gewaardeerde adviseur. En toch was bijna elke keer een groot deel van het publiek niet onder de indruk en stond het zeer wantrouwend tegenover haar motieven. Nu erkende Bill dat hij een affaire had gehad met een vrouw die half zo jong was als hij, na maandenlang gelogen te hebben tegen Hillary, en het Amerikaanse volk gaf haar een nieuwe kans. Natuurlijk was niet elke Amerikaan het eens met haar kennelijke beslissing hem te vergeven en bij hem te blijven. Velen waren verbijsterd over haar redenering, en sommigen zagen het als bewijs dat Bill en Hillary een verbintenis hadden die was gestoeld op macht, niet op liefde of trouw. Maar een meerderheid van de Amerikanen gaf Hillary de kans haar imago te verbeteren, opnieuw te beginnen. Van de Amerikanen die een hekel aan de First Lady hadden gehad, leken sommigen bereid Hillary als slachtoffer te accepteren en zelfs te omarmen; die rol was veel aantrekkelijker dan Hillary de advocaat, of Hillary de strateeg, of Hillary de feministe, of Hillary de redder van de gezondheidszorg.

'Ze staat er niet om te springen om de rol van het onrechtvaardig behandelde vrouwtje te spelen, maar het werkt,' zei een van haar intiemste vertrouwelingen eind augustus. 'En als het werkt, werkt het.'[41]

In een huis waar ze mochten logeren op Martha's Vineyard sliep Bill beneden op de bank en Hillary boven in de grote slaapkamer. Hillary verbood Bills golfmaatje, Terry McAuliffe, zich op de Vineyard bij hen te voegen, wat betekende dat de president het grootste deel van zijn vakantie alleen of met Buddy moest doorbrengen.[42] Meer dan eens legden televisiecamera's het beeld vast van Bill die Buddy uitlaat op een lange oprit. Hij keerde kort terug naar het Witte Huis om te melden dat hij een aanval met kruisraketten had geleid op een farmaceutische fabriek in Soedan en op de terroristische trainingskampen in Afghanistan van een terreurfinancier die toen nog maar weinig mensen kenden, Osama bin Laden. Bin Laden zou ook verantwoordelijk zijn geweest voor de twee bomaanslagen eerder die maand op Amerikaanse ambassades in Oost-Afrika.[43] Republikeinen uitten direct kritiek op de aanvallen, en stelden dat de president ze alleen had uitgevoerd om de aandacht af te leiden van zijn eigen problemen.

Op de Vineyard ging Chelsea op bezoek bij vrienden. Hillary probeerde haar gevoelens op een rijtje te krijgen; ze wist dat ze tijd en ruimte nodig had om haar verwarde emoties te ontrafelen. Ze wist ook dat ze hulp nodig had. Ze zocht contact met Don Jones, een predikant uit haar jeugd. Jones herinnerde Hillary aan een preek van de theoloog Paul Tillich, 'Je bent aangenomen door God', die hij 35 jaar eerder had gehouden voor Hillary's jeugdgroep in Park Ridge. 'Genade overkomt ons als we wanhopig en ongedurig zijn,' had Tillich gepreekt. 'Het overkomt je of het overkomt je niet.'[44]

Hillary wachtte af of genade haar zou overkomen.

Na terugkeer van de Clintons in Washington stond Hillary voor een eenvoudige keuze: vechten of vluchten. 'Ik wist nog niet of ik zou vechten voor mijn man en mijn huwelijk,' schreef ze in haar autobiografie, 'maar ik was vastbesloten te vechten voor mijn president.'[45] Hillary herinnerde zich dat het haar moeite kostte haar weg te vinden in haar verwarde emoties. Hillary en Bill besloten in huwelijkstherapie te gaan 'om te kijken of we ons huwelijk konden redden', schreef ze.[46] Als Bills vrouw 'had ik hem wel zijn nek kunnen omdraaien. Maar hij was niet alleen mijn echtgenoot. Hij was ook president.'[47] Daarnaast besloten de Clintons de media te blijven geven wat ze wilden: een berouwvolle president. De strategie kwam evenzeer van Bill als van Hillary, en zou worden uitgevoerd in een tournee van een week waarin Bill zijn berouw toonde, om half september te eindigen met een gebedsdienst in het Witte Huis. En Bills publiek zou niet alleen uit de verzamelde pers bestaan: Hillary hield hem voor dat als hij vergeven wilde worden, hij zich zou moeten blijven verontschuldigen aan het publiek – en aan haar.[48]

Tijdens de gebedsdienst in de East Room, met een haag van camera's die er live verslag van deden, zei Bill zachtjes tegen de religieuze leiders dat hij 'geestelijke bijstand' zocht. 'Ik geloof niet dat er een elegante manier is om te zeggen dat ik heb gezondigd,' zei hij.[49]

Een paar uur later leverden twee zwarte busjes van het bureau van de onafhankelijk aanklager exemplaren af van het 110.000 woorden tellende *Starr Report*, samen met zesendertig dozen aanvullende documenten, bij de functionaris van de ordedienst van het Amerikaanse Congres. In het rapport schreef Starr dat het een weergave was van 'de overvloedige en berekenende leugens' van de president terwijl hij onder ede had gestaan, belemmering van de rechtsgang, en een machtsmisbruik 'dat wellicht aanleiding kan zijn voor impeachment'.[50] Die avond publiceerde het House Rules Committee, de commissie die de stroom van wetsvoorstellen in het Huis van Afgevaardigden reguleert en die onder leiding stond van de Republikeinen, het hele rapport op internet. Het was een bewuste omarming van moderne technologie waarmee, heel handig, ook alle gênante details werden verspreid.

Hillary weigerde het rapport te lezen, maar ze merkte in *Mijn verhaal* wel op dat het woord 'seks' 581 maal voorkwam in het 445 pagina's tellende rapport, en 'Whitewater' slechts vier keer.[51] 'Starrs rapport was nodeloos aanschouwelijk en vernederend voor de president en de grondwet,' schreef Hillary. 'De publicatie ervan was een dieptepunt in de Amerikaanse geschiedenis.'[52]

Een van Bills beste vrienden omschreef het als 'een goedkoop seksromannetje'.[53] De meeste Amerikanen waren het daarmee eens; ze namen Bill het gedrag dat werd beschreven niet kwalijk. In plaats daarvan namen ze het de boodschapper kwalijk. Zestig procent van de Amerikanen zei dat het Congres geen impeachmentprocedure moest starten, en dat Bill niet moest aftreden. Starrs waarderingscijfer daalde nog verder, en dat van de president kroop omhoog. Dat van Hillary bereikte ondertussen zijn hoogtepunt.

Half september had Hillary in de Yellow Oval Room een vergadering met een twintigtal vrouwelijke Democratische Congresleden. Terwijl de vrouwen van koffie nipten en gebakjes aten, praatte Hillary bevlogen over het verdedigen van de president tegen de impeachmentprocedure. De vrouwen leken zich gesteund te voelen door haar woorden, en vroegen Hillary campagne voor hen te voeren.

'Ik zal jullie zo veel mogelijk helpen,' zei ze. 'Maar ik heb ook jullie hulp nodig om de eenheid binnen de partij te bewaren en de Democratische fractieleden op de plek te houden waar ze thuishoren – achter de grondwet en de president.'[54]

Dat najaar merkten goede vrienden van de Clintons dat er zich een nieuwe dynamiek begon af te tekenen in de verhouding tussen het paar. Die verandering was niet subtiel, en had alles te maken met Bills duidelijke bezorgdheid over de uitwerking die zijn gedrag op zijn vrouw had. Wanneer Chelsea een kamer binnenkwam, legde Bill alles opzij en richtte hij al zijn aandacht op haar. Nu gebeurde hetzelfde wanneer Hillary ergens binnenkwam. 'Zijn dochter was altijd op de eerste plaats gekomen, maar nu kwam Hillary dat ook,' aldus een naaste vriend van Bill. 'In zijn gedrag en aan zijn gelaatsuitdrukkingen kon je zien dat hij deed wat hij kon om het goed te maken bij Hillary... Hij had het gevoel dat hij het haar verschuldigd was... "Wat Hillary wil, krijgt Hillary ook," zo ging het.'[55]

En terwijl Bill manieren zocht om weer een wit voetje te halen, was Hillary druk bezig haar eigen leven na het Witte Huis uit te stippelen. Ze overwoog een reeks politieke stappen die net zo ambitieus waren als de stappen die Bill had gezet. Toch wist Hillary ook dat ze Bill nodig zou hebben als ze kans wilde maken die ook daadwerkelijk te doen.[56]

Dat najaar had Hillary een hectisch campagneschema voor de tussentijdse verkiezingen, en ze bewaarde afstand tot Bill. Hun avonden in het Witte Huis waren 'ongemakkelijk', herinnerde ze zich. 'Ik ging hem niet meer uit de weg, zoals daarvoor, maar er hing nog steeds een spanning tussen ons, en we lachten niet meer zo vaak als vroeger.'[57]

Ondertussen bracht dat najaar Hillary nog meer goed nieuws. Ze werd door de hoofdredactrice van *Vogue*, Anna Wintour, gevraagd om voor de cover van het decembernummer te poseren. De First Lady accepteerde het aanbod, 'hoewel het tegen mijn intuïtie inging', maar het deed haar goed. Tijdens de fotosessie in de Red Room van het Witte Huis straalde Hillary in een betoverende bordeauxrode fluwelen jurk van Oscar de la Renta. Annie Leibovitz maakte het coverportret, dat werd vergezeld van een compliment in grote, cursieve letters: 'De buitengewone Hillary Clinton'.[58] Hillary's wedergeboorte was echt begonnen.

# 15

# New York – 'State of Mind'

Tijdens de receptie op een kerstfeest in het Witte Huis in december 1997 greep Judith Hope, de voorzitster van de Democratische Partij van de staat New York, Hillary bij de arm, nam haar apart en fluisterde: 'Er zijn veel mensen die denken dat je, als je het Witte Huis verlaat, moet proberen senator voor New York te worden!'

'Dat meen je niet!' zei Hillary met opgetrokken wenkbrauwen en met de daverende lach die haar handelsmerk is.[1] De reactie van de First Lady bestond uit een mengeling van bescheidenheid en verbazing – en meer dan een glimp van interesse.

De positie die Hope voor Hillary in gedachte had, werd bezet door de populaire Daniel Patrick Moynihan, en die al jaren senator van New York was. Hoewel er algemeen werd aangenomen dat hij zich in 2000 terug zou trekken, speelde Moynihan op dit moment met de gedachte er nog een termijn aan vast te knopen. En als een van de ouwe getrouwen van de Democratische Partij was hij zeker niet gecharmeerd van het feit dat Hillary's vrienden besloten hadden dat zij moest proberen hem op te volgen. Hij stond al op gespannen voet met de Clintons, en die relatie werd er niet beter op nu bleek dat Hillary hem niet gepolst had over zijn geplande terugtreden.[2]

Judith Hopes influistering – die was uitgelekt naar de *New York Post* – was de eerste publieke suggestie dat er mogelijk een 'Hillary-concept'-beweging in de maak was.[3] Maar het denkwerk en de planning waren al lang vóór de winter van 1997 in gang gezet. Nadat Hillary en Bill voorbereidende gesprekken hadden gevoerd met een aantal deskundigen die ze vertrouwden, onder wie adviseur Harold Ickes en fondsenwerver Terry McAuliffe, besloten ze dat het beter zou zijn als Hillary's belangstelling voor de Senaat en New York van buiten het Witte Huis zou lijken te komen. Zo'n strategie was noodzakelijk om de anders onvermijdelijke suggestie de kop in te drukken dat Hillary een verkiezingskandidaat zou zijn die een zetel namens New York in de Senaat zou ambiëren om de weg vrij te maken voor een latere greep naar het presidentschap – wat natuurlijk precies was wat ze beoogde.[4]

Ondanks het Lewinsky-schandaal en de daaropvolgende aanklacht en beschuldiging wonnen de Democraten in november 1998 vijf zetels in het Huis
van Afgevaardigden, waarmee de marge van de Republikeinen in het Huis te-
rugliep naar twaalf (223 tegen 211). De vrijdag na de verkiezingen, toen Bill en
de Democraten nog in een roes verkeerden over hun verrassende winst, kreeg
Hillary 's avonds laat een onverwacht telefoontje van afgevaardigde Charlie
Rangel, Congreslid van Harlem en goed bevriend met de Clintons. 'Ik heb
net gehoord dat senator Moynihan aankondigt dat hij met pensioen gaat,' zei
Rangel. 'Ik hoop dat je je kandidaat stelt, want ik denk dat je kunt winnen.'

'O, Charlie,' antwoordde Hillary, 'ik voel me vereerd dat je aan mij denkt,
maar ik ben niet geïnteresseerd. Bovendien hebben we op het moment een
paar andere opzienbarende kwesties op te lossen.'[5]

'Dat weet ik,' zei Rangel. 'Maar ik meen het serieus. Denk er toch eens
over na.'

Ook toen Rangel bleef aandringen, deed Hillary alsof ze er niet in was
geïnteresseerd en het idee van een campagne voor de Senaat haar tegenstond.
'Ik had andere zorgen,' schreef ze in haar boek.[6] In alle stilte echter bleef ze
aan het 'Hillary-concept' werken.[7]

Boven aan Hillary's lijst 'andere zaken' stond de dreiging van een aanklacht
tegen haar echtgenoot, een niet meer weg te poetsen smet die de reputatie
van Bill Clinton ernstig zou schaden. Ondanks de gunstige resultaten die de
Democraten behaalden bij de verkiezingen halverwege de politieke ambts-
termijn, begon een impeachment steeds vastere vormen te krijgen tijdens de
demissionaire zitting in het Huis.

Op 11 en 12 december van dat jaar stemde de Juridische Commissie van
het Huis volgens partijlijnen voor een besluit vier artikelen van aanklacht
aan het complete Huis voor te leggen om daarover te stemmen. Achter de
schermen probeerden Bills advocaten de voormannen van het Republikeinse
Huis te overreden zich te onthouden van een stem vóór een volledig impeachment ten gunste van een formele berisping van de president. Het was
een bij voorbaat verloren strijd.

In de laatste weken van 1998 was Hillary niet aanwezig bij een aantal
strategische besprekingen die Bill voerde met zijn juridische en politieke
adviseurs.[8] Haar afwezigheid was niet moeilijk te negeren. Ze was nu op
haarzelf aangewezen en concentreerde zich op haar eigen belangen en toekomst. Bill was eraan gewend dat Hillary de leiding nam in elke crisis en haar
afwezigheid bracht de president van de wijs en stemde hem nog humeuriger
en chagrijniger.[9]

'Ze heeft zich opgewerkt,' vertelde een van haar vrienden. 'Ze denkt meer aan zichzelf dan aan hem... Het is de eerste keer dat ik dat zie gebeuren... Ze wil de Senaat, en op een dag zelfs het presidentschap ambiëren. Hij heeft het verknald, dat beseft hij wel. Nu moet hij haar helpen om te krijgen wat zij wil... Ze weten allebei dat de tijd gekomen is dat hij haar recht doet.'[10]

In de vroege, koude en bewolkte ochtend van zaterdag 19 december reed Hillary in een zwarte presidentiële limousine van het Witte Huis naar Capitol Hill om te proberen een terneergeslagen groep Democraten op te monteren. Binnen enkele uren zou het Huis van Afgevaardigden moeten beslissen of voor de tweede maal in de Amerikaanse geschiedenis een impeachment zou worden uitgesproken over een president. Tijdens de besloten vergadering van Democraten sprak Hillary hen toe met de woorden: 'Jullie mogen allemaal razend zijn op Bill Clinton. En natuurlijk ben ik niet blij met wat mijn echtgenoot heeft gedaan. Maar een impeachment is niet de oplossing. Er staat te veel op het spel om ons af te laten leiden van de dingen waar het werkelijk om gaat.'[11] Hillary verzekerde iedereen dat haar echtgenoot niet van plan was de Republikeinen een dienst te bewijzen door op te stappen. Haar emotioneel geladen optreden sloeg in als een bom en de Democraten voelden zich gesterkt op deze zwarte dag. Ze zei ook eenvoudigweg: 'Ik houd veel van mijn echtgenoot en respecteer hem ten diepste.'[12]

Er klonk luid hoerageroep in de stampvolle vergaderzaal tijdens Hillary's persoonlijke speech. En verscheidene mensen verlieten de zaal onder het drogen van hun tranen.[13]

Die middag keurde het Huis twee van de vier artikelen van aanklacht tegen de president goed – een van meineed ten overstaan van de grand jury en een van belemmering van de rechtsgang. Als gevolg daarvan werd Bill in januari gedaagd voor de Senaat van de Verenigde Staten, waar hij gehoord zou worden, en waar besloten zou worden of hij uit het ambt gezet moest worden.

Na deze historische gebeurtenis reed een groep sombere Democraten, aangevoerd door afgevaardigde Richard Gephardt van Missouri, van het Capitool naar het Witte Huis om zich bij de president te voegen om hun solidariteit als partijgenoten te betuigen. Gedurende enkele paniekerige ogenblikken vreesden verscheidene medewerkers van het Witte Huis dat Hillary niet aan de zijde van de president zou staan tijdens de ceremonie. De First Lady schitterde door afwezigheid en iedereen was opgelucht toen ze alsnog arriveerde en zonder een woord te zeggen haar arm door die van haar echtgenoot stak. Daarop liepen Bill en Hillary langzaam over een kronkelig pad van de Oval Office naar de Rose Garden, waar de Democraten van het Huis hen opwachtten.[14]

Vice-president Al Gore leidde de president in met de woorden: 'Ik ken zijn hart en zijn wilskracht.' Bill leek vol te schieten bij die woorden. Met Hillary aan zijn zijde verklaarde hij dat hij voornemens was het ambt te bekleden 'tot het laatste uur van de laatste dag van mijn termijn'.[15] Ondanks de stemming over impeachment leek het wel een bijeenkomst om de manschappen op te peppen, en de Democraten leken optimistisch gestemd. Hillary echter kwam ernstig en afwezig over – minutenlang staarde ze uitdrukkingsloos naar een punt in de verte. Ze wierp Bill een vluchtige blik toe met een uitdrukking waaruit voornamelijk droefenis sprak.[16]

Op nieuwjaarsdag werd Hillary na een opiniepeiling uitgeroepen tot de meest bewonderde vrouw van Amerika. Van de ondervraagden had 28 procent haar op de eerste plaats gezet, terwijl de tweede plaats goed was voor Oprah Winfrey.[17] Maureen Dowd van *The New York Times* maakte de scherpzinnige observatie dat Hillary uiteindelijk niet door de Amerikanen in de armen werd gesloten 'vanwege iets wat ze heeft gedaan, maar voor iets wat ze heeft doorstaan'.[18] In zekere zin had Hillary zich zo lang verscholen achter een taai laagje vernis dat het nu leek alsof de mensen haar wilden zien worstelen met haar eigen kwetsbaarheden voordat ze haar een tweede kans gaven. 'Het is bijzonder goed te zien hoe ze zo'n grote publieke bewondering geniet, maar nogal triest als je denkt waaraan ze dat te danken heeft,' zei Peter Edelman, die uit de regering-Clinton was gestapt uit protest tegen het feit dat Bill de wet over de hervorming van het socialezekerheidsstelsel had getekend. 'Nu ze een meer traditionele First Lady wordt, meer ceremonieel, stijgt de waardering van het publiek.'[19] En ja, het knaagde aan Hillary dat haar rol als de zwijgende, gekwetste echtgenote haar de hoge score in de opiniepeilingen had bezorgd en de genegenheid van een groot deel van het land.[20] Maar werd er van haar als politica niet verwacht er het beste van te maken?

Het impeachmentproces van de Senaat tegen William Jefferson Clinton begon op 7 januari 1999 en zou vijf weken in beslag nemen. Omdat er 67 stemmen nodig waren om de president te veroordelen en er 55 Republikeinen in de Senaat zaten, was het een uitgemaakte zaak dat Bill niet uit het ambt gezet zou worden. Desalniettemin zagen de Republikeinen, die eropuit waren Bill nog meer te vernederen en hoopten de Democraten schade te berokkenen, geen reden om het proces te staken.

Hillary meed doelbewust het volgen van het grootste deel van het proces,

hoewel ze het niet kon helpen dat ze in de lach schoot toen ze zag hoe op-
perrechter William H. Rehnquist op het podium van de Senaat verscheen in
een zwarte toga met een drietal gouden tressen op de schouder geborduurd.
Rehnquist vertelde verslaggevers dat hij de speciale toga's persoonlijk had
ontworpen en daarbij geïnspireerd was door de kostuums die hij had gezien
in *Iolanthe*, de komische opera van Gilbert & Sullivan. 'Zeer toepasselijk
dat hij zich in een theatraal kostuum hijst om een politieke schijnvertoning
voor te zitten,' noteert Hillary in haar boek.[21] En inderdaad, het proces gleed
langzaam in de richting van een van tevoren al bekende afloop in een mengeling van een puberaal melodrama en een B-film.

Het was Hillary's idee geweest Dale Bumpers, de voormalige senator van
Arkansas, te vragen een verweer uit te spreken ten gunste van Bill in de
Senaat.[22] Daar poneerde Bumpers de volgende vraag, die Hillary diep zou
raken: 'Waar waren de elementen vergevensgezindheid en verlossing, het
ware fundament van het christendom?'[23] Vertrouwen, de onwrikbare grond
van het christelijk geloof, had Hillary geholpen dat lange jaar door te komen,
vertelde ze haar vrienden. Ze moest vaak denken aan een oud gezegde dat
ze op zondagsschool had geleerd: 'Vertrouwen is als van een rots stappen
en een van de twee mogelijkheden ervaren: ofwel je belandt op vaste grond
ofwel je leert vliegen.'[24] Het viel niet te ontkennen dat het volk een diepe
dankbaarheid voelde jegens Hillary, omdat ze haar echtgenoot steunde. Ze
had tenslotte niet alleen hun huwelijk gered. Ze had geholpen zijn presidentschap te redden. Nu was het haar beurt om te gaan vliegen.

Er is niets mis met een publieke figuur die zuivere politieke ambitie hanteert
als een persoonlijk werktuig om hogerop te komen – iedereen die ooit heeft
geprobeerd president te worden heeft zich verlaten op enorme ambities om
hem in de richting te drijven van de ultieme prijs binnen de Amerikaanse
samenleving. Op 12 februari, toen de Senaat een 'onschuldig' uitsprak ten
aanzien van beide aangevoerde aanklachten tegen haar echtgenoot, bevond
Hillary zich in het Witte Huis, waar ze een gesprek had met Harold Ickes,
de onbehouwen kenner van de New Yorkse politiek, wiens ongezouten opmerkingen voortdurend doorspekt waren van godslasterlijkheden. Hillary
vertelt dat Ickes 'me ervan overtuigde dat ik de toenemende druk van de
gemeenschap moest erkennen dat ik me verkiesbaar moest stellen en de optie
van een campagne serieus moest nemen'.[25]

Nog in 1997 had Hillary te berde gebracht dat zij en Bill van zins waren
zich in Little Rock te gaan vestigen nadat ze het Witte Huis zouden hebben
verlaten. 'We gaan absoluut in Arkansas wonen,' zei ze op C-SPAN.[26] Nu

spreidde Ickes een kaart van de staat New York uit op een tafel in Hillary's kantoor – er was 140.000 vierkante kilometer te bewerken, een duizelingwekkende hoeveelheid kleine steden en middelgrote steden om te bezoeken, een grote hoeveelheid complexe lokale politieke kwesties om te lijf te gaan. En dan was er New York City, het grootste hoofdstedelijke centrum van Amerika, waarvan de vijf wijken een ratjetoe van met elkaar in de clinch liggende politici en belangengroepen met tegenstrijdige belangen herbergden, een hel van een klus om te besturen.[27]

Als dat alles Hillary al niet genoeg zou afschrikken, begon Ickes een lange lijst politieke obstakels af te vinken: ze kwam niet uit New York, ze had zich nooit eerder voor zo'n positie verkiesbaar gesteld en de voor de hand liggende tegenkandidaat – Rudolph Giuliani, de populaire burgemeester van New York City – zou buitengemeen sterk zijn. Ickes waarschuwde haar ook dat de Republikeinen 'alles in het werk zouden stellen' Hillary en haar politiek handelen 'zwart te maken'. En er was nog een lastige kwestie: hoe zou een First Lady zich in 's hemelsnaam verkiesbaar kunnen stellen? Dat was nooit eerder gedaan, en met reden. Het betekende een logistieke nachtmerrie omdat ze naar een zetel in New York zou streven vanuit het Witte Huis.

Verscheidene uren later tijdens het gesprek voegde Ickes eraan toe: 'Ik betwijfel zelfs of je wel een goede kandidaat zou zijn, Hillary.'[28] De zorg was gegrond. Hoewel Hillary's populariteit groter was dan ooit tevoren tijdens het presidentschap van haar echtgenoot, bleef ze een twijfelachtige figuur met geen enkele ervaring met verkiezingen. Hillary onderkende nog een potentieel groot probleem: vrouwelijke Democraten, met name de professionelen onder hen 'die onder gewone omstandigheden mijn draagvlak zouden vormen', stonden 'sceptisch' tegenover haar uiteindelijke motieven en, belangrijker nog, haar besluit om 'met Bill getrouwd te blijven'.[29]

Desondanks wogen deze bezwaren maar nauwelijks op tegen de geboden kans. Nu Bill het impeachmentproces achter de rug had, kondigde haar bureau op 16 februari 1999 aan dat zij overwoog zich verkiesbaar te stellen voor de Senaat. Het bevestigde slechts wat vele politieke analisten al lang hadden voorzien. Maar in *Mijn verhaal* hield Hillary vol dat ze tot kort voor de aankondiging daar ernstig over twijfelde en zelfs overwoog er helemaal van af te zien. Veel van haar naaste vrienden en adviseurs, onder wie haar secretaresse Patti Solis Doyle, haar voormalige chef-staf Maggie Williams, en Mandy Grunwald, de media-adviseur, hadden haar dringend afgeraden zich verkiesbaar te stellen en zeiden dat ze veel meer invloed zou hebben op de zaken die haar aan het hart gingen als ze buiten de grenzen van de honderdkoppige Senaat opereerde. Vooral Doyle deed haar botte reputatie eer aan toen ze eruit flapte: 'Hillary, ik geloof gewoon niet dat jij deze race kan winnen.'³⁰

'Ik had een duwtje nodig,' schrijft Hillary in haar boek, en ze vertelt dat het uit onverwachte hoek kwam.³¹ Op 4 maart bracht ze een bezoek aan de Lab School in de wijk Chelsea in Manhattan – het was de tiende maal dat Hillary naar New York afreisde sinds de vorige herfst. Het publiek was op de school bijeengekomen om vrouwelijke atleten te begroeten en een door Home Box Office geproduceerde documentaire te bekijken, getiteld *Dare to Compete: The Struggle of Women in Sports.* Hillary verscheen op het schooltoneel samen met de levende tennislegende Billie Jean King, de met Olympisch goud gelauwerde turnster Dominique Dawes en basketbalster Nikki McCray. Boven haar hing een spandoek met de woorden DARE TO COMPETE.³²

Een van de studenten, Sofia Totti, die bovendien de aanvoerder was van het vrouwenbasketbalteam, kondigde de First Lady aan. 'Vandaag hebben we een tennisster, een olympische turner, een basketbalheldin...' zei Totti, waarna ze zich naar Hillary omdraaide en met een sluw lachje eraan toevoegde: '...en hopelijk, een volgende winnaar.'³³ Toen Hillary het podium op liep, schudde ze Totti de hand. De tiener fluisterde in haar oor: 'Durf mee te doen, mevrouw Clinton. Durf mee te doen.'³⁴

Het is een onweerstaanbare anekdote, en het feit dat die in *Mijn verhaal* voorkomt, heeft ertoe bijgedragen dat de lezers geloofden dat Hillary veel twijfelmoediger was dan ze in werkelijkheid was. Totti's uitdaging, zo herinnert Hillary zich, 'overrompelde me'. En de gefluisterde woorden dwongen haar een aantal heikele vragen over haar leven na het Witte Huis serieuzer in overweging te nemen.³⁵ 'Zou ik iets niet durven doen wat ik ontelbare andere vrouwen had aangeraden te doen?' zo vroeg Hillary zich af. 'Waarom ben ik zo besluiteloos over het meedoen aan deze race? Waarom denk ik er niet serieuzer over na? Misschien zou ik het lef moeten hebben mee te doen.'³⁶

Ook al was deze innerlijke dialoog goed leesvoer, ze was meer in overeenstemming met Hillary's publieke versie van haar opkomst dan de ware toedracht, getuige haar vertrouwelingen.³⁷ In de 531 pagina's van haar autobiografie is nagenoeg niets te vinden dat wijst op enige persoonlijke ambitie die Hillary zou koesteren. En ook al luidt de titel van Hillary's autobiografie *Mijn verhaal*, ze vermijdt het vaak zichzelf te portretteren als iemand die strijdlustig een prominente plek ambieert binnen het grotere Amerikaanse verhaal. Natuurlijk waren het kandidaatschap voor de Senaat, en uiteindelijk het presidentschap, dromen waarover zij en Bill gesproken hadden, waarnaar ze zelfs verlangden, zolang ze zich konden herinneren.[38] Een oudgediende van de Senaat verwoordde het als volgt: 'Zij heeft een dwingende ambitie, die die van haar man te boven gaat. Feitelijk is veel van zijn ambitie ontleend aan de hare – en het staat buiten kijf dat hij er rijk mee gezegend is.'[39] Maar dat Hillary bij acclamatie tot de politieke arena was geroepen, was gewoon een beter verhaal.

Hillary verkondigde dat de stimulerende woorden van Sofia Totti haar herinnerden aan een scène uit een van haar lievelingsfilms, *A League of Their Own*, over een professioneel vrouwenhonkbalteam in 1940. Als de beste catcher van het team, gespeeld door Geena Davis, meedeelt dat ze uit het team wil stappen om naar huis terug te keren en bij haar echtgenoot te zijn, zegt de manager van het team, gespeeld door Tom Hanks, dat ze niet mag opgeven.

'Het wordt gewoon te zwaar,' klaagt Geena Davis' personage.

'Het hoort zwaar te zijn,' antwoordt Hanks haar. 'Als het niet zwaar was, zou iedereen het kunnen – het is fantastisch juist omdat het zwaar is.'[40]

*Het is fantastisch juist omdat het zwaar is* – Hillary was gek op de eenvoudige aantrekkingskracht die van die uitspraak uitging. Natuurlijk zou het zwaar zijn om een zetel in de Senaat te bemachtigen, maar het zou ook fantastisch zijn. Dat wist ze en ze wist dat ze het zou proberen – ook al deed ze voorkomen van niet.

Tegen het begin van de lente van 1999 had Mark Penn, de enquêteur die nog altijd een van Hillary's meest nabije adviseurs is, een eerste peiling gehouden over Hillary's mogelijke campagne. Hij stuurde haar een memo met het goede nieuws: de inwoners van het platteland van de staat New York stonden welwillend tegenover haar kandidatuur. Zowel Penn als Mandy Grunwald moedige Hillary aan alle 62 districten van de staat een bezoek te brengen. Penn suggereerde de leuze 'Listening Tour' om te beschrijven hoe hij vond dat de First Lady zich zou moeten introduceren in een staat waar ze niet had gewoond.[41]

'Als ik de kiezers van New York zou bewijzen dat ik begreep waar hun gezinnen tegenaan liepen,' stelde Hillary, 'en vastbesloten was m'n best voor hen te doen, zou ik het gewoon kunnen aanpakken.'[42] Er was geen betere manier om dat te bewijzen dan de Empire State te doorkruisen en vooral te luisteren in plaats van te praten.

Maar vóór de trek naar het noordoosten was er een korte vakantie in het Zuiden. Tegen het eind van mei brachten Bill en Hillary vijf dagen door in Florida. Bijna elke avond bleven ze op tot na middernacht om over haar kandidatuur te praten. Bill werd geprikkeld door het idee – hij had geen andere campagne in het vooruitzicht, iets wat hem hevig zorgen baarde, en een deel van die pijn werd weggenomen door het vooruitzicht dat hij indirect betrokken zou zijn bij Hillary's eerste.[43] Hillary was begrijpelijkerwijs onzeker over hoe ze het eraf zou brengen bij het basale politieke handwerk: handen schudden en armen om schouders slaan bij een afzettingslint en natuurlijk voor de vuist weg kiezers en verslaggevers toespreken. Het laatste, wisten ze beiden, had haar een hoop problemen bezorgd tijdens Bills campagne in 1992. Bill beloofde haar coach te zijn.

Hillary wist dat ze er hard aan moest trekken en was bijzonder gemotiveerd om eraan te werken.[44] Bill overtuigde haar ervan dat hij er zou zijn om haar te helpen. 'Er is één manier voor de president om weer in de gratie te komen – geef je vrouw alles wat ze verlangt,' zei een intieme kennis.[45] 'Hij heeft het gevoel dat hij haar iets verschuldigd is,' stelde een andere vriend die hen beiden al jaren goed kent.[46] Voor hun intieme vrienden lag het voor de hand: het waren niet de deskundige begeleiding of de stortvloed aan oprechte verontschuldigingen die de verwijdering tussen Hillary en Bill, veroorzaakt door het vreselijke Lewinsky-jaar, zouden wegnemen. En de kandidatuur voor de Senaat was niet zomaar iets nieuws en opwindends om het eens over te hebben. Het redde hun huwelijk.[47]

Op een warme vroege zomeravond in juni organiseerde Hillary de dertigste reünie van de klas van '69 van Wellesley College in het Witte Huis. Terwijl het diner dansant voortschreed tot na tienen, nodigde ze een zestal van haar intiemste vrienden van het college uit met haar mee naar boven te gaan, naar het Solarium op de tweede verdieping, om daar hun wijn op te drinken.

In het gezelschap bevonden zich hoogleraar politicologie Alan Schechter, Hillary's kamergenote van destijds, Jan Piercy, inmiddels directeur namens de Verenigde Staten van de Wereldbank, en Johanna Branson, hoogleraar beeldende kunst en historica, eveneens een kamergenote van Hillary op Wellesley College.

Hillary kleedde zich snel om. Achter de grote ramen van het Solarium glinsterde de hoofdstad in de verte. Hillary bracht het onderwerp te berde waar iedereen aan dacht maar dat niemand durfde aan te snijden: 'Jan denkt dat het gekkenwerk is, wat ik overweeg,' zei Hillary, om haar vriendin uit te dagen.

Jan antwoordde snel: 'Dat heb ik nooit gezegd, Hillary, want ik heb je nooit politiek advies gegeven.'

De echtgenoot van Branson, Jock Gill, speelde advocaat van de duivel en

vinkte de redenen af waarom Hillary de wedloop van de Amerikaanse politiek zou moeten mijden. Zou het niet beter voor haar zijn als ze haar ambities
op een andere manier verwezenlijkte?

Hillary zei dat ze had overwogen leiding te geven aan een liefdadigheids-
instelling die royale donors haar hadden aangeboden op te zetten. En er
hadden zich veel andere mogelijkheden aangediend: het presidentschap van
een universiteit, gastvrouw van een televisieprogramma, bestuursvoorzitter
van een grote onderneming... 'Maar,' zei Hillary, 'ik zou altijd gezien worden
als de voormalig First Lady. Het zou altijd zijn "voormalige First Lady zo
en zo..."'

Haar vrienden knikten. Ze begrepen het. Tijdens diverse gelegenheden had
Hillary de term 'afgeleide echtgenote' geponeerd als ze op zichzelf doelde.
Deze kandidaatstelling zou daar een einde aan maken.

Gill legde haar het vuur aan de schenen: hadden politici haar al niet genoeg
ellende bezorgd? Waarom zou ze zich onder hen begeven?

'Ik voel me gewoon enorm betrokken,' antwoordde Hillary. 'Ik ben niet
tevreden over wat we hebben gedaan. Ik ben nog niet klaar.'

Gill vroeg zich af waarom Hillary zo gefixeerd was op de Senaat, in plaats
van op een of andere meer eenvoudige maar net zo effectieve openbare functie.

'Weet je, ik heb jarenlang – decennia – juridische voorstellen geschreven,'
verklaarde Hillary zichzelf. 'Ik heb redevoeringen gehouden. En ik heb voor
het Congres gelobbyd. Ik stond buiten aan de deur te kloppen, terwijl zij
politiek bedreven en wetsvoorstellen goedkeurden. Ik zou graag binnen zijn
en me er sterk voor maken. Ik ben te lang buitenstaander geweest.'

Volgende vraag: waarom juist New York?

Op een semi-informele toon deelde Hillary in vertrouwen mee dat ze 'een
paar andere mogelijke staten' had onderzocht, 'maar die hebben een aantal
bijzonder bekwame mensen in de running, die lang en hard hebben gewerkt
om zich kandidaat te stellen'.

Voor Hillary was de belangrijkste aantrekkingskracht van New York gelegen in het feit dat daar een historisch precedent was voor een niet-inwonende
kandidaat: Bobby Kennedy had er in 1964 een Senaatszetel gewonnen en had
zich al vier jaar later kandidaat gesteld voor de presidentsverkiezingen.

Hillary noemde haar vrienden het andere aspect dat zo aantrekkelijk was
aan een kandidaatstelling voor de Senaat: het feit dat het een zeldzaamheid
was binnen de Amerikaanse politiek – een kandidatuur die algemeen werd
toegejuicht. 'Ik ben benaderd,' zei ze. 'Het is heel uitzonderlijk om op zo'n
manier benaderd te worden. Het is de aard van de politiek dat je de kans

moet grijpen op het moment wanneer die zich voordoet, of je krijgt die kans nooit weer.'[48] Ze wilde gewild zijn.

Nu was het enige dat er nog gedaan moest worden, het kiezen van een tijd en plaats om haar voornemen zich kandidaat te stellen openbaar te maken. De adviseurs besloten dat senator Moynihans bucolisch gelegen 365 hectare grote landgoed in Pindars Corners het meest geschikt zou zijn. Maar zo'n lancering organiseren bleek nog geen sinecure.

Moynihan kookte innerlijk nog van woede over de omslachtige manier waarop hij erachter was gekomen dat Hillary het op zijn zetel had gemunt. Mandy Grunwald, voormalig naaste medewerker van Moynihan, werd aangesteld als Hillary's handlanger om de gevoelens van de senator te 'sussen'.[49] Ondanks haar poging hem te sussen leek Moynihan echter bepaald niet enthousiast om medewerking te verlenen aan Hillary's kandidatuur. Hij besloot bijvoorbeeld dat de pers niet voorbij een bepaalde boom op zijn erf mocht komen, een besluit dat de verzamelde tv-camera's verhinderde een beeld van zijn huis uit te zenden.

Desalniettemin wandelde Hillary op de warme namiddag van 7 juli met de vertrekkende senator van New York aan haar zijde over een onverharde weg in de richting van een delegatie van meer dan tweehonderd journalisten, van wie sommigen zelfs uit Japan waren overgekomen. Moynihan sprak over Plutarchus' *Parallelle levens*, voor hij ten slotte eenvoudigweg zei: 'Ik denk dat ze gaat winnen.'[50]

Daarna kondigde Hillary aan dat ze een onderzoekscomité had gevormd omwille van haar kandidaatstelling voor de Senaat en een 'Luistertour door New York' zou maken. 'Ik ga ervan uit dat iedereen zich afvraagt: waarom de Senaat? Waarom New York? En waarom ik?'

Stuk voor stuk ter zake doende vragen, gezien het feit dat Hillary nog geen huis in de staat had gekocht. (Later die zomer zou ze een mooie oude Hollandse koloniale boerderij met schuur vinden in Chappaqua, ten noorden van New York City in Westchester County.[51]) Terwijl Hillary het onvermijdelijke vragenrondje pareerde, betrapten een paar journalisten Moynihan erop dat hij een wat ambivalente, misschien zelfs verveelde houding aannam. 'Het was nog altijd bijzonder onaangenaam, zelfs nadat hij was overgehaald haar op zijn boerderij uit te nodigen,' herinnerde Neel Lattimore, Hillary's voormalige perschef, zich. 'Moynihan deed het meer voor de partij dan voor Hillary.'[52]

Voor Hillary was deze dag een rite de passage. Behalve dat ze zich eindelijk zelfstandig kandidaat stelde (Bill was er niet), zag ze het als de eerste bladzij van een nieuw hoofdstuk in haar leven met Bill. Haar besluiten om bij hem te blijven en zich kandidaat te stellen, waren naar haar gevoel innerlijk met elkaar verbonden.

Bill was op zijn beurt ook dankbaar. Onder een wit tentdoek, op een prachtige zomernamiddag in augustus op Martha's Vineyard, bekende hij ten overstaan van een grote groep medewerkers en vrienden dat hij, toen Hillary besloot met hem terug naar Arkansas te gaan in 1973, bang was dat hij haar een feestelijk onthaal van glansrijke carrièremogelijkheden zou ontzeggen. 'Ik was zo bang dat ik haar weg zou halen bij wat haar leven is – de meest begaafde persoon die ik toen ooit had ontmoet,' zei Bill. 'En dus is alles wat ze op het moment doet, precies zoals ik dacht, en komt het het land ten goede... misschien had ze de mogelijkheid om te doen wat ze doet al in 1973 moeten hebben. Ik ben erg blij dat ze het toen niet deed, en erg blij dat ze het nu wel doet.'[53] Ook bekende hij zijn toehoorders dat hij zijn vrouw onlangs had gezegd: 'Twintig jaar lang zijn we gegaan naar waar ik wilde gaan en deden we wat ik wilde doen, en ik zal je de komende twintig jaar geven. En als ik dan nog tijd van leven heb, zullen we strijden om de jaren die ons resten.'[54]

Iemand die erbij aanwezig was zei: 'Haar gelaatsuitdrukking toen hij die woorden uitsprak, was er een van puur geluk, van ware liefde.'[55]

Nu ze zelfstandig buiten moest spelen, struikelde Hillary meer dan eens. Bij een gelegenheid in het najaar van 1999 waarop Bill de New York Yankees in het Witte Huis uitnodigde omdat die zopas wereldkampioen waren geworden, overhandigde manager Joe Torre Hillary een cap van de Yankees. De fan voor het leven liet er geen gras over groeien en zette met een brede grijns de pet op haar hoofd. Veel New Yorkers, met name de roddelbladen, staken de draak met het beeld. Hillary zei destijds dat de Bronx Bombers altijd haar favoriete American League-team waren geweest, en in haar boek beweert ze dat ze ook een fanatiek fan van Mickey Mantle was geweest als kind. Dat mocht waar zijn, maar in een staat waarin haar tegenstander bekendstond als een fanatiek Yankee-supporter, kwam het onecht over.

Daarna, in november 1999, beging Hillary een nog grotere blunder. Tijdens een reis naar Israël woonde ze een bijeenkomst bij als First Lady met Soeha Arafat, de echtgenote van de Palestijnse leider Jasser Arafat. Na de opmerkingen van Soeha Arafat, die suggereerde dat Israël gifgas had gebruikt tegen de Palestijnen, beklom Hillary het podium om te spreken en kuste Soeha Arafat vluchtig op de wang. De joodse gemeenschap in New York was woedend. Hillary beweerde later dat de 'hatelijke opmerkingen' van Soeha Arafat niet correct waren vertaald vanuit het Arabisch in het Engels in haar koptelefoon en keurde de aantijging van mevrouw Arafat later af.[56] Dat buitenkansje liet de New Yorkse pers niet liggen.

Haar reactie was: eenvoudig voort te ploeteren. Hillary hoopte alle 62 districten van New York een bezoek te brengen en zo veel mogelijk kleine groepen kiezers te bereiken, met name vrouwen. Ze reed door de staat in een Ford Conversion Van (de pers noemde het de 'HRC speedwagon') en leefde Bills campagneregels strikt na: schud zo veel mogelijk handen, luister naar zo veel mogelijk mensen, stop nooit met glimlachen of vragen stellen. Hoe beter ze zich wist open te stellen, des te welwillender waren de kiezers. Een realistisch ingestelde en zelfs zichzelf wegcijferende Hillary was niet wat de meeste mensen verwachtten. In de plaatselijke pers werden veel opmerkingen van inwoners van New York aangehaald als dat de First Lady 'net als een van ons' was. Dit aanvankelijke oordeel langs de achterafwegen van provinciaal New York betekende een enorme prestatie voor een vrouw die in Illinois was geboren en het grootste deel van haar volwassen leven in Arkansas had doorgebracht.

Niet lang nadat ze haar nieuwjaarscampagne was begonnen, verscheen Hillary in de talkshow van David Letterman. Ze was zenuwachtig voor het optreden, ze verwachtte dat de cynische Letterman zou proberen haar in verlegenheid te brengen. Letterman vroeg naar het huis in Chappaqua en grapte dat hij zich meteen realiseerde dat 'iedere idioot die er in de buurt woont nu wel luid toeterend voorbij zal rijden'.

'O, was jij dat?' vroeg Hillary.[57] Letterman lachte en het publiek brulde.

De officiële aankondiging van haar voornemen zich kandidaat te stellen, kwam in februari 2000. (Journalisten grapten dat het de vierde keer was dat Hillary haar voornemen bekendmaakte.) Bij deze gelegenheid, in Purchase, New York, liet Hillary Rodham Clinton niet slechts één maar twee van haar namen vallen – vanaf nu was zij op haar campagnebuttons, -folders en -borden simpelweg 'Hillary'.

Die ene naam maakte een belangrijk deel uit van haar strategie om zichzelf niet aan de New Yorkers voor te stellen als de wereldberoemde First Lady maar als vriendin en buurvrouw, die graag wil dat je haar bij haar voornaam kent. 'Wie heeft de formaliteit van een achternaam nodig als je voornaam betrekkelijk ongewoon is en je roem zijn weerga niet kent?' constateerde Beth J. Harpaz, een journaliste van de Associated Press die verslag deed van Hillary's campagne in 2000. 'Elvis, Cher, Madonna, Oprah, en nu hebben we Hillary!'[58]

Een paar weken later was het burgemeester Giuliani's beurt om door de pers te worden aangepakt. Toen een undercoveragent van de New Yorkse politie in maart 2000 de zwarte Patrick Dorismond neerschoot, die aan de gevolgen overleed, veranderde Giuliani's toch al gespannen verhouding met de minderheidsgemeenschap van de stad in een bijzonder geladen campagne-onderdeel, waarvan Hillary en haar adviseurs begrepen dat zij het niet konden laten liggen. Veel burgers in de wijken waar de minderheden wonen, wantrouwden de politie, en nadat Giuliani de justitiedossiers betreffende de jeugd van Dorismond had vrijgegeven en daarmee de reputatie van de dode op het spel had gezet, laaide de woede van de minderheidsgemeenschap die gericht was op de tactieken van de burgemeester nog meer op. Hillary vond de wijze waarop Giuliani de situatie tegemoet trad 'verkeerd' – en dat zei ze ook.[59]

In Harlem sprak Hillary zich in de Bethel A.M.E. Church uit over Giuliani, en bekritiseerde de burgemeester in felle bewoordingen om de wijze waarop hij deze zaak had aangepakt. 'New York heeft een probleem, en dat weten we allemaal,' zei ze. 'Ieder van ons, zo lijkt het, behalve de burgemeester.'[60] De menigte reageerde met algemeen gejuich. Giuliani was razend, en zei dat Hillary en dominee Al Sharpton 'van hetzelfde script lezen. Wat zij proberen, is gebruik maken van een moeilijke situatie om die om te buigen tot een politieke polarisatie die hun goed uitkomt.'[61] Maar Hillary's adviseurs waren ervan overtuigd dat haar optreden in Harlem het omslagpunt in haar campagne betekende – ze geloofde dat ze eindelijk haar politieke stem had gevonden, een die tegelijkertijd onbuigzaam en mededogend was.[62]

Een paar weken nadien verbaasde Giuliani iedereen met de aankondiging dat hij zich terugtrok uit de strijd nadat prostaatkanker bij hem was vastgesteld. Hillary lag op dat moment acht punten voor. Er diende zich een nieuwe Republikeinse kandidaat aan – Rick Lazio van Long Island, een jong Congreslid met een frisse uitstraling.

Die lente, terwijl ze midden in de campagne zat, werd Hillary opgeschrikt door het nieuws dat haar beste vriendin, Diane Blair, longkanker had en dat die was uitgezaaid. Blair was 61 en Hillary's intiemste vertrouwelinge, en Hillary had haar verscheidene malen bezocht in het ziekenhuis in Fayetteville. In juni had Dianes echtgenoot Jim gebeld om Hillary te zeggen dat het bijna afgelopen was. Samen met Bill en Chelsea vloog Hillary naar haar toe. Diane had chemotherapieën ondergaan die haar hadden verzwakt en haar haar hadden doen uitvallen. Maar ze straalde toen Hillary de ziekenhuiskamer binnenkwam om afscheid te nemen.

'Geef nooit datgene op waarvoor je staat en waarin je gelooft,' zei Diane tegen Hillary. 'Zorg goed voor Bill en Chelsea. Ze hebben je nodig. En win deze verkiezing voor mij. Ik wou dat ik erbij kon zijn als het zo ver is. Ik houd van je.'

Met Bill en Chelsea aan Hillary's zijde zei Diane Blair ten slotte: 'Niet vergeten.'

'Wat niet vergeten?' vroeg Bill.

'Gewoon niet vergeten.'[63]

Vijf dagen later stierf Diane Blair. De leegte die ze achterliet in Hillary's leven, is nog altijd reusachtig – ze denkt nog steeds minstens éénmaal per dag aan haar oude vriendin.[64]

Weer thuis begon Hillary zich voor te bereiden op drie debatten die ze met Rick Lazio zou voeren. Ze had een comfortabele voorsprong in de peilingen opgebouwd, ergens tussen de twaalf en vijftien punten. Tijdens het debat in Buffalo op 13 september viel Lazio Hillary aan op de enorme geldbedragen die naar het Democratic National Committee vloeiden, en daagde haar uit tijdens haar campagne alle grote cheques van de Democratische Partij te weigeren. Hillary probeerde te antwoorden, maar Lazio bleef haar in de rede vallen, zwaaiend met een stuk papier dat hij 'New York Freedom from Soft Money Pact' noemde. Hij verliet zijn plek en liep naar Hillary wapperend met het papier, maar Hillary weigerde het te tekenen. Daarop kwam hij zelfs nog dichter bij haar staan, hield het papier onder haar neus en schreeuwde: 'Teken het, teken het hier en nu!'

Hillary bood aan hem de hand te schudden, maar Lazio zei: 'Nee, nee, ik wil je handtekening. Want ik denk dat iedereen zou willen zien hoe je iets tekent waarvan je hebt gezegd een voorstander te zijn. Ik ben ervoor. Ik heb me er niet mee ingelaten. Jij hebt het geschonden. Waarom recht je je rug niet en doe je niets – doe iets belangrijks voor Amerika. Nu Amerika de ogen gericht houdt op New York, zou je enig leiderschap moeten tonen, want het gaat om vertrouwen en karakter.'[65]

Aanvankelijk dachten de meeste 'geleerden' en verslaggevers dat Lazio's agressieve opstelling in de kwestie van de grote geldbedragen hem een klinkende overwinning had bezorgd. Maar veel kijkers, met name vrouwen, waren ontstemd over de extreem agressieve manier waarop Lazio Hillary's fysieke territorium was 'binnengedrongen'.

Lazio kwam er de volgende ochtend achter hoe zijn confrontatie had gewerkt, tijdens een campagnebezoek aan een schoolklas in Rochester. Een zevenjarig meisje keek naar hem op en vroeg: 'Ik zag u op NBC gisteravond. Waarom wilde u met mevrouw Clinton vechten?'[66] Uit een peiling van *The Daily News* bleek dat twee op de drie vrouwelijke kiezers vonden dat Hillary het debat gewonnen had.[67]

Ondanks de negatieve reactie op zijn optreden tijdens het debat de avond tevoren bleef Lazio volharden in het voeren van een voornamelijk negatieve campagne. Hillary vocht terug met scherp commentaar van haar kant, waaronder een opmerking die kenmerkend was voor voormalig burgemeester van New York, Ed Koch, die Lazio berispte met de woorden: 'Rick, stop om te beginnen met dat louche gedoe.'[68] Hoewel Lazio in oktober het gat dichtte met een handvol punten, stevende Hillary af op een overwinning van 55 tegen 43.

Hillary en Bill waren opgetogen. 'Na acht jaar met een titel zonder takenpakket,' zei Hillary, 'was ik nu een "verkozen senator".'[69] De twee termen klonken Hillary als muziek in de oren. De tweede helft van het ambitieuze politieke plan van de Clintons kon beginnen.

# First Woman

'Politiek is moeilijker dan natuurkunde.'

ALBERT EINSTEIN[1]

# 16

# De geheimen van Hillaryland

Een campagnemedewerker van Bill Clinton had in 1992 de bijnaam 'Hillaryland' verzonnen, en het etiket was een passende definitie gebleken voor een belangrijke subcultuur tijdens het presidentschap van Clinton. 'Mijn personeel stelde eer in discretie, trouw en kameraadschap, en we hanteerden onze eigen speciale ethiek,' merkte Hillary op. Bills medewerkers echter 'hadden een neiging tot lekken', volgens haar. 'Hillaryland bezondigde zich daar nooit aan.'[1]

Tegen de tijd dat Hillary aan haar race naar de Senaat begon, was Hillaryland een codewoord voor discipline en toewijding aan de matriarch ervan geworden. Haar volgelingen beschreven 'de cultus die zich om haar heeft gevormd' als wedijverend met een vorige dynastie. 'Sinds Bobby Kennedy heb ik de soort toewijding die aan Hillary wordt betoond, niet meer gezien,' zei een oude Democraat die nogal gek is op Hillary.[2] Maar de macht en het bereik van Hillaryland overschaduwden het rijk dat de Kennedy-clan had opgebouwd. Op dit moment is er geen actieve politieke organisatie die kan tippen aan zo'n diepzinnigheid, discipline en toewijding, volgens medewerkers van de Senaat en politiek analisten.[3] En in veel opzichten vormen de trouw en geheimhouding die Hillary omringen een afspiegeling van het gedisciplineerde en gesloten bolwerk dat president Bush, haar politieke aartsvijand, om zich heen opbouwde.

'Hillaryland ligt qua cultuur dichter bij Bushworld dan bij Bill Clintonland,' merkte een adviseur van de Senaat op. 'Het is meer doordrongen van principes, geconcentreerder. Er is meer discretie. En,' vervolgde de adviseur, 'hoe dichter je in de buurt komt [van Hillary], des te meer trouw er moet worden getoond en steun voor die cultuur. Als je ontrouw bent of indiscreet, zul je een prijs moeten betalen voor die ontrouw. De groep is doordesemd van angst voor vergelding.'[4] Een van de andere getrouwe vrienden van de First Lady verontschuldigde zich toen die gevraagd werd over Hillaryland te praten met de woorden: 'Ze vermoordt me als ze erachter komt dat ik met je praat.'[5]

Vanaf het moment dat ze de Senaat binnenstapte, probeerde Hillary Hillaryland naadloos van het Witte Huis over te hevelen naar het Capitool. Maar de zestien huizenblokken verderop aan Pennsylvania Avenue zouden een grotere overgang betekenen dan ze zich had voorgesteld.

Hillary's loonlijst omvatte aan het begin van haar campagne bijna tweehonderd mensen, van wie ruim twee derde meeliep met de eigenlijke campagne en een derde als stafmedewerker in de Senaat, verspreid over een tiental kantoren in Washington, de staat New York en de rest van het land.[6] Omdat New York een grote staat is, krijgt de senator van zo'n staat meer middelen om meer stafmedewerkers naar behoren te betalen, en Hillary leidt een van de grootste teams binnen de Senaat. (Werkzaamheden voor de Senaat en het werk ten behoeve van politieke campagnes worden, volgens bepalingen van het Congres, gewoonlijk geacht gescheiden te worden behandeld. Dit neemt niet weg dat Hillary's team bij ten minste één gelegenheid in 2007 een officiele e-mailservice van de Senaat gebruikte om Democraten binnen de Senaat uit te nodigen voor een benefietreceptie voor haar kandidaatstelling voor het presidentschap, waarbij zij zowel als Bill acte de présence zou geven.[7]) Naast de mensen die ze in loondienst heeft, consulteert Hillary honderden andere adviseurs, academici, strategen en raadslieden, die stuk voor stuk in de startblokken staan om haar van dienst te zijn op het moment dat zij hen nodig heeft, ook als ze elders een fulltime job hebben.[8]

De belangrijkste raadgever van Hillaryland is natuurlijk Bill, die regelmatig Hillary's stellingen of beweringen toetst om te zien hoe ze werken voordat zij er zelf mee komt. Haar team is onafgebroken in de weer met het uitschrijven van speeches, wetsvoorstellen en politieke verslagen. Bovendien houden zij de media op afstand, werpen begunstigde journalisten een kluif toe en regelen zo nu en dan informele gesprekken met een select aantal vertegenwoordigers van de pers, terwijl ze het strijdlustig opnemen tegen ongeregelde persmuskieten. Ze plannen haar reizen en behandelen duizenden aanvragen. En niet in de laatste plaats vergaren zij enorme geldbedragen – een van de fondsenwervers schatte dat Hillary zo'n 125 miljoen dollar zal hebben vergaard voordat de verkiezingen in januari 2008 van start gaan – om de machinerie draaiende te houden.[9]

Als ze tot president verkozen wordt, zo belooft Hillary, zullen 'geheimhouding en mysterie vervangen worden door openheid'.[10] Maar haar optreden in de Senaat heeft aangetoond wat voor arrogante houding ze aannam ten opzichte van de regels en hoezeer ze neigt naar geheimhouding.[11]

Zo hebben enkele tientallen van haar werknemers, onder de naam 'Congresional Fellows', zes jaar lang als een schaduwteam geopereerd, maar het publiek krijgt daar maar zelden iets over te horen. Dit gevolg van getrouwen is zowel omvangrijker als meer verborgen dan dat van haar collega's, volgens Senaatsmedewerkers en een overzicht van openbare bronnen. Een van de redenen voor deze geheimzinnigheid is dat Hillary er herhaaldelijk niet in slaagde de passende informatie aan de Senaat te verstrekken met betrekking tot een tiental van deze getrouwen. Door deze getrouwen buiten de boeken te houden, heeft Hillary kennelijk de regels van de Senaat overtreden waar die openbaarmaking van tijdelijk ingehuurde krachten verlangen. Daarnaast slaagde ze er niet in te garanderen dat een van haar schaduwteamleden er schriftelijk in toestemde zich aan de regels van de Senaat te houden die betrekking hebben op leden van een permanente staf.[12]

Bezoekers van Capitol Hill krijgen gemakkelijk toegang tot de burelen van de senator van hun staat, door een scherm aan te raken in de muur van het betreffende perceel van de Senaat. Voor Hillary toont het scherm SR476, voor het Senate Russell Office Building, het oudste en meest prestigieuze van de drie kantoorgebouwen van de Senaat.

Elke senator heeft recht op een aantal kantoren. In het Russell Building beschikken de meeste kantoren over negen vertrekken. In het beste geval grenzen de vertrekken aan elkaar. Senatoren van staten met veel inwoners krijgen drie extra kantoren toegewezen.

Russell 476, het voormalige bureel van Moynihan, is gesitueerd op de bovenste verdieping langs de binnenste ring. Om naar de Senaat te gaan om een stem uit te brengen, moet Hillary een bepaalde afstand afleggen voordat ze de lift bereikt die haar naar de begane grond brengt. Daar stapt ze in de oude, handbestuurde ondergrondse pendeldienst die ambtenaren naar en van het Capitool vervoert.

De naglans van Hillary's betrekkelijk vlot verlopen verkiezingscampagne was van korte duur. Kantoorruimte is in de Senaat een van de drie pijlers van de macht – de andere twee zijn geld en mensen. Op Capitol Hill staat of valt alles volgens een oudgediende van de Senaat met onroerend goed.[13]

Verderop in de gang van Hillary is het kantoor gehuisvest van senator Trent Lott, die in 2001 de meerderheidsleider in de Senaat was en, belangrijker nog, de voorzitter van het Senate Rules Committee, de commissie die de stroom van wetsvoorstellen in de Senaat reguleert. Lott had zijn zinnen niet alleen gezet op de burelen die aan die van Hillary grensden, maar ook op een nabijgelegen ruime hoekkamer die als senator Moynihans postkamer had gefunctioneerd en die Hillary hoopte te erven als onderdeel van haar kantoor.[14]

Meteen nadat Hillary verkozen was, had Lott gewaarschuwd voor de zware tijd die haar te wachten stond. 'Als die Hillary naar de Senaat komt – áls ze dat doet, misschien slaat de bliksem in en komt er niets van terecht – zal ze een van de honderd zijn,' zei Lott in Mississippi na haar verkiezingsoverwinning, 'en we zullen haar dat inpeperen ook.'[15]

Dat deed hij. 'Hillary werd onder druk gezet,' herinnerde een ambtenaar van de Senaat zich. 'Het zag er een tijdje naar uit dat ze zou moeten verkassen.'[16] Wanhopig wendde Hillary zich tot senator Christopher Dodd, de hoogst gepositioneerde Democraat in het Rules Committee, die Lott onder druk zette – er werd een compromis bereikt waarbij Hillary de voormalige postkamer behield en Lott een paar kamers kreeg grenzend aan die van Hillary. Om het haar toegewezen deel aan te vullen, legde Hillary beslag op een paar ruimten om de hoek van haar hoofdkantoor.[17]

Terwijl Hillary zich installeerde in haar nieuwe behuizing, installeerde Karl Rove, de belangrijkste adviseur van president Bush, zich in de West Wing, die Hillary als First Lady had gebruikt. Rove maakte zich later vrolijk over de levensgrote kapspiegel die hij in zijn nieuwe behuizing in het Witte Huis had aangetroffen.[18] Toen Hillary hem een paar dagen later tegen het lijf liep, hield ze vol dat zij de spiegel daar niet had opgehangen.[19] Rove diste het verhaal desondanks een paar weken later weer op.[20] Hij beweerde nooit expliciet dat Hillary verantwoordelijk was geweest voor de spiegel, maar als Rove probeerde Hillary op de kast te krijgen of te laten toehappen, was dat effectief. Toen ze hem opnieuw tegenkwam, ditmaal bij een halte van de pendeltrein van Capitol Hill, zei ze doordringend: 'Ik heb je gezegd dat ik de spiegel daar niet heb opgehangen.'[21]

Terwijl Hillary vocht om kantoorruimte in de Senaat, was ze ook op zoek naar een huis in het district Colombia. Een aantal senatoren leidt een spartaans leven in Washington. Ze hebben krappe huurhuizen waar ze soms samen met collega-wetgevers leven. Hillary besloot het anders op te lossen. In veel opzichten zou haar behuizing in Washington de belangrijkste locatie van Hillaryland worden, waar in de avonduren geld kon worden gegenereerd en getrouwen in de weekenden op hun gemak aan brainstormsessies konden deelnemen.

Om een geschikt huis te kunnen kopen, zou ze echter wel een paar miljoen dollar moeten investeren. Zij en Bill hadden hun financiën al tot op de bodem aangesproken door 1,7 miljoen dollar neer te tellen voor hun huis in Chappaqua, een eerste vereiste voor haar kandidaatstelling in New York. Bill stond natuurlijk op het punt veel geld te verdienen: binnen een paar jaar zou hij jaarlijks zo'n tien tot vijftien miljoen dollar verdienen met speeches en werk als adviseur voor twee bedrijven.²² Maar in het begin van 2001 zaten de twee nog opgescheept met aanzienlijke juridische schulden van meer dan vijf miljoen dollar.²³

Op 2 januari van dat jaar tekende Hillary een contract voor een boek waarin ze haar verhaal zou vertellen. Ze kreeg een voorschot van acht miljoen dollar uitbetaald van Simon & Schuster.²⁴ Twee weken na het afsluiten van het contract legden Hillary en Bill een bedrag van 2,85 miljoen dollar neer voor een bakstenen huis in koloniale stijl in het noordwesten van Washington. Het huis, vlak bij de Britse ambassade, heet naar de doodlopende weg waaraan het staat: Whitehaven.²⁵ Later zou Hillary meer dan een miljoen dollar besteden aan de verbouwing ervan, waarbij een lift werd geïnstalleerd, een nieuw huis bij het zwembad gebouwd en de woning werd uitgebreid van 580 naar 670 vierkante meter. De lift wordt vooral gebruikt door de enige permanente bewoner van Whitehaven, Hillary's moeder Dorothy.

Tegen het einde van 2006 deed Whitehaven dienst als een drukbezochte salon voor de presidentsverkiezingen. Meteen na haar overweldigende tweede verkiezingsoverwinning voor de Senaat ontving Hillary ambtenaren en politiek leiders van New Hampshire en Iowa tijdens verschillende diners bij haar thuis. (De video van een ontspannen Hillary die haar kandidatuur voor de presidentsverkiezingen aankondigt in januari 2007, werd geschoten op de veranda van Whitehaven.²⁶)

De resultaten van de fondsenwerving op Whitehaven worden niet publiek gemaakt. Bezoekers wordt aan de ingang gevraagd hun tassen, camera's en mobiele telefoons af te geven – foto's worden genomen door een daartoe aangestelde fotograaf. Voor bijeenkomsten die een nog geheimer karakter hebben, maakt Hillary gebruik van nabijgelegen huizen van vrienden, hetgeen de onzichtbaarheid van Hillaryland verhoogt.²⁷ In Cleveland Park in Washington, dat niet ver verwijderd is van Whitehaven, staat het huis van Evelyn Lieberman, die, als medewerker in het Witte Huis tijdens Clintons presidentschap, 'zeer nadrukkelijk aanwezig was in Hillaryland, waar zij zich bemoeide met transacties en logistiek'.²⁸ In 2006 woonde Hillary zo nu en dan strategische bijeenkomsten bij in Liebermans huis,²⁹ en begin 2007 kwamen voormalige regeringsmedewerkers van Clinton er samen om Hillary's campagne voor de presidentsverkiezingen te bespreken kort voordat ze officieel aankondigde dat ze eraan meedeed.³⁰

Hillary heeft andere creatieve oplossingen gevonden om haar toch al aanzienlijke imago op te waarderen en er tegelijkertijd steun aan te ontlenen. In 2003 lanceerde ze het idee om een kleine non-profitorganisatie in het leven te roepen met als doel de werkgelegenheid in New York te vergroten, vooral in de provincie. Deze afdeling van Hillaryland was gevestigd in New York en stond onder leiding van Altman, die onderminister van Financiën was geweest in de regering-Clinton en doorgestroomd was naar het voorzitterschap van de investeringsbank Evercore Partners. Begin 2006 stelde Altman in het geheim een groep experts in energiebeleid samen, die afkomstig waren uit de universitaire wereld, van investeringsbanken en denktanks, om een uitgebreid rapport samen te stellen en dat persoonlijk aan Hillary te presenteren.[31] Senatoren laten zich gewoonlijk adviseren en van informatie voorzien door buitenstaanders. Maar het is ongebruikelijk gebruik te maken van een geheime groep met een speciale opdracht: leden van Hillary's groep zeggen dat hun werd gevraagd niet te reppen van hun betrokkenheid en ze werden ervan verzekerd dat ze niet publiekelijk met haar zouden worden geïdentificeerd.[32]

Hillary maakte publiekelijk het bestaan van een andere groep adviseurs bekend, een semipermanente commissie van New Yorkse landbouwexperts. De totstandkoming van dit panel voerde deels terug op een geheimgehouden besluit van de staf dat leidde tot Hillary's duidelijke overtreding van de regels van de Senaat.

De geschiedenis begint in de zomer van 2001, toen Hillary op zoek was naar een manier om een leemte in de expertise van haar staf op te vullen. Er was niemand onder haar personeel in Washington die kaas gegeten had van landbouw.[33] De nood was hoog: er stond een zeer ingrijpend wetsontwerp op stapel met vergaande gevolgen voor landbouwers.

Die zomer zocht Hillary tijdens een gesprek hulp bij Susan Henry, het hoofd van het College of Agriculture en Life Sciences van Cornell University. Om precies te zijn, Hillary stelde 'dat zij de expertise op het gebied van landbouw van haarzelf en die van haar staf wenste te vergroten', zodat ze 'sneller en beter zou begrijpen waar de agrarische belangen van de staat New York precies lagen'.[34] Dit alles met het oog op het aanstaande debat over de nieuwe landbouwwet. Een paar weken later stelde Henry haar voor aan Lee Telega, een staflid van Cornell University met een lange staat van dienst, betrokken bij een groot zuivelproject voor de staat en parttime-lobbyist in Albany, de hoofdstad van de staat New York. Telega was gekozen om voor Cornell University bij de regering te lobbyen.[35]

Telega huurde een appartement in Washington voor een afgebakende periode van een halfjaar als een van Hillary's Congressional Fellows – Cornell University betaalde zijn salaris door en nam een groot deel van zijn onkosten voor zijn 'speciale opdracht' voor haar rekening.[36] De samenwerking bleek voor beide partijen, zowel Hillary als de universiteit, voordelig. 'Cornell

University had er natuurlijk belang bij dat er een senator was die begreep wat er onder de boeren in het noordoosten speelde,' zei een van Hillary's 'fellows', en voegde eraan toe dat het 'heel belangrijk voor ons' was, omdat Cornell een van de grootste landbouwuniversiteiten van het land is en een universiteit die op publieke grond staat die door de staat aan de universiteit is gedoneerd.[37]

Dit soort historische grondschenkingen vormden niet de enige privileges van de regering waar Cornell University van afhankelijk was. De universiteit ontvangt al sinds jaar en dag talrijke subsidies voor onderzoek.[38] Net als boerenbedrijven in het noordoosten voer Cornell University wel bij de landbouwwet van 2002. Sterker, de jaarlijkse toekenningen van het ministerie van Landbouw namen toe met bijna veertig procent tussen 2002 en 2005, waaronder fondsen voor nieuwe projecten die voortkwamen uit de nieuwe wetgeving.[39] Hillary was geen lid van de Landbouwcommissie van de Senaat. Maar ze steunde de wet, lobbyde actief voor collega-senatoren als het ging om subsidies die van belang waren voor New York (en Cornell University), waaronder projecten voor natuurbehoud, en zei dat zij en anderen 'hard vochten' om grotere financiële steun voor deze projecten.[40]

Ook Hillary deed haar voordeel met de regeling, nu ze de beschikking had over een expert op zo'n belangrijk terrein die haar niets kostte. Telega schreef memo's, bewerkte bronnen binnen het ministerie van Landbouw, sprak persoonlijk af met Hillary en haar staf, vertegenwoordigde senator Clinton bij overleg met andere leden van het Congres, reikte hem bekende agrariërs de helpende hand en genoot speciale privileges binnen de Senaat vanaf de dag dat het wetsvoorstel was aanvaard.[41]

Hillary's kring van landbouwadviseurs groeide snel vanaf het moment dat de groep in het leven was geroepen in 2001 – Telega speelde een sleutelrol in de keuze van de leden, onder wie Dean Henry en een aantal ambtenaren en alumni van Cornell University.[42] 'Er is geen sprake van belangenverstrengeling wanneer een instituut als Cornell een collega binnen het Senaatsgebouw detacheert,' verklaarde Telega. 'Senator Clinton zei me tijdens een van onze eerste gesprekken dat "het jouw taak is zeker te stellen dat de staat New York profiteert van de landbouwwet".'[43]

Maar het is niet aan een senator of 'fellow' om te bepalen in hoeverre er sprake is van belangenverstrengeling. Het onderzoek daarnaar ligt in handen van Ethische Commissie van de Senaat. Senatoren wordt geadviseerd contact op te nemen met dit comité voordat ze overgaan tot het aanwenden van de diensten van een fellow, omdat, naar de gewoonte van de commissie, 'elk geval van samenwerking moet worden geanalyseerd op basis van het specifieke geval' op mogelijke belangenverstrengeling.[44]

De commissie verwacht bovendien dat senatoren een rapport uitbrengen wanneer zij gebruikmaken van een persoon die betaald werk verricht gedurende een periode langer dan vier weken.[45] (Slechts ongeveer de helft van de Senaatsleden maakt gebruik van fellows, al was het maar omdat het onmogelijk is dergelijke hulp in te roepen zonder de benodigde kantoorruimte.[46]) Het formulier, 'Supervisor's Report on Individuals Who Perform Senate Services', wordt ondertekend door het afdelingshoofd (doorgaans de senator) en de werknemer. Het rapport vermeldt de datum waarop de werknemer zijn werkzaamheden aanvangt en de bron en omvang van betaling. Daarna moet elke drie maanden een nieuw rapport worden aangeboden, als ook een ontbindingsrapport.[47] Om onbekende redenen heeft noch Hillary noch haar kantoor ooit een dergelijk rapport over Telega's dienstverband ingediend.[48]

Een andere regel is van kracht wanneer senatoren gebruik maken van de fulltime diensten van ongeacht welke persoon, fellows inbegrepen, die langer dan negentig dagen werkt, ook al is dat onbezoldigd. Deze regel luidt dat 'een senator geen gebruik mag maken van de fulltimediensten van een persoon langer dan negentig dagen [binnen een kalenderjaar], tenzij [deze persoon] ermee instemt een verzoek in te dienen aan de Senate Code of Official Conduct met dezelfde strekking en onder dezelfde voorwaarden als die van een werknemer van de Senaat'.[49] Hillary en Telega hebben geen van beiden ooit een dergelijke overeenkomst gesloten, ingevuld door de senator en ondertekend door beide partijen.[50]

Als gevolg van deze nalatigheden waren de buitenwereld en de Ethische Commissie van de Senaat niet op de hoogte van Telega's rol.[51] En zijn geval stond niet op zichzelf: enkele tientallen fellows werkten voor Hillary gedurende haar eerste termijn, onder wie twee anderen van Cornell University. Sommigen werkten gedurende een kortere periode dan anderen, enkelen bleven permanent in dienst. De specialismes van hun werkzaamheden zijn heel divers: die variëren van militaire en nationale veiligheidsdiensten tot gezondheidszorg, ouderenzorg, het milieu, stamcelonderzoek en andere binnenlandse zaken. Hun taken omvatten het schrijven van speeches, het verrichten van onderzoek, het opstellen van wetsontwerpen, het regelen en afhandelen van meetings met lobbyisten en afgevaardigden, het plaatsvervangend waarnemen van senator Clinton tijdens publieke bijeenkomsten en het voorbereiden van gespreksonderwerpen voor Hillary.[52] 'Deze fellows zijn onbezoldigde krachten,' zei de organisator van een project die zo'n medewerker aan Hillary leverde. Zij 'vergroten de capaciteit van de organisatie', met name 'gelet op de presidentsverkiezingen'.[53]

Maar tijdens haar eerste termijn als senator schreef Hillary slechts één rapport over haar fulltime fellows – en zelfs dat rapport, in 2003, was niet toereikend, omdat ze nooit de benodigde documenten erbij leverde, ook al stond er in het door haar getekende rapport zwart op wit vermeld dat die verplicht waren.[54] Dit betekent dat Hillary zich wel bewust was van de eraan verbonden eisen.[55] (Fellows worden niet geacht de regels op eigen houtje na te trekken.) Maar telkens opnieuw nam ze niet de moeite.

Totdat eind maart 2007 Hillary en zes van haar medewerkers plotseling – en in de meeste gevallen te laat – de aanvragen indienen om te voldoen aan de regels van de Senate Code of Conduct en de oorspronkelijke controlerapporten.[56] De dossiers verschenen nadat er vragen waren gerezen bij een sponsor van enkele van haar toenmalige medewerkers. Dit neemt niet weg dat Hillary nog altijd de benodigde rapporten niet indiende, voor geen van de zes medewerkers.[57]

Onbekendheid met de regels zou zeker een mogelijk excuus kunnen zijn, zij het een zwak excuus: senatoren en werknemers van de Senaat worden regelmatig op de hoogte gesteld door de Ethische Commissie van de Senaat, dus 'iedereen zou kennis kunnen hebben' van de regels.[58] Maar de commissie beschikt niet over een goed functionerende boekhouding noch over de middelen om op zoek te gaan naar ontbrekende rapportage – ze ontvangt en archiveert de rapporten, meer niet. De lakse handhaving van de regels van de commissie is al eens onder vuur genomen, onder meer door senator Barack Obama van Illinois, die voorstelde een onafhankelijk onderzoek in te stellen naar het gedrag en de werkwijze van de leden. De meeste senatoren, onder wie Hillary, zijn tegen dit voorstel gekant.

De soepele controle op de regels door de Ethische Commissie van de Senaat maakt het lastig vast te stellen hoeveel rapporten over haar medewerkers Hillary had moeten indienen. (Het aantal is afhankelijk van de duur van hun werkzaamheden en of zij er een vergoeding voor hebben gekregen.) Dit neemt niet weg dat zij in een periode van zes jaar verzuimd lijkt te hebben enkele tientallen rapporten in te dienen over ten minste een dozijn medewerkers. In acht gevallen maakte Hillary gebruik van medewerkers van dezelfde organisatie die gesponsorde medewerkers leverde aan andere senatoren – maar terwijl die andere senatoren wel correct rapport uitbrachten, deed Hillary dat niet.[59] In vier gevallen werkten mensen van andere sponsors lang genoeg voor Hillary om onder de rapporteringsregeling te vallen.[60]

Ze mag zich dan respectvol hebben opgesteld waar het zaken van territorium en anciënniteit betreft, maar Hillary's verzuim over deze medewerkers te rapporteren, lijkt op z'n best slordig en in het ergste geval nalatig. Een expert op het gebied van ethiek binnen de Senaat merkte op dat de wijze waarop Hillary met haar medewerkers omgaat, 'anders dan die van welke senator ook' was. Doorgaans opereerde haar afdeling volgens hem in de overtuiging dat 'wij kunnen doen wat we moeten doen'.[61] Haar verzuim rapporten op te stellen over haar medewerkers toont iets aan wat de politieke en professionele carrières van Hillary Clinton al veel langer zo ingewikkeld heeft gemaakt: een onderliggend idee dat zij de regels van het spel bepaalt.

# 17

# De langste dag

Op een zonovergoten septemberochtend verliet Hillary Rodham Clinton haar neo-Georgian herenhuis in Washington om de twintig minuten durende rit naar Capitol Hill te maken. Na acht maanden werken in haar eerste baan als verkozen functionaris moest Hillary nog altijd wennen aan de gemoedelijke gangen en eigenaardige gewoonten binnen de Amerikaanse Senaat. Ze had zelfs nog nauwelijks tijd gehad zich in haar huis van 2,85 miljoen dollar te settelen. Welbeschouwd had ze de Senaat met grote belangstelling geobserveerd tijdens de acht jaar die ze had doorgebracht in het Witte Huis – gewend raken aan een huis dat niet gesitueerd was op Pennsylvania Avenue, was een uitdaging.

Keurig gekleed in een zwart broekpak en een hemelsblauwe blouse keek de nieuwbakken senator uit New York uit naar het bijwonen van een hoorzitting over onderwijs die ochtend. Het was een onderwerp waar ze net zo veel verstand van had als welke senator dan ook, maar er zou ook een forum zijn dat beloofde haar sterke kanten te accentueren.

Voordat ze in haar zwarte Suburban stapte die voor haar klaarstond op de oprijlaan, hoorde Hillary het nieuws: er was een vliegtuig de noordelijke toren van het World Trade Center in gevlogen. Zoals de meeste Amerikanen dachten toen ze dat eerste bericht hoorden, nam Hillary aan dat het een 'verschrikkelijk ongeluk' was.[1] Ze nam plaats en terwijl de chauffeur de wagen door het verkeer van het noordwesten van Washington loodste, klonk op de radio het bericht dat een tweede vliegtuig de zuidelijke toren van het WTC was ingevlogen.

Ze begreep dat dit geen ongeluk was.

Het eerste dat Hillary te binnen schoot, was dat ze ervan moest vergewissen dat Chelsea veilig was. Chelsea woonde in Manhattan, waar ze als adviseur werkte, en Hillary wist dat ze die ochtend vroeg van plan was te gaan joggen rondom Battery Park en daarna ergens koffie te gaan drinken, wat ze soms deed in de buurt van de Twin Towers. Met bonzend hart tikte Hillary Chelsea's nummer in, maar door de plotselinge stortvloed van telefoongesprekken was het mobiele netwerk van Manhattan gecrasht.

Hoogstwaarschijnlijk was Chelsea in veiligheid, maar Hillary bleef zich voortdurend het ergste voorstellen.[2]

Vervolgens belde Hillary haar echtgenoot. De tweeënveertigste president van de Verenigde Staten bevond zich aan de andere kant van de wereld, in Australië, om een lezing te geven. Toen de telefoon van Bill Clinton ging, was het kort voor middernacht lokale tijd en zat hij in zijn hotelkamer naar de livebeelden van het brandende WTC te kijken. Het eerste dat hij Hillary vroeg, was of Chelsea oké was.

Hillary aarzelde. Hoe zou ze hem moeten vertellen dat ze geen idee had of hun dochter in veiligheid was?

'Alles is goed,' jokte Hillary. 'Maak je geen zorgen.'[3]

Op dat moment probeerde Chelsea wanhopig haar moeder te bellen vanuit een appartement van een van haar vrienden in de buurt van Union Square in Manhattan. Toevallig had Chelsea besloten die ochtend niet te gaan joggen. Nadat een kennis belde met het afschuwelijke nieuws van de eerste crash, had Chelsea de livebeelden op tv gezien van het tweede vliegtuig dat zich in het WTC boorde. Elke keer dat ze haar moeder belde, werd de verbinding verbroken. Verbijsterd door de tv-beelden was Chelsea het appartement uit gelopen. Meteen zag ze honderden mensen uit het undergroundstation van Union Square komen rennen. Iedereen leek zich naar het noorden te spoeden, weg van de aangevallen zuidelijke punt van Manhattan, maar Chelsea begon naar het zuiden te rennen, tegen de massa in, op zoek naar een telefooncel om haar moeder en vader te bellen.

Ik ga dood, dacht Chelsea. Op een of andere manier herinnerden de instortende torens haar aan 'Humpty Dumpty'. Het is net alsof de wereld gaat vallen, net als Humpty Dumpty, dacht ze.

Nadat ze was gestopt met rennen, begon ze te bidden, voor Amerika en New York City. Ze sprak ook een gebed uit voor de leiders van het land – president George W. Bush, de burgemeester Rudolph Giuliani van New York en, natuurlijk, haar moeder. 'Ik dankte God dat mijn moeder een senator was die New York vertegenwoordigde,' herinnerde Chelsea zich later, 'en dat Rudy Giuliani onze burgemeester was.'[4]

Tegen de tijd dat Hillary op Capitol Hill arriveerde, had ze nog altijd Chelsea niet gesproken. Samen met hun stafleden kropen Hillary en de meeste andere senatoren rond hun televisietoestellen en keken naar de afschuwelijke beelden. Om 9.37 uur crashte een derde gekaapt vliegtuig in het Pentagon, net buiten Washington D.C. De meeste senatoren, onder wie Hillary, werden ten slotte uit de Senaatsgebouwen geëvacueerd.

Hillary en enkelen van haar collega's werden haastig naar het hoofdkwartier van de Capitol Police gebracht, een oud, zes verdiepingen tellend gebouw, enkele blokken verwijderd van het Capitool. Er klonken berichten dat een ander gekaapt vliegtuig op weg was naar Washington – volgens sommigen zou dat Capitol Hill of het Witte Huis tot doel hebben. Te midden van de wervelende chaos hoorde Hillary haar telefoon overgaan en nam snel op. Het was Chelsea. Haar dochter was veilig. Bij het horen van de stem van haar moeder schoten Chelsea de tranen in de ogen.[5]

In minder dan zestig minuten waren de belangen van Amerika veranderd, en daarmee die van Hillary. De economie, het budget, de belastingverlaging, het onderwijs, de gezondheidszorg, het stamcelonderzoek – geen van deze zaken leek er nog toe te doen. Hillary wist dat buitenlandse politiek en terreurbestrijding, terreinen waarop ze betrekkelijk weinig ervaring had, nu boven aan de agenda zouden staan. Als debuterend senator had Hillary plekken veroverd binnen commissies die zich bezighielden met een keur aan vertrouwde binnenlandse aangelegenheden, zoals onderwijs en gezondheidszorg. Ze was opgetogen over haar benoemingen, omdat die haar in de gelegenheid stelden 'het werk dat ik al meer dan dertig jaar verricht ten behoeve van kinderen en gezinnen, te kunnen voortzetten'.[6] Die benoemingen waren nu heel wat minder gewichtig voor een senator van een staat die zojuist de ergste aanval te verduren had gekregen sinds de Burgeroorlog.

Hillary wendde zich tot haar echtgenoot om raad. Bijna dertig jaar lang hadden Bill en Hillary zich tot elkaar gewend om advies of steun, vooral in tijden van politieke crisis. Ditmaal, nu niet minder dan de nationale veiligheid op het spel stond, wist Hillary instinctmatig dat ze de steun van Bill meer dan ooit nodig zou hebben. 'Die septemberochtend veranderde mij en wat mij te doen stond als senator, als New Yorker en als Amerikaanse,' zou Hillary later schrijven.[7]

Na Chelsea gesproken te hebben, belde Hillary Bill een tweede maal om hem ervan te verzekeren dat hun dochter ongedeerd was. Daarna begonnen zij die dag het eerste van vele lange gesprekken over het verleden en de toekomst – en welke strategie ze moesten aanwenden om met beide om te gaan. Bill herinnerde zich twee dagen later dat hij 'diverse malen, de hele nacht' met haar gesproken had.[8] Ze was niet zomaar een senator van New York, ze was een vrouwelijke senator met presidentiële ambities. Zowel Bill als Hillary begreep intuïtief dat een vrouwelijke kandidaat na 11 september niet alleen beoordeeld zou worden naar stoere praat aangaande de 'strijd tegen de terreur', maar ook naar de beslissingen die ze nam.[9]

Haar echtgenoot was niet de enige presidentiële raadgever op deze langste dag. Die middag sprak ze samen met collega-senator van New York Charles Schumer over de telefoon met president George W. Bush, die zich in een ondergrondse bunker bevond in de Offutt Air Force-basis bij Omaha, Nebraska. De president beloofde beiden dat hij 'al het mogelijke' in het werk zou stellen om 'de hulp en het herstel te bevorderen en wat er de komende jaren moet gebeuren', herinnerde Schumer zich.[10]

Enkele uren later verscheen Hillary live op CNN, vlak voordat Bush de natie toesprak vanuit de Oval Office. 'We staan gezamenlijk achter de president,' zei ze. 'Dit is een aanval op Amerika en we zullen de president steunen bij elke stap die hij zet. We mogen ons niet laten afschrikken door deze kwaadaardige daden. We zullen de president steunen.'[11]

Vroeg in de avond, terwijl de zon langzaam begon te zakken achter de hoge bomen die het terrein van Capitol Hill omringden, verzamelden zich zevenhonderd senatoren en leden van het Huis op de trappen van het Capitool aan de oostzijde. De voorzitter van het Huis, Dennis Hastert, en meerderheidsleider in de Senaat Tom Daschle spraken enkele woorden. Er werd een moment van stilte in acht genomen voor de duizenden slachtoffers en vermiste reddingswerkers. Daarna, terwijl een televisiecamera live de grimmige en trieste gelaatsuitdrukkingen van de nog altijd verbijsterde regeringslieden scande, begonnen ze 'God Bless America' te zingen. Het lied werd spontaan ingezet, maar iedere senator en afgevaardigde zong al snel luid en helder mee. De liedtekst van Irving Berlin leek nooit schrijnender en toepasselijker te zijn geweest:

> *God bless America, land that I love*
> *Stand beside her, and guide her*
> *Through the night with the light from above.*[12]

Ten minste één camera bleef een moment op de zingende Hillary gericht. Haar ogen glommen van de tranen.

De volgende dag waren de reddingswerkers nog altijd bezig met het weghalen van de lijken uit het Pentagon, waar de verschroeiende inslag van American Airlines vlucht 77 het westelijk gedeelte van de militaire vesting in een ruïne had veranderd. In New York City doorsneed een gigantische zuil grijze rook de lucht, als om de satellieten duidelijk te maken welke verschrikkingen zich daar beneden hadden afgespeeld. Geschokt en gemeenschappelijk rouwend worstelden de Amerikanen om de gruwel van het gebeurde te vatten, terwijl hun leiders probeerden uit te zoeken hoe erop te reageren.

Hillary en Bill wisten allebei dat een kwetsbaar publiek behoefte had aan openbaar leiderschap dat een standvastig besluit nam. Al op 11 september had Bill er bij Hillary op aangedrongen dat ze een krachtige uitspraak moest doen om te laten zien dat ze de taaiheid bezat om Amerika te helpen een lange strijd aan te binden met een duistere vijand.[13] De volgende dag nam Hillary het advies van haar echtgenoot ter harte, toen ze in de Senaat een vlammend en geëmotioneerd pleidooi hield om de wapens op te nemen. Ze beschreef de aanvallen op het WTC en het Pentagon als 'een aanval op Amerika' en riep op tot snelle en harde afstraffing van de terroristen die de zelfmoordkaping hadden georganiseerd. Haar retoriek was duidelijk gespierder dan die van sommigen van haar Democratische collega's. Op een zeker moment zwoer ze dat elk land dat ervoor kiest terroristen te huisvesten en 'op welke manier dan ook hun hulp biedt of steun verleent, nu met de toorn van ons land te maken krijgt'.[14] Dergelijke uitspraken vielen op in het Witte Huis van Bush. 'We waren onder de indruk toen,' zei een van de regeringsmedewerkers van Bush, 'door hoe hard [haar speech] klonk en hoezeer ze onze politiek steunde.'[15] In een inmiddels befaamde speech van Bush voor het Congres acht dagen nadien klonk een echo door van Hillary's bedreiging.

En toch was het voor Hillary, van wie sommigen van haar vrienden zeggen dat het de taaiste persoon is die ze kennen, een enorme uitdaging zich zo onbuigzaam te presenteren. Haar gebrek aan expertise in terreurbestrijding maakte de zaak er niet eenvoudiger op. In de acht maanden die aan 11 september voorafgingen, was de nieuwe senator goed geweest voor bijna tweehonderd toespraken, perscommuniqués en verklaringen, maar geen daarvan ging over terreurbestrijding.[16] Haar staf ontbrak het aan de juiste vergunningen om inzage te hebben in de meest gevoelige stukken van de nationale veiligheidsdienst.[17] En terwijl haar echtgenoot haar krachtigste bondgenoot was – niet alleen vanwege zijn ervaring maar ook vanwege zijn schranderheid en politiek inzicht –, puur politiek gezien zouden de gebeurtenissen op 11 september Bill en Hillary zonder twijfel blootstellen aan een nieuwe reeks aanvallen op zijn presidentschap. Gezien haar positie was het onvermijdelijk dat de verdediging van de erfenis van Bill allereerst op het bord van Hillary terecht zou komen.

Plotseling zag ze zich geconfronteerd met de prangende vraag die alle andere oversteeg: hoe kon zij als voormalig First Lady de regering-Clinton verdedigen tegen de onontkoombare aanvallen die deze te verduren zou krijgen omdat die niet alles in het werk had gesteld om een aanval tegen Amerika te voorkomen?

Hillary verliet die middag Capitol Hill om met haar getrouwe medewerkers naar LaGuardia Airport te vliegen. Op de vlucht werd ze vergezeld door Joseph Allbaugh, een trouwe bondgenoot van president Bush en directeur van de Federal Emergency and Management Administration, en Schumer, wiens gecompliceerde relatie met Hillary de komende dagen op de proef zou worden gesteld. Van LaGuardia vloog het drietal in een helikopter over Ground Zero.[18] De aanblik was onthutsend en afschuwelijk: daar waar eens de gebouwen zich hadden verheven, waren nu puin en rook en de geesten van duizenden onschuldigen.

Hillary en Schumer spraken later met Giuliani, de gouverneur van New York, George Pataki, brandweerlieden, medewerkers van de Federal Emergency Management Agency en honderden andere Amerikanen die nog altijd trachtten mensen te redden uit de smeulende hel. Hillary sprak op Ground Zero verscheidene uren met Pataki en Giuliani. 'Dat was menselijk gesproken een van de meest vruchtbare ervaringen die ik ooit heb gehad,' zei Hillary twee weken later. 'We hebben echt een band opgebouwd. Ik weet niet hoe ik het anders moet omschrijven.'[19]

Hierna staken Hillary en Schumer de koppen bij elkaar. Ze waren het eens dat een eerste verzoek aan de regering-Bush om twintig miljard dollar opzij te zetten als noodfonds voor de federale hulpverlening aan New York, Washington en Pennsylvania, maar nauwelijks voldoende was. Ze wilden dat het totale pakket werd verdubbeld tot veertig miljard, waarvan de helft naar New York moest. De extra twintig miljard voor New York was uit de lucht gegrepen, zeiden medewerkers van beide senatoren. 'Als [de regering-Bush] twintig miljard zou besteden om de [war on terror] te financieren, nam ik aan dat ze ook twintig miljard zouden kunnen investeren in de wederopbouw van de stad – en dit bedrag is net zo goed als eender welk ander bedrag,' legde Hillary later uit.[20]

De volgende middag keerden beide senatoren terug naar Washington om een onderhoud te hebben met president Bush in de Oval Office. 'We staan achter u,' zei Hillary tegen de president. 'We staan onverdeeld achter u in het Congres en als volk.' Schumer vroeg Bush nadrukkelijk of hij bereid was de federale steun te verhogen met twintig miljard voor New York City.

'Dat is bij dezen geregeld,' antwoordde de president zonder aarzelen.[21]

De vrijgevigheid van Bush' ogenblikkelijke goedkeuring verbijsterde iedereen in de Oval Office. Hillary zou het zich later herinneren als 'werkelijk een van de meest emotionele momenten die ik me kan herinneren'.[22] En ze voegde eraan toe: 'Ik ben heel wat keren in die kamer geweest en ik begrijp de macht van het presidentschap om uitkomst te bieden in tijden van grote nood.'[23] (In werkelijkheid was Bush' snelle reactie op het verzoek minder spontaan dan het op dat moment leek. Voorafgaand aan het onderhoud was de president al geïnformeerd over het verzoek en nadat hij zichzelf ervan had overtuigd dat het redelijk was, gaf hij groen licht aan zijn medewerkers.[24] 'We werden vooraf gewaarschuwd,' zei een oudgediende van het Witte Huis.)

In een geëmotioneerde roes verliet Hillary de bijeenkomst en zei tegen verslaggevers op het gazon van het Witte Huis dat ze president Bush 'nog lange tijd' zou steunen.[25]

Op dat ogenblik was het niet makkelijk iemand te vinden die de president niet steunde. Maar voor Hillary betekende haar omhelzing van zijn presidentschap iets heel bijzonders. Toen ze voor het eerst in de Senaat kwam, had ze al snel geconcludeerd dat Bush en de oudgedienden in zijn regering samen met hun medestanders binnen het Congres 'elk beschikbaar machtsmiddel aanwendden om de economische, sociale en globale vooruitgang die er geboekt werd tijdens de regering van mijn echtgenoot, teniet te doen'.[26]

'Ik geef toe dat ik dat niet helemaal goed inschatte omdat ik ervan overtuigd ben dat mijn echtgenoot een heel goede president was, die ons volk goed voorbereid op de toekomst achterliet,' herinnert Hillary zich in haar autobiografie. 'Al snel begreep ik echter dat de doelstelling niet zozeer het ondermijnen van Bills werk van acht jaar was, maar dat het ging om het ontmantelen van decennialang beleid, beschermingsmaatregelen en mogelijkheden die het grootste deel van de Amerikaanse middenklasse in eigen land had opgebouwd en met betrouwbare buitenlandse contacten.'[27] En in de Senaat zelf had ze de regering het vuur aan de schenen gelegd met betrekking tot een hele rits thema's, van milieubescherming tot gezondheidszorg.

Maar twee dagen na de terreuraanvallen zette ze al die dingen op een rij en schoof ze haar eerdere harde oordelen ze terzijde. Ze was bereid de president te steunen, ook al zou dat betekenen dat ze zou moeten beginnen uit te zoeken hoe ze moest omgaan met de reputatie van haar echtgenoot inzake terreurbestrijding.

Die avond zou Hillary drie interviews geven op twee verschillende zenders. In *Evening News* van CBS vertelde Hillary aan Dan Rather van de presidentiele steun van twintig miljard dollar voor New York. Rather schakelde daarop snel over op een ander onderwerp en vroeg haar naar de pogingen van haar echtgenoot om Osama bin Laden te grijpen, de Saoedische financier wiens terreurgroep al-Qaida al door de veiligheidsdiensten was geïdentificeerd als de organisator van de aanvallen.

Het was een moment waarop Hillary al voorbereid moet zijn geweest, maar het kwam wellicht iets eerder dan ze had verwacht. Ze was even stil voordat ze van wal stak. 'Nou, Dan, ik heb me altijd veel zorgen gemaakt om de dreiging van terrorisme,' zei ze. 'Ik beschouw het als de grootste bedreiging voor ons vaderland.'²⁸ Het was een vreemd antwoord, rekening houdend met het feit dat ze zich nog nooit publiekelijk had geuit over dit onderwerp. In feite was Hillary's antwoord op de vraag van Rather de eerste maal dat ze zich als senator in het openbaar uitsprak over een terroristische dreiging voor de Verenigde Staten.²⁹ Daarna bracht ze ter sprake wat de regering-Clinton zoal ondernomen had in de bestrijding van terrorisme. Ze sprak over de frustraties van haar echtgenoot inzake de 'moeilijkheid van het verkrijgen van de juiste informatie, hoe lastig het is te weten waar een verdachte terrorist zich bevindt, en je te moeten verlaten op mensen die... die geen trouw hebben gezworen aan de Verenigde Staten.'³⁰

Kort daarop verscheen Hillary live op CNN. Presentatrice Judy Woodruff vroeg haar commentaar te geven op een bericht dat zojuist was binnengekomen en dat meldde dat president Clinton tijdens de laatste weken van zijn presidentschap had overwogen een aanval uit te voeren om Bin Laden uit te schakelen, nadat terroristen in oktober 2000 de de USS Cole middels een zelfmoordactie hadden aangevallen in de haven van Jemen. Het verslag was deels gebaseerd op informatie die was geleverd door een oud-adviseur van de regering-Clinton.³¹

Hillary leek de bewering van het binnengekomen bericht te bevestigen.

'Nou, Judy, ik ben niet ingewijd in alle informatie,' zei Hillary. 'Maar ik weet dat er inlichtingen bestonden die naar zijn verblijfplaats wezen. Er was een plan in werking gesteld om zijn verblijfplaats vast te stellen. Voor zover ik me kan herinneren, berustte het op informatiewerving via menselijk bronnen, mensen ter plekke die ons informatie verschaften. En in mijn herinnering bleken deze bronnen onbetrouwbaar te zijn en waren ze niet in staat de basis te leggen voor de soort solide steun die we nodig hadden voor het lanceren van de soort aanval die we overwogen.'³² In werkelijkheid bleek dit verhaal later niet te kloppen. In haar rapport concludeerde de 9/11-Commissie dat president Clinton in mei 1999 voor de laatste maal een militaire aanval op Bin Laden had overwogen, twintig maanden voordat de Clintons het Witte Huis verlieten en lang voor de aanslag op de USS Cole.³³

Hillary's laatste televisieoptreden die avond was bij *Larry King Live* op CNN. Toen King Hillary ditmaal vroeg naar het binnengekomen nieuws over de laatste, vertwijfelde poging van haar echtgenoot om Bin Laden uit de weg te ruimen, ontweek ze de vraag.³⁴ In plaats daarvan herinnerde ze de kijkers aan 'de aanvallen [van de regering-Clinton] op een aantal van de bezittingen

van Osama bin Laden in Afghanistan' in augustus 1998. Amerikaanse leger-
eenheden hadden twee al-Qaida-trainingskampen gebombardeerd en vermoedelijk een chemische fabriek van al-Qaida in Soedan. Hillary omschreef
die aanval als een gedeeltelijk succes, ofschoon ze wel zo verstandig was een
slag om de arm te houden: 'We slaagden er niet in hem en zijn netwerk uit
te schakelen.'

Vrijdag 14 september 2001 gaf Hillary opnieuw acte de présence voor een
volgend televisie-interview, ditmaal afgenomen door Katie Couric op NBC's
*Today Show*. Hillary's optreden tijdens dat programma was veel persoonlijker
dan de drie interviews die ze de avond tevoren had gegeven – hier beschreef
ze bijvoorbeeld haar angst tijdens het eerste uur na de aanslagen, toen het
niet lukte Chelsea te bereiken. Ook leek ze veel minder in de verdediging
als het ging om het antiterreurbeleid van Bill toen ze in krachtige bewoordingen – en, zoals blijkt, met vooruitziende blik – de uitdaging omschreef
die de lange aanstaande *War on Terrorism* zou vormen. Amerika, zo zei ze,
zou zich begeven in een onconventionele, gecompliceerde strijd tegen een
vastberaden en flexibele tegenstander. 'Het is een vijand zoals we die nooit
eerder hebben gekend,' legde ze uit. 'Het is niet hetzelfde als worden gebombardeerd in Pearl Harbor en ogenblikkelijk beseffen uit welke hoek die
aanval komt en weten wat we moeten doen om te proberen de staat die dat
veroorzaakt heeft, te verslaan.'[35]

Nadat ze de NBC-studio in het noordwesten van van Washington verliet,
reed ze naar de Washington Cathedral, waar zij met haar echtgenoot had
afgesproken om een nationale gebedsdienst bij te wonen (Bill was de dag
tevoren uit Australië teruggekeerd naar New York in een door president
Bush ter beschikking gesteld straalvliegtuig van de luchtmacht). Met kringen
onder haar ogen van slaapgebrek zat ze stilletjes naast haar echtgenoot op
een kerkbank vooraan, terwijl ze elkaars hand stevig vasthielden.[36] Na afloop
werd Bill gevraagd wat hij zou doen als hij nog president was. 'Hetgeen ertoe
doet,' antwoordde hij, 'is dat ik me gedraag als een burgerambtenaar en ik
zal Hillary steunen.'[37]

Die middag ging het Congres akkoord met de veertig miljard voor het
noodfonds. Hillary en andere leden van de New Yorkse delegatie stelden er
een eer in dat zij zich ervan hadden verzekerd dat New York minstens de helft
van dit bedrag zou ontvangen ten behoeve van de herstelwerkzaamheden.

Het is zeker niet ongebruikelijk dat een senator van New York de president
bijstaat in tijden van crisis. Maar Hillary's opstelling werkte ook in die zin dat
ze zich op subtiele wijze begon te onderscheiden van de reputatie van haar

echtgenoot. Het was van belang en politiek raadzaam dat ze zich zo snel mogelijk distantieerde van Bills erfenis.[38] Dat weekend gaven meer Amerikanen in een peiling de regering-Clinton de schuld van de terreuraanvallen dan de regering-Bush.[39] Zonder werkelijk te weten hoe beide regeringen hadden getracht om te gaan met al-Qaida, leek het publiek deze conclusie te trekken uit het feit dat Bill Clinton acht jaar de tijd had gehad om de terroristen een halt toe te roepen, terwijl George W. Bush daar slechts acht maanden voor had gehad.

Na de herdenkingsdienst ging Hillary naar New York, net als Bush. Op Ground Zero maakte hij zijn theatrale entree met het brandweerinsigne en verzamelde reddingswerkers om zich heen terwijl hij de menigte door een megafoon toesprak: 'Ik kan jullie horen... de rest van de wereld hoort jullie, en de mensen...' Bush pauzeerde een ogenblik toen het lawaai van de menigte toenam: '... en de mensen die deze gebouwen hebben neergehaald, zullen spoedig van ons horen.' Hillary stond vlakbij en juichte de belofte van de president toe.[40]

Met elke dag die verstreek, leek Hillary zich meer op haar gemak te voelen in haar nieuwe rol als bezielde straatvechter voor een gehavende stad. Ze had tijdens haar campagne voor de Senaat bewezen hoe goed ze was in in het basale politieke handwerk, en die eerste week leek elke actie die ze ondernam de juiste. Ze werd uiteraard onvermijdelijk overschaduwd door haar vorige tegenstander, burgemeester Giuliani, die zou worden uitgeroepen tot 'America's Mayor' voor zijn optreden in Lower Manhattan tijdens de eerste uren na de aanslag en de manier waarop hij de stad bij elkaar hield vanaf dat moment. Desalniettemin verjoeg het beeld van Hillary die voor de twintig miljard dollar federale steun vocht voor Lower Manhattan, en de manier waarop ze met de president en burgemeester Giuliani op het puin stond, elke achtergebleven scepsis dat ze een verkiezingskandidaat van buiten het district was die teerde op haar roem en weinig werkelijke banden had met haar nieuwe thuisfront. 'De mensen zien haar nu als senator,' zei Bob Kerry, de voormalige Democratische senator van Nebraska, op dat moment directeur van de New School University van New York City.[41]

In de spotlights staan heeft echter ook nadelen, en Hillary werd snel ingepeperd hoe genadeloos de schittering kan zijn. Op 20 september sprak president Bush een gezamenlijke zitting van het Huis van Afgevaardigden en de Senaat toe. Hij identificeerde al-Qaida nadrukkelijk als dader van de aanslagen van 11 september. 'Of je staat achter ons óf je staat achter de terroristen,' verkondigde Bush. 'Van nu af aan zal elke natie die doorgaat een schuilplaats of steun te bieden aan terrorisme, door de Verenigde Staten worden beschouwd als een vijandig regime.'⁴² De uitspraken van de president kwamen overeen met de opmerkingen die Hillary acht dagen daarvoor in dezelfde ruimte had gemaakt. Ondanks de overeenkomst tussen de twee boodschappen toonden de camera's meer dan tien keer hoe Hillary met haar ogen rolde, enthousiast klapte en geanimeerd met senator Schumer sprak terwijl de president aan het woord was, zo nu en dan schaterlachend haar hoofd schudde en overkwam alsof ze veinsde interesse te tonen voor de toespraak van de president.⁴³ In het hele land werd er ogenblikkelijk fel op gereageerd. Kathie Larkin, een lerares uit Atlanta, schreef in een brief aan de redactie van de *Atlanta Journal-Constitution*: 'Dit is gedrag dat ik nog niet zou accepteren van mijn leerlingen in de zesde klas als ze naar een toespraak luisterden, en ik verwachtte beter van een volwassene in een staat die verscheurd is door terroristisch geweld. Hillary zou volwassen moeten worden.' In een ingezonden brief in *The Washington Post* merkt James Gale uit Silver Spring, Maryland, op dat Hillary 'regelmatig verveeld en ongeïnteresseerd leek, oppervlakkig applaudisseerde en op andere momenten door de toespraak heen sprak. Ik meende dat haar gedrag ongepast was voor een senator in deze moeilijke tijd.'⁴⁴ Wekenlang dreven conservatieve commentatoren en columnisten, aangemoedigd door Republikeinse lobbyisten die persberichten verzonden waarin Hillary's gefilmde gedrag gedetailleerd werd uitgemeten, de spot met haar bizarre reeks gelaatsuitdrukkingen tijdens de toespraak. Het conservatieve weekblad *Human Events* suggereerde dat Hillary's fysieke reactie een gemiste politieke kans weerspiegelde: 'Een meer cynisch ingesteld waarnemer zou eruit op kunnen maken dat Hillary wellicht bitter gestemd is omdat Bush' kansen om herverkozen te worden, als een president in oorlogstijd, haar eigen ambities voor 2004 hebben aangetast.'⁴⁵

Een paar dagen later sprak Hillary in haar kantoor in de Senaat met Nicholas Lemann van *The New Yorker*. Net als veel van haar kiezers keek Hillary naar haar eigen verleden als een manier om emotionele moed te putten om de crisis te doorstaan. Lemann vroeg haar hoe de Amerikanen zouden reageren als ze erachter kwamen dat ze 'de ontvangende partij van een moorddadige woede' waren.

'O, ik ben me er goed van bewust hoe dat werkt,' zei ze. 'Een van de moeilijkste ervaringen die ik persoonlijk heb doorstaan in het Witte Huis, was tijdens het debat over gezondheidszorg, dat een buitengewone woede genereerde. Ik herinner me dat ik in Seattle was. Ik was daar om een lezing te geven over gezondheidszorg. Dat was waarschijnlijk in augustus 1994. De talkshowpresentators van de radio hadden hun publiek opgejut om te komen krijsen en schreeuwen en daarmee door te gaan om te voorkomen dat de mensen me konden horen spreken. Er werden bedreigingen geuit en bepaalde mensen wilden voorkomen dat ik sprak, en ze begonnen mensen hun wapens af te nemen en ze te arresteren. Ik heb met eigen ogen deze onberedeneerde woede en haat gezien, die gericht is op een persoon die je niet kent, op een zaak die je veracht – wat het ook is dat mensen ertoe brengt.' Desondanks bleef Hillary optimistisch over de toekomst. 'Ik geloof dat we beginnen te begrijpen dat het gevoel van onkwetsbaarheid, dat het waarmerk van de Amerikaanse psychologische ervaring was, aan diggelen is gegaan,' zei ze. 'We staan nu schouder aan schouder met Israeli's die zich zorgen maken of ze nog wel naar een pizzarestaurant kunnen gaan. Of met de Londenaren die elke dag opstonden om de bommen te zien vallen tijdens de Slag om Engeland. Of met het grootste deel van de mensheid dat ooit heeft geleefd, en dat nu leeft, wier leven wordt bepaald door de gevaren van het leven. Maar dat mag geen excuus zijn voor ofwel zwichten voor de angst ofwel het leven te verzaken. Het doel van terrorisme is terreur verspreiden. En de enige manier waarop een terrorist uiteindelijk wint, is hem toestaan je te verslaan.'[46]

Twee weken nadien, op een avond midden oktober, werd in Madison Square Garden 'The Concert for New York' gegeven om geld in te zamelen voor de slachtoffers van de terreuraanslagen. De hoofdact werd verzorgd door ex-Beatle Paul McCartney. Giuliani, gouverneur Pataki en Bill Clinton traden ieder kort op en werden stuk voor stuk warm begroet door de massaal opgekomen menigte van 20.000 mensen, grotendeels brandweerlieden en politieagenten van New York. Maar toen Hillary het podium beklom, werd ze gefêteerd op een krachtig koor van boegeroep en luidruchtige interrupties – geen verwonderlijke reactie, gezien het feit dat de brandweer- en politiebonden haar kandidatuur voor de Senaat niet hadden gesteund in 2000 en de recente slechte pers over haar gedrag tijdens de toespraak van de president.

'Dank u! Dank u dat u vanavond bent gekomen!' begon Hillary, maar de kakofonie van boegeroep en gescheld zwol alleen maar aan. Daarop begon ze te schreeuwen om boven het lawaai uit te komen. 'Dank u dat u New York steunt! Dank u voor uw vrijgevigheid!' In de massa riepen politieagenten en brandweerlieden: 'Weg van dat podium!' en 'We moeten jou daar niet!' Hillary glimlachte, negeerde de schreeuwers en wuifde zich erdoorheen.

Later beschreef Hillary het afkeurend gejoel en boegeroep als 'bijna deel van het genezingsproces' voor de politieagenten en brandweerlieden, en voegde eraan toe dat ze hun reactie niet persoonlijk opvatte. 'Ze mogen stoom afblazen op elke manier die ze maar willen,' zei ze met een schouder-ophalen. 'Ze hebben het verdiend.'[47] Op een opname van het concert die later werd uitgebracht op dvd, is het boegeroep toen Hillary het podium betrad vervangen door uitzinnig gejuich.[48]

Dat najaar was Hillary een van de sponsors van een uitgave van een speciale Amerikaanse postzegel waarvan de opbrengst bestemd was voor de families van reddingswerkers die waren omgekomen op 11 september. Het was het soort ingetogen, symbolisch gebaar waaraan ze veel van haar tijd besteedde in de daaropvolgende maanden. Ook sprak ze zich uit over een aantal aan de terreuraanslagen gerelateerde onderwerpen – veiligheid op vliegvelden, bioterrorisme en grensbewaking – maar haar betrokkenheid bleef grotendeel beperkt tot openbare uitspraken op persconferenties en vrijgegeven door haar personeel, omdat haar benoemingen in commissies haar niet veel speelruimte meer hadden overgelaten om er als wetgevende vertegenwoordiger op in te gaan. Ze steunde Bush' inval in Afghanistan om de Taliban te verdrijven, die een veilige haven hadden geboden aan al-Qaida en hun trainingskampen. En op 25 oktober stemde ze vóór de Patriot Act, die nieuwe mogelijkheden bood voor ordehandhavers en geheimagenten om inlichtingen te winnen en met elkaar te delen. (Slechts één senator – de Democraat Russ Feingold van Wisconsin – stemde tegen de maatregel.) Ze bleef overduidelijk een havik, en stond veel dichter bij president Bush dan de meesten van haar partijgenoten.

Het duurde echter niet lang voordat Hillary haar 11-septemberonderwerp vond. Arbeiders en burgers hadden letterlijk 24 uur per dag gewerkt op Ground Zero sinds 11 september, en velen hadden geklaagd over de gevaarlijke omstandigheden. De regering-Bush had het publiek verzekerd dat de omstandigheden veilig waren, maar een aantal arbeiders leed duidelijk aan ademhalingsmoeilijkheden en andere kwalen. Hillary begon te lobbyen om het Congres over te halen toestemming te geven geld te investeren in het onderzoek naar de effecten van de vervuilde lucht rond Ground Zero op de longen van de puinruimers. Ten slotte huurde ze een van de meest vooraanstaande experts op het gebied van beroepsrisico's en longschade in als haar officiële medewerker, dr. William Rom van New York University. Rom toonde overtuigend aan dat stukken glas, asbestvezels en vliegas (een mineraal overschot dat wordt gebruikt als vervanging voor cement) in de longen van de reddingswerkers waren terechtgekomen. Zijn bevindingen stelden Hillary in staat meer samenwerking in de wacht te slepen van het Witte Huis en het Bureau voor Milieubescherming (Environmental Protection

Agency; EPA), dat zich verzette tegen de erkenning van het feit dat Ground Zero bijdroeg aan de gezondheidsklachten van de mensen die er werkten. Om grotere druk uit te oefenen op het Witte Huis maakte ze gebruik van haar privilege als senator om een nominatie op te schorten en hield ze officieel tegen dat Mike Leavitt door de regering zou worden benoemd als EPA-directeur. Haar strategie werkte, en al snel werd er een vergadering belegd met Hillary en medewerkers van het Witte Huis. Rom vergezelde Hillary naar de bijeenkomst, waar hij zijn studie naar de reddingswerkers van 11 september uiteenzette en de kans dat de asbestvezels kanker zouden veroorzaken.[49] Hillary slaagde erin de EPA over te halen in te stemmen met een verder onderzoek van de kwestie. Uiteindelijk onthulde het onderzoek dat bijna zeventig procent van de mensen die op Ground Zero werkten, longkwalen had ontwikkeld als gevolg van de slechte kwaliteit van de lucht na de aanslagen van 11 september.

Het aangrijpen van het probleem van de luchtkwaliteit was een briljante zet van Hillary. Door de aandacht te vestigen op gezondheid en het milieu, slaagde ze erin een kwestie die na 11 september speelde naar zich toe te trekken waarin zij haar eigen sterke punten naar voren kon brengen en tegelijkertijd tegemoet kon komen aan de behoeften van haar kiezers. Tegelijkertijd creëerde het wat ruimte tussen haar en de regering-Bush en een kans om terug te keren naar het honk van haar partij, waar de anderen Bush niet in die mate steunden als zij had gedaan.

Niet zonder toeval was de politieke filosofie van Bill Clinton geworteld in exact deze drietrapstactiek: hij bezette de ruimte tussen extremen, nam een positie in die progressief noch conservatief was en zijn verbintenissen waren praktisch en ter zake doende. Tot dusver had Hillary hetzelfde gedaan met 9/11, zij het met een iets grotere afwijking naar rechts dan sommigen – met inbegrip van haar tegenstanders – hadden verwacht. Maar binnen een jaar na de aanslagen zou ze worden geconfronteerd met een nieuwe fase in de zogenoemde 'war on terror' van de regering-Bush en werd ze gedwongen gevolg te geven aan wat ze omschreef als 'misschien wel de moeilijkste beslissing die ik ooit heb moeten nemen'. Omwille van deze beslissing zou de nieuwbakken senator van New York niet alleen de reputatie van Bill Clinton moeten blijven verdedigen, maar bovendien een eigen reputatie moeten opbouwen, waarvan ze wist dat die haar toekomstige presidentiële kandidatuur zou bepalen.

Die 'moeilijkste beslissing' betrof een land dat haar echtgenoot een hoop last had bezorgd maar dat, afgezien van periodiek terugkerende momenten van diplomatieke crisis, zelden tot nooit een uitgelezen uitdaging was geweest. De huidige regering dacht daar heel anders over. George Bush en diens vicepresident Dick Cheney beweerden dat de leider van Irak, Saddam Hoessein, een directe bedreiging vormde voor de Verenigde Staten.

Opnieuw zou Hillary worden gedwongen te bewijzen hoe hard ze kon zijn.

# 18

# 'De moeilijkste beslissing'

Aan het begin van de herfst van 2002 won het vooruitzicht op een door de Verenigde Staten geleide inval in Irak aan urgentie in Washington. De regering-Bush schoof de kwestie dat Saddam Hoessein een regelrechte bedreiging vormde voor de Verenigde Staten en zijn buren in het Midden-Oosten, naar de voorgrond omdat hij zou beschikken over geheime massavernietigingswapens – zowel chemische als biologische – en doelgericht de ontwikkeling van nucleaire wapens stimuleerde. Bush en vicepresident Dick Cheney verklaarden herhaaldelijk dat er nauwe betrekkingen bestonden tussen het regime van Saddam en al-Qaida, de daders van de aanslagen van 11 september. En de regering waarschuwde dat de Verenigde Staten niet langer zouden tolereren dat Irak de missie van de wapeninspecteurs van de Verenigde Naties saboteerde.

Begin oktober van dat jaar bereidde de Senaat zich voor om te stemmen over een resolutie die de president de volmacht zou geven te besluiten tot militair ingrijpen in Irak als diplomatieke inspanningen zouden falen. Voor Hillary betekende dit de belangrijkste stem die zij in haar openbare leven zou uitbrengen. Bovendien zou het haar in een hoek duwen waaruit ze moeilijk of onmogelijk zou blijken te kunnen ontsnappen.

Om tot een besluit te komen, moest ze een ingewikkelde serie berekeningen maken, waarvan sommige uitkomsten al van tevoren leken vast te liggen. Hillary had een 'tamelijk strijdlustig' statement gemaakt de dag na 11 september met te zeggen dat zij die terroristen helpen, te maken zouden krijgen met de 'toorn' van de Verenigde Staten.[1] Terugwijken voor deze gespierde houding zou gevaarlijk kunnen zijn. Aan de andere kant zou ze door ja te stemmen president Bush de bevoegdheid geven een preventieve oorlog te beginnen – een concept dat haar herinnerde aan de mislukte oorlog in Vietnam, waartegen ze zo bitter in opstand was gekomen.

Als ze tegen de resolutie zou stemmen, zou ze ook afstand doen van het beleid van een andere president – haar echtgenoot. Bill Clinton had in 1988 een wet ondertekend die niet-bindende bepalingen bevatte die opriepen tot het omverwerpen van het regime, en in datzelfde jaar had hij verklaard dat Saddam Hoessein bereid was massavernietigingswapens te gebruiken.

Een jaar na de aanslagen van 11 september was de terreurangst in Amerika al zo wijd verspreid dat het voor Washington betrekkelijk eenvoudig was een confrontatie met een tirannieke, anti-Amerikaanse dictator om te buigen in een 'oorlog tegen terreur' onder leiding van de regering. Uit enquêtes bleek dat de meeste Amerikanen ervan overtuigd waren dat er een verband bestond tussen Saddam Hoessein en 11 september. Hillary was hier zeker van op de hoogte.

Ten slotte maakte Hillary zich zorgen over het feit dat zij nooit de presidentsverkiezingen kon winnen als zij niet kon bewijzen dat ook zij hard kon zijn. Dat bezorgde haar altijd al hoofdbrekens. Vrouwelijke kandidaten hadden het altijd moeilijk gehad als gevolg van het stereotype dat zij nooit net zo hard konden zijn als mannen. Op dit moment was de verdediging van het vaderland zo'n overweldigend groot thema dat Amerikanen koste wat kost er zeker van wilden zijn dat hun president – of dat nu een man was of een vrouw – hen tegen een volgende terreuraanval zou beschermen. Dat gold eens te meer voor New Yorkers, haar kiezers.

Natuurlijk was Hillary een harde. En ze was geen groentje meer. Maar haar onzekerheid over haar publieke imago, haar kennis dat kiezers haar nog prille kennis van nationale veiligheidskwesties als onvoldoende zouden inschatten en haar en Bills ervaring van de afgelopen twintig jaar waarin ze gezien hadden hoe de Republikeinen telkens weer de Democraten aftroefden als het om nationale veiligheid ging, maakten het moeilijk voor haar om tegen te stemmen.

Haar stem werd bovendien gecompliceerd door haar zwalkende verhouding tot de huidige opperbevelhebber. Als Hillary Bush zou steunen, betekende dit dat ze hem het voordeel van de twijfel gaf. Ze had gehoopt dat hij in de kwestie-Irak de diplomatieke weg zou blijven bewandelen, of het Congres hem nu een volmacht gaf om een oorlog te beginnen of niet, een gelofte die de president daadwerkelijk had gedaan. Maar vertrouwen stellen in Bush was geen gemakkelijke opgaaf voor Hillary, temeer niet daar hij, ondanks hun samenwerking met betrekking tot 9/11, rücksichtslos was doorgegaan talloze maatregelen op binnenlands en buitenlands terrein die onder de regering van haar echtgenoot tot stand waren gekomen, terug te draaien.

Veel andere Democraten in de Senaat moesten noodgedwongen hun eigen geschiedenis herinterpreteren. De meesten van hen hadden zich verzet tegen de resolutie in 1991 die de eerste president Bush nipt de bevoegdheid had gegeven Irak aan te vallen nadat dat land Koeweit was binnengevallen.

Saddam Hoessein was na afloop van de Golfoorlog aan de macht gebleven, maar de Veiligheidsraad van de Verenigde Naties had een resolutie aangenomen om hem en zijn bewapeningsprogramma in de gaten te blijven houden. Wapeninspecteurs die de taak hadden te controleren of Saddam Hoessein zich aan de resolutie hield, klaagden later na hun vertrek uit Irak dat Saddam Hoessein hun het werk onmogelijk maakte. Volgens de regering-Bush was Saddam Hoessein doorgegaan met het produceren van massavernietigings- wapens. Hoewel het besluit Saddam te laten zitten in 1991 genomen was door president Bush' vader toen die in de Oval Office zat, legden conserva- tieven een deel van de schuld bij de Democraten, van wie velen zich in eerste instantie hadden verzet tegen de oorlog.

In het Congres mochten er dan wel veel haviken zijn, dat kon niet ge- zegd worden voor een aantal van Amerika's bondgenoten in Europa. Irak, zo redeneerden zij, bedreigt zijn buurlanden niet. Sommigen hadden het idee dat Irak zelfs zonder de wapeninspecteurs krachtig onder druk gezet werd door economische sancties en patrouillering vanuit de lucht. Terwijl het verhitte debat de Verenigde Naties in beslag nam en over de hele wereld antioorlogsdemonstraties op gang kwamen, smeekte Tom Daschle, de leider van de Democraten in de Senaat, zijn verdeelde collega's naar hun geweten te luisteren en overeenkomstig te stemmen.[2]

Voor Hillary betekende dit Bill om raad vragen.

Als stemverklaring merkte Hillary op dat 'mijn besluit misschien wel werd beïnvloed door mijn acht jaar lange ervaring aan de andere kant van Pennsylvania Avenue in het Witte Huis, toen ik zag hoe mijn echtgenoot serieuze uitdagingen aan onze natie te lijf ging'.[3]

Het was geen toeval dat Hillary haar dagen in het Witte Huis in herin- nering bracht, of de verworvenheden van haar echtgenoot, toen ze haar overweging probeerde te verklaren. Terwijl ze haar eigen reputatie probeerde op te bouwen als leider, veranderde de rol achter de schermen van Bill in een hypergevoelig thema onder Hillary's adviseurs, die standvastig weigerden de kwestie in het openbaar te berde te brengen.[4] Maar net zoals hij betrokken was bij de meeste aspecten van haar carrière in de Senaat, was Bill haar voor- naamste raadgever bij het uitbrengen van haar stem over de oorlog in Irak.[5] Hij kon uit eigen ervaring putten: toen Bill president was in 1998 hadden de Verenigde Staten, bijgestaan door het Verenigd Koninkrijk, meer dan vierhonderd kruisraketten afgevuurd en zeshonderdvijftig luchtaanvallen uitgevoerd op locaties in Irak waar massavernietigingswapens zouden wor- den geproduceerd, nadat Saddam Hoessein had geweigerd samen te werken met de wapeninspecteurs van de Verenigde Naties. 'Let op mijn woorden, hij zal massavernietigingswapens gaan ontwikkelen,' had president Clinton destijds gezegd om de aanval te rechtvaardigen. 'Hij zal ze opstellen en hij zal ze gebruiken.'[6] In zijn memoires uit 2004 verdedigde Bill zijn besluit om de locaties in Irak waar massavernietigingswapens zouden worden geproduceerd, aan te vallen, hoewel hij zijn voorspellende uitspraak wegliet. Ook herinnerde hij de lezer eraan hoe sommige Republikeinen 'over hun toeren waren over de militaire acties' omdat zij ze hadden afgedaan als een afleidingsmanoeuvre om een ophanden zijnde stemming over zijn impeachment in het Huis van Afgevaardigden uit te stellen.[7]

Een aantal dagen voor de stemming in het Congres, hield president Bush een televisietoespraak vanuit Cincinnati waarin hij er 'geen twijfel' over liet bestaan dat hij bereid was Irak aan te vallen als Saddam Hoessein weigerde te ontwapenen.[8] De president zei in de tweede plaats dat er nog één laatste diplomatieke poging zou worden ondernomen – Hillary vond die optie aantrekkelijk en hoopte dat Bush meende wat hij zei.[9]

De dag na de toespraak in Cincinnati kreeg ze een zeldzame kans om de oprechtheid van Bush te onderzoeken. Hillary en een paar andere senatoren hadden een privéontmoeting met de president en enkelen van zijn adviseurs in het Witte Huis.[10] De president kon zich 'niet herinneren dat senator Clinton een vraag stelde' tijdens de bijeenkomst.[11]

Nadien had Condoleezza Rice, op dat moment adviseur van nationale veiligheid, volgens Hillary haar gebeld en 'gevraagd of ik nog vragen had'. Hillary zei dat ze die inderdaad had: zou de president gebruikmaken van de suggestie van het Congres om zich tot de Verenigde Naties te wenden om 'de onderzoekers terug naar Irak te sturen?'. Rice antwoordde volgens Hillary: 'Ja, dat is de bedoeling.'[12] Maar president Bush en Rice herinneren zich beiden dat ze hebben gezegd dat 'één voordeel van de instemming' van het Congres de invloed zou zijn die het hun verschafte bij de Verenigde Naties en in het Midden-Oosten, niet dat zij die instemming nodig zouden hebben om die invloed te verwerven.[13]

Gezien de daaropvolgende onthullingen over de onnauwkeurige uitspraken van de regering-Bush in de aanloop naar de oorlog met Irak, is het onmogelijk te achterhalen of de president en Rice de waarheid spraken over hun gesprekken met Hillary. Maar beide partijen leken het eens te zijn dat Hillary's kans de president onder druk te zetten met een diplomatieke oplossing – zelfs al was het om geen andere reden dan dat het genoteerd zou zijn dat ze dat had gedaan –, simpelweg was vergooid.

Zoals ze altijd had gedaan, bereidde Hillary de stem die ze zou uitbrengen over de oorlog voor door haar huiswerk te doen, of zoals ze het vaak noemde, haar 'verplichte toewijding'. Dit hield onder meer in, zoals ze later zei, dat ze voorlichtingsbijeenkomsten bijwoonde op Capitol Hill betreffende inlichtingen over Irak. Ook tekende ze aan dat ze nationale veiligheidsagenten van de regering-Clinton die ze vertrouwde, had geraadpleegd.[14]

Wat ze niet in het openbaar besprak, is of ze specifiek de geheime versie van de National Intelligence Estimate las, het meest uitgebreide document van de inlichtingendiensten over massavernietigingswapens in Irak waarover de regering beschikte en dat alle honderd senatoren konden inzien. Het 92 pagina's tellende geheime verslag was aangeboden aan het Congres op 1 oktober 2002, precies tien dagen voordat de Senaat zou stemmen. Een beknopte samenvatting werd door de regering-Bush openbaar gemaakt, maar dat schiep een heel wat minder subtiel beeld van het wapenprogramma van Irak dan het volledige, geheime rapport. Om een volledig beeld te krijgen moest men het complete geheime document lezen.

Hillary had nog niemand onder haar medewerkers die beschikte over de benodigde vergunningen om dit document en de andere zeer geheime rapporten over Irak te kunnen inzien.[15] Dat legde meer druk op haar om deze rapporten zelf te lezen. Senatoren hadden gemakkelijk toegang tot het National Intelligence Estimate in een beveiligde ruimte op de derde verdieping van het Capitool of in de nabijgelegen burelen van de Inlichtingencommissie van de Senaat.

Het is tamelijk ongelooflijk, gezien de belangwekkende impact die de komende stemming zou hebben, maar slechts zes senatoren hebben het rapport daadwerkelijk gelezen.[16] In 2007, tijdens de campagne voor de presidentsverkiezingen in New Hampshire, werd ze ermee geconfronteerd door een vrouw die van New York was afgereisd om Hillary te vragen of ze het geheime rapport had gelezen. Hillary antwoordde dat de kernpunten met haar waren doorgenomen. 'Heb je het gelezen?' schreeuwde de vrouw. En Hillary herhaalde dat de kernpunten met haar waren doorgenomen, terwijl ze niet vertelde wie dat had gedaan, en evenmin gaf ze toe dat geen van haar medewerkers dat gedaan had kunnen hebben.[17]

De vraag of Hillary de tijd nam om het National Intelligence Estimate te lezen, is van het grootste belang. Anders dan de verkorte en opgeschoonde samenvatting bevatte de uitgebreidere, geheime versie van het rapport talloze reserves en verschillen van inzicht in de voorraad wapens en slagkracht van Irak, waardoor het minder zeker was dat het land een werkelijk gerechtvaardigde bedreiging vormde voor de Verenigde Staten. De openbaar gemaakte versie van het verslag, die openlijk werd besproken door het Congres en besproken in de pers, liet veel vragen en onderzoeksresultaten over de zogeheten opslag van massavernietigingswapens in Irak achterwege. Bob Graham, de Democratische senator van Florida en een van Hillary's collega's, was op dat moment voorzitter van de Inlichtingencommissie. Hij zei dat hij tegen het besluit om aan te vallen had gestemd, deels omdat hij het complete geheime rapport had gelezen. Graham zei dat het hem er niet van had overtuigd dat Irak over massavernietigingswapens beschikte. 'Ik was in de gelegenheid de rol van "koper op z'n hoede" aan te nemen,' zei Graham later, en voegde er met spijt aan toe dat 'de meesten van mijn collega's daartoe niet in staat waren'.[18]

Op dinsdag 7 oktober 2002 hielden de Democraten binnen de Senaat een verkiezingsbijeenkomst tijdens de lunch op de eerste verdieping van het Capitool. Daar spoorde Graham zijn collega's 'met klem' aan het complete geheime rapport te lezen alvorens een definitieve beslissing te nemen.[19] Twee dagen later smeekte Graham zijn collega's daar opnieuw de geheime rapporten te lezen alvorens zo'n zwaarwichtige stem uit te brengen.[20]

In haar eigen woorden had Hillary in de vergaderruimte van de Senaat op 10 oktober van dat jaar haar respect betoond voor de positiebepaling van senator Graham en die van anderen, en nam zij notitie van de 'verschillende opinies binnen deze groep'. Vervolgens presenteerde ze een lange lijst van misdaden begaan door Saddam Hoessein. Ze sprak over de 'intensieve vier dagen durende aanval' van haar echtgenoot in december 1998 op 'bekende en verdachte locaties van massavernietigingswapens'. Ze citeerde niet met name genoemde 'inlichtingenverslagen' waaruit bleek dat Saddam Hoessein tussen 1998 en 2002 'gewerkt heeft aan de wederopbouw van zijn chemische en biologische wapenvoorraden, de capaciteit van zijn raketbases en zijn nucleaire programma'. Zowel de openbare als geheime inlichtingenrapporten over Irak hadden een dergelijke analyse bevat, maar de geheime beoordeling omvatte ook een afwijkende mening van de inlichtingendienst van het ministerie van Buitenlandse Zaken, waarin werd geconcludeerd – correct, naar later bleek – dat Irak niet werkte aan het herstel van zijn nucleaire programma. Het geheime rapport bezigde bovendien extra terughoudende taal bij de beschrijving van de nucleaire ambities van Irak.

Hillary vervolgde met het beschuldigen van de leider van Irak van het bieden van 'hulp, onderdak en schuilplaatsen aan terroristen, onder wie leden van al-Qaida'.[21] Deze uitspraak komt exact overeen met de onheilspellende waarschuwing die ze de dag na 11 september had geuit.

De link die Hillary legde met de leider van Irak en al-Qaida, werd echter niet onderschreven door de conclusies van het National Intelligence Estimate, en evenmin door verscheidene andere geheime rapporten of

openbare documenten die de Senaat tot haar beschikking had om te raadplegen alvorens een stem uit te brengen. Er was in werkelijkheid maar één
document dat Hillary's uitspraak steunde: een brief van de CIA aan senator
Graham, waarin nogal lauw werd gerefereerd aan 'toenemende indicaties van
een verband' tussen al-Qaida en Irak, gebaseerd op 'bronnen van uiteenlopende betrouwbaarheid'.[22] In feite concludeerden de geheime rapporten dat
Irak niet alleen niet was gelieerd aan al-Qaida, maar dat Saddam Hoessein
en Osama bin Laden elkaars rivalen waren en gevoelens van diep wantrou-
wen en vijandschap voor elkaar koesterden. Een rapport van de Defense
Intelligence Agency van februari 2002 concludeerde dat 'het regime van
Saddam strikt seculier is en op z'n hoede voor islamitische revolutionaire
bewegingen. Bovendien is het onwaarschijnlijk dat Bagdad steun zou leveren aan een groep waar ze geen grip op heeft.'[23] Een CIA-rapport van 21 juni
2002 stelde dat 'de banden tussen Saddam en Bin Laden veel lijken op die
van rivaliserende inlichtingendiensten, waarbij de een de ander tracht te
exploiteren ten behoeve van z'n eigen voordeel'.[24] En volgens Graham stelt
het complete National Intelligence Estimate-rapport, dat geheim blijft, dat
Saddam Hoessein 'weinig tot geen contact onderhield met al-Qaida en er
geen bijzonder belang in stelt Osama bin Laden hulp te verlenen'.[25]

Desondanks achtte Hillary het in de gevoelige kwestie van een veronderstelde samenwerking tussen al-Qaida en Irak opportuun hetzelfde argument te omarmen zoals dat zo strijdlustig door de president en vicepresident
werd gepropageerd. Bush, Cheney en andere regeringsmedewerkers hadden
hun nauwelijks onderbouwde claim zo vaak herhaald dat tegen begin oktober 2002 twee van de drie Amerikanen geloofden dat Saddam Hoessein
betrokken was bij de aanslagen van 11 september.[26] Dit stond in contrast
met hoe de meeste andere Democraten, zelfs degenen die vóór een inval
stemden, de al-Qaida-connectie niet onderschreven in de vergadering van
de Senaat. Een van de Democratische senatoren die vóór de oorlog stemden en president Bush loofden om diens lijn van 'matigheid en veiligheid',
Joe Biden van Delaware, bracht de verslagen over al-Qaida in Irak terug
tot de ware proporties en noemde ze 'zwaar overdreven' in zijn aantekeningen.[27] Dianne Feinstein van Californië, die zei dat ze het complete geheime
National Intelligence Estimate-rapport had gelezen, beschreef elke link tussen Saddam Hoessein en al-Qaida als 'onbeduidend'.[28]

In feite was de enige Democratische senator die in de buurt kwam van het
napraten van Hillary's havikachtige opmerkingen over Hoesseins vermeende
steun aan al-Qaida, Joseph Lieberman van Connecticut. Maar zelfs Lieberman
zwakte ter vergadering zijn woorden over de connectie af door te stellen dat

'het verband tussen al-Qaida en het regime van Saddam een onderwerp van intensief debat binnen de veiligheids- en inlichtingendiensten' is.[29]

Hoe dan ook, het was geen punt van discussie onder de meesten van president Clintons oudgedienden. Elke link tussen Saddam en al-Qaida was 'bullshit... We wisten allemaal dat het bullshit was,' zei Kenneth Pollack, voormalig medewerker van de nationale veiligheidsdienst onder president Clinton en belangrijk voorstander van het ten val brengen van Saddam Hoessein. Pollack had Hillary geadviseerd voordat ze haar stem uitbracht.[30]

De link tussen Saddam en al-Qaida, waarop de regering-Bush zo sterk de nadruk legde, werd later ontmaskerd als onjuist. Dus hoe kon Hillary, in 2006 in *The Washingtonian* omschreven als de 'intelligentste' senator, zo'n cruciaal feit verkeerd hebben gezien? 'Mijn stem was een oprechte stem, gebaseerd op de feiten en zekerheden die ik destijds had,' zei ze, toen ze terugkrabbelde en de stem die ze had uitgebracht omschreef als een 'fout'. 'En ik heb de verantwoordelijkheid voor mijn stem genomen.'[31]

Hillary wist dat haar stem in veel opzichten neerkwam op een proeve van bekwaamheid in het nemen van beslissingen over kwesties van leven en dood, hetgeen de directe verantwoordelijkheid is van de opperbevelhebber. Precies zoals ze aanvoelde in de dagen na de terreuraanslagen, wist ze ook nu dat ze zich zelfs nog harder moest opstellen dan haar mannelijke tegenhangers.[32] Maar als ze niet de moeite nam om de complete rapporten van de inlichtingendienst te lezen, deed ze haar huiswerk niet goed voor de beslissing die ze de moeilijkste van haar leven noemde. Als ze de rapporten wel gelezen heeft, dan koos ze ervoor uitspraken te doen om haar stem vóór de oorlog te rechtvaardigen die niet stoelden op de beschikbare informatie. En als ze de rapporten gelezen zou hebben, is het wel heel bizar dat ze dat niet heeft gezegd.

Op 11 oktober 2002 stemde de Senaat met 77 tegen 23 stemmen vóór het verlenen van een volmacht aan de regering-Bush om een oorlog tegen Irak te beginnen. Het resultaat werd deels bepaald door de aanstaande tussentijdse verkiezingen. Sommigen van de senatoren die voor herverkiezing in aanmerking kwamen, wilden niet zwak overkomen bij een kwestie waarin de regering op handige wijze Irak had verbonden met Amerika's 'war on terror'.[33] Hillary, die twee jaar daarvoor was gekozen, kende zulke urgente zorgen niet. En toch speelde verkiezingspolitiek een rol in haar positionering en het uitbrengen van haar stem.[34] En Hillary toonde vóór de inval een heel wat scherpere vooruitziende blik dan veel van haar collega's in de Senaat, waar het ging om de potentiële moeilijkheid van de wederopbouw van het land. In een aantal ontmoetingen met topmedewerkers van Bush stelde Hillary scherpe vragen over hoe de regering van plan was om te gaan met de onvermijdelijke uitdagingen van een bestuur van Irak na de invasie. Volgens deelnemers legde Hillary minister van Defensie Donald Rumsfeld het vuur hierover na aan de schenen, tijdens een besloten voorlichtingsbijeenkomst voor senatoren in februari 2003 op Capitol Hill.[35]

Ondanks al het kritisch onderzoek naar Hillary's stem, ontbreekt er merkwaardig genoeg één cruciale gebeurtenis. Die vond plaats op 10 oktober 2002, de dag waarop Hillary in de Senaat sprak over haar motieven vóór de oorlog met Irak te stemmen. Ze legde de nadruk op de noodzakelijkheid van diplomatiek overleg met Irak namens de regering-Bush en beweerde met klem dat ze niet stemde voor 'welke nieuwe doctrine over inbezitneming of unilateralisme dan ook'.[36] Desondanks stemde Hillary een paar uur later tegen een amendement op de aanvalsresolutie dat meer diplomatieke druk verlangde, zoals Hillary die eerder zei te steunen – en waarvan ze nu zegt dat ze er al die tijd al een voorstander van is geweest.

De stemming die zo lang over het hoofd is gezien, betreft een amendement afkomstig van verscheidene Democraten in de Senaat die hoopten president Bush enigszins te beteugelen door een tweefasenproces te eisen voordat het Congres daadwerkelijk zijn fiat zou geven aan het gebruik van geweld. De senatoren waren zich wel bewust van de ruime marge die ze Bush aanreikten, en daarom probeerden sommigen zijn veronderstelde oorlogsplannen in te dammen. Het eerste voorgestelde waarschuwingselement van het amendement verlangde een tweede resolutie van de Veiligheidsraad van de Verenigde Naties waarin expliciet goedkeuring werd gegeven aan het gebruik van geweld tegen Irak. Mochten de diplomatieke inspanningen falen, dan stond het amendement het Congres toe de president te vragen om een tweede toestemming voor een aanval. Als de president faalde op het diplomatieke front, verleende het amendement hem het recht zich opnieuw te wenden tot het Congres om 'er bij ons op aan te dringen toe te stemmen in een solistische, eenzijdige resolutie', zei de auteur van het amendement, senator Carl Levin van Michigan.[37] Met andere woorden, de boodschap van het amendement aan Bush was: vertrouwen, maar eerst zien. De tegenstanders van Levin, onder wie John McCain, betoogden dat het verzoek om een tweede VN-resolutie als in het amendement voorgesteld, 'onze vrijheid van handelen' beperkte.[38] Die beperking was natuurlijk precies waar Levin en zijn medestanders op hadden gedoeld.

Decennialang was er een hoogoplopend debat gevoerd tussen het Congres en de president over welke tak van de regering de macht heeft het gebruik van geweld toe te staan. Het amendement zou, als het zou worden aangenomen, president Bush er niet van hebben weerhouden Irak binnen te vallen, maar het bood de senatoren een kans dat over hen gemeld zou worden dat zij een meer diplomatieke benadering voorstonden.

Het Levin-amendement voorzag Hillary van de perfecte mogelijkheid te eisen dat Bush extra diplomatieke acties zou ondernemen alvorens ten strijde te trekken. Maar ze verkoos anders te handelen en in plaats daarvan zich bij de veelbetekenende meerderheid van 75 senatoren aan te sluiten die tegen het voorstel van Levin stemden. Die 75 waren merendeels degenen die de volgende dag groen licht gaven voor de oorlog. Drie senatoren – Feinstein, senator Tom Harkin van Iowa en senator Herb Kohl van Wisconsin – aten van twee walletjes en stemden zowel vóór de resolutie van Levin als voor Bush' aanvalsplannen. (Nadat zijn amendement was weggestemd, stemde Levin tegen de oorlog.) Als Hillary zich bij haar drie Democratische collega's had gevoegd en Levin had gesteund, zou ze daarna veel gemakkelijker hebben kunnen verdedigen dat ze streefde naar een multilaterale diplomatieke benadering. In plaats van met haar stem Bush aan te zetten tot meer diplomatieke inspanningen, stemde ze ervoor Bush toestemming te verlenen Irak binnen te vallen.

Het Russell Senate Office Building is het oudste van de drie gebouwen waarin de kamers en kantoren van de honderd senatoren van het land zijn ondergebracht. De gangen zijn er eindeloos, de kantoren spelonkachtig en de plafonds hoog. Maar op de ochtend van 6 maart 2003 waren geen van deze uit degelijke steen opgetrokken structuren in staat de luide geluiden te bedwingen die uit de kelen kwamen van de tientallen in roze geklede, scanderende en boze vrouwen die zich voor Russell 476 hadden verzameld.

De demonstranten waren leden van een linkse groep die een paar maanden daarvoor was ontstaan en gekant was tegen de oorlog. Hun naam, Code Pink: Women for Peace, had de bedoeling de spot te drijven met het kleurcodesysteem voor terreuralarm zoals het was geïntroduceerd door de regering-Bush. Die ochtend bepleitte de groep haar zaak voor de deur van senator Hillary Rodham Clinton.

De vrouwen van Code Pink hadden besloten een laatste poging te ondernemen de oorlog te stoppen door de senatoren in de burelen van het Congres te confronteren met hun boodschap. Hoewel het hun ernst was, was hun campagne voornamelijk symbolisch. Vijf maanden daarvoor hadden leden van het Congres, onder wie Hillary, president Bush alle vrijheid geboden een oorlog te beginnen tegen het Irak van Saddam Hoessein. Inmiddels was de opbouw van de militaire macht in de regio nagenoeg voltooid en leek de inval onvermijdelijk. (In feite zou het nog slechts twee dagen duren voordat het zo ver was.)

Vooraanstaande medewerkers van Hillary stonden versteld van zo'n grote luidruchtige groep die eiste de senator te spreken. Zonder verder aarzelen wezen ze de eis van Code Pink van de hand, met als uitleg dat hun baas het te druk had met het leiding geven aan Senaatszaken. (Senatoren staan gewoonlijk geen mensen te woord zonder van tevoren gemaakte afspraak.) Onverschrokken sloegen de vrouwen hun kamp op buiten Hillary's kantoor en weigerden te vertrekken voordat ze haar gesproken hadden. Blijkbaar overreed door de vastberadenheid van de groep, zeiden Hillary's medewerkers de leiders van Code Pink dat de senator met hen over ongeveer een uur zou spreken. Een van de hoofdregels was dat er geen journalisten werden toegelaten om het gesprek bij te wonen. Code Pink ging daarmee akkoord en de vrouwen werden naar een nabijgelegen ruimte geleid waar zij de tijd doorbrachten met het zingen van vredesliederen en praten.[39]

Plotseling zwaaiden de grote notenhouten deuren open en trad Hillary, gekleed in een helderblauw jasje over een zwart broekpak, de ruimte binnen. De vrouwen stonden haastig op van hun stoelen en applaudisseerden. Hillary glimlachte en nam plaats achter een tafel tegenover de vrouwen. Ze dankte hen, erkende hun bezorgdheid en betuigde hulde aan de naam, het handelsmerk van de groep.

'Ik houd van roze tulpen,' zei ze glimlachend.[40]

Vervolgens sprak Hillary over een voor de hand liggende kloof die er bestond tussen de houding van Code Pink ten opzichte van de oorlog en die van haarzelf. Daarna vroeg Hillary of de groep een woordvoerster had.

Een lange vrouw in het roze liep naar de tafel. Ze droeg een roze strook over haar roze outfit waarop de woorden te lezen stonden: 'Hillary, je luistert niet naar de vrouwen. Wij zeggen: GEEN OORLOG IN IRAK'. Ze stelde zich voor als Medea Benjamin en dankte Hillary dat ze de tijd nam om met hen te spreken.

Benjamin, een ervaren linkse actievoerder, vertelde Hillary dat ze onlangs een delegatie naar Bagdad had geleid, waar zij en haar collega's hun solidariteit hadden verklaard aan de Irakese vrouwen en ontmoetingen hadden gehad met wapeninspecteurs van de Verenigde Naties die zeiden dat ze meer tijd nodig hadden.

Daarna roerde ze verscheidene kwesties aan waar Hillary in haar carrière haar handtekening onder had gezet: 'We willen dat je ons helpt de vrouwen van Irak en hun kinderen te beschermen en onze eigen kinderen,' zei ze, en vroeg Hillary zich in te spannen om zich ervan te verzekeren dat het regerings-geld besteed werd aan 'kinderzorg, gezondheidszorg' en niet aan oorlog.

Hillary knikte, maar zei niets.

Benjamin vervolgde haar politieke benadering: 'We weten dat je een ge-weldige vrouw bent,' zei ze, 'en dat je het diep vanbinnen werkelijk met ons eens bent.'

Maar zaken zijn zaken, en de leider van Code Pink drong vervolgens tot de kern door. 'Er zijn twee manieren om hiermee om te gaan,' hief ze aan. Haar groep kon Hillary een roze badge van betoonde moed geven als ze hun standpunt verdedigde. Zo niet, dan zou de groep haar een roze ontslagbrief geven.

Hillary sloeg een verzoenende toon aan. 'Ik bewonder je bereidheid je uit te spreken in naam van de vrouwen en kinderen in Irak,' zei ze, en voegde eraan toe: 'Dat zijn zaken die mij zeer ter harte gaan.' Ze vertrouwde haar toe dat haar beslissing in oktober 2002 om de president te steunen bij een mogelijke inval in Irak, 'een ongelooflijk moeilijke beslissing voor mij was'. Daarna waagde Hillary zich aan een lange en gedetailleerde stemverklaring en wat ze wist over Irak. Haar uitleg was niet alleen gedetailleerder en ont-hullender dan de uitspraken die ze had gedaan tijdens de bijeenkomst in de Senaat voorafgaand aan het uitbrengen van haar stem, maar haar aan Code Pink gerichte commentaar zou al haar volgende speeches, geschriften en contacten met haar kiezers over dit onderwerp overtreffen.

In haar autobiografie *Mijn verhaal* maakt Hillary geen melding van een eerdere interesse in Irak en onthult ze slechts één gesprek dat ze er met haar echtgenoot over voerde in 1998. Maar nu vertelde ze de vrouwen dat 'dit iets is wat ik al meer dan tien jaar volg'. Daar school een zekere waarheid in, in zoverre dat president Bill destijds periodiek ingreep in Irak, en zij dat van nabij had mogen aanschouwen. Maar als Irak haar speciale aandacht had gehad, dan had ze dat in elk geval effectief verborgen weten te houden in haar tijd in Washington.

Op de vraag van een van de vrouwen waarom de Verenigde Staten de verantwoordelijkheid op zich namen om een land als Irak te ontwapenen, antwoordde Hillary dat zonder een 'leidende rol' van de Verenigde Staten er geen 'bereidheid om heel moeilijke problemen aan te pakken' zou zijn, van-wege de 'houding van veel mensen in de wereldgemeenschap van vandaag'. Ze noemde de krachtdadige buitenlandse politiek die haar echtgenoot had gevoerd, soms op eigen initiatief, als een voorafschaduwing van de interven-tie van de regering-Bush in Irak. 'Ik heb het met name over wat er moest ge-beuren in Bosnië en Kosovo, waar mijn echtgenoot geen vn-resolutie kreeg om de Kosovaarse Albanezen te ontzetten en uit handen te houden' van de etnische zuiveringspolitiek van Slobodan Miloševiç, vertelde Hillary de vrouwen. 'We moesten het in ons eentje klaren.'

Een ander Code Pink-lid vroeg Hillary daarop of ze geloofde dat Saddam Hoessein beschikte over massavernietigingswapens. 'Er bestaat geen [Irakese] boekhouding van de chemische en biologische wapens,' erkende Hillary. Maar ze voegde eraan toe dat Saddam Hoessein 'een zodanig bewezen staat van dienst' had dat hij alleen omschreven kon worden als iemand met 'een obsessie voor massavernietigingswapens'. Daarop suggereerde ze, zonder het expliciet uit te spreken, dat ze de geheime inlichtingenrapporten over Irak had bestudeerd. 'Ik besloot ten langen leste vóór de resolutie te stemmen na uitvoerig de informatie en inlichtingen die ik tot mijn beschikking had, nog eens onder de loep genomen te hebben,' zei ze. Hillary vertelde de Code Pink-demonstranten dat ze ook had voldaan aan haar 'verplichte toewijding' door 'mensen te spreken' die ze vertrouwde. Ze zei niet om wie dat ging.

Ten slotte nam Hillary de gelegenheid te baat om een sneer naar de president te geven, toen ze zich voor 'honderd procent' solidair verklaarde met de kritiek van Code Pink op Bush' binnenlandse voorkeuren. Er werd geapplaudisseerd. En Hillary stond op om te vertrekken. 'Sorry, jongens,' zei ze nog.

Een paar dagen voor het bezoek van Code Pink had Hillary nog een voorkeur uitgesproken voor een vredelievende oplossing langs diplomatieke weg en middels wapeninspectie, zoals ze verslaggevers in de provincie New York te verstaan had gegeven: 'Het is te verkiezen dit te doen op een vredelievende manier middels gedwongen inspectie.' Maar dit was pure retoriek, als je het afwoog tegen haar stemgedrag en haar onverminderde steun aan de president. In de kern was Hillary nog altijd voor de oorlog. Dus, voordat ze de zaal had kunnen verlaten, klampte een van de Code Pink-aanvoerders haar aan: 'Ik hoorde dat u bereid bent het leven van onschuldigen in Irak op te offeren om Saddam Hoessein te kunnen grijpen, dus overhandig ik u bij dezen uw ontslagbrief.' De vrouw probeerde daarop Hillary een roze slip in handen te duwen.

Hillary weigerde die aan te nemen en wierp de vrouw een woedende blik toe. 'Ik ben de senator van New York,' snauwde Hillary de vrouw toe met dreigend zwaaiende vinger. 'Ik zal de veiligheid van mijn mensen nooit in de waagschaal stellen. Nooit.'

'Dat doe je wel! Dat doe je wel! Dat doe je wel!' schreeuwden verscheidene vrouwen haar toe toen ze haastig haar publiek van Code Pink de rug toekeerde en door de deuropening verdween. Een van de demonstranten riep

haar na: 'Je leeft met de leugen!' Toen de senator was vertrokken, begonnen
de vrouwen te zingen:

*Putting our bodies on the line*
*stop this war while there's still time*
*putting our bodies on the line*
*Hillary's got to show some spine...*

Zij aan zij voor de achterban:
stop deze oorlog zolang het nog kan
zij aan zij voor een uitgesproken ban
Hillary, laat zien dat je het kan...

De 'vast right wing conspiracy' (een door Hillary bedachte term voor een
grote samenzwering tegen haar en Bill) had Hillary Rodham Clinton tientallen jaren aangevallen, maar nooit zo direct en openlijk als deze groep linkse
vrouwen. En blijkbaar zonder dat Hillary dat wist, hadden de vrouwen alles
op video vastgelegd en de film op de avond dat ze haar campagne voor het
presidentschap startte, gelanceerd op YouTube.com

Het protest van Code Pink was een teken dat Hillary's uitgebrachte stem
vóór de inval haar met een aantal grote problemen zou kunnen opzadelen.
En de oorlog zelf was nog niet eens begonnen.

# 19

# De club

Het Amerikaanse Congres is een archaïsch instituut dat achterblijft bij de rest van de het land. Het is minder divers, de leden zijn rijker en het regelt en bedisselt en het heeft een januskop van zonderlinge parlementaire procedures en fanatiek partijpolitiek gekrakeel.

Toch zijn er belangrijke verschillen, zowel tussen de twee huizen onderling als binnen de Senaat zelf, waar anciënniteit alles is. Senatoren, die elke zes jaar opnieuw gekozen dienen te worden, kijken neer op hun collega's in het Huis van Afgevaardigden, die elke twee jaar hun zetel opnieuw moeten zien te veroveren. De Senaat, het zogenoemde hogerhuis, wordt als veel contemplatiever beschouwd – in tegenstelling tot het Huis van Afgevaardigden bepalen de regels van de Senaat dat zestig procent van haar leden met een besluit dient in te stemmen om een debat te beëindigen – en de wat elitaire cultuur zorgt vaak voor een enigszins bezadigde sfeer, die in het Huis ontbreekt. Bovendien zijn de leden voornamelijk mannen: tijdens Hillary's ambtsperiode waren er maximaal zestien vrouwelijke senatoren.

De sleutel tot Hillary's succes in de Senaat was een combinatie van charme en engagement. 'Ze was geduldig en ijverig. Ze is geweldig in namen, ze herinnert zich wanneer je jarig bent, daar is ze erg goed in,' herinnert zich een Senaatsmedewerker.[1] Een van de mensen op wie ze zich concentreerde, was Robert C. Byrd, de langst dienende senator, iemand die 'niet gemakkelijk is in te palmen', voegde de medewerker eraan toe.[2] Hillary had jaren daarvoor al te maken gehad met Byrd, toen ze had geprobeerd haar hervormingen in de gezondheidszorg door de Senaat te sluizen door ze toe te voegen aan andere wetgeving; ze had destijds flink haar best gedaan hem voor haar plannen te winnen. 'Ze was zich zeer wel bewust van de regels die heersen in de Senaat, en van het belang van anciënniteit,' zei James Varey, die tijdens Hillary's eerste jaren in de Senaat leiding gaf aan de Capitol Police. 'Ze hield zich aan de regels. Ze hield zich gedeisd.'[3]

En natuurlijk was Hillary niet zomaar een gekozen ambtenaar. Haar ervaringen als First Lady vergemakkelijkten haar werk in de wandelgangen van de Senaat. 'Ze staat een minuutje met je te praten en geeft je het gevoel dat je haar kent,' herinnerde de medewerker zich.[4] Met haar goede inborst, haar gevoel voor humor en haar vermogen 'een goed verhaal te vertellen', wist ze sommigen van haar collega's te verrassen, zegt senator Barbara Mikulski van Maryland. 'De Republikeinen waren onder de indruk van haar ijver, van het feit dat ze de zaken ernstig nam en niet meteen over iemand een oordeel velde,' zei Mikulsiki. 'Ze kregen respect voor haar omdat ze niet voor de bühne speelde.'[5]

De Republikeinse senator John McCain stemde daarmee in. 'Ze kwam de Senaat binnen en werd direct met zeer kritische blik gevolgd – kritischer dan welke senator ook in de recente geschiedenis, waarschijnlijk sinds Teddy Kennedy,' zei McCain. 'En ze heeft zich bewonderenswaardig gedragen.' McCain voegde eraan toe dat Hillary 'altijd goed was voorbereid' bij de vergaderingen die ze samen bijwoonden voor de Strijdkrachten-commissie.[6]

Die voorbereiding was vaak het resultaat van een lange nacht buffelen. Wanneer Hillary na haar laatste bijeenkomst naar huis gaat, heeft ze gewoonlijk een loodgieterstas met documenten bij zich, die zijn geselecteerd door haar staf. Soms zijn dat tweehonderd pagina's, of zelfs nog meer.[7]

'De dag eindigde laat voor haar,' vertelde een voormalige medewerker. 'De volgende ochtend, als je het ochtendtelefoontje voorafgaand aan de eerste bijeenkomst kreeg, gewoonlijk rond half acht, acht uur, was het duidelijk dat ze het materiaal van de avond ervoor had doorgenomen, hoewel ze daar vóór tien uur geen tijd voor had gehad.'[8] Het doornemen van stukken 'ontspant haar', zei een Senaatsadviseur. 'In haar vrije tijd ploegt ze zich door al die informatie heen, en daar geniet ze van.'[9]

Een van haar voormalige medewerkers verbaasde zich dermate over haar werkopvatting dat hij zich liet ontvallen dat hij 'de indruk had dat ze maar weinig slaap nodig heeft'.[10] Maar in vergelijking met Bill, die meestal pas ver na middernacht zijn bed opzoekt, 'heeft Hillary meer vrije tijd en slaap nodig', zei een voormalige medewerker van Clinton in het Witte Huis.[11] Daaruit blijkt wel dat ze heel snel informatie tot zich kan nemen.

Het doornemen van stukken blijft niet beperkt tot de avonduren. Tot Hillary's huiswerk in de vroege ochtend behoort ook het doornemen van een overzicht van het dagelijks nieuws in de vorm van krantenknipsels, geselecteerd door een medewerker.[12] Dat pakket bevat niet alleen stukken die over haar gaan, maar ook artikelen over onderwerpen die haar belangstelling hebben. Dat overzicht wordt ruim voor haar eerste bijeenkomst naar haar toegestuurd, dus als ze om half acht of acht uur een ontbijtbijeenkomst heeft, moet die medewerker heel vroeg opstaan om de selectie krantenknipsels samen te stellen.[13]

Vanaf het begin heeft Hillary veel tijd besteed aan haar werk voor verschillende commissies. Volgens de informele regels van de 'club' mogen senatoren zitting nemen in maximaal twee belangrijke commissies. Maar dankzij ingrijpen van de leider van haar partij nam Hillary, net als een klein aantal ervaren senatoren, plaats in drie commissies: Strijdkrachten (Armed Services), waarin ze tijdens haar eerste termijn twee jaar zitting had, Gezondheidszorg, Onderwijs, Arbeid en Pensioenen (Health, Education, Labor and Pensions; HELP) en Milieu en Openbare Werken (Environment and Public Works).[14]

Haar officiële status als een van de laagst geplaatste commissieleden was niet in overeenstemming met haar werkelijke macht. 'Van de meeste nieuwe leden die het podium betreden, hoor je niet veel,' zei een Senaatsmedewerker, verwijzend naar de gang van zaken waarbij de leden plaatsnemen volgens anciënniteit en de oudste in het midden zit. 'Maar zij speelt een rol die opmerkelijker is dan die van de oudere leden. Wanneer zij de zaal binnenloopt voor een HELP-vergadering, veroorzaakt ze enige beroering. Alleen al om wie ze is. Ze heeft een enorme reputatie.'[15]

Veel New Yorkers hebben zich erover verbaasd hoe krachtig ze zich voor hen inzet, zelfs als die inzet erin resulteerde dat ze in conflict kwam met haar eigen politieke bondgenoten. Zo'n strijd speelde zich bijvoorbeeld af in de HELP-commissie in 2006 en draaide om een wet op financiële steun voor aidspatiënten, de zogenoemde 'Ryan White Care Act'. Door de in de wet vastgelegde verdeling van de overheidssteun daalde het aan New York toegekende bedrag, ondanks het grote aantal patiënten daar, terwijl andere staten meer kregen. Toch voelden de senatoren die de andere staten vertegenwoordigden, zich ook tekortgedaan en bleken ze niet bereid hun geld aan New York te geven. Hillary was vastbesloten dit gevecht aan te gaan.

'Geheel op eigen houtje zorgde ze er maandenlang voor dat de wet niet werd aangenomen en bracht ze een groot aantal Democraten in moeilijkheden,' zei een Democratisch staflid van de HELP-commissie.[16] Uiteindelijk gaf ze toe en werd de wet aangenomen. 'Senator Kennedy, het meest vooraanstaande lid, stond in deze kwestie niet achter haar. Ze stak haar handen uit de mouwen voor haar eigen staat, ook al bracht ze andere staten daarmee in gevaar.'[17]

Hillary bekleedde haar belangrijkste post, lid van de Strijdkrachtencommissie, na de tussentijdse verkiezingen in 2002. Hillary was de eerste New Yorkse senator die plaatsnam in deze commissie. Van haar kant was het een welbewuste beslissing om, na de aanvallen van 11 september, haar opvattingen over nationale veiligheid op te poetsen. 'Het was voor haar van groot belang om toe te treden tot de Strijdkrachtencommissie: op die manier kreeg ze immers veel meer inzicht in onderwerpen die de nationale veiligheid aangaan,' zei een voormalig medewerker.[18]

Hillary had daarvoor al met haar 'buitengewone inzicht'[19] in de militaire cultuur indruk gemaakt op de vicechef van staven van het leger, generaal John Keane, een van de architecten van de invasie in Irak. Daarom wendde ze zich tot Keane, die met pensioen ging, en vroeg hem of diens steun en toeverlaat, Paul Paolozzi, haar terzijde mocht staan als militair adviseur. Hillary vertrouwde op Paolozzi's kennis van zaken bij het voorbereiden van de vergaderingen en ze prees hem tijdens de ceremonie ter gelegenheid van zijn promotie tot luitenant-kolonel, in 2004.[20] Binnen de kortste keren was Hillary vertrouwd met een gemeenschap die haar echtgenoot lange tijd met de nek had aangekeken. 'Ze kan uitstekend opschieten met de mannen en vrouwen in uniform,' zei senator McCain – en die kon het weten.[21]

Dankzij haar lidmaatschap van de Strijdkrachtencommissie kon Hillary aansluiting vinden bij het leger, een belangrijk instituut voor New York, een staat met verschillende militaire bases en waar ook nog eens de prestigieuze militaire academie West Point is gevestigd. Daarenboven was ze op die manier in staat officiële werkbezoeken af te leggen aan oorlogsgebieden en zo vertrouwd te raken met allerlei dringende zaken die haar presidentiële campagne zouden beheersen.

Begin 2003 stond Hillary in een lift op Capitol Hill met een andere vrouwelijke senator van de Democratische Partij, toen ze Elizabeth Dole zagen, de pas gekozen Republikeinse senator van North Carolina en echtgenote van de voormalige senator Bob Dole, die tijdens de presidentsverkiezingen van 1996 door Bill was verslagen.

Hillary en haar Democratische collega keken elkaar even aan en begonnen zachtjes te giechelen. Nadat Dole buiten gehoorsafstand was, zei Hillary: 'Heb je dat gezicht gezien?' – doelend op het gerucht dat de 66-jarige Dole plastische chirurgie had ondergaan. De twee vrouwen glimlachten opnieuw en Hillary voegde eraan toe: 'En dan te bedenken dat ze het allemaal over mijn haar hebben,' waarna de vrouwen nogmaals smakelijk moesten lachen.[22]

Hillary kan in de privésfeer dan misschien grapjes maken over leden van de oppositie, in het openbaar is ze zeer wel in staat samen met hen op te trekken. Zo trachtte ze in 2006 samen met Elizabeth Dole steun te krijgen voor de toetreding van de Israëlische Magen David Adom Society in het

Internationale Rode Kruis.[23] (Islamitische landen hadden bezwaar gemaakt tegen de Israëlische toetreding.) Sinds haar verkiezing werkt Hillary met ongeveer de helft van de Republikeinen in de Senaat samen op het gebied van wetgeving of resoluties.[24] Bill zegt dat Hillary als geen ander in staat is 'degelijke deals te sluiten met mensen die het niet met haar eens zijn'.[25] Dat was zeker het geval in de Senaat. Bij haar inspanningen voor de veteranen bijvoorbeeld werkte ze samen met een van de vroegere initiatiefnemers tot de afzettingsprocedure van haar man door het Huis, Lindsey Graham, nu Republikeins senator van South Carolina. 'Op het gebied van de voorzieningen voor veteranen wilde ze echt samenwerken met Lindsey Graham,' zegt Hillary's voormalige medewerkster Jodi Sakol.[26] Haar reizen naar het buitenland met John McCain bewezen dat politieke tegenstanders, eenmaal verlost van de beperkingen die de Senaat stelt, persoonlijk op goede voet met elkaar kunnen staan. De twee hebben een 'buitengewoon ontspannen verhouding', waarin Hillary zich dermate op haar gemak voelt dat ze praat over Bill en Chelsea, grappen maakt en een paar glazen wodka drinkt, wat gebeurde tijdens een diner met McCain in Estland in 2004.[27]

Bij sommige politieke kwesties lijken haar bondgenootschappen wel gymnastiekoefeningen. In 2006 leek de Senaat voldoende stemmen te hebben voor het aannemen van een grondwettelijk amendement om de ontheiliging van de Amerikaanse vlag te verbieden. Een soortgelijke maatregel was al door het Huis goedgekeurd. Samen met senator Bob Bennett, een Republikein uit Utah, stelde Hillary samen met enkele anderen tevergeefs een alternatief voor waarbij het ontheiligen van de vlag in samenhang met een poging anderen te intimideren of geweld te gebruiken, als een misdaad zou worden beschouwd. Rond dezelfde tijd werd Hillary's enquêtemedewerker, Mark Penn, tijdens een conferentie in Aspen door een weblogger, Arianna Huffington, gevraagd of de maatregelen betreffende vlagverbranding waren gebaseerd op enquêtes of op Hillary's persoonlijke overtuigingen. Penn wees de vraagstelling van de hand, evenals die van haar mede-webloggers. 'Jullie willen doen geloven dat jullie beter weten waarvan zij overtuigd is dan zijzelf,' beet Penn hen toe. 'Dit is haar overtuiging. En het is al lange tijd haar overtuiging. Ze heeft goed geluisterd naar de veteranen in New York en dit is haar standpunt.' Penn wachtte even en besloot toen: 'En zal ik je eens iets vertellen? Het interesseert haar niet wat jullie daarvan vinden.'[28]

Een bondgenootschap met een andere voormalige Clinton-vijand ontstond tijdens het traditionele gebedsontbijt van de Senaat, dat af en toe wordt bijgewoond door Hillary. Tijdens zo'n ontbijt aan het begin van Hillary's carrière in de Senaat verontschuldigde Sam Brownback, een Republikein uit Kansas, zich tegenover Hillary dat hij zich zo haatdragend tegenover de Clintons had opgesteld. 'Politiek zitten we niet op één lijn, maar er is geen reden om ze te haten,' verklaarde Brownback later, dus 'ging ik naar haar toe en bood mijn verontschuldigingen aan'.[29] De twee senatoren, die in ieder geval een aantal van hun meningsverschillen bijlegden, werkten later samen bij een maatregel om een federaal onderzoek te laten doen naar de effecten van de massamedia op de ontwikkeling van kinderen.[30]

Zelfs met president Bush was Hillary het af en toe eens. Over een gevoelige onderwerp als immigratie zei Hillary begin 2007 dat ze vond dat 'de president gelijk had' met zijn voorstel miljoenen ongeregistreerde immigranten een 'mogelijkheid te bieden tot legalisering', op voorwaarde dat ze hun beurt zouden afwachten en een boete zouden betalen.[31] En natuurlijk was er Irak, althans, in het begin.

Een van de belangrijkste medewerkers van Hillary is Huma Abedin, een stijlvolle jonge vrouw die tot haar tweede levensjaar in Kalamazoo, Michigan, woonde en toen naar Saoedi-Arabië verhuisde, waar ze werd opgevoed door haar Pakistaanse moeder en Indiase vader.[32] Abedin is wat in Senaatsjargon een 'body person' wordt genoemd: iemand die de senator helpt bij het opstellen van de hectische agenda en meestal aan zijn of haar zijde staat tijdens reizen.[33] 'Huma zorgt dat alles op rolletjes loopt – ze is onmisbaar,' zei een voormalige medewerker van Hillary.[34] Een collega van Abedin in de Senaat omschreef haar als 'een tikje gereserveerd, typisch iemand voor Hillary, buitengewoon rustig'.[35]

Abedin, nu begin dertig, kwam in Hillaryland tijdens het presidentschap van Bill Clinton en werkte zich langzaam maar zeker naar boven, totdat ze uiteindelijk Hillary's persoonlijke assistent werd in het Witte Huis. In een bijschrift bij een foto van Abedin in Hillary's autobiografie omschrijft ze Abedin als 'buitengewoon'.[36] Haar kennis van het Midden-Oosten en haar talenknobbel – ze is moslim en spreekt vloeiend Arabisch – deden president Clinton zelfs besluiten haar toe te voegen aan zijn diplomatieke missie tijdens de mislukte vredesonderhandelingen in Camp David in 2000. 'Ze slaagde er met name goed in de Israëlische en Palestijnse delegaties op hun gemak te stellen,' herinnerde Bill zich.[37]

Tijdens Hillary's reizen naar het Midden-Oosten als senator ging Abedin altijd mee (net als een eenheid van de veiligheidsdienst). McCain, die in 2005 met Hillary naar Irak ging, vond dat Abedin 'zeer, zeer intelligent is en heel goed op de hoogte is van wat er speelt in het Midden-Oosten', en bovendien iemand met een 'warme en aangename persoonlijkheid'.[38] Voor Hillary is ze nog meer dan dat: ze is van onschatbare waarde. Zelfs als Bill en Hillary de drukte ontvluchten en genieten van een Caribische vakantie, maakt Abedin deel uit van hun entourage.[39] Toen Hillary tijdens de Columbus Day-parade in 2006 over Fifth Avenue in New York City marcheerde, liep Abedin naast haar om haar wapperende jas met bloemetjespatroon vast te houden. Tijdens Hillary's eerste publieke optreden nadat ze in januari 2007 had aangekondigd het presidentschap te ambiëren, in een gezondheidskliniek midden in Manhattan, stond Abedin aan haar zijde.[40] Tijdens Hillary's eerste optreden in de presidentscampagne zelf, bij een toespraak in Des Moines, Iowa, vergezelde Abedin haar opnieuw, nam foto's voor de fans en gaf boeken door om te signeren. Sinds ze in januari 2001 haar zetel in de Senaat innam, maakten Hillary en haar medewerkster drie reizen naar Irak, en reizen naar Koeweit, Pakistan, Israël, India, Duitsland, Ierland, Noorwegen, Singapore en Estland.[41]

Eén buitenlandse reis, die Hillary in 2005 maakte, deed de wenkbrauwen van enkele mensen in de Senaat fronsen.[42] De reis, die was goedgekeurd door de voorzitter van de Strijdkrachtencommissie, ging naar Singapore, waar het Internationaal Olympisch Comité zich voorbereidde op de keuze van de stad die in 2012 de Olympische Spelen zou organiseren. New York City was een van de vijf finalisten, maar zou uiteindelijk verliezen van Londen. Aanvankelijk maakte Hillary een video ter ondersteuning van de New Yorkse kandidatuur en had besloten de bijeenkomst niet bij te wonen.[43] Maar op het laatste moment wijzigde ze haar plannen: ze besloot zich aan te sluiten bij de organisatoren en zelf te gaan lobbyen. Haar medewerkers trachtten zo snel mogelijk uit te dokteren hoe ze publieke gelden konden gebruiken om haar optreden te verantwoorden, maar ze kwamen erachter dat alleen een Senaatscommisie toestemming kon verlenen voor het gebruik van publieke gelden tijdens een buitenlandse reis.[44]

En er was nog een probleem. De regels van de Senaat bepalen dat 'het hoofddoel van een reis uiteraard officieel van aard moet zijn om het gebruik van publieke gelden te kunnen verantwoorden'.[45] Zelfs Hillary's woordvoerster gaf toe dat ze dit 'voor New York deed',[46] en niet voor de federale overheid of het Congres. Het werd nog lastiger omdat de Democraten destijds in geen van de commissies de meerderheid hadden, omdat de Republikeinen in het Congres de meerderheid hadden.

Voorzitters van Senaatscommissies hebben echter aardig wat vrijheid bij het bepalen wat 'officieel' is, en Hillary had een vriend in de Republikeinse senator John Warner, de uit Virginia afkomstige patriciër die voorzitter was van de Strijdkrachtencommissie. Warner bewees dat de waarde van persoonlijke vriendschappen in de Senaat niet onderschat mag worden en verklaarde dat de reis een officiële status had. Hillary nam Abedin mee en had bovendien een eenheid van de veiligheidsdienst bij zich. Het rapport voor de Stijdkrachtencommissie over de reis, dat volgens de wet dient te worden opgesteld en werd ondertekend door Warner, werd overgedragen aan de Senaat na de gebruikelijke rapporteringstermijn en werd niet opgemerkt door het publiek. Het tweedaagse verblijf van Hillary en Abedin kostte de belastingbetaler meer dan 14.000 dollar, grotendeels besteed aan vliegtuigtickets.[47]

Naast de collegiale overeenkomsten met haar politieke tegenstanders kreeg Hillary ook wel eens te maken met aanvaringen met haar Democratische vrienden. Sommige daarvan betroffen begrijpelijkerwijze basale emoties als territoriumdrift en jaloezie.

In tegenstelling tot in het Huis van Afgevaardigden, waar elk lid een bepaald district vertegenwoordigt, vissen de twee senatoren van elke staat in dezelfde vijver. Als die twee verschillende partijen vertegenwoordigen, liggen de zaken vrij duidelijk: elke senator steunt zijn of haar eigen partij. Maar wanneer het duo tot dezelfde partij behoort, kan het er 'zeer stevig'[48] aan toegaan, zoals een Senaatsmedewerker zei.

Dat verklaart deels de rivaliteit tussen Hillary en de andere senator van New York, Chuck Schumer – die zich grotendeels na de aanslagen van 11 september afspeelde.

Schumer en Clinton hebben veel gemeenschappelijk. Hun stemgedrag leunt naar de linkerzijde en in een groot aantal kwesties nemen ze dezelfde positie in. Zo scoren ze alle twee honderd procent of bijna honderd procent bij liberale groeperingen – advocaten die voor legalisering van de abortus zijn, het Children's Defense Fund en de vakbondsfederatie AFL-CIO – terwijl ze beiden een dikke onvoldoende krijgen van de National Rifle Association.[49] Op gebieden als defensie, economisch beleid en buitenlands beleid was Hillary in 2005 liberaler dan tachtig procent van haar collega's; Schumer kwam daar met 78 procent vlak in de buurt.[50] Bij sociaal-politieke kwesties was Hillary linkser dan 83 procent van haar collega's; Schumer scoorde daar 77 procent.[51]

Aanvankelijk konden Hillary en Schummer, die beiden niet te klagen hebben over een gebrek aan ego, intelligentie en gewiekstheid, niet goed met elkaar opschieten. Ze hoopten een goede verstandhouding te krijgen door regelmatig met elkaar te gaan eten, maar Hillary stoorde zich aan Schumers eetgewoonten – hij praatte en at tegelijk.[52] 'Ze ging terug naar haar staf en zei dat dit de laatste maaltijd was geweest die ze samen met Chuck had

gebruikt,' herinnerde zich een medewerker.[53] De verhouding tussen de twee
verbeterde toen ze elkaars agenda's en persoonlijkheden wat beter gingen begrijpen. De twee senatoren dineren nu af en toe, vaak in Schumers favoriete
Chinese restaurant bij het Capitool. Toch hebben ze nog steeds een 'onge-
makkelijke vriendschap' – 'zoals Amerika met Saoedi-Arabië', aldus een medewerker.[54] De rivaliteit tussen de twee senatoren en hun stafleden sijpelde
in juni 2006 door tot in de leiding van de partij. Harry Reid had samen met
Schumer en een aantal andere Democraten – maar zonder Hillary – op het
laatste moment een persconferentie belegd om de aandacht te vestigen op de
pogingen van de partij het minimumloon te verhogen. Hillary was uitgenodigd voor de bijeenkomst, maar was vooraf niet betrokken bij de organisatie
ervan. Reid coördineert in zijn rol van regelneef voor de Democraten in de
Senaat de persconferenties van de partij. Hillary's kantoor, met zijn leger
aan adviseurs, reageert in de regel traag op vragen van Reids staf aangaande
ophanden zijnde persbijeenkomsten en zet daarmee kwaad bloed bij andere
Senaatskantoren, die netjes op hun beurt moeten wachten om een uitnodiging te krijgen.[55] In dit geval bleek dat het tijdstip van de persconferentie
niet paste in Hillary's agenda en dat ze voortijdig zou moeten vertrekken.
In het bijzijn van verslaggevers bij de persconferentie zei Hillary's juridische
adviseur, Laurie Rubiner, tegen de woordvoerster van Reid: 'Je bent een
kreng,' en: 'Hoe kun je zoiets nou doen?'[56] Een ervaren Senaatsfunctionaris
noemde het 'een van de meest onprofessionele incidenten van de afgelopen
tijd',[57] en Rubiner bood later haar verontschuldigingen aan.

Elke donderdag, wanneer de Senaat vergadert, komen de Democratische senatoren bijeen om te lunchen op de eerste verdieping van het Capitool. Dat
geldt ook voor hun Republikeinse collega's. De minderheidspartij komt bijeen in de LBJ ROOM, genoemd naar voormalige president Lyndon B. Johnson,
en de meerderheidspartij luncht in de grotere Mansfield Room, genoemd
naar Mike Mansfield, de langst zittende leider van een meerderheidspartij in
de Senaat, die deze functie bekleedde in de jaren zestig en zeventig.

Hier kunnen de collega's openhartig met elkaar discussiëren, want er is
slechts een handjevol medewerkers aanwezig en verslaggevers zijn niet welkom. Hillary, een groentje in haar eerste termijn, werd met beleefdheid te-
gemoetgetreden, hoewel een aantal langer zittende collega's de wenkbrauwen
fronste en sommige van haar ideeën afkeurde: die vonden ze te revolutionair
of te activistisch.

'Senatoren bromden: "Daar heb je haar weer,"' zei een van de aanwezigen.
'Ze vonden haar een wijsneus, iemand die dingen deed waar zijzelf nooit

De club

aan hadden gedacht.'[58] Een ander die aanwezig was bij de lunches, zei dat de negatieve geluiden verklaard konden worden uit jaloezie. 'Door haar aanzien voelden anderen zich bedreigd.'[59]

Wanneer de lunch voorbij is, kunnen de senatoren de zaal op twee manieren verlaten: via een achterdeur die leidt naar een ontvangstruimte in de Senaat, of via de voordeur, waar een horde journalisten de wetgevers staat op te wachten.

Lange tijd verkoos Hillary een derde uitgang uit de LBJ ROOM. 'Vaak verliet ze de zaal via de deur aan de linkerkant en daalde dan een buitentrap af,' het Capitool uit. De verslaggevers, die het gebouw liever niet wilden verlaten omdat ze dan opnieuw door de veiligheidscontroles moesten om het Capitool weer in te mogen, gingen meestal niet achter haar aan. Halverwege 2006 sloot de Capitol Police de uitgang die door Hillary werd gebruikt, echter af en moest ze, net als haar collega's, de verslaggevers van zich af proberen te schudden.[60]

Dat afschudden is voor haar iets gemakkelijker dan voor veel van haar collega-wetgevers. Hillary, de enige senator en presidentskandidaat met bescherming van de veiligheidsdienst, is voor stemmers en verslaggevers minder goed benaderbaar dan de meeste andere politici in Washington. 'Ze zit in een glazen kooi, bijna net als een president, en dan is het moeilijk natuurlijk over te komen,' zei een ervaren Hillary-strateeg.[61] Wanneer ze zich in het publiek begeeft, vormt de massa vaak een extra buffer tussen haar en de pers.[62]

Die buffer kan soms een vacuüm worden en heeft af en toe zelfs enige spanning veroorzaakt tussen verslaggevers die met Hillary in contact trachtten te komen en de senator en haar staf zelf. Een andere factor die een rol speelt in Hillary's moeizame relatie met de pers, is de voortdurende wisseling van woordvoerders die direct met de pers te maken hebben. Het is een zware baan, want de media zijn onverzadigbaar als het gaat om Hillary, terwijl zij buitengewoon kritisch is op alles wat haar persmensen tegen de verslaggevers zeggen. Zelfs in normale omstandigheden kan het jaren duren voordat verslaggevers en persmedewerkers enig vertrouwen in elkaar krijgen. In de eerste vijf jaar dat ze zitting had in de Senaat, heeft Hillary zes verschillende hoofden communicatie in dienst gehad.[63] In dergelijke gevallen is het bijna onmogelijk een vertrouwensband op te bouwen.

De langst dienende woordvoerder van Hillary is haar huidige perssecretaris voor de Senaat, Philippe Reines.[64] Reines, nu eind dertig, heeft er enige tijd over gedaan het voor hem juiste pad te vinden. Hij groeide op zonder vader in de Upper West Side van New York City en had twaalf jaar en drie verschillende universiteiten nodig om af te studeren.[65] Hij was medewerker tijdens de presidentscampagne van Gore en Lieberman in 2000 en vervolmaakte zijn talenten om het kamp van de tegenstander te verkennen en diens zwakke plekken op te zoeken en voor het voetlicht te brengen.[66]

Reines wordt beschouwd als een vast onderdeel van Hillaryland. 'Hillary is dol op hem omdat hij haar aan het lachen maakt,' zei een verslagge-ver.[67] Reines strijdt om een positie in Hillary's kamp met Howard Wolfson, de openhartige woordvoerder in haar presidentscampagne.[68] Maar zelfs de meest ervaren Democratische senatoren praten gewoonlijk niet met de pers over Hillary als Reines, of zelfs een ander lid van haar staf, hun vraagt dat niet te doen. In 2006 trachtte auteur Gail Sheehy, die een boek schreef over Hillary met de titel *Hillary's Choice*, senatoren te interviewen in verband met een artikel dat ze over Hillary Clinton schreef voor *Vanity Fair*. Een aantal Democratische senatoren weigerde met Sheehy te spreken nadat Reines een e-mail naar alle Democratische perssecretarissen van de Senaat had gestuurd met een artikel van Lloyd Grove van *The New York Daily News* dat begon met de zin: 'Hillary Clinton wil dat Gail Sheehy tijdelijk wordt *kaltgestellt*.'[69]

Hoewel sommige senatoren buitengewoon veel eerbied tonen voor Hillary, staan ze niet in de rij om haar presidentscampagne te ondersteunen. Na vier maanden campagne voeren waren er slechts twee senatoren – haar 'gelegen-heidsrivaal' Charles Schumer en Barbara Mikulski – die haar publiekelijk steunden.[70] Hillary is dan misschien geaccepteerd door de club, maar de club is nog niet zo ver dat ze haar beschouwt als de volgende president van het land. Het waren zelfs andere leden van de club die een struikelblok vormden bij haar poging een volgende stap op de ladder te zetten – onder wie een van de jongste leden, een jeugdige, frisse senator uit haar geboortestaat Illinois.

# 20

# De War Room

Hillary was nog steeds bezig te wennen aan haar werk in de Senaat, maar tegelijkertijd beklom ze ongemerkt de ladder die voert naar het leiderschap van haar partij. In januari 2003 werd ze benoemd tot voorzitter van de Senaatscommissie Democratische Sturing en Coördinatie (Democratic Steering and Coordination), een dermate nietszeggende post dat de aankondiging van haar nieuwe taak niet eens vermeld werd in *The New York Times* en *The Washington Post*. Hillary ging op haar beurt discussies over haar nieuwe baan uit de weg en zei: 'Het is niet aan mij er iets over te zeggen.'[1]

Het zou te gemakkelijk zijn de commissie op het eerste gezicht af te doen als nietszeggend. De kantoren liggen ongeveer net zo ver van het Capitool verwijderd als de andere Senaatskantoren – aan het eind van een gang op de zesde verdieping van het Hart Office Building.[2] De kleine staf wordt betaald uit het budget van de leider van de Democraten in de Senaat; in 2003 was dat Tom Daschle. Voordat Daschle Clinton aanwees voor de functie, was het de taak van de commissie de strategie met de Democratische kantoren buiten Washington te coördineren en commissietaken toe te wijzen aan Democraten in de Senaat.

Hillary volgde John Kerry op, die aan het eind van 2002 had besloten presidentskandidaat te worden. (Ze bleef vier jaar lang op de post en trad terug aan de vooravond van haar eigen kandidatuur voor het presidentschap.) Nadat Hillary's medewerkers Daschle hadden verteld dat 'ze geïnteresseerd was' in de onlangs vrijgekomen post, was ze de voornaamste kandidaat voor de functie.[3]

Onder Kerry was de commissie eerder een middel om diens imago op te poetsen dan dat van de partij. 'Kerry wilde de mensen doen geloven dat hij de slimste jongen in de zaal was,' zei een staflid van de commissie die zowel voor Kerry als voor Hillary werkte. 'Hij kwam binnenstormen en voor je het wist was hij alweer weg.'[4] Hillary slaagde er echter in een bredere, meer ambitieuze agenda samen te stellen. Ze pleitte ervoor dat de Democraten met meer vuur moesten proberen te luisteren naar de standpunten en problemen

van de 'mensen in de gemeenschap'. De naamsverandering van de commissie – het werd de Senaatscommissie Democratic Steering and Outreach
(Democratische Sturing en Activering) – weerspiegelde die ambitie. Een ander doel was de strijd met de Republikeinen aan te gaan, van wie men vond
dat ze zeer bedreven waren in 'fractiediscipline'.[5] Het leek of de Democraten
voortdurend met elkaar in de clinch lagen, terwijl de Republikeinen een
gesloten front vormden. Hillary was ervan overtuigd dat de Democraten
dit verschil moesten verkleinen. Bovendien vond ze dat de Republikeinen
'effectiever waren op het gebied van activering en organisatie'[6]; daar zouden
de Democraten onder lijden tijdens verkiezingen en in het Congres, tenzij
ze in staat zouden zijn de kloof te overbruggen.

De eerste beslissing die Hillary moest nemen toen ze de commissie vanaf
begin 2003 voorzat, betrof het aanblijven van stafdirecteur Jodi Sakol. Sakol,
begin dertig, was inmiddels een oudgediende op het gebied van communicatie: ze had voor Al Gore gewerkt tijdens diens vicepresidentschap en tijdens
de verkiezingscampagne in 2000. Ze beschouwde zichzelf als een 'zeer energiek mens'[7] die lange dagen maakte en daarnaast hield van marathonlopen;
ze werd gezien als een van de beste stafleden op Capitol Hill.

Maar Hillary kende Sakol niet goed, dus had het jonge staflid een inge-
wijde nodig als kruiwagen. Sakols assistente was Hillary's voormalige chef-
staf in het Witte Huis, Melanne Verveer, die 'ervoor zorgde' dat senator
Clinton Sakol behield voor de commissie.[8]

Sakols salaris werd betaald door het kantoor van Daschle, maar ze rap-
porteerde ook dagelijks aan Hillary's chef-staf en eens in de twee weken aan
senator Clinton zelf.[9] Feitelijk gebruikte Hillary Sakol om ongemerkt haar
staf te versterken, zonder dat daar extra kosten aan verbonden waren voor
haar.

Eenmaal onderdeel van Hillaryland verbaasde Sakol zich over de loyaliteit
en toewijding van de uitgebreide politieke familie van Hillary. Af en toe
vroeg Hillary Sakol te praten met 'mensen die dicht bij haar stonden', onder
wie adviseurs en communicatiedeskundigen als Ann Lewis, Doug Sosnik,
Patti Solis Doyle, Harold Ickes en Neera Tanden, die stuk voor stuk belangrijke posities bekleedden in het Witte Huis van Clinton. Sakol kende de
meesten van hen uit de tijd dat ze zelf voor Clinton en Gore had gewerkt,
maar nu zag ze hen in een ander licht, waardoor ze de sfeer in Hillaryland
leerde waarderen. 'Ik had het gevoel dat ik een beroep op hen kon doen uit
naam van Hillary, en dat zij bereid waren alles voor haar te doen,' zelfs als
ze zich met andere zaken bezighielden, zei ze. Als je eenmaal lid bent van
Hillary's staf, 'laat je haar niet meer in de steek', besefte Sakol.[10]

De meeste goede ideeën van de commissie kwamen uit de koker van Hillary. Zo wist ze dat Mike McCurry, de voormalige perschef van president Clinton, godsdienstig was en een actieve rol speelde in het Wesley Theological Seminary. Ze zei tegen Sakol contact met hem op te nemen in een poging het krachtenveld van de Democraten te verbreden tot buiten de seculiere basis en iets af te snoepen van het virtuele monopolie van de Republikeinen binnen de gelovige gemeenschap.

Sakol belde McCurry vanuit Hillary's kantoor om de zaak op de rails te krijgen. Binnen een paar weken had McCurry een groep religieuze leiders verzameld die een vergadering in de Senaat zouden bijwonen. Hillary was korte tijd aanwezig om haar steun te betuigen en een bemoedigend woordje te spreken.[11] Tijdens de eerste vergadering werd een meerjarige opzet ontwikkeld, gericht op samenwerking met andere groepen. Bij de verkiezingen van 2006 waren de godsdienstige liberalen ervan overtuigd dat ze vooruitgang hadden geboekt. De Democraten wisten de greep van de 'Grand Old Party' (GOP, de Republikeinen) op de geregelde kerkgangers te verzwakken en slaagden er zelfs in 'een deel van de meest loyale basis van de Republikeinse Partij over de streep te trekken, te weten de blanke evangelistische protestanten'.[12]

Toen Hillary aan haar presidentscampagne begon, liet ze de inspanningen om de religieuze kiezers te bereiken, over aan Bill. Bill besloot samen met Jimmy Carter de gematigde baptisten te mobiliseren als tegenwicht tegen de op de Republikeinen gerichte Southern Baptist Convention. Minyon Moore, een Afro-Amerikaanse die betrokken was bij het werk van de Sturingscommissie, werd een belangrijke adviseur in Hillary's presidentscampagne.[13]

Hillary wist dat de traditionele inkomstenbron van de moderne Democratische Partij – Hollywood en de vakbonden – een injectie nodig had en bovendien moest worden uitgebreid. Bovendien begreep ze dat ze, wilde ze enige kans maken om president te worden, haar toch al omvangrijke netwerk van contacten dat ze tijdens de acht jaar van haar man in het Witte Huis had opgebouwd, verder moest uitbreiden. De enorme kaartenbak met adressen van de Sturingscommissie bleek van onschatbare waarde.[14]

Al snel functioneerde de nieuw leven ingeblazen commissie zo goed dat oudere, minder zichtbare Democraten begonnen te klagen dat Hillary te veel macht naar zich toetrok. 'Sommige senatoren vreesden dat zij hét gezicht van de Democraten in de Senaat zou worden en ze werd gezien als degene die aan de touwtjes trok, als de stille kracht achter de leiding van de Senaat,' zei Sakol.[15] Tot die jaloerse senatoren behoorden Dick Durbin, de nummer twee van de Democraten in de Senaat, en Byron Dorgan, het hoofd van de commissie Democratisch Beleid (Democratic Policy), die duidelijk meer aanzien had bij het publiek dan de Sturingscommissie.[16]

Deze verbolgenheid en jaloezie vormden voor de Sturingscommissie aanleiding een toontje lager te gaan zingen.[17] Door de aandacht van de groep te richten op een aantal pittige binnenlandse thema's, zoals economische concurrentie, gezinsproblematiek, burgerrechten, pandemische influenza, huisvesting en binnenlandse veiligheid, slaagde Hillary erin wat van de spanning te doen afnemen. Maar op dat moment had ze inmiddels een groot deel bereikt van wat ze had willen bereiken.

Sakol verliet de commissie in 2004 en werd opgevolgd door Dana Singiser. De twee vrouwen waren bevriend, maar Singiser was advocaat en geen communicatiedeskundige. Ze had gewerkt bij een toonaangevend advocatenkantoor in Washington, Akin Gump, waar ze lobbyde voor een keur aan klanten, waaronder banken, verpleeginrichtingen, fabrikanten, een farmaceutische firma, een telecomgigant, mediabedrijven en instellingen voor gezondheidszorg.[18] Vanaf het moment dat Hillary aan het eind van 2006 afscheid nam van de Sturingscommissie, gaf Singiser leiding aan de doelgroep vrouwen voor haar presidentscampagne. Een paar minuten nadat Hillary officieel had bekendgemaakt dat ze president wilde worden, liet Sisinger via haar BlackBerry een bericht uitgaan naar haar familie en vrienden waarin ze om hun steun verzocht en Hillary prees als 'een baas die je feliciteert met je verjaardag en je een briefje stuurt als je vader ziek is'.[19] Hillaryland telde weer een nieuw lid.

Hillary had goed opgelet hoe de rechtervleugel het publieke imago van Al Gore had gevormd en ze wist dat het nodig was de nieuwe media op internet te gebruiken om terug te vechten tegen hun politieke vijanden.[20] Het wekt geen verbazing dat linkse activisten hier ontvankelijker voor waren.

In 2003 maakte het Center for American Progress van John Podesta dagelijks een nieuwsbrief die de linkse agenda van de organisatie moest uitdragen. Elke ochtend stelden medewerkers van het centrum Sakol op de hoogte van hun dagelijkse briefing. Met de hulp van adviseurs van buitenaf en Daschles medewerkers draaide ze snel een dagelijkse briefing in elkaar voor de Democraten in de Senaat.[21] Sakol vond het vreemd – 'bijna achterbaks'[22] – dat mensen van buitenaf, van wie velen loyale Clinton-aanhangers waren, stilletjes de briefings voor alle Democraten in de Senaat in elkaar zetten. Hillary had die mogelijkheid niet, om voor de hand liggende redenen.

Terzelfde tijd en op haar eigen houtje raakte Sakol betrokken bij besprekingen over de vorming van een andere linkse non-profitorganisatie, Citizens for Responsibility and Ethics in Washington (CREW), die corruptie door de overheid aan de kaak wilde stellen. Door Hillary's 'proactieve' activiteiten op dit gebied en haar wens om 'de GOP op haar eigen terrein te verslaan'[23], besloot de oprichter van CREW, Melanie Sloan, een voormalige officier van justitie, Sakol in 2003 uit te nodigen voor de brainstormvergaderingen waar CREW in het leven werd geroepen. CREW was een niet-partijgebonden stichting die zich af en toe inzette voor Democratische doeleinden. Maar aangezien het Congres en de uitvoerende macht ten tijde van de oprichting in Republikeinse handen waren, richtte ze zich bij haar onderzoeken vooral op de Republikeinen. Sakol wees Hillary en haar staf op de nieuw ontstane organisatie en de behoefte aan 'Democratisch en progressief geld'. Men hoopte dat CREW een goed tegenwicht kon bieden tegen Judical Watch, de corruptiewaakhond die de Clintons in de jaren negentig had achtervolgd met rechtszaken en persconferenties.[24] Hillary's enquêteur en strateeg Mark Penn werd een van de directeuren en vicevoorzitter van CREW.[25] 'CREW kon dingen voor elkaar krijgen die de senatoren niet voor elkaar konden krijgen,' zei Sakol. En zodra de beschuldigingen van CREW 'in de pers verschenen', merkte Sakol op, konden anderen de bevindingen van de organisatie citeren – CREW werd in nieuwsberichten gewoonlijk als onpartijdig omschreven.[26] CREW speelde een opmerkelijke rol bij het blootleggen van een aantal schandalen in het Congres; zo steunde men een aftredend Democratisch Congreslid uit Texas bij het indienen van een klacht tegen de meerderheidsleider van het Huis, Tom Delay.

Hillary's tweede prioriteit toen ze de leiding kreeg over de Sturingscommissie, was de verbetering van de communicatie en het vermogen van de Democraten in de Senaat hun boodschap te formuleren. Voor haarzelf was het een reis terug in de tijd, de onstuimige, verwarrende periode rond de presidentscampagne van 1992.

Niet lang nadat ze de leiding van de commissie had overgenomen, zei ze tegen Sakol: 'Ik wil een "war room" in de Senaat vormen.' Clinton wilde voor de senatoren een 'informatiepunt voor communicatievraagstukken dat daarvoor niet bestond'.[27] Hillary ontmoette Daschle begin 2004 en haar medewerkers en adviseurs gaven een Powerpoint-presentatie. Daschle leek overtuigd.[28]

Maar de plannen belandden al snel in de ijskast. Een van de belangrijkste mensen die Hillary's plannen wilden dwarsbomen, was volgens Sakol Daschles gewiekste chef-staf Pete Rouse, die later chef-staf werd van senator Barack Obama. Hij was bang dat Hillary alle lof toegezwaaid zou krijgen voor het plan en een groter platform zou creëren voor haar politieke aspiraties in de toekomst.[29] Hoewel het niet algemeen bekend was, overwoog ook Daschle in die tijd om presidentskandidaat te worden.[30] Met haar plannen boekte Hillary dus weinig vooruitgang: ze had te lijden onder het 'passieve verzet' van de staf van Daschle.[31] Sakol en haar medewerkers maakten een eerste opzet voor hun activiteiten en vestigden zich in de kantoren van de Democratische leiders, maar het ontbrak hun aan voldoende middelen.[32]

Na de verkiezingen van 2004, waar de Republikeinse machine haar vaardigheden op het gebied van communicatie eens temeer toonde, werden de Democraten in de Senaat eindelijk wakker. Een van de Democraten die hun zetel verloren, was Daschle; diens opvolger, Harry Reid, vond Hillary's plan 'voor de hand liggend'[33]. Een paar weken na de verkiezingen kondigde Reid publiekelijk de vorming van een 'war room' aan en kreeg de beschikking over de mensen en middelen waar Hillary tevergeefs op had gehoopt.[34] Later zou Reid Hillary diverse malen om advies vragen als hij moest bepalen hoe hij op dringende zaken moest reageren of een dagelijkse briefing moest samenstellen.[35]

Een van de mensen die de oprichtingsvergaderingen van CREW bijwoonden, was David Brock, een voormalige tegenstander en later bondgenoot van Hillary die in dezelfde periode zijn eigen non-profitinstelling opzette.[36] Hillary en Brock smeedden een schijnbaar merkwaardig bondgenootschap. Brocks non-profitinstelling, een in Washington gevestigd controle-instituut voor de media (Media Matters for America), werd begin 2004 tijdelijk ondergebracht in het Center for American Progress.[37] Die instelling, die haar dagelijkse nieuwsbriefing al aan Hillary stuurde, zorgde ervoor dat Sakol de dagelijkse media-analyse kreeg die door Media Matters was samengesteld en ondersteunde zo de activiteiten van de 'war room' in de Senaat.[38]

Media Matters was weliswaar onafhankelijk, maar telde onder zijn sympathisanten en adviseurs een aantal trouwe bondgenoten van Hillary en de Democratische Partij.[39] Een van hen, Kelly Craighead, die Hillary's reizen voorbereidde in de dagen dat ze First Lady was, adviseerde Media Matters 'op elk denkbaar terrein'.[40] De nieuwe groep ontpopte zich al snel als een agressieve verdediger van Hillary's reputatie en vervulde haar rol als 'waarheidspolitie' met verve door journalisten een veeg uit de pan te geven als ze, bijvoorbeeld, 'vitale informatie' niet verstrekten.[41] In drie jaar ontdekte de groep meer dan zevenduizend voorbeelden van 'conservatieve desinformatie', zei Brock.[42]

Hillary was dan misschien geen goede vriend van Brock, toch diende ze hem van advies en 'steunde ongemerkt' zijn non-profitinstelling.[43] De waakhonden van Media Matters verdedigden Hillary vaak met hand en tand. Toen bijvoorbeeld Anne Kornblut, een verslaggever van *The New York Times*, op 16 juli 2006 in een kort artikel een fout maakte, wees Media Matters haar daar meteen op. Kornblut meende dat de 'we' in de kritiek die Hillary in een toespraak had geleverd op de passiviteit van het Congres, verwees naar de Democraten, terwijl Hillary in werkelijkheid had verwezen naar het door Republikeinen gedomineerde Congres. Het artikel van Kornblut verscheen uitsluitend op de website van de krant, niet in de gedrukte versie.

Nadat het verhaal op het web was gezet, ging Kornblut op een tevoren geplande vakantie naar Barbados. Conservatieve webloggers maakten uiteraard met enthousiasme melding van Kornbluts verhaal waarin Hillary haar eigen partij in een kwaad daglicht stelde, terwijl de progressieven Kornbluts misser veroordeelden.[44] Hillary's Senaatsmedewerkers dienden zelf een klacht in bij *The New York Times*. Een verslaggever van een rivaliserende krant zei dat het hem verbaasde dat Hillary's persmedewerkers 'zich zo druk maakten' over de fout, die immers alleen op het web was verschenen en niet eens in de papieren editie van de krant.[45] Na twee dagen publiceerde *The New York Times* een redactioneel artikel waarin Kornbluts alleen op het web verschenen vergissing werd gecorrigeerd.

Een week later was Hillary in Denver om het startschot te geven voor 'The American Dream Initiative', een project van de Democratic Leadership Council, een groep gematigde Democraten onder leiding van Bruce Reed, al lange tijd een bondgenoot van de Clintons.[46] Kornblut, die deel uitmaakte van een groep *New York Times*-verslaggevers die was aangewezen om de krant te voorzien van nieuws over de politieke beroemdheid uit de eigen stad, vloog naar Denver om Hillary's toespraak bij te wonen. Kornblut ging na de toespraak terug naar haar kamer in het Hyatt Regency om haar verhaal te schrijven. Ze deed haar chique kleding uit en trok een gemakkelijke spijkerbroek en een topje aan. Ze had dorst en liep naar de lobby van het voorname hotel om een flesje limonade te halen. Even later verscheen plotseling Hillary, in een zwart pak, en ze zag Kornblut.

'Anne, ik dacht dat je Barbados inmiddels *verlaten* had,'[47] sneerde Hillary, waarmee ze de verslaggeefster duidelijk maakte dat ze ervan op de hoogte was waar ze op vakantie was geweest – een dermate gedetailleerde kennis dat Kornblut zich erdoor geïntimideerd voelde.[48]

De gecoördineerde kritiek op het artikel van Kornblut was geregisseerd door het nieuwste lid van de 'war room' van Hillaryland.[49] Halverwege 2006 nam Hillary Peter Daou in dienst, die in 2004 leiding had gegeven aan de internetactiviteiten en de *online rapid response* voor de presidentscampagne van Kerry; later werkte hij voor Media Matters.[50] Daou, die was opgegroeid in Libanon en zich uiteindelijk in Manhattan vestigde,[51] beschouwde de pers als 'laf' en 'kruiperig'.[52]

Een paar weken voordat hij toetrad tot Hillary's campagneteam, schreef Daou op zijn weblog over de 'media die hun uiterste best doen de mensen in het Witte Huis van dienst te zijn en pro-GOP en anti-Democratische onzin uitbraken'.[53] Hij was ervan overtuigd dat de Democraten verkiezingen zouden blijven verliezen doordat 'kundig in elkaar gedraaide pro-GOP-verhalen in het Amerikaanse bloed gepompt worden' door prominente tv-journalisten als Tom Brokaw, Cokie Roberts, Bob Schieffer en Tim Russert, maar ook door verslaggevers van *The New York Times*, *The Washington Post* en *Newsweek*.[54] Dat was een boodschap die op instemming van Hillary kon rekenen.

Daou wilde graag als weblogadviseur voor Hillary werken; hij beschouwde dat als een 'unieke mogelijkheid' zijn woorden kracht bij te zetten, 'haar contacten met het web te faciliteren en uit te breiden' en in de praktijk te brengen wat hij bij Media Matters had geleerd: de 'conservatieve desinformatie'[55] tot een geïntegreerd onderdeel maken van de berichtgeving in de gevestigde media. (Al lang voordat Hillary Daou in dienst nam, had ze een medewerker verteld dat weblogs 'opiniemakers' zouden gaan worden'.[56])

Aanvankelijk was Daou adviseur van de campagnecommissie en van Hillary's Politiek Actiecomité (Political Action Committee; PAC). Hij was nog maar net met zijn werk begonnen toen het gewraakte artikel van Kornblut werd gepubliceerd.[57] Een paar weken later werd Daou volwaardig lid van Hillaryland; hij kreeg de titel 'chef internet' voor de juist gestarte presidentscampagne in 2007.[58] In de eerste vijf dagen ontving ze op haar site meer dan 140.000 steunbetuigingen en waren er drie webcasts die meer dan 25.000 vragen opleverden en 50.000 bezoeken. Ook gebruikte ze de Yahoo!-Answers-service, waar internetters vragen konden stellen over gezondheidszorg, wat 35.000 antwoorden opleverde – het op één na hoogste aantal in de geschiedenis van de service.[59]

Daou was ervan overtuigd dat de 'kandidaat die op een slimme manier gebruikmaakt van internet, in 2008 een beslissende voorsprong zal hebben'.[60] Zijn baas was het daarmee eens, maar ze verklaarde ook dat ze dan misschien 'high tech' was gegaan, maar beslist geen zacht ei was geworden. Tijdens haar eerste officiële toespraak voor de presidentscampagne zei ze tegen haar Democratische gehoor in Iowa: 'Als je wordt aangevallen, moet je je tegenstanders een tik geven.'[61] Dat was niet zomaar een belofte – de uitspraak bleek voorspellende kracht te hebben.

# 21

# Hillary's moeras

In november 2003, zes maanden nadat de 'grootschalige gevechtsoperaties' in Irak waren beëindigd, reisde Hillary naar Irak, net als Medea Benjamin van Code Pink voorafgaand aan de invasie had gedaan. Ze was in het gezelschap van senator Jack Reed, een voormalige legerofficier en Democraat uit Rhode Island. De twee maakten ook een reis naar Afghanistan. Hoewel de veteraan uit Rhode Island volgens het protocol van anciënniteit het recht had te slapen in het enige bed in het kleine militaire vliegtuig, was hij zo galant de slaapplaats af te staan aan Hillary.[1]

Kort na de reis, en toevalligerwijs precies een dag na de gevangenneming van Saddam Hoessein, had Hillary een belangrijke toespraak over het buitenlands beleid in de twee landen gehouden voor de Council on Foreign Relations in New York. Het bleek dat ze het in grote lijnen eens was met president Bush, hoewel ze enige kritiek had op de naoorlogse wederopbouw. Ze pleitte voor een 'stevige, gespierde stellingname op het gebied van buitenlands en defensiebeleid'. Ze vroeg met klem om 'geduld' en maakte zich zorgen over de politieke wil om 'op koers te blijven'. 'Falen is geen optie' in Irak en Afghanistan, verklaarde ze. 'De enige keus die we hebben, is betrokken blijven' in Irak, zei ze, en noemde haar beslissing in 2002 om de president toestemming te geven Irak binnen te vallen 'de juiste keuze, waar ik nog steeds achter sta'.[2]

Vier maanden na de herverkiezing van Bush maakte Hillary een tweede reis naar Irak en bracht een tamelijk positief verslag uit over de vooruitgang die was geboekt en de kansen op vrede, ondanks de steeds alarmerender geluiden dat de opstand ernstige vormen aannam. Ze zei tegen verslaggevers in Bagdad dat de opstandelingen er niet in waren geslaagd de onlangs in Irak gehouden tussenverkiezingen te verstoren. Ze merkte op dat hun afschuwelijke zelfmoordaanslagen een teken van wanhoop waren en dat een groot deel van Irak 'redelijk goed functioneerde'.[3] Haar opmerkingen waren grotendeels in overeenstemming met de verklaringen van president Bush over de vermeende vooruitgang die in Irak werd geboekt. Op het moment dat zij uiting gaf aan haar optimisme, werd Bagdad getroffen door een golf van aanslagen tijdens de viering van de belangrijkste sjiitische heilige dag, waarbij tientallen mensen om het leven kwamen, onder wie een Amerikaanse soldaat.[4]

De volgende dag maakte Hillary haar opwachting bij een zondagse talkshow, iets wat ze zelden deed; in tegenstelling tot veel andere senatoren, die graag in de schijnwerpers staan, ziet Hillary daar het nut niet van in; ze deed het slechts zelden. Tijdens een interview vanuit Bagdad voor *Meet the Press* van NBC zei ze dat het 'onjuist zou zijn' de troepen onmiddellijk terug te trekken of een tijdslimiet daarvoor aan te geven. 'We willen geen signaal geven aan de opstandelingen, aan de terroristen, dat we daar weg zullen zijn op een vastgestelde datum,' zei ze. Ze herhaalde dat ze nog steeds achter haar uitspraken over Irak stond.[5]

Maar aan het eind van 2005, toen de Irakezen zich opmaakten voor de verkiezing van een nieuwe regering en de veiligheidssituatie almaar nijpender werd, werd de roep om troepenvermindering in de Verenigde Staten steeds luider. Congreslid Jack Murtha, ex-marinier, voorstander van het Pentagon en Democraat uit Pennsylvania, riep op tot de onmiddellijke terugtrekking van alle Amerikaanse troepen. Hillary verwierp dat standpunt en onderschreef een Senaatsresolutie waarin de president werd opgeroepen plannen te maken voor geleidelijke terugtrekking in 2006.

De oorlog in Irak werd in de Verenigde Staten op dat moment met een steeds kritischer oog bekeken, zeker toen het aantal Amerikaanse slachtoffers de grens van tweeduizend overschreed. Onschuldige burgers werden vermoord door Amerikaanse soldaten; Irakese gewelddadige opstandelingen waren onder leiding van radicale soennitische Arabieren begonnen met het doden van sjiitische burgers om zo 'een burgeroorlog te ontketenen'.[6] Desondanks werd op 10 november 2005 tijdens een besloten bijeenkomst van de Democratische senatoren besloten de tekst van de resolutie te wijzigen in opdracht van Hillary, die niet aanwezig was bij de vergadering.[7] De zin die werd toegevoegd – 'met inachtneming van het feit dat zich onvoorziene ontwikkelingen kunnen voordoen' – gaf Bush feitelijk meer bewegingsruimte.[8] Hillary's rol in de wijziging van de tekst werd nooit publiekelijk bekendgemaakt.

De mening van het Amerikaanse publiek over de oorlog werd nog negatiever toen duidelijk werd dat het inlichtingenwerk van de regering-Bush schromelijk tekort was geschoten en de optimistische geluiden over het gemak waarmee de bezetting tot stand zou worden gebracht, ongegrond bleken. Met die verschuiving kwam er een verandering in de positie van

Hillary. Geen wonder dat het eerste signaal van Hillary's zwaai naar links kwam via Bill, die nog steeds de rol speelde van echtgenoot van de senator die dingen kon zeggen die Hillary niet wilde of kon zeggen. De voormalige president hield op 16 november 2005 een toespraak voor studenten aan de American University in Dubai en verklaarde dat de invasie van Irak 'een grote vergissing' was. Hij voegde eraan toe dat hij het 'niet eens was met wat er is gebeurd'.[9]

Op 29 november, twee weken na Bills toespraak voor de studenten, stuurde Hillary een lange brief naar haar aanhangers waarin ze haar recente inzichten aangaande Irak toelichtte. De toon was fel: de regering-Bush werd ervan beschuldigd dat ze haar en anderen bij haar pogingen de zaak diplomatiek op te lossen, had misleid en dat ze de situatie in Irak na de invasie verkeerd had ingeschat. Maar Hillary's brief was ook misleidend ten aanzien van haar stemgedrag inzake Irak in 2002. In de kwestie van het aantal troepen koos ze opnieuw een tussenpositie: ze waarschuwde tegen een 'militaire inzet met een open einde' maar verwierp een onmiddellijke terugtrekking. En tegelijk aanvaardde ze de 'verantwoordelijkheid' voor haar stemgedrag in 2002 en gaf aan daar geen spijt van te hebben.[10]

'Voordat ik stemde in 2002,' schreef ze, 'heeft de regering mij publiekelijk en in vertrouwen verzekerd dat het haar bedoeling was haar autoriteit in te zetten om internationale steun te verkrijgen en zo de VN-inspecteurs terug naar Irak te sturen, zoals aangegeven door de president tijdens zijn toespraak in Cincinnati op 7 oktober 2002. In mijn toespraak in oktober 2002 zei ik dat ik "de president op zijn woord geloofde toen hij zei dat hij zijn uiterste best zou doen een VN-resolutie aangenomen te krijgen en zou trachten een oorlog te voorkomen, als dat mogelijk was".'[11]

Maar ze vergat te zeggen dat er in de maatregel waarmee ze had inge-stemd, op geen enkele manier van Bush werd gevraagd 'internationale steun te verkrijgen'. De resolutie stelde dat de president geweld mocht gebruiken als hij vond dat 'verdere diplomatieke of vreedzame middelen (A) de bin-nenlandse veiligheid van de Verenigde Staten in gevaar zouden brengen door de voortdurende dreiging die van Irak uitgaat of (B) niet zouden leiden tot uitvoering van de relevante resoluties van de VN-veiligheidsraad betreffende Irak'. Hillary hield vol dat de president haar had misleid toen hij zei dat hij diplomatieke oplossingen zou blijven zoeken. Maar in de resolutie werd de president er niet om gevraagd te concluderen dat diplomatieke middelen in het verleden waren mislukt en dat hij een oorlog kon beginnen. Nee, er werd van de president simpelweg gevraagd te *bepalen* of diplomatie in de toekomst geen effect zou hebben. En nadat hij dat had gedaan, bood de resolutie de president expliciet de mogelijkheid 'de strijdkrachten van de Verenigde Staten in te zetten indien hij dat noodzakelijk en gewenst acht' om zo 'uitvoering af te dwingen van alle relevante resoluties van de VN-veiligheidsraad',[12] waaronder resoluties uit 1990 die gebruik van geweld tegen Irak toestonden. Ook maakte Hillary in haar brief aan haar medestanders geen melding van het feit dat ze zich niet had aangesloten bij de 24 senatoren die hadden geprobeerd het voornemen van Bush om Irak binnen te vallen te dwarsbomen door de president te sommeren het Congres te raadplegen indien diplomatieke inspanningen geen vruchten zouden afwerpen.

In plaats daarvan bleef ze erop hameren dat de inlichtingen uit de tijd voor de invasie waar zij en anderen zich op hadden verlaten aangaande 'massavernietigingswapens en banden met al-Qaida, onjuist bleken te zijn'.[13] Hier school een kern van waarheid in: president Bush en zijn regering hadden velen in het Congres verkeerde informatie verschaft. Maar niet iedereen was daarin getrapt. Hillary wel. Ze had zich in het kamp van Bush en Cheney geschaard – en met een opmerkelijk enthousiasme ook. De regering-Bush én Hillary hadden de beschikbare inlichtingen op de verkeerde manier geïnterpreteerd. Hillary was vastgezogen in haar eigen Irak-moeras: als ze zou toegeven dat ze het vanaf het begin bij het verkeerde eind had gehad, zou ze toegeven dat ze een beoordelingsfout had gemaakt bij de belangrijkste stem die ze tot dan toe in haar carrière had uitgebracht. Maar als ze haar stemgedrag zou blijven verdedigen, dreigde ze de realiteit uit het oog te verliezen.

Twee weken nadat ze Bush in haar brief had bekritiseerd, kreeg Hillary de mogelijkheid haar kritiek op de president persoonlijk te ventileren. Half december ontmoetten zij en een aantal andere senatoren Bush achter gesloten deuren in het Witte Huis om te praten over Irak.[14] Maar Hillary zei niets tegen de president tijdens die ontmoeting. Vanuit het perspectief van het Witte Huis was haar zwijgzaamheid bij zulke ontmoetingen geen verrassing. 'Ze spreekt zich zelden uit. Het is alsof ze bij zo'n vergadering is om goed te luisteren en alles in zich op te nemen. Ze zegt meestal niet veel meer dan: "Dank u dat u ons hebt willen ontvangen, meneer de president."'[15] Hillary heeft wellicht geoordeeld dat het niet van belang was haar zorgen direct aan de president over te brengen. Maar vanuit het perspectief van het Witte Huis leek het erop dat Hillary's kritiek door zich niet uit te laten tegenover de president gestoeld was op strategische overwegingen in verband met de campagne en dus niet voortkwam uit een diepgevoelde overtuiging.

Hillary had haar standpunten over Irak dan misschien gewijzigd, maar dat was niet voldoende om de vrouwen van Code Pink tevreden te stellen.

Eind 2005 lanceerden die een nieuwe campagne van wekelijkse wakes die ze passend 'Waakhond Hillary' noemden.

Dat was geen eenvoudige taak. Zelfs verslaggevers werden door Hillary's medewerkers in het ongewisse gelaten over de agenda van de senator, en dan vooral over haar bezoeken aan fondsenwervingsbijeenkomsten. Een overzicht van Hillary's bezoeken aan die bijeenkomsten wordt alleen verstrekt aan hen die het wel moeten weten en zelfs dan nog wordt op het laatste moment dikwijls afgeweken van de agenda. Maar de leden van Code Pink, altijd goed geïnformeerd, hadden zo hun eigen manier om erachter te komen, en weldra verschenen ze op bijeenkomsten in New York en Washington en bij fondsenwervingsfeesten in Chicago, Los Angeles en San Francisco om Hillary lastig te vallen.

Bij twee fondsenwervingsbijeenkomsten in Manhattan die door Hillary werden bezocht, protesteerden de leden van Code Pink en stelden lastige vragen over de oorlog, maar ze kregen geen antwoord.[16] Een van de bijeenkomsten, in een woonhuis in Upper West Side, was georganiseerd voor Robert Byrd, senator van West Virginia, het oudste Senaatslid. Een week daarvoor had Hillary senator Byrd geprezen als een 'belangrijk voorbeeld, en een adviseur en vriend van me'.[17] De groep was niet in staat Hillary aan te spreken en richtte haar aandacht op Byrd, juist op het moment dat hij aan het eind van de middag uit een limousine stapte en leunend op zijn wandelstok naar de bijeenkomst liep. Courtney Lee Adams, een van de Code Pink-leden, vroeg senator Byrd of hij Hillary ervan kon overtuigen dat ze haar inzichten over Irak moest herzien. De frêle, 88 jaar oude senator antwoordde: 'Dames, ik vertel *haar* niet wat ze moet doen.'[18]

In september 2005 hield het Clinton Global Initiative zijn eerste conferentie in het Sheraton Hotel and Towers in hartje Manhattan. Het zou uitgroeien tot een jaarlijkse bijeenkomst, die werd bezocht door een keur aan wereldleiders, zakenlieden, journalisten en rijke beroemdheden.

Het initiatief vormde onderdeel van de William J. Clinton Foundation van de voormalige president. In het eerste jaar richtte de stichting zich op onderwerpen als armoede, gezondheid, verzoening en leiderschap.[19] In de lente van 2005 had Clinton zijn agenda uitgebreid en een bijeenkomst toegevoegd over 'de opwarming van de aarde en ernstige natuurrampen' en enige andere, daaraan gerelateerde onderwerpen. Die zomer verwoestte de orkaan Katrina New Orleans. Die gebeurtenis vormde snel daarna bewijsstuk nummer één voor activisten die zich zorgen maakten om de opwarming van de aarde.

Dit agendapunt sloot naadloos aan bij Hillary's wens een toespraak te houden over een belangrijk onderwerp waaraan ze te laat aandacht had besteed.[20] Kort daarop hoorde de organisator van de conferentie over de opwarming van de aarde, David Sandalow, dat Hillary graag haar steentje wilde bijdragen. 'Mij werd verteld dat ze graag aanwezig wilde zijn bij onze conferentie over de opwarming van de aarde,' herinnerde Sandalow zich. Het wekt geen verbazing dat hij haar meteen toevoegde aan de lijst van sprekers.[21]

Tijdens haar toespraak op de conferentie hield Hillary haar publiek voor dat de regering-Bush aangaande het onderwerp klimaatverandering 'een gebrek aan leiderschap' etaleerde. Ze kwam met haar eigen oplossing: 'Ik pleit voor een serieuze inspanning van onze regering, namelijk om een uitgebreid onderzoek te financieren naar alternatieve vormen van energie.'[22]

De volgende dag vond er een plenaire vergadering plaats over de opwarming van de aarde. De meest in het oog lopende aanwezige was Al Gore, wiens documentaire over het onderwerp bijna voltooid was. (Bill deed tijdens de conferentie die dingen waar hij het beste in was: mensen op de schouder kloppen en omarmen, met verve spreken over een betere toekomst en de deelnemers ertoe bewegen hun chequeboek te trekken voor de goede zaak.) De voorzitter van de plenaire vergadering, voormalig Democratisch senator Tim Wirth, prees Hillary en zei dat ze 'zeer indrukwekkend' had gesproken en 'terecht had gewezen op de noodzaak van maatregelen' op het gebied van de opwarming van de aarde. Wirth vroeg Gore welke adviezen hij Hillary zou willen geven en noemde haar een van de 'belangrijkste Democratische presidentskandidaten in 2008'.[23]

Wirth raakte in het licht van de verkiezingen van 2008 met zijn vraag een gevoelig punt: Hillary was een laatkomer op een terrein waar Gore pionierswerk had verricht. Ongewild gaf Wirth bovendien aan dat Hillary in politiek opzicht in de lift zat, terwijl veel mensen oordeelden dat de kansen voor Gore inmiddels verkeken waren.

Hillary en Gore hadden gewedijverd om Bills macht en aandacht tijdens diens presidentschap en die rivaliteit was alleen maar groter geworden nadat de Clintons het Witte Huis hadden verlaten.[24] Bill zei tegen een aantal vertrouwelingen dat hij ervan overtuigd was dat, indien Hillary de belangrijkste Democratische presidentskandidate voor de verkiezingen van 2008 zou worden, Gore zich in de strijd zou mengen als links alternatief voor Hillary.[25] En doordat het Lewinsky-schandaal nog steeds voortsudderde in de herinnering, zou men voorlopig niet vergeten dat Gore bij zijn presidentskandidatuur in 2000 nadrukkelijk had gekozen voor Joe Lieberman als running mate, een Democraat die buitengewoon hard had geoordeeld over Bills ontrouw en oneerlijkheid.

Gore zelf had publiekelijk verkondigd dat hij niet van plan was zich in 2008 kandidaat te stellen en dat zijn verhouding met de Clintons 'goed'[26] was. Een van Gores vertrouwelingen, Roy Neel, zei dat hij zich geen zorgen maakte over de kwestie of Hillary alle aandacht voor zijn onderwerp, het milieu, voor zijn neus zou wegkapen, want 'ik bén dat onderwerp'.[27] (In besloten kring heeft Gore echter ten overstaan van zijn medewerkers geklaagd over de verlate pogingen van Hillary en Bill om munt te slaan uit zíjn onderwerp.[28])

Gore ging niet in op de vraag van Wirth. In plaats daarvan uitte hij kritiek op de manier waarop de televisie en de behoefte aan korte, bondige uitspraken (*snappy soundbites*) een vernietigende rol speelden in het politieke debat. Hij sprak niet over Hillary en deed geen uitspraken over haar mogelijke reacties, maar klaagde wel over het feit dat zijn eigen toespraken over klimaatverandering 'geen centrale rol in de politieke discussie'[29] hadden gespeeld. Ook steunde hij Hillary niet in haar poging zichzelf te presenteren als pionier op het ineens in het oog lopende terrein van de klimaatverandering. Gores terughoudendhied was begrijpelijk. Al bijna dertig jaar schreef, dacht en praatte hij over dit onderwerp.

Een maand later presenteerde Hillary een duidelijk omlijnd plan over schone energie, gebaseerd op de punten die ze tijdens Bills conferentie uit de doeken had gedaan.[30] Haar viel hetzelfde lot als Gore ten deel: niemand besteedde er aandacht aan. 'De stilte was oorverdovend,' klaagde haar echtgenoot later enigszins geprikkeld. Wat Bill betrof, was Hillary's toespraak na zijn conferentie 'de speech waar ik het mcest trots op ben van alle toespraken die mijn vrouw in de Senaat van de Verenigde Staten heeft gehouden sinds ze senator werd'.[31]

Na de teleurstellende reactie van pers en publiek hield Hillary zich zeven maanden lang op de vlakte over het onderwerp. Maar de rivaliteit tussen senator Clinton en Al Gore sudderde inmiddels voort. Hillary had dan misschien geen roemrijk verleden op het gebied van zorg om het milieu, maar in vergelijking met Irak, een onderwerp waarbij ze nu door haar verleden werd achtervolgd, was een schone lei misschien juist wel aantrekkelijk.

Hillary had een nieuw doel gevonden.

# 22

# Een opwarmertje voor
# de opwarming van de aarde

De National Press Club, gevestigd op de bovenste verdieping van een onbeduidend gebouw in de buurt van het centrum van Washington, vormt het hoofdkwartier van veel van de in de stad werkzame journalisten. Naast een groot aantal andere activiteiten organiseert de club regelmatig een nieuwsprogramma waarin sprekers optreden rond lunchtijd. Maar op 23 mei 2006 werd de geplande uitzending tijdens het ontbijt gehouden – een zware beproeving voor de mensen van de pers, van wie bekend is dat het geen ochtendmensen zijn.

Desondanks was de bijeenkomst ruim van tevoren uitverkocht. Grote trekpleister was niet het onderwerp dat zou worden behandeld – energiebeleid – maar de spreekster, Hillary Rodham Clinton.

Hillary's sporadische optreden bij de persclub – haar laatste bezoek dateerde van bijna vijf jaar geleden – was onderdeel van een georkestreerde inspanning om haar zichtbaarheid op een aantal grote, nationale onderwerpen te vergroten.[1] Haar medewerkers betitelden haar optreden tevoren als een 'belangrijke beleidstoespraak' en het potentiële nationale publiek werd stukken groter toen kabelnetwerk C-SPAN besloot de toespraak live uit te zenden.[2]

Die ochtend stuurde het onderzoeksteam van het Republican National Committee nog voordat Hillary zelfs maar bij de persclub was gearriveerd, e-mails naar verslaggevers waarin men haar ervan beschuldigde 'de opsporing van nieuwe energiebronnen tegen te werken' door tegen verder onderzoek in het poolgebied te stemmen.[3] Hillary werd niet gezien als een belangrijke deelnemer aan de energiediscussies in Washington. Ze zat zelfs niet in de rechtsbevoegde commissie over dit onderwerp; een andere Democratische senator, Maria Cantwell uit Washington, kreeg het onderwerp energie in haar portefeuille.[4] De zeldzame keren dat Hillary een uitspraak deed over energiebeleid, werden haar woorden grotendeels genegeerd. Ze had zeker wel enige aandacht getrokken toen ze haar eerste grote toespraak in oktober 2005 over het onderwerp had gehouden, kort na het Clinton Global Initiative.

Maar door het uitblijven van veel reacties besloot Hillary haar toespraak aan te passen en opnieuw te houden – 'zo snel als ze kan', zei Bill.[5]

'Zo snel als ze kan' werd meer dan een halfjaar later. In mei 2006 was het politieke landschap op het terrein van energie flink veranderd. In de maanden daarop gaven de kiezers ten overstaan van enquêteurs aan dat de Amerikaanse afhankelijkheid van olie hun belangrijkste zorg was – iets wat zulke grote vormen aannam dat zelfs president Bush, een voormalige olieboer (zonder succes), in zijn State of the Union verklaarde dat Amerika verslaafd was aan olie. Democratische onderzoekers, en tevens adviseurs van Hillary, hadden ook kennis genomen van de veranderde stemming onder het publiek; als deel van de invulling van haar presidentscampagne onderzochten ze nu hoe ze haar positie ten aanzien van energiebeleid konden herijken.[6]

In de periode dat Hillary haar toespraak zou houden voor de National Press Club, had een aantal verontrustende en zeer van elkaar verschillende zaken de publieke belangstelling voor energie opgewekt. De invasie van Irak in 2003 had onrust veroorzaakt op de mondiale oliemarkten, waardoor de prijs van een vat olie de lucht in was geschoten. Door de toenemende vraag vanuit Azië en de vertraagde opbouw van voorraden in de olieproducerende landen was de buffer die de olieprijzen zo lang laag had gehouden, steeds kleiner geworden. Uiteindelijk was het zelfs tot die mensen die tot dan toe altijd hadden beweerd dat er niet zoiets als het broeikaseffect bestond, doorgedrongen dat er wel degelijk een verband bestond tussen fossiele brandstoffen en klimaatverandering.

De politieke term voor deze combinatie van geologie, ecologie, buitenlands beleid en economie luidde 'energiezekerheid'. Amerika zou altijd overgeleverd zijn aan de genade van de landen waarvan het olie kocht, tenzij men de dure gewoonten op het gebied van oliegebruik zou afzweren – 'energieonafhankelijkheid', zoals politici en activisten dat noemden.

Een van die politici was Hillary, die het in haar toespraak van oktober 2005 diverse malen had over energieonafhankelijkheid. Later dat jaar, in december, sloot ze zich aan bij een alliantie van milieudeskundigen, linkse activisten en vakbonden die een nieuw Democratisch plan presenteerden: 'Energieonafhankelijkheid 2020'.[7] Deze nieuwe plannen waren nog ambitieuzer dan de voorstellen die tot die tijd werden gesteund door de Democraten.[8]

Normaal gesproken zou het leerproces op zo'n cruciaal terrein zijn begonnen tijdens het presidentschap van Bill. Maar het vat was bijna leeg: in het register van Bills uitgebreide, 957 bladzijden tellende autobiografie staat maar één verwijzing naar olie of 'energievraagstukken' tijdens het presidentschap, en die verwijzing heeft betrekking op de veiligheid van de wapenlaboratoria op het ministerie van Energie.[9] Het gebrek aan belangstelling voor energiebeleid in de jaren negentig was wel enigszins begrijpelijk. De olieprijzen waren laag en de economie zat in de lift, waardoor de natie in slaap was gewiegd. Bill merkte later op dat een toespraak die hij in 1997 had gehouden over technologieën voor schone energie, 'een enorme geeuw teweeg had gebracht bij de pers en het Amerikaanse publiek'.[10] Toch nam in de jaren negentig de invoer van buitenlandse olie stilletjes en gestaag toe, van zo'n zes miljoen vaten per dag tot bijna tien miljoen. Tegelijkertijd daalde de olievoorraad van de regering, die bij wijze van verzekering was aangelegd na de oliecrisis in de jaren zeventig, van 83 dagen in 1992 tot 50 dagen in 2000.[11]

Hillary had hulp van buitenaf nodig en kon zich natuurlijk wenden tot Al Gore, die acht jaar lang samen met haar man aan de macht was geweest en een groot deel van zijn leven voor en na zijn vicepresidentschap had besteed aan het voorlichten van mensen over het milieu en energiecrises. Maar door de rivaliteit tussen haar en Gore was dat niet mogelijk – net als haar wens verborgen te houden hoeveel hulp ze wel niet nodig had. In plaats daarvan wendde ze zich tot een sleutelfiguur in Hillaryland die haar zou voorbereiden op de toespraak in mei 2006 en haar kennis over het onderwerp zou verbreden: Roger C. Altman, directeur van Evercore Partners, een investeringsbank in New York met grote belangen in de energiesector.[12] Op dat moment beliep het investeringsbedrag in private equity-fondsen meer dan één miljard dollar. Er werd het meest geïnvesteerd in energiegerelateerde fondsen: 33 procent van het totaal. (Het op één na grootste segment beliep 19 procent.[13])

Altman verzamelde een geheime werkgroep om zich heen die bestond uit een tiental andere experts afkomstig van universiteiten, denktanks en investeringsbanken 'om haar kennis op het gebied van energie bij te spijkeren' als voorbereiding voor haar toespraak voor de persclub in mei.[14] De werkgroep schreef in april 2006 een rapport van veertig bladzijden met analyses en beleidsmogelijkheden.[15] Later die maand ontmoetten ze Hillary op haar kantoor in Capitol Hill voor een 'open discussie' die enige uren in beslag nam.[16] Gewoonlijk is een besloten vergadering met een machtige senator in Washington een goede gelegenheid de eigen belangen te behartigen. Maar deze bijeenkomst was anders. De experts, van wie velen Hillary nog nooit hadden ontmoet, waren onder de indruk van haar indringende vragen en haar uitgebreide kennis over de onderwerpen die ter sprake kwamen. Ook zij leek op haar beurt onder de indruk van hun realistische, onafhankelijke benadering.[17]

De leden van de groep kwamen overeen dat hun samenwerking geheim zou blijven – een ongewone afspraak, en wel om verschillende redenen.[18] Door de discussies vertrouwelijk te houden, hoopte men dat de deelnemers vrijuit zouden spreken, zonder bang te hoeven zijn dat hun opmerkingen openbaar zouden worden gemaakt. (Deze opstelling deed denken aan de controversiële geheimhouding door de regering-Bush van de beraadslagingen van de werkgroep van vicepresident Cheney, waarvan het rapport – en de deelnemers – in 2001 openbaar werd gemaakt, maar de beraadslagingen en de namen van de directeuren van de energiemaatschappijen en van de deskundigen die Cheneys groep raadpleegde, bleven geheim.) Maar er was nog een reden om de zaak geheim te houden. Hillary was niet bepaald een onbetekenende politica; ze had duidelijke ambities.[19] Daardoor kon ze sommige adviezen die ze van de experts kreeg, negeren. Het was veel gemakkelijker adviezen van experts te verwerpen als daar nooit iemand achter zou komen.

Hillary, die een zeer duidelijk partijstandpunt innam, wijzigde een aantal van haar lang gekoesterde opvattingen, vermeed controversiële onderwerpen en vertrouwde in het overbrengen van haar boodschap op misleidende interpretaties. Aan het eind volgde ze het platgetreden pad dat het energiedebat in Washington al meer dan een eeuw had gekarakteriseerd: de overwinning van de politiek op het beleid.

Altman en een groot aantal andere experts die Hillary had geraadpleegd, verwierpen het concept van de energieonafhankelijkheid en beschouwden het als een 'luchtkasteel' en als 'contraproductief'.[20] David Victor, een energie-expert van Stanford University die deel uitmaakte van haar werkgroep, begreep het dilemma. Men had Hillary verteld de 'noodzaak van de marktwerking serieus te nemen', maar net als talloze andere Democraten kon ze geen weerstand bieden aan het politiek populaire 'schoppen tegen de oliemaatschappijen'.[21] Uiteindelijk werd energieonafhankelijkheid een van de speerpunten van Hillary's positie. Het was goed te verkopen aan een publiek, dat zich in toenemende mate zorgen maakte over de benzineprijzen en het broeikaseffect – al was het uiteindelijk gebakken lucht.

Toen Hillary die ochtend in mei op weg was naar de persclub om haar toespraak over energie te houden, had ze opnieuw een uit de koker van Bill afkomstige last te dragen. *The New York Times* had op zijn voorpagina een diepgaand artikel gepubliceerd waarin het een en ander uit de doeken werd gedaan over de staat waarin het huwelijk van Bill en Hillary verkeerde. De krant wist te melden dat Bill, druk met zijn filantropische bezigheden, en Hillary, die een overvolle politieke agenda had, in een maand gemiddeld veertien dagen met elkaar doorbrachten.[22] Het artikel bevatte weinig nieuws, maar toonde opnieuw aan hoe graag de pers uitweidde over Amerika's beroemdste, maar slechts matig begrepen politieke echtpaar.

Hillary en haar adviseurs waren afgeleid door en boos over het artikel in *The New York Times*, dus was ze laat die ochtend.[23] Daardoor was ze niet in de gelegenheid voorafgaand aan haar toespraak te praten met de organisatoren van de club. Toch dankte ze haar gastheren hoffelijk toen ze het podium in de persclub betrad. Daarna begon ze aan haar 41 minuten durende lezing over energie – ongeveer tweemaal zo lang als de spreektijd die de gasten gewoonlijk krijgen. Ze deelde haar toespraak op slimme wijze in en legde een verband tussen de 'kwestie van de zekerheid en milieutechnische aspecten van onze afhankelijkheid van dure, in veel gevallen geïmporteerde olie', en de economische kosten die de inflatie, de hogere benzineprijzen en de stijgende rentetarieven met zich meebrachten. 'Op dit moment,' zei ze, zijn de prioriteiten in ons land omgekeerd omdat 'ons falend energiebeleid de nationale veiligheid dicteert'.[24]

Na de loftrompet te hebben gestoken over technologieën als zonne- en windenergie richtte Hillary haar aandacht op de 'boeven' – de oliemaatschappijen – en besprak het wetsvoorstel dat ze wilde indienen, waarbij de olieboeren werden gedwongen hun methoden te heroverwegen. In haar voorstel werden ze verplicht tot het betalen van hoge winstbelastingen aan de federale overheid, tenzij ze zich minder op fossiele brandstoffen zouden richten en nieuwe technologieën zouden ontwikkelen. Met die nieuwe inkomstenbron, die werd geschat op vijftig miljard dollar, zou een energiefonds van de overheid in het leven kunnen worden geroepen waarmee in innovatief energieonderzoek zou kunnen worden geïnvesteerd.[25]

Een aantal gerespecteerde experts, onder wie minstens twee leden van haar geheime werkgroep, beschouwden dergelijke belastingen als een 'buitengewoon slecht idee' omdat ze de afhankelijkheid van buitenlandse olie eerder zouden vergroten dan verkleinen.[26] (Die grotere afhankelijkheid ontstaat omdat buitenlandse olie goedkoper wordt vergeleken met binnenlandse.) Maar Hillary gokte erop dat de kiezers dat verband niet zouden leggen.

Nadat ze een hele lijst aan nieuwe mogelijkheden had afgewerkt, van cellulose-ethanol tot bijproducten van kolen, zuchtte Hillary en zei: 'Zo staat het er nu voor. Ik weet dat dit misschien een iets ingewikkelder toespraak is dan velen van u hadden verwacht. Maar ik sta er helemaal achter, omdat ik bang ben dat wat er in het verleden is gebeurd, opnieuw zou kunnen gebeuren.' Of, zoals ze zei: 'Het gevoel van urgentie dreigt op de achtergrond te raken.'[27]

Daarna stond Hillary enige vragen toe. Zo werd haar gevraagd wat ze persoonlijk deed om het energieverbruik terug te dringen. Ze drong aan op het kopen van apparaten die zuinig met energie omgaan en voegde eraan toe dat zij en Bill 'zich richten' op het rijden in auto's die weinig brandstof verbruiken. Maar toen een verslaggever vroeg of ze een maatregel van het Congres steunde waarin autofabrikanten werd gevraagd de standaardmaatregelen wat betreft benzinegebruik te verscherpen, draaide ze om de vraag heen. In plaats daarvan pleitte ze voor een algemene oplossing waarbij autofabrikanten zouden worden geholpen 'deze uitdaging aan te gaan'.[28] Michigan is immers een belangrijke kiesstaat.

Door het tijdstip dat Hillary had gekozen voor haar toespraak – een paar dagen voor de presentatie van de documentaire van Gore –, rees de vraag of er politieke spelletjes werden gespeeld. Hillary had in haar toespraak voor de Press Club een korte hommage gebracht aan de voormalige vicepresident, maar gezien het tijdstip suggereerde Maureen Dowd in *The New York Times* dat de 'ozonvrouw' op slinkse wijze was verschenen om 'de ozonman zijn momentje in de zon' te ontnemen.[29] Bill ontkende met klem dat Hillary's toespraak 'slechts een politieke zaak' was of een schaamteloze poging 'ertussen te komen'.[30] Gore mocht dan een 'voortreffelijke documentaire' hebben gemaakt, zei Bill ten overstaan van zijn gehoor, maar hij had geluk gehad met zijn timing. 'Ik denk dat het een stuk minder overtuigend was geweest als we geen olie van zeventig dollar hadden gehad,' zei Bill kattig.[31]

Een paar uur na haar toespraak presenteerde Hillary het door haar beloofde wetsvoorstel om een federaal 'strategisch energiefonds' op te richten dat werd gefinancierd uit belastingen op oliemaatschappijen. Maar haar energienota, die links als muziek in de oren klonk, streefde onder haar collega's haar doel voorbij. Dat had ze kunnen zien aankomen als ze had gelet op de reacties op een niet-aangenomen voorstel van een aantal Democratische senatoren om de exorbitante winsten van oliemaatschappijen te belasten.[32] In haar geval kon Hillary niet één senator vinden die haar voorstel wilde steunen, wat aangaf dat ze een buitengewoon geïsoleerde positie innam.[33] Maar met die positie waren de milieuactivisten in het land juist heel blij, waardoor ze belangrijke politieke winst boekte op de linkervleugel – een groep die nog steeds niet te spreken was over haar opvattingen over Irak en ontevreden was over haar standpunten aangaande andere energievraagstukken.[34]

Welbeschouwd werd het duidelijk dat haar solistische optreden op het gebied van energievraagstukken verband hield met het gunstig stemmen van kiezers in een aantal cruciale kiesstaten – zoals de staat waar de eerste

presidentiële *caucus* zou plaatsvinden. In het verleden had ze consequent tegen ethanolmaatregelen gestemd, waardoor ze in 2002 een slecht cijfer kreeg
van de American Coalition for Ethanol, een belangenvereniging.[35] In 2005
stemde ze voor een wetswijziging waarbij het mandaat ter bevordering van
ethanolproductie in de energienota zou worden afgeschaft.[36] De indiener
van het amendement – haar New Yorkse collega Charles Schumer – beweerde dat door dit mandaat automobilisten in het noordoosten op kosten
zouden worden gejaagd en dat het onevenredig veel voordeel opleverde voor
ethanolproducenten, die in het Midden-Westen gevestigd waren, vooral in
Iowa. Schumers amendement haalde het niet en het mandaat werd in de wet
opgenomen als onderdeel van de energienota.[37] Gezien haar toespraak zou je
niet vermoeden dat Hillary's plotselinge enthousiasme over ethanolproductie een recente ommezwaai betrof.

Een ander bewijs van haar politieke instinct werd gevormd door haar
denkbeelden over vervuiling door auto's. In 2003 had Hillary voor een zuinigheidsstandaard gestemd, waar de auto-industrie op tegen was. Twee jaar
later, toen het presidentschap inmiddels een grotere rol begon te spelen,
steunde ze dat idee publiekelijk nog steeds, maar stemde tegen de maatregel
die ze daarvoor had gesteund.[38] Milieuactivisten noemden Hillary's beslissing haar opvattingen over de zuinigheidsstandaard te wijzigen, een 'bittere
ervaring'.[39] Hillary zelf vond het ineens wenselijk de oliemaatschappijen een
veeg uit de pan te geven en de autoproducenten en hun klanten met rust
te laten.

Een van de uitspraken die je Hillary steeds vaker hoorde maken, was:
'Kolen zijn voor ons wat olie is voor Saoedi-Arabië,' dus 'onafhankelijk te
zijn van geïmporteerde olie door kolen te gebruiken' was de juiste strategie
– mits de kolen schoon verbrand werden.[40] Maar haar werkgroep had haar
verteld dat 'een onbetekenende hoeveelheid olie wordt gebruikt voor de op-
wekking van elektriciteit' en dat 'het probleem van de afhankelijkheid van
olie vrijwel uitsluitend met auto's te maken heeft'.[41] President Bush kwam
met een soortgelijke misleidende uitspraak tijdens zijn State of the Union in
2006, toen hij pleitte voor het beperken van de import van olie ten faveure
van kernenergie. Hillary, de 'slimste' senator, zou verbleken als ze op het
gebied van energiebeleid zou worden vergeleken met Bush, maar er bestond
ontegenzeglijk een parallel.[42]

Hillary had in haar toespraak voor de persclub geen goed woord over voor
het feit dat vicepresident Cheney milieubescherming had afgedaan als een
'persoonlijke deugd', maar haar eigen gedrag is nauwelijks voorbeeldig te
noemen. Toen een verslaggever in de persclub vroeg naar de maatregelen die

ze zelf nam om energie te besparen, kwam ze aanzetten met Bills presidentiële bibliotheek in Little Rock, Arkansas, waar energiezuinige verlichting wordt gebruikt.[43] Maar de bibliotheek wordt financieel gesteund door donoren en draaiende gehouden door de federale overheid – dat er zuinig met energie wordt omgesprongen, is bewonderenswaardig, maar Hillary en Bill hoeven er niet voor te betalen. Een aantal maanden voordat ze haar toespraak hield, had Hillary haar persoonlijke betrokkenheid bij het zuinig omspringen met energie kunnen tonen toen ze een nieuwe boiler en een aircosysteem liet installeren tijdens de renovatie van haar huis in Washington. Maar volgens de bouwpapieren koos ze in beide gevallen niet voor energiebesparende modellen.[44]

In de weken na haar toespraak in de persclub bleef Hillary dezelfde boodschap verkondigen. In verschillende toespraken hamerde ze koppig op de 'energieonafhankelijkheid', hoewel dat door haar adviseurs was afgeraden. Eind juni besloten de negen vrouwelijke Democratische senatoren een groep te vormen en een plan te presenteren onder de titel 'Controlelijst voor verandering'. Elke senator zou een belangrijk onderwerp voor haar rekening nemen, zoals gezondheidszorg, pensioenen, werkgelegenheid, onderwijs, milieu en militaire zaken. Hillary's onderwerp was energie, omdat ze zich 'specifiek wilde richten op energieonafhankelijkheid', zo verklaarde senator Barbara Mikulski van Maryland, die de bijeenkomst organiseerde.[45]

Als plaats van samenkomst kozen de vrouwen een niet erg bekend gebouw op Capitol Hill, het Sewall-Belmont House. Hier woonde ooit Alice Paul, de oprichtster van de National Women's Party, en het diende als hoofdkwartier van de partij. Hillary, die het gebouw een week daarvoor had bezocht, zei dat het 'een van die karakteristieke gebouwen is waar zoveel tot stand is gebracht dat met de vrouwenbeweging in verband staat'.[46]

Mikulski, de nestrix van de vrouwelijke senatoren, die ook wel liefdevol 'Coach Barb'[47] wordt genoemd, begon de bijeenkomst, even buiten het gebouw, met uit te leggen dat ze allemaal 'streden om iets te bereiken'.[48] Toen de eerste senatoren hun onderwerpen op het podium bespraken, stond Hillary ernaast en bladerde in een lichtblauwe map met papieren.

Toen het haar beurt was, kwam Hillary met het inmiddels bekende thema: het pad moest geëffend worden om 'de afhankelijkheid van ons land van buitenlandse olie te verkleinen'. Ze bracht haar wetsvoorstel ter sprake en beëindigde haar toespraak met een oproep tot actie, waarbij het leek alsof ze sprak namens de negen vrouwelijke senatoren die daar verzameld waren. 'Wij dagen het Republikeinse Congres uit energieonafhankelijkheid tot een

speerpunt te maken door de Strategische-Energiefondswet aan te nemen,'
zei Hillary.[49] Dat was een politiek trucje, en enigszins misleidend: Hillary
was immers niet in staat geweest ook maar een van haar vrouwelijke collega's
over te halen haar wetsvoorstel te steunen.[50]

Ondanks de verschillen van inzichten toverden de negen vrouwen, inclusief Hillary, die avond een lach op hun gezicht toen ze optraden in *Larry
King Live* en hun boodschap overbrachten aan een nationaal publiek. Hillary
werd gevraagd of het haalbaar was Amerika onafhankelijk te maken van
energie, waarop ze antwoordde: 'Absoluut, dat is haalbaar.'[51]

Een maand later, in juli 2006, ging Hillary naar Halfmoon, een dorpje in
de staat New York, om meer te weten te komen over de deugden van de
zon. Daar, vlak bij Albany, New York, bevindt zich het hoofdkantoor van
DayStar Technologies, een onlangs opgericht bedrijf dat een gespecialiseerd
zonneproduct wil verkopen dat is gemaakt van fotovoltaïsche folie.

Hillary kreeg een rondleiding in de fabriek van het bedrijf. 'Dit is precies
wat er in ons land moet gebeuren,' zei ze tegen de medewerkers. Ze legde
uit dat de regering moest ophouden met het steunen van de oliemaatschappijen en zich in plaats daarvan moest richten op zonne-energie, windenergie
en andere 'schonere' alternatieve energiebronnen.[52] Hillary herhaalde haar
oproep dat het land zich niet moest concentreren op 'buitenlandse energiebronnen als olie en zich moet richten op binnenlandse energiebronnen,
zoals zonne-energie'.[53] Na haar bezoek zei een medewerker van DayStar in
vertrouwelijke kring dat hun product, net als elke elektriciteitsbron, 'geen
vervanger is van buitenlandse olie'.[54]

Maar voor Hillary was het bezoek een bevestiging van de speerpunten van
haar herverkiezingscampagne: New York voorzien van schone, energiebesparende banen. De vooruitzichten voor het bedrijf dat Hillary bezocht, waren
echter niet al te rooskleurig. Tot op het moment van Hillary's bezoek had
DayStar geen winst gemaakt en ook 'in de nabije toekomst' werd er geen
winst verwacht.[55] Het bedrijf was qua inkomsten afhankelijk van regerings-
steun.

De vooruitzichten voor DayStar werden die zomer rooskleuriger: het
wist het lokale Congreslid ertoe over te halen een miljoen dollar van het
Pentagon te bestemmen voor het bedrijf, een bedrag dat ver uitsteeg boven de inkomsten van DayStar tot 30 juni 2006, namelijk 30.000 dollar.[56]
Sommigen meenden dat de schenking een politieke achtergrond had, maar
Hillary juichte de maatregel toe en zei dat 'de vooruitstrevende technologie
in Amerika wordt gemaakt'.[57]

Maar bij het verhaal over DayStar zat nog een addertje onder het gras. Volgens de media- en marketingvertegenwoordiger van het bedrijf speelde een erkende lobbyist, die ook duizend dollar had gedoneerd ten behoeve van Hillary's campagne[58] en is verbonden aan een New Yorks advocatenkantoor,[59] 'een beslissende rol bij Hillary's bezoek hier'.[60] Een lobbyist inhuren om een senator te lokken is misschien de manier waarop het spel in Washington wordt gespeeld, maar het is ook de reden waarom zo veel mensen zo'n lage dunk hebben van het Congres.

Na de première op het Sundance Film Festival werd Gores film *An Inconvenient Truth* een gigantisch commercieel succes en won zelfs een Academy Award als beste documentaire. Intussen organiseerden bondgenoten van Bill en Hillary in Californië een volksraadpleging om oliemaatschappijen te dwingen een extra belasting te betalen, waarmee een overheidsprogramma voor alternatieve energie kon worden gefinancierd. Dit initiatief was een afspiegeling van Hillary's weinig succesvolle wetsvoorstel in het Congres, maar men had de hoop dat het progressieve Californië ermee in zou stemmen. De belangrijkste financier van het initiatief was Stephen Bing, een filmproducent uit Hollywood. Bing, een goede vriend van Bill, hielp in 2006 en 2007 bij de fondsenwerving voor Hillary.[61] De manager van het initiatief was Chad Griffin, een voormalige medewerker van Clinton die Hillary in 2005 en 2007 hielp bij de fondsenwerving in Hollywood.[62]

Toen het referendum inderdaad doorging – als Proposition 87 – maakte Gore een tv-spotje waarin het initiatief werd gesteund – zijn eerste commercial sinds de campagne van 2000. Vijf dagen nadat Gores spotje voor het eerst was uitgezonden in Californië, verscheen Bill op een bijeenkomst op de campus van de Universiteit van Californië in Los Angeles. Nadat hij Bing en Griffin had bedankt, wist Bill de toch al enthousiaste menigte van enige duizenden mensen helemaal te motiveren door zijn gehoor onder meer voor te houden dat Hillary en hij tijdens een recent bezoek aan de staat New York hadden gehoord dat het mogelijk was katwilgen om te zetten in houtsnippers, bij wijze van brandstof.[63]

Van Bills optreden maakte men een commercial en een paar dagen later zond het campagneteam van Proposition 87 spotjes uit waarin de voormalige president te zien was. Toen de kostbare en spannende campagne voor het referendum haar laatste weken in ging, waren het niet Gores spotjes maar die van Bill die de media beheersten.[64]

Daarna verscheen Gore even op een bijeenkomst in Berkeley. Om niet achter te blijven ging Bill een week later, en minder dan een week voor de verkiezing, nog een keer naar Californië om een bijeenkomst bij te wonen in San Francisco, hét centrum van politiek conservatisme in Californië.

Het unieke feit dat een president en een vicepresident betrokken waren bij een referendum leek de kiezers extra te motiveren. Maar er was iets anders dat een rol speelde in het verhaal. De twee mannen voerden een concurrentiestrijd. En Bill ging de strijd met Gore op diens eigen onderwerp aan om zijn vrouw te helpen.

'Bill probeerde het voor elkaar te krijgen dat het onderwerp niet uitsluitend Gores onderwerp zou blijven, en op die manier trachtte hij Hillary vaste grond onder de voeten te geven,' zei een van de adviseurs van Proposition 87.[65] De voormalige vicepresident was 'furieus'.[66] In de laatste weken van de campagne werden de kiezers op het platteland (niet echt een Democratisch bastion), die er aanvankelijk toe neigden voor het voorstel te stemmen, felle tegenstanders van de maatregel. De spotjes van Clinton wisten deze groep niet te overtuigen en waren misschien zelfs contraproductief, verklaarde een toonaangevend enquêtebureau.[67] Op de dag van de verkiezingen werd de maatregel met een ruime meerderheid van stemmen verworpen: 55 tegen 45 procent. Een politieke stelregel is dat je, als je iets voor elkaar wilt krijgen, hard moet werken en anderen met de eer moet laten strijken. In dit geval leidde de weigering van Clinton uit de schijnwerpers te treden ertoe dat hij zich in de eigen voet schoot en dat Proposition 87 werd getorpedeerd.[68]

Natuurlijk was dit voor Hillary slechts een gedeeltelijke nederlaag. Zij had haar strijd niet alleen ter verkrijging van stemmen gevoerd, maar vooral ook voor zichzelf. Ze had nooit veel belangstelling getoond voor milieukwesties en wist dat dit wel noodzakelijk was, gezien de enquêtes onder de kiezers en de zorgen die Amerikanen zich in het hele land over het onderwerp maakten. Ze moest Al Gore uit het centrum van de aandacht zien te dringen, en dat was misschien ook gebeurd als zijn documentaire niet zo buitengewoon succesvol was geweest. Maar afgezien van die mislukking was het haar in ieder geval gelukt de kiezers in Californië ervan te doordringen dat ze zeer betrokken was bij het milieu – waarvan ze de vruchten wilde plukken tijdens de Democratische primary-verkiezingen. Misschien zouden de kiezers in Californië tegen die tijd wel vergeten zijn dat er flinke problemen waren gerezen als Proposition 87 zou zijn aangenomen. Misschien zouden ze zich tegen die tijd achter de oren krabben en Hillary weer als een briljante vrouw zien, ondanks haar verkeerde inschatting dat kolen olie zouden kunnen vervangen. Of misschien zou de agenda op dat moment wel worden beheerst door een ander onderwerp en zou Hillary op dat thema de strijd kunnen aangaan.

# 23

# Het enigszins eenzame centrum

Aan het eind van de middag van 14 juni 2006 was een groep Democratische senatoren en hun medewerkers op weg naar een kleine vergaderzaal in het Capitool. Om er te komen moesten ze eerst door een suite die naar de uit West Virginia afkomstige Democraat Robert C. Byrd was genoemd nadat hij in 1989 afscheid had genomen als meerderheidsleider. De suite behoorde nu toe aan de Democratische minderheidsleider Harry Reid; de senatoren en hun medewerkers liepen naar Room 224, aan het eind van de gang. In de fraai versierde kamer, die vlak bij de Senaat zelf ligt en waar portretten hangen van vroegere Senaatsleiders, had een kleine groep Democraten de dagen daarvoor besloten discussies gevoerd over het Irak-beleid. Door de afgelegen locatie konden de senatoren de partijstrategie bepalen en discussiëren over hun verschillen van inzicht zonder dat de pers of hun Republikeinse collega's er lucht van zouden krijgen.

Die dag stelden de aanwezigen, die gewoonlijk met hun negenen waren, verrast vast dat er nieuwkomer was: senator Hillary Rodham Clinton.[1] Ze was als een van de eersten aanwezig en ging zitten op een canapeetje, een van de twee bankjes in de kamer. Naast haar zat Carl Levin, de oudgediende senator uit Michigan. Levin was de meest vooraanstaande Democraat in de Strijdkrachtencommissie en daarom de facto de voorzitter van de vergadering, die amendementen in de ophanden zijnde defensiewet tot onderwerp had. Hillary, die nog niet zo lang lid was van de Strijdkrachtencommissie, legde haar arm op de bankleuning en kauwde kauwgom.[2]

Reid begon met het geven van een overzicht van de gebeurtenissen sinds hun vorige vergadering eerder die week, toen het belangrijkste discussieonderwerp een voorstel van John Kerry betrof om de Amerikaanse troepen aan het eind van het jaar volledig terug te trekken. Kerry, die nog steeds te lijden had onder zijn verlies tegen president Bush, probeerde in de kwestie-Irak een stevig standpunt in te nemen, als contrast voor de verwarrende, misschien zelfs kwellende strategie die hij tijdens zijn campagne had gekozen.

Reid zei dat hij met drie oudgediende Democraten had gepraat, vooraanstaande leden van verschillende Senaatscommissies, die zich krachtig tegen Kerry's voorstel hadden uitgesproken. Om die reden wilde Reid niet dat Kerry's voorstel die week in de Senaat zou worden behandeld. De senator van Massachusetts, tevens lid van de Commissie Buitenlandse Betrekkingen, was niet aanwezig op de vergadering van 14 juni, dus vroegen Reid en Levin Kerry's medewerkster op het gebied van buitenlandse betrekkingen, Nancy Stetson, iedereen even bij te praten over de eventuele wijzigingen in het amendement van haar baas. Ze legde uit dat het amendement was veranderd: de voorgestelde datum waarop de troepen werden teruggetrokken, was verschoven van eind 2006 naar juli 2007. Hillary vroeg om een kopie van het herziene amendement. Ze las het en verwierp meteen daarop de datum van terugtrekking en de bepaling dat Amerika voorafgaand aan de terugtrekking zou overleggen met de Irakese regering.

'Dat is heel wat anders dan terugtrekken in 2006,' zei ze en dreef de spot met Kerry's herziene voorstel.[3] Sprekend over het amendement als geheel voegde ze daar scherp aan toe: 'Dit gaat niets opleveren.'[4]

Kerry vroeg zich later af of Hillary's negatieve reactie verband hield met de tegengestelde reacties die de twee de dag ervoor kregen tijdens een conferentie van linkse activisten in het Washington Hilton.[5] (Tijdens die bijeenkomst voerde zowel Hillary als Kerry het woord. Toen Hillary verklaarde dat ze vond dat het 'strategisch niet slim is een vaste datum te prikken' waarop de Amerikaanse troepen zich zouden terugtrekken uit Irak, werd ze onthaald op een luid boegeroep uit het publiek. Maar toen Kerry de oorlog 'immoreel' en 'een moeras' noemde, werden zijn opmerkingen begroet met een luid gejuich.[6])

De recente aanvaring tussen de twee stond haaks op de persoonlijke en politieke banden die ze lange tijd hadden gehad. In 1972 waren ze beiden als jonge activisten verschenen voor de programmacommissie van de Democratic National Convention in Boston; Hillary ten behoeve van de rechten voor kinderen en Kerry met betrekking tot de oorlog in Vietnam.[7] (Kerry kon zich die bijeenkomst niet herinneren en toonde zich verbaasd toen hem er in 2007 over werd verteld.[8]) In 2001, een week na de aanslagen van 11 september, organiseerden de twee een feestje in Kerry's huis in Georgetown ter ere van het aanstaande huwelijk van Tamera Luzzatto, Hillary's chef-staf, en David Leiter, Kerry's voormalige chef-staf. En tijdens de bijeenkomst van diezelfde linkse activisten in 2004 die de dag ervoor zulke tegengestelde reacties bij het publiek had uitgelokt, had Hillary Kerry uitgebreid geprezen en hem een hart onder de riem gestoken in zijn strijd tegen president Bush.

Luzzatto, een gerespecteerde en oudgediende senator, begeleidde Hillary tijdens de vergadering van 14 juni, maar veel hulp kon ze niet bieden. Een van de deelnemers merkte op dat Hillary door haar gebrek aan ervaring op het gebied van nationale veiligheid feitelijk alleen stond in het bepalen van haar positie aangaande het te voeren Irak-beleid.[9] Misschien besloot Hillary om die reden, nadat ze Kerry's amendement had afgewezen, de daaropvolgende twintig tot dertig minuten niets te zeggen. Reid, de voorzitter, die haar geringe inbreng opmerkte, wendde zich daarop tot Hillary en zei dat hij benieuwd was naar haar gedachten over de zaak. Verschillende deelnemers waren verbaasd dat Hillary die gelegenheid kreeg. Er volgde een lange pauze.

'Het was opvallend dat ze spreektijd kreeg,' zei een van de deelnemers, die opmerkte dat ze de voorafgaande vergaderingen ter bepaling van de strategie niet had bijgewoond. De deelnemers erkenden echter dat Hillary de 'slagroom op de taart' was, dus 'richtten aller ogen zich op haar en was men benieuwd wat ze ervan vond'.[10]

Hillary voerde het woord gedurende vijf à zes minuten. Ze leek 'aanvankelijk een beetje onzeker' en herhaalde haar negatieve standpunt van de dag ervoor.[11]

'Ik ben geen voorstander van een vaste vertrekdatum en ik ben niet voor een betrokkenheid met een open einde,' zei Hillary tegen haar collega's.[12] Daarna ging ze in op voorstellen die in een alternatief amendement waren gedaan door de senatoren Levin en Jack Reed. In hun amendement, dat geen wettelijke status had, werd de president opgeroepen 'met de gefaseerde terugtrekking van Amerikaanse troepen uit Irak' te beginnen in 2006.[13] Bovendien werd Bush gevraagd het Congres ervan op de hoogte te stellen hoe hij de terugtrekking van de troepen daarna wilde regelen. Het amendement gaf de president enige speelruimte en hield rekening met 'onvoorziene ontwikkelingen'.[14] Daarmee vormde dit amendement grotendeels een weerspiegeling van het voorstel dat een jaar daarvoor door dezelfde groep Democraten was gedaan, waarin Levin op voorspraak van Hillary dezelfde verzachtende taal had gekozen – 'onverwachte ontwikkelingen'.

Hillary gaf in scherpe bewoordingen te kennen waarom ze een minder confronterende houding ten aanzien van het Witte Huis innam dan in het voorstel van Kerry.

'Misschien was het jullie nog niet opgevallen,' liet ze zich ontvallen, 'maar wij hebben weinig te vertellen.'[15] Hillary vertelde haar collega's vervolgens het een en ander over de politieke scherpzinnigheid van de regeringsvertegenwoordigers. 'Karl Rove en George Bush zijn niet gek,' waarschuwde ze.[16]

Desondanks beweerde senator Russ Feingold, een van de mensen die Kerry's amendement steunden, dat 'de Democraten willen dat we vertrekken' uit Irak.[17] Dat was waar: uit een enquête van een paar dagen daarvoor was gebleken dat 64 procent van de Democraten wilde dat de Verenigde Staten 'zo snel mogelijk zouden vertrekken', zelfs als Irak nog niet helemaal stabiel zou zijn. De Republikeinen waren het daar in overweldigende meerderheid niet mee eens: 73 procent was ervoor dat de Amerikanen zouden blijven 'zolang als dat nodig is'. Onafhankelijke kiezers waren verdeeld over de kwestie.[18]

Hillary bekeek de zaak vanuit een breder perspectief. 'Ik probeer de basis in zicht te houden,' zei ze tegen haar collega's. 'Ik denk dat we bewegingsruimte nodig hebben.'[19]

Tegen het einde van de vergadering raakten de senatoren vermoeid. Ze waren het erover eens dat dit onderwerp in de maanden voorafgaand aan de tussentijdse verkiezingen telkens weer aan bod zou komen. Er werd enigszins gekscherend gedaan over de vraag in hoeverre de oorlog in Irak voor verdeeldheid zou kunnen zorgen onder de Democraten die hoopten president te worden. Hillary stelde de essentiële vraag, namelijk of 'een van de mensen in deze kamer de beslissing zou nemen' over de Amerikaanse troepen in Irak, in januari 2009.[20] 'Er zaten heel wat mogelijke presidentskandidaten in die kamer,' herinnerde zich een medewerker: Hillary, Feingold, Joe Bidden uit Delaware en Chris Dodd uit Connecticut werden allen beschouwd als potentiële kandidaten.[21]

Na afloop van de vergadering werd Dianne Feinstein apart genomen door Reed en Levin, de twee architecten van het compromisvoorstel dat nu als alternatief diende voor het voorstel van Kerry en Feingold, voor een persoonlijk gesprek. Het lag in de bedoeling het wetsvoorstel van Kerry en Feingold op te geven en in plaats daarvan het compromisvoorstel te presenteren. Ze vroegen Feinstein het wetsvoorstel mede te ondertekenen, vooral gezien het feit dat ze geen presidentiële ambities had.

'Het is niet goed als presidentskandidaten worden vermeld' als begunstiger van het amendement, zei Reid tegen Feinstein, 'ook al wordt het voorstel gezien als een resolutie waarover consensus bestaat'.[22] Het opduiken van de naam van een mogelijke presidentskandidaat zou een storm van politieke druk kunnen veroorzaken die het uitstekende wetsvoorstel zou kunnen schaden: een stem voor het amendement zou kunnen ontaarden in de verkapte stem voor een van de kandidaten. Feinstein ondertekende het voorstel.

De volgende dag in de Senaat leek het plan om het debat over Kerry's voorstel af te blazen, direct in gevaar te komen dankzij de Republikeinse senatoren. In de hoop politieke punten te scoren tegen de Democraten presenteerden zij Kerry's voorstel in zijn plaats; als Kerry zijn amendement eenmaal officieel had ingediend, kon ongeacht welke senator erover beginnen. Maar Reid reageerde bliksemsnel met een eigen parlementaire manoeuvre: nog voordat Kerry het woord kon voeren, diende hij een voorstel in het debat te beëindigen. Er waren 36 Democratische senatoren – onder wie Hillary – die vóór Reids motie stemden om het debat te beëindigen, en die werd uiteindelijk aangenomen met steun van de Republikeinen.

Intussen werd het beleid van de president na lange en gepassioneerde debatten in het Huis van Afgevaardigden gesteund: men verwierp voorstellen om op een tevoren bepaald tijdstip terug te trekken. De stemverhouding was 256 tegen 153. De grotendeels eensgezinde Republikeinen werden gesteund door 42 Democraten, ongeveer een vijfde van het totaal.

In de Senaat inmiddels hadden de Democraten dankzij Reids ingrijpen tijd gecreëerd om de laatste hand te leggen aan hun compromisvoorstel. Die tijd werd door Reid gebruikt om een laatste ondertekenaar toe te voegen, senator Ken Salazar uit Colorado, die geen presidentiële ambities had. Het amendement, waarover eensgezindheid bestond, werd formeel gepresenteerd op maandag 19 juni in de persruimte van de Senaat door de architecten van het voorstel. Senator Levin zei tegen de verslaggevers: 'Ik presenteer vandaag samen met de senatoren Reed, Feinstein en Salazar een amendement' waarin de regering wordt opgeroepen 'aan het eind van dit jaar te beginnen met een gefaseerde terugtrekking van Amerikaanse troepen uit Irak'.[23] De nadruk lag op redelijkheid. Het voorstel, verklaarde Levin, diende te worden beschouwd als een logisch vervolg op een door de Senaat in 2005 aangenomen voorstel (79 tegen 19 stemmen) waarin werd gesteld dat er in 2006 voorwaarden zouden worden gecreëerd voor een 'gefaseerde terugtrekking'.[24] Ook noemde hij een passage in zijn amendement waarin werd gevraagd de Irakese regering te raadplegen. Hillary was niet aanwezig op de persbijeenkomst. In plaats daarvan was ze in haar eigen staat, net als veel van haar collega-senatoren, in de wetenschap dat de Senaat op maandag meestal geen grote beslissingen neemt.

De Senaat boog zich uiteindelijk op woensdag over de kwestie-Irak. Iedereen wist dat het een stevig debat zou worden, vooral gezien het feit dat de tussentijdse verkiezingen naderbij kwamen.

Levin nam opnieuw het voortouw en presenteerde zijn amendement. Na hem volgde Jack Reed, die het spreekgestoelte betrad en zei: 'Samen met mijn collega's senator Levin, senator Feinstein en senator Salazar dien ik dit amendement in.'[25]

Ineens en zonder aankondiging vooraf verscheen Hillary in de Senaat en gaf aan dat ze wilde spreken.

Gewoonlijk spreken de senatoren in volgorde van anciënniteit, waarbij de oorspronkelijke ondertekenaars van het voorstel het recht hebben als eerste te spreken. Senator Feinstein, die door Harry Reid was gevraagd het voorstel mede te ondertekenen, stond inmiddels klaar om het woord te voeren. Levin stond perplex. Hij regelde de toewijzing van de spreektijd voor de Democraten en wilde niet dat de Republikeinen of het publiek zouden denken dat er geen eensgezindheid bestond in zijn team – dus stemde hij in met Hillary's verrassende verzoek om als volgende Democratische senator de Senaat toe te spreken.[26]

Haar eerste opmerking kwam ook voor insiders als een verrassing: 'Ik ondersteun het Levin-amendement en kan met trots melden dat ik een van de oorspronkelijke ondertekenaars ben.'[27]

'We waren stomverbaasd,' zei een medewerker van een van de ondertekenaars van het amendement: niemand had gezegd dat Hillary een leidende rol zou vervullen bij dit wetsvoorstel.[28] Een paar minuten daarvoor had Reed tijdens zijn betoog Hillary niet genoemd als een van de ondertekenaars. En toen hij het amendement tijdens de persbijeenkomst op maandag officieel had gepresenteerd, had Levin dezelfde lijst namen gebruikt – en ook daar stond Hillary niet op.

Maar Hillary had zich met het nodige ellebogenwerk een plaatsje op het podium verworven.

In het oorspronkelijke amendement zoals dat was neergelegd in de Senaat, stond dat het was 'ingediend door mr. Levin (namens zichzelf, mr. Reed, mrs. Feinstein en mr. Salazar)'.[29] Maar in de kantlijn was één handgeschreven woord toegevoegd: 'Clinton'.[30] Uit de archieven blijkt dat haar naam was toegevoegd op 19 juni, de dag waarop Levin zijn amendement officieel had gepresenteerd tijdens de persconferentie.[31]

'Ik herinner me dat ik de handgeschreven toevoeging zag en me afvroeg wat er was gebeurd,' zei een oudgediende Senaatsmedewerker.[32] De verklaring: Hillary had 'persoonlijk ingegrepen' in de gang van zaken met behulp van Harry Reid. 'Ze drong zich op.'[33] Reid kon geen nee zeggen, zei een Senaatsmedewerker, omdat Hillary een 'prima inter pares' was, 'de bijenkoningin'.[34]

Nu Hillary mede had ondertekend, was de afspraak over het uitsluiten van potentiële presidentskandidaten geschonden. 'En als er één schaap over de dam is,' vervolgde de medewerker, 'volgen er meer.'[35] Een andere senator die presidentiële aspiraties had, Joe Biden, had ook ontdekt dat ze het amendement op het laatste moment had ondertekend en deed hetzelfde.

Volgens sommigen was Hillary's manier van handelen iets wat alleen insiders zouden begrijpen. Immers: het feit dat Hillary het amendement mede ondertekende, ontsnapte aan de aandacht van alle verslaggevers die het debat volgden. En als verslaggevers de wetgeving waarover ze schrijven niet eens lezen, waarom zou het publiek dan belangstelling koesteren voor de namen van de ondertekenaars van een wetsvoorstel? En toch was hetgeen Hillary had bereikt van symbolische waarde, en belangrijk. Zelfs nadat Kerry en Feingold de toon van hun amendement hadden verzacht en de terugtrekkingsdatum hadden verschoven van december 2006 naar juli 2007, hadden ze slechts dertien senatoren verzameld die voor het amendement zouden stemmen. Hillary ondertekende een compromisvoorstel dat bredere steun kreeg: 39 stemmen (een onafhankelijke en 38 Democratische). En later, als de oorlogssituatie zou verergeren, kon ze zeggen dat ze lange tijd een bepaalde vorm van terugtrekking had gesteund. Bovendien kon ze wijzen op haar 'toonaangevende' rol op het gebied van nationale veiligheid als bewijs voor het feit dat ze tot president moest worden gekozen.[36]

Hillary's toespraak tot de Senaat bevatte de gebruikelijke kritiek op de Republikeinen: ze beschuldigde hen ervan 'de verkiezingen te willen winnen' in plaats van 'een strategie te formuleren om de oorlog in Irak te winnen'.[37] Ze maakte melding van de zware tol die de oorlog had geëist in haar eigen staat: 116 gesneuvelden en meer dan duizend gewonden. Daarna kwam ze voor het eerst tijdens een openbare toespraak met een nieuwe interpretatie van haar eigen gedrag in 2002. Deze herziene versie was ongewoon schaamteloos tegenover Levin, die even daarvoor zo hoffelijk – hoewel geschokt – was geweest en haar spreektijd had gegund.

De gelegenheid die het Congres de president en diens regering vier jaar daarvoor had geboden, was, verklaarde Hillary, 'misbruikt' omdat ze hadden 'gehandeld zonder de inspecteurs in de gelegenheid te stellen hun werk af te maken en zo onbezonnen ten strijde waren getrokken'.[38] Met andere woorden: Bush had de diplomatie te weinig kans gegeven. Hillary ging opnieuw geheel voorbij aan het feit dat ze in 2002 tegen Levins amendement had gestemd, waarin de president was gevraagd een extra diplomatieke inspanning te doen voordat er een invasie in Irak zou plaatsvinden.

Niemand – noch Hillary's gebruikelijke tegenstanders, noch de pers – bracht in herinnering dat Hillary in 2002 tegen een diplomatieke strategie had gestemd. Haar beschuldiging dat president Bush zijn bevoegdheden had misbruikt, had zo veel succes dat ze die opmerking al snel gebruikte in haar campagnetoespraken. Bovendien beschuldigde ze de president ervan dat onlangs boven water gekomen documenten aantoonden dat er geen inlichtingen waren die bewezen dat er een verband bestond met al-Qaida, zoals Bush en Cheney – en Hillary – hadden beweerd.[39]

De gebeurtenissen in de daaropvolgende dagen leken Hillary's voorspellingen te staven.

Tijdens een bijeenkomst van Democratische activisten in Washington op vrijdag 23 juni werd ze toegejuicht, en niet weggehoond. Een aantal antioorlogsactivisten en voormalige critici prezen haar nu omdat ze opteerde voor terugtrekking en verder opschoof in de richting van hun standpunten. Roger Hickey, die Hillary had uitgenodigd voor de bijeenkomst waar ze was uitgejouwd, zei dat haar optreden 'een opmerkelijke stap was voor haar en de Democratische Partij'.[40]

Enige weken later, toen enquêtes aantoonden dat er onder het publiek een groeiende ontevredenheid bestond over het verloop van de oorlog, daagde Hillary minister van Defensie Donald Rumsfeld publiekelijk uit naar een hoorzitting van de Strijdkrachtencommissie van de Senaat te komen om enige vragen over Irak te beantwoorden. Aanvankelijk sloeg Rumsfeld de uitnodiging af, bang als hij was dat het geheel zou ontaarden in politiek theater, maar uiteindelijk veranderde hij van gedachten. Die beslissing zal hij waarschijnlijk hebben betreurd: hij werd genadeloos onder handen genomen door de senator uit New York. Op een bepaald moment kreunde Rumsfeld, die van zijn stuk scheen te worden gebracht door de teneur van de vragen: 'Mijn God,' voordat hij reageerde op haar commentaar.[41] In persverslagen werd gesteld dat Hillary de minister van Defensie had 'afgemaakt'.[42] Kort na de hoorzitting zette ze nog hoger in door publiekelijk te vragen om Rumsfelds aftreden.[43]

Hillary, die nu in haar eigen staat een nog steviger basis had, weigerde de maand daarop om, voorafgaand aan de primary-verkiezingen, een debat te voeren met Jonathan Tasini, haar Democratische opponent die zich een fervent tegenstander van de oorlog had betoond. Een gefrustreerde Tasini klaagde ten overstaan van de pers dat de Democraten er weinig voor voelden te discussiëren over 'het belangrijkste onderwerp van de dag'.[44] Zelfs de Hillary gunstig gezinde redacteuren bij *The New York Times* namen het haar kwalijk dat ze niet wilde debatteren, maar ze maakte geen aanstalten haar positie te wijzigen en de Democratische Partij stond achter haar.[45]

Hillary won met gemak op de dag van de primary-verkiezing, wat niemand verbaasde. In tegenstelling tot Joe Lieberman, die bij zijn primary met klein verschil werd verslagen door een antioorlogskandidaat (Ned Lamont), wist Hillary Tasini te verpletteren: ze kreeg 83 procent van de stemmen.

Nadat ze met deze tegenstander aan de linkervleugel had afgerekend, bond ze bij de algemene verkiezingen de strijd aan met de Republikein John Spencer. Spencer, die vroeger burgemeester van Yonkers was geweest, was een niet al te slagvaardige kandidaat door wie Hillary diverse malen als te weinig doortastend op het terrein van de nationale veiligheid was afgeschilderd. Spencers kritiek was kenmerkend voor Republikeinen die zich tegenover Democraten gesteld zagen. En hoewel er voor Hillary weinig te vrezen was van de burgemeester van Yonkers, gooide Hillary het opnieuw over een andere boeg. In september was er een Democratische hoorzitting over Irak, die was georganiseerd om aandacht te schenken aan kritiek uit militaire kringen op de regering. Hillary verscheen er te laat. Op de hoorzitting kwamen drie hoge, onlangs afgezwaaide officieren aan het woord. Voor Hillary's komst was Rumsfeld al betiteld als incompetent. Maar toen ze hun vroeg wat er zou gebeuren als de Verenigde Staten zich op een vastgestelde datum zouden terugtrekken, zeiden ze allemaal dat de gevolgen desastreus zouden zijn. Een van de getuigen zei: 'Er zal een burgeroorlog van enige omvang uitbreken, met als gevolg een grote puinhoop in de hele regio.'[46] Dit was precies het soort uitspraken waar de Democraten niet op zaten te wachten, en de hoorzitting werd snel beëindigd.

Op Hillary's website werd later aandacht geschonken aan de kritiek op Bush tijdens de hoorzitting, maar er werd geen melding gemaakt van haar controversiële discussie met de officieren.[47] Haar provocerende vragen lokten de dagen daarop echter wel enig afkeurend gemompel uit van een aantal Democraten in de Senaat. De Republikeinen daarentegen knepen in hun handjes en probeerden zo snel mogelijk munt te slaan uit de kwestie.[48] Ze schonken publiekelijk aandacht aan de verklaringen en de rol die Hillary bij de ontboezemingen had gespeeld. Toen Mike DeWine, een Republikeinse senator die een zware herverkiezingsstrijd voerde in Ohio, bij *Meet the Press* van NBC door presentator Tim Russert werd gevraagd of het wel passend was de Democraten ervan te beschuldigen dat ze een 'inpakken en wegwezen'-tactiek nastreefden, haastte hij zich om ter verdediging Hillary te citeren. DeWine zei dat Hillary tijdens de Democratische hoorzitting de 'sleutelvraag' had gesteld, namelijk wat er zou gebeuren als er een vaste vertrekdatum bekendgemaakt zou worden, waarop werd geantwoord dat het resultaat 'chaos in Irak' zou zijn.[49]

Of Hillary nu twijfelde over haar standpunt over de oorlog of gewoon slordig was in haar uitingen, de vragen die ze aan de officieren had gesteld, herinnerden sommige Democraten aan haar neiging dingen op haar eigen manier te doen, zonder zich iets aan te trekken van partijbelangen. Lange tijd was Hillary degene geweest die had gehamerd op meer discipline als het aankwam op het sluiten van de gelederen en het uitdragen van een en dezelfde boodschap. Sommigen vroegen zich af of ze niet eigenlijk bedoelde dat de anderen zich achter haar moesten opstellen en haar moesten volgen terwijl zij vooruit marcheerde.[50]

Hoe dan ook, Hillary's kansen om terug te keren in het Witte Huis leken groter te worden. Tijdens de tussentijdse verkiezingen in 2006 was gebleken dat de kiezers zeer ontevreden waren over Irak en de Republikeinen. DeWine en vele andere bondgenoten van Bush in het Congres werden weggestemd en de Democraten kregen zowel in het Huis van Afgevaardigden als in de Senaat de meerderheid. Hillary wist Spencer met gemak te verslaan: ze kreeg twee derde van de stemmen. Haar doelwit, Donald Rumsfeld, nam ontslag en de Republikeinen leken compleet verslagen.

In een politieke reactie op de verkiezingen zei Hillary: 'De boodschap van het Amerikaanse volk is luid en duidelijk: we hebben sterk de behoefte aan een nieuwe koers.'[51] Op dat moment had ze het hele politieke landschap met betrekking tot Irak verkend en zich deels laten leiden door de verandering in de publieke opinie en door haar eigen ambitie om sterk en krachtdadig over te komen – eigenschappen waarvan ze wist dat ze ze nodig had als ze president zou worden.

Terwijl ze bezig was met de voltooiing van de aankondiging dat ze president wilde worden, vroeg Hillary aan politieke bondgenoten uit New Hampshire welke rol haar stemgedrag voor de oorlog in de campagne zou spelen.[52] Volgens haarzelf waren er twee mogelijkheden: een 'nieuwe koers' kiezen om te ontsnappen uit haar eigen Irak-moeras, of doorgaan met watertrappen in het 'enigszins eenzame centrum' waar ze zichzelf geplaatst zag, zoals ze bekende aan een verslaggever.[53]

Maar er was een plek waar ze zich binnenkort minder eenzaam zou voelen, en die was in New Hampshire. De vijver met Democratische presidentskandidaten zou snel voller worden – en ditmaal was de uitdager een senator die nog minder ervaring had dan Hillary.

# 24

# 'Madam President'

Om kwart over twee op woensdagmiddag 17 januari 2007 ging de Senaat, die nu werd gecontroleerd door de Democraten, na een lunchonderbreking weer in vergadering. Die dag was de voorzitter, een ceremoniële functie die bij toerbeurt door alle senatoren wordt vervuld, Hillary Rodham Clinton.

Het eerste onderwerp op de agenda was van persoonlijke aard: een eerbetoon aan de afscheid nemende adviseur op het gebied van buitenlands beleid van Kerry, Nancy Stetson, die twee jaar na Hillary was afgestudeerd op Wellesley College. Hillary gaf Kerry het woord en hij betrad het spreekgestoelte.

'Madam President,' begon Kerry, 'een van de goede dingen van de Senaat en het karakter van deze plek' zijn de hardwerkende stafleden, 'onze experts'.[1] De 57-jarige Stetson, zei Kerry, had de afgelopen vijftien jaar gediend als zijn 'alter ego' op het terrein van buitenlands beleid. Hij gaf een overzicht van de 25-jarige Senaatscarrière van Stetson en merkte op dat ze 'een vooruitziende blik had gehad wat betreft het desastreuze scenario dat zich in Irak heeft ontwikkeld'.[2] Hij liet na te vermelden dat hij haar advies aangaande de oorlog op een aantal cruciale momenten niet had opgevolgd – iets wat hem waarschijnlijk het presidentschap had gekost.[3]

Stetson, die in Kerry-kringen ook wel werd aangeduid met 'Dr. No', had hem dringend aangeraden tegen de oorspronkelijke Irak-resolutie in 2002 te stemmen, maar hij had in plaats daarvan besloten die te steunen.[4] Later, in 2004, raadde ze hem aan voor de extra toekenning van 87 miljard dollar ter financiering van de troepen in Irak te stemmen, en toen stemde hij juist tegen. Algemeen werd aangenomen dat dit stemgedrag en Kerry's gedraai later om het te verklaren, de belangrijkste redenen vormden voor het verlies dat hij leed tegen George Bush bij de presidentsverkiezingen in 2004.

Die middag was Hillary, terwijl Kerry zijn medewerkster prees, ergens anders met haar gedachten. Ze dacht aan een voor haar hopelijk historische campagne die zou culmineren in de eedaflegging als de eerste 'Madam

President' van Amerika. Een paar uur eerder had ze op haar bank in haar zonnige kamer gezeten om een korte video op te nemen waarin ze haar kandidatuur voor het presidentschap bekendmaakte die, drie dagen later, online gezet zou worden.[5] Ook de aankondiging van senator Barack Obama de dag ervoor dat hij zou meedoen aan de presidentsverkiezingen, droeg bij aan de opgewonden stemming. Hij sloot zich aan bij een groeiende groep Democratische kandidaten, onder wie voormalig senator John Edwards en de senatoren Joseph Biden en Christopher Dodd.

Kort na Kerry's toespraak verliet Hillary de Senaatszaal en liep naar boven, naar s-325, de radio- en televisiestudio van de Senaat, om de ongeveer tweehonderd verslaggevers, cameralieden en fotografen die daar stonden te wachten bij te praten over de Irak-oorlog. President Bush had twee weken daarvoor aangekondigd dat hij van plan was de troepen in Irak uit te breiden met 21.500 man, een plan dat een negatieve reactie had opgeleverd van de Democraten in het Congres.

Hillary's politieke machine denderde inmiddels voort op presidentiële koers, gelet op de voorbereidingen op haar persbriefing over Irak: aan haar opmerkingen waren uitgebreide enquêteonderzoeken, urenlange gesprekken met Bill, eindeloze telefonische vergaderingen en een reeks televisie-interviews voorafgegaan.[6] Bovendien was ze net teruggekeerd van een vierdaagse reis naar Irak en Afghanistan, waardoor ze met meer geloofwaardigheid en autoriteit kon spreken over het kwellendste probleem dat Washington op dat moment beheerste. Ze kon grofweg kiezen tussen een positie die haar dichter in buurt zou brengen bij de Democraten die tegen de oorlog waren en wier steun ze nodig had bij de Democratische primary's in 2008, of meer in het centrum van de opvattingen over nationale veiligheid, waar ze zich de laatste vijf jaar al had opgehouden en waarmee ze misschien een betere uitgangspositie verwierf om kiezers te trekken tijdens de algemene verkiezingen.

De druk om positie te kiezen nam toe. Een paar dagen eerder had John Edwards het duidelijk 'op haar gemunt' toen hij eiste dat zij die 'uitsluitend jouw opties bestuderen', hun stilzwijgen maar eens moesten doorbreken.[7] Net als Dodd en Kerry voor hem was Edwards teruggekomen op zijn stem vóór de oorlog in oktober 2002.

Obama, de Democraat uit Illinois, had zich uitgesproken tegen de oorlog nog voor die was begonnen, maar hij was slechts senator van de staat Illinois toen die stemming had plaatsgevonden. Door die positie, die hij vanaf het begin had ingenomen, kon Obama zich onderscheiden van die Democraten (onder wie Hillary) die, zo verklaarde hij, president Bush 'een breed mandaat zonder beperkingen gaven om zijn oorlog te voeren'.[8] En Obama, die nu in de race was voor het Witte Huis, voerde de frequentie van zijn aanvallen op.

Toen Hillary de afgeladen Senaatsstudio om 15.11 uur die middag betrad, vroeg men zich vooral af of ze nog onder haar stem vóór de oorlog kon uitkomen en tegelijk Kerry's verwarrende en verdoemde erfenis zou weten te vermijden.[9]

De persconferentie begon met een reisverslag. De andere sprekers waren twee Congresleden die Hillary hadden vergezeld op haar reis: senator Evan Bayh, een gematigde Democraat uit Indiana, en afgevaardigde John McHugh, een Republikein uit New York. De twee mannen voerden als eersten het woord; Hillary stond ernaast met een strak gezicht, de lippen op elkaar gedrukt en ineengevouwen handen. Af en toe drukte ze, nerveus als ze was, haar duimen tegen elkaar of draaide ze rond. Soms knikte ze instemmend als de mannen de penibele situatie in Irak en Afghanistan beschreven. (Op dat moment werd Irak overspoeld door sektarisch geweld dat een groot deel van het land in zijn greep hield, inclusief Bagdad; intussen bleken de Taliban in staat zich te hergroeperen en aanvallen overal in Afghanistan uit te voeren.)

Ten slotte was het Hillary's beurt. Haar opmerkingen behelsden een reeks inmiddels bekende thema's: president Bush had verkeerd gehandeld in de oorlog, de mannen en vrouwen in het leger, bij wie ze aan geloofwaardigheid had gewonnen, deden hun werk voortreffelijk en de troepen dienden gefaseerd te worden teruggetrokken uit Irak. Ze zei niets over haar eerdere stemgedrag. Maar ze betrad wel degelijk een nieuw terrein: ze zei dat ze er een voorstander van was de troepensterkte op het huidige niveau te houden, hoewel ze toegaf dat het voor het Congres ondoenlijk was de onlangs door de president voorgestelde troepenversterkingen tegen te houden. Daarop riep ze zelf ook op tot een troepenversterking: niet in Irak, maar in Afghanistan. Hillary stelde tevens voor een aantal politieke, militaire en economische voorwaarden op te leggen aan de Irakezen die moesten worden goedgekeurd door de president. Mocht die goedkeuring niet worden gegeven, dan stelde ze voor verdere financiële injecties achterwege te laten – niet ten behoeve van de Amerikaanse troepen, maar van Irakese veiligheidstroepen en huurlingen die Irakese autoriteiten bewaakten. Hoewel ze aangaf dat ze haar plannen voor Irak in een wetsvoorstel wilde vastleggen, kwam ze niet met een ontwerpwet of een uitgebreide samenvatting voor verslaggevers, zoals meestal in dit soort situaties gebeurt.[10]

Dit zou een teken aan de wand blijken te zijn. Een adviseur van Hillary gaf aan dat ze met haar voorstellen slechts een 'ministapje' afstand nam van het Irak-moeras waarin ze zich bevond.[11] Uiteindelijk werd duidelijk dat

Hillary's wetsvoorstel nooit in en een wet vervat zou worden. Toch sneden haar voorstellen hout als het ging om haar presidentiële ambities. Nog steeds pleitte ze voor 'gefaseerde terugtrekking', en dus was ze tegen de onmiddellijke terugtrekking van 40.000 of 50.000 militairen, zoals voorgesteld door John Edwards, of nog drastischer financiële bezuinigingen, wat anderen suggereerden.[12] Haar benadering, zei ze die dag tegen een verslaggever, kwam voort uit 'een sterk verantwoordelijkheidsgevoel'.[13] De implicaties die dat had voor haar Democratische collega's, waren onmiskenbaar.

Toen Hillary om 15.42 uur de persruimte verliet, riep een verslaggever achter in de zaal wanneer ze zou bekendmaken dat ze zou meedoen aan de presidentsverkiezingen. Ze antwoordde niet.

Drie uur later, toen de tv-journaals hun verslagen van Hillary's persconferentie uitzonden en verslaggevers hun stukken over haar voorstellen voor de krant van de volgende dag afrondden, bracht John Kerry een toost uit op zijn vertrekkende medewerkster Stetson. Dat gebeurde in een feestzaal op de eerste verdieping van de Monocle, het restaurant dat het dichtst bij het kantorencomplex van de Senaat lag en dat werd gefrequenteerd door senatoren en lobbyisten. Daar hadden zich tientallen vrienden en collega's van Stetson verzameld om haar het beste te wensen.

Voordat hij zijn toost uitbracht, prees Kerry zijn betrouwbare adviseur nogmaals. Ditmaal was hij openhartiger. Voor het eerst gaf hij ten overstaan van een grote groep mensen toe dat hij 'een fout' had gemaakt door haar adviezen aangaande Irak niet op te volgen. Had hij dat wel gedaan, dan zou zijn poging in het Witte Huis terecht te komen, misschien wel zijn geslaagd. Na zijn toost boog Kerry zich voorover om de kleine Stetson te omarmen.[14] Een week later kondigde hij in de Senaat aan dat hij zich niet opnieuw kandidaat zou stellen voor het presidentschap.

Ook Hillary had schade opgelopen vanwege haar stemgedrag in de kwestie-Irak, maar ze was vastbesloten ervoor te zorgen dat ze Kerry's fouten niet zou herhalen. Een van haar adviseurs verklaarde: 'Ze maakt zich zorgen om de verschuiving van haar positie' en om eventuele vergelijkingen met Kerry, dus ze wil 'elke suggestie vermijden dat ze niet krachtig zou zijn en niet zou weten wat ze doet'.[15] Bill, haar belangrijkste adviseur in de kwestie-Irak, was ervan overtuigd dat krachtdadigheid een essentiële eigenschap was in onzekere tijden. Ten overstaan van een groep Democraten zei de voormalige president in december 2003: 'Wanneer mensen zich onzeker voelen, hebben ze liever iemand die krachtdadig is en het bij het verkeerde eind heeft dan iemand die zwak overkomt en gelijk heeft.'[16] Haar belangrijkste strateeg,

Mark Penn, kwam met de volgende uitspraak: 'Het is voor alle Democraten van groot belang dat het wood "fout" blijvend in verband wordt gebracht met de Republikeinen en met president Bush.'[17] Hillary, die niet graag toegaf dat ze fouten had gemaakt, was op dat moment absoluut niet van plan dat te doen.

Op zaterdagochtend 20 januari, gewoonlijk een dag met weinig nieuws, zette Hillary een historische stap. De aankondiging van haar presentiele ambities was een elektronisch georkestreerde aangelegenheid: er werden duizenden e-mails verstuurd naar verslaggevers en vrienden, en haar oude campagnesite voor de Senaat had plaatsgemaakt voor een nieuwe, die was gewijd aan haar presidentskandidatuur. Tegen een achtergrond van patriottisch rood, wit en blauw was een foto te zien van een ontspannen Hillary die op een bank zit. Wie op de foto klikte, kreeg een video te zien van een minuut en veertig seconden waarin Hillary uitlegt waarom ze 'meedoet om te winnen'.

Het was Bill die achter haar gewichtige beslissing zat. Ze had al een toespeling gemaakt op zijn rol toen ze Brian Williams van NBC News had verteld dat de beslissing 'ons plan' was, terwijl ze eerder had gezegd dat het haar eigen beslissing was.[18] Mickey Kantor, een adviseur op de achtergrond, erkende dat Bill 'een grote rol' speelde in de campagne.[19] Andere vrienden en adviseurs waren nog iets openhartiger: zij zeiden dat de voormalige president Hillary's gang naar het Witte Huis lange tijd had uitgesloten en dat hij het was geweest die op het laatste moment de knoop had doorgehakt.[20]

Twee dagen na haar aankondiging begon Hillary aan een reeks tv-interviews; ze verscheen bij alle belangrijke nieuwsprogramma's. Tegelijkertijd begon ze aan een drie dagen durende chatsessie online. Elke avond, te beginnen om 19.00 uur, beantwoordde ze een aantal vragen die door haar medewerkers waren gekozen uit tienduizenden reacties van kijkers. Hillary leek in de tv-interviews vol energie te zijn en tijdens de internetchats op haar gemak, hoewel ze na twee dagen aangaf dat haar stem schor werd, want 'ik heb zoveel gepraat'.[21]

Zelfs met die schorre stem droeg ze in de kwestie-Irak grotendeels dezelfde boodschap uit. Journalisten en kiezers vroegen haar herhaaldelijk of haar stemgedrag in 2002 een 'fout' was. Ze weigerde dat te bevestigen. In plaats daarvan zei ze dat haar stem 'had bijgedragen aan een vreselijk besluit voor iedereen'[22] en dat 'wij in de Senaat allemaal een heleboel fouten maken'.[23]

Misschien dacht Hillary dat een collectieve schuldbekentenis zou volstaan. 'Ik denk wel eens,' merkte een adviseur in die tijd op, 'dat ze ervan overtuigd is dat ze inderdaad heeft toegegeven dat haar stemgedrag onjuist was.'[24]

Maar Democratische activisten, onder meer in Iowa en New Hampshire, bleven verdeeld over de vraag of Hillary openhartig was geweest.[25] In Berlin, een klein boerendorpje in het noorden van New Hampshire, zei een financieel adviseur, Roger Tilton, tegen Hillary dat hij uitzag naar het moment waarop ze toegaf dat ze een verkeerde keuze had gemaakt. 'Ik wil hier en nu, voor eens en voor altijd, en zonder enige nuance van u horen dat het een fout was toestemming te verlenen voor de oorlog,' zei Tilton tegen haar. 'Ik, en ik denk nog een heleboel andere primary-kiezers, wil u dit eerst horen zeggen, en dan pas zullen we luisteren naar al die andere geweldige dingen die u te vertellen hebt.'[26]

'Gegeven de huidige situatie,' antwoordde Hillary, 'zou ik er nooit voor hebben gestemd.'[27] Ze deed geen poging die mensen in het Congres die vanaf het begin een vooruitziende blik hadden gehad en tegen de oorlog hadden gestemd, te prijzen of te erkennen. Ze voegde eraan toe dat kiezers uiteindelijk voor zichzelf konden beslissen of haar positie aanvaardbaar was. 'De fouten zijn gemaakt door de president, die dit land en het Congres heeft misleid.[28] Het publiek applaudisseerde en juichte haar toe.

In Washington vroeg een Republikeinse vriend en collega van Hillary zich af waarom ze die beschuldiging niet eerder had geuit. 'In het begin, of in ieder geval de eerste twee, drie jaar,' zei senator John McCain, 'zag ik geen grond voor de aantijging dat president Bush, ik citeer: "zijn autoriteit heeft misbruikt".'[29] Hillary was destijds, toen de enquêtes onder de kiezers duidelijk in één richting wezen, een van de fanatiekste voorstanders van de oorlog geweest onder de Democraten, terwijl ze nu de vleugel van haar partij die tegen de oorlog was, voortdurend van nieuwe argumenten voorzag. Ze zei tegen het Democratic National Committee dat ze de oorlog in Irak zou beëindigen zodra ze president was geworden.[30]

Op 15 februari belegde Harry Reid op zijn kantoor een vergadering met andere Democraten over de kwestie-Irak, maar Hillary was afwezig. De dag daarop echter, de vrijdag voorafgaand aan het driedaagse presidentiële vakantieweekeinde, presenteerde ze haar wetsvoorstel.[31] Hillary wachtte tot zaterdag om een verklaring te doen uitgaan. Op dat moment was ze in Dover, New Hampshire, waar ze met de nodige bravoure tegen de kiezers zei: 'Als het voor jullie het belangrijkste is iemand te kiezen die die stem niet heeft uitgebracht, of die heeft toegegeven dat dat stemgedrag verkeerd was, dan zijn er anderen op wie jullie kunnen stemmen.'[32]

Hillary's wetsvoorstel over de Irak-oorlog, die geen andere ondertekenaars had, behelsde grotendeels wat ze een maand daarvoor al had aangekondigd: de twee belangrijkste voorwaarden waren dat het huidige troepenaantal niet zou worden vergroot en dat er maatregelen zouden worden getroffen om een einde te maken aan financiële steun van de Amerikaanse regering aan de Irakese overheid. Maar binnen die twee bepalingen bestond nu aanzienlijk meer bewegingsruimte[33] – een voorbehoud dat niet werd aangestipt door Hillary en haar medewerkers en niet in persverslagen werd genoemd.[34] (Eén voorbehoud was dat het aantal troepen gedurende zestig dagen mocht worden vergroot als de president om een concessie zou vragen op basis van een bedreiging van de nationale veiligheid van de Verenigde Staten.[35] Een tweede voorbehoud was dat financiering doorgang kon vinden als de president weigerde te verklaren dat de doeleinden van de wetgeving in Irak waren gehaald – een niet te missen uitweg voor een president die wilde doorgaan met oorlogvoeren.[36])

Het was geen verrassing dat Hillary niet wilde dat de aandacht gericht zou zijn op de verzachtende maatregelen die de steviger anti-Bushboodschap die ze wilde uitdragen, zou ondermijnen. Toch bevatte haar verklaring over het wetsvoorstel, die op de zaterdag van het vakantieweekeinde werd gegeven, nog een aspect dat de critici van de oorlog in het verkeerde keelgat zou schieten. Er werd opgemerkt dat haar plan voorzag in een 'beperkte aanwezigheid' van Amerikaanse troepen in Irak na de terugtrekking, iets wat ze tijdens haar persconferentie een maand eerder niet had vermeld.[37]

Tegen mei probeerde Hillary opnieuw haar stemgedrag van 2002 recht te praten, al zei ze net niet dat haar stem een fout was geweest. In plaats daarvan stelde ze voor dat het Congres zijn oorspronkelijke toestemming zou intrekken.

Het drama speelde zich af in de late middag van 3 mei, toen Hillary twee minuten in een grotendeels lege Senaat sprak. Ze zei dat ze de toestemming voor de oorlog wilde intrekken, niet door er geen geld meer voor beschikbaar te stellen (de enige zekere manier om er een eind aan te maken), maar door de oorspronkelijke autorisatie in te trekken op 11 oktober 2007, exact vijf jaar nadat die was verleend. President Bush zou opnieuw om toestemming moeten vragen als haar voorstel, dat werd gesteund door senator Robert Byrd, werd aangenomen.

In haar korte opmerkingen die waren gericht tot de antioorlogs-Democraten wier invloed almaar toenam, bleef Hillary even staan bij een al lang vergeten periode van haar eigen worsteling met de kwestie Irak.[38] De dag voordat ze voor de toestemming voor een oorlog tegen Irak had gestemd, zo merkte ze op, had ze een amendement van senator Byrd gesteund 'dat de oorspronkelijke toestemming voor de oorlog zou hebben beperkt tot één jaar'.[39] Deze pas ontdekte nadruk, zo legde een voormalig medewerker van de Senaat uit die bij het debat in 2002 erbij was geweest, was bedoeld 'om te suggereren dat ook zij tegen een oorlog was', ook al had ze ervoor gestemd.[40] Hillary was tegen de oorlog geweest, voordat ze ervoor was geweest – daarvoor was ze er helemaal tegen geweest.

Maar het amendement van Byrd uit 2002, dat was verworpen met 66 tegen 31 stemmen, was toch iets anders dan Hillary het beschreef. Het amendement bood de president 'meervoudige uitwegen' en dus 'stelde het niet veel voor' en was er nauwelijks over gedebatteerd.[41] Preciezer gezegd bood het de president na een jaar de mogelijkheid tot verlenging van de toestemming 'voor een periode van telkens twaalf maanden' zolang hij – en hij alleen – bepaalde dat ze 'noodzakelijk was voor lopende of aanstaande militaire operaties tegen Irak'.[42] Deze openeindetaal betekende dat Hillary's voorstelling van zaken in mei 2007 niet klopte.[43]

Dit weerhield Hillary er niet van maximaal rendement te halen uit de stemming in de twee minuten durende speech. Ze plaatste haar opmerkingen op de websites van de Senaat en haar campagne; ze startte een internetpetitie om 'de oorlog te de-autoriseren'; en haar plan voor een koerswijziging kwam op de voorpagina van *The New York Times* van de volgende dag. Een medewerker merkte op: 'Het krachtigste amendement dat een oorlog had kunnen voorkomen' in 2002 was het Levin-amendement, niet het Byrdamendement.[44] Maar in haar speech, die op 3 mei al op YouTube was te zien, rept Hillary met geen woord over haar stem tegen het Levins harde, diplomatieke benadering.

Hillary's omzichtig en kieskeurig belichten van haar stemgedrag paste bij haar presidentiële ambities – althans op de korte termijn. Door Levins voorstel weg te laten en de nadruk op maar één aspect van Byrds amendement te leggen, schilderde ze zichzelf af als iemand die in oktober 2002 halfslachtig steun had verleend aan de oorlog. Dat was Hillary's gok om de gevaarlijkste kwestie op haar pad naar de Democratische nominatie uit de wereld te helpen. Ze gokte erop dat haar tegenstanders – en haar kiezers – de kleine lettertjes niet zouden lezen.

# 25

# Google en YouTube

O p 23 februari 2007 beklom senator Hillary Rodham Clinton het podium van een gehoorzaal in het hoofdkantoor van Google in Silicon
Valley. Ze werd vergezeld door de algemeen directeur van Google, Eric
Schmidt. Ze gingen in comfortabele witte stoelen zitten om een praatje
te maken, dat werd gesponsord door Women@Google, een werknemers-
organisatie.

Schmidt, die een jasje droeg maar geen das, maakte enige inleidende opmerkingen. Hij herinnerde zich een tien jaar daarvoor gevoerd gesprek met
een medewerker van Clinton in het Witte Huis, die tegen hem had gezegd
dat hij misschien dacht dat de president slim was, nou, 'zij is nog slimmer'.
Vervolgens prees Schmidt een toespraak die hij Hillary in diezelfde tijd had
horen houden en zei dat hij die briljant en veelomvattend vond.

Toen was het de beurt aan Hillary om de ongeveer tweehonderd werknemers toe te spreken, van wie de meesten jong en vrouw waren. Ze bedankte
Schmidt en prees hem op haar beurt. Google, zei ze tegen haar gehoor, is 'in
Amerika de beste plek om te werken', een bedrijf dat 'onze manier van leven,
werken en denken revolutionair veranderd heeft'.

De veertig daaropvolgende minuten beantwoordde ze een reeks vragen die
door Schmidt werden gesteld en uit e-mails van Google-medewerkers waren
gehaald, waarin een gevarieerd aantal onderwerpen aan bod kwam: van Irak
en onderwijs tot energie, het milieu en gezondheidszorg. De discussie was
gezellig en informeel, net als de omgeving waarin ze werd gevoerd; het publiek applaudisseerde regelmatig. Schmidt vroeg ten slotte aan Hillary wat
Google kon doen om haar visie te verwezenlijken. Ze antwoordde dat de
technologische verworvenheden van het bedrijf konden worden toegepast
bij zo'n beetje alle problemen die ze had aangekaart – van gezondheidszorg
tot onderwijs – omdat 'Google de wereld verbindt'. [1]

En dat deed Google inderdaad. Een jaar daarvoor was een buitengewoon
negatieve, zevendelige serie over Hillary, getiteld 'The Fraudulent Senator'

(De frauduleuze senator) de wereld overgegaan via internet. Google maakte dat mede mogelijk.

De serie werd aanvankelijk verspreid door het onbekende bedrijf New Media Journal, waarvan de uitgever, Frank Salvato uit Chicago, eerst een carrière als havenmeester en jazzmuzikant had nagestreefd om ten slotte media-adviseur van de Republikeinen te worden.[2] Hij was in 1998 begonnen met zijn 'conservatief georiënteerde' journaal, en noemde het toen *The Rant* ('De oproerkraaier'). In 2006 wijzigde hij de naam in *New Media Journal* omdat de oude naam 'niet erg aantrekkelijk was' voor de doelgroep van welgestelden die hij wilde bereiken.[3] De schrijfster van de eerste twee artikelen, Joan Swirsky, was een onderscheiden wetenschappelijk publiciste uit Long Island. Haar artikelen over Hillary waren 'met vuur geschreven'; bovendien, verklaarde ze, waren het 'gemene, onverbloemd partijdige stukken'.[4]

Het idee voor de reeks, zei Salvato, was afkomstig van zakenman Peter Paul, een ex-gedetineerde die tijdens Hillary's campagne in 2000 een succesvolle fondsenwervingsbijeenkomst had georganiseerd en zich vervolgens tegen haar had gekeerd. Toen federale rechercheurs onderzochten of de voormalige financieel directeur van Hillary's campagne te lage kosten had opgegeven voor de fondsenwervingsbijeenkomst die Paul had georganiseerd, besloot Paul hen terzijde te staan. Bovendien spande hij een civiele procedure over de zaak aan tegen Hillary en Bill.

Hillary's campagneteam gaf later toe dat het in 2000 een te lage opbrengst van Pauls inspanningen had opgegeven en betaalde een boete van 35.000 dollar als onderdeel van een civiele regeling met de federale kiescommissie. Haar voormalige financieel directeur werd aangeklaagd, maar vrijgesproken. Het onderzoek van de commissie zuiverde Hillary van elke blaam[5] en een rechter verwierp Pauls civiele rechtszaak tegen Hillary.[6]

Als Hillary had gedacht dat hiermee een einde aan de zaak was gekomen, had ze het mis. De zevendelige serie van *New Media Journal* was voor het grootste deel gewijd aan Pauls verhaal en enige aanvullende documenten. Google bestempelde de serie als 'nieuws' en liet de reeks verschijnen in zijn zeer populaire, vier jaar oude rubriek Google News. Binnen een paar dagen klommen de artikelen in Google News naar de tweede plaats in de lijst artikelen over Hillary, wat een 'forse stijging' betekende van het aantal lezers dat Salvato trok.[7] De populariteit van de serie deed een ander bedrijf besluiten een documentaire op dvd uit te brengen.[8]

Salvato zei dat Google News zijn artikelen al meer dan een jaar voor de serie over Hillary regelmatig op een hoge plaats zette omdat hij begreep aan welke inhoudelijke eisen hij voor Google News moest voldoen.[9] Daarin was

hij niet de enige: in 2006 waren de conservatieve mediaspecialisten veel verder dan hun linkse concurrenten in het gebruiken van internet om de oude
media te omzeilen en gebruik te maken van de openheid van het internet.
Breedbandgebruikers lazen het nieuws nu vaker op het internet dan dat ze
de traditionele media raadpleegden, zoals kranten, radio en televisie. Op het
web waren gigantische portals als Yahoo! en Google populairdere nieuwssites
geworden dan lokale of nationale dagbladen.[10] De effectenbeurs, een van de
instituten die als graadmeter gelden voor de stand van zaken in Amerika, gaf
een duidelijk beeld van het snel veranderende medialandschap: de markt-
waarde van Google in 2006 was ongeveer vijftig keer zo hoog als die van
de eerbiedwaardige New York Times Company.[11] (Pas in de lente van 2006
besefte men bij *The New York Times* dat de koppen vaak te vaag waren om
te worden opgepikt bij een zoekopdracht in Google.[12])

De meeste progressieven moesten een politieke inhaalslag maken om gelijke tred te kunnen houden met de conservatieven, maar Hillary en Bill
waren inmiddels gewend geraakt aan internetaanvallen van rechts. De twee
waren al sinds Bills dagen in het Witte Huis een doelwit op internet; een van
hun eerste vijanden toen was Richard Mellon Scaife.

De conservatieve Scaife, erfgenaam in de vierde generatie van het bankfor-
tuin van de Mellons, woont in de buurt van Pittsburgh. Ooit zei hij in een
interview dat hij een 'zeer teruggetrokken persoon' was en 'in wezen verle-
gen'.[13] Maar in het geval van de Clintons was hij nauwelijks terughoudend te
noemen. Al aan het begin van het presidentschap van Clinton financierden
Scaife en diens stichtingen en kredietinstellingen agressieve onderzoeken
naar het tweetal; sommige leidden tot negatieve publicaties en andere trokken het officiële onderzoek naar de dood van Vince Foster sterk in twijfel. Zo
zei Robert Fiske, de onafhankelijke raadsheer die Fosters dood onderzocht,
dat zijn kantoor 'werd overspoeld met briefkaarten, die allemaal identiek
waren', waarin verklaard werd dat, indien de uitkomst van het onderzoek
zelfmoord zou zijn, 'dit een van de grootste doofpotaffaires uit de geschiedenis zou zijn'.[14] De meeste briefkaarten kwamen uit Californië,[15] waar een
centrum was gevestigd dat werd gesteund door een aan Scaife verbonden
stichting; dat centrum schreef artikelen waarin het onderzoek naar de dood
van Foster werd bekritiseerd.[16] Scaife zelf beschouwde Fosters dood als 'de
Steen van Rosette van de regering-Clinton'.[17]

In 1995 waren enkele door Scaife zelf gesteunde projecten onderwerp van
onderzoek. Twee advocaten van het Witte Huis, Mark Fabiani en Chris
Lehane, die verantwoordelijk waren voor het weerleggen of controleren van
de negatieve verhalen die over Bill en Hillary de ronde deden, waren gealar-

meerd door de geruchten over de dood van Foster. Op de derde verdieping van het oude Executive Office Building, dat tegenover het Witte Huis ligt, richtten de twee jonge, aan de Harvard Law School afgestudeerde medewerkers een computerkantoor in – met als bijnaam de 'Internetkamer' – en gebruikten de informatierevolutie die zich op internet voltrok om informatie te verzamelen over de vijanden van de Clintons.[18] Het resultaat van hun werk was een rapport van 332 bladzijden dat in datzelfde jaar nog werd voltooid, waarin werd aangetoond dat projecten die door Scaife en andere rechts georiënteerde mensen werden gefinancierd, 'op het internet waren gezet als middel om hun ideeën te verspreiden onder het publiek', waarbij ze 'twijfelachtige artikelen presenteerden als legitieme verhalen die werden overgenomen door de bekende media'.[19] Hillary, die zeer geïnteresseerd was in het project, werd op de hoogte gesteld van de uitkomsten,[20] en het rapport werd naar een groot aantal gevestigde verslaggevers gestuurd in de hoop dat ze de verhalen over Foster niet zouden gebruiken.

Fabiani en Lehane, die ook wel de 'bestrijders van de rampspoed' werden genoemd vanwege de snelle en slimme manier waarop ze de schade beperkt wisten te houden, waren tevreden over hetgeen ze hadden bereikt. Maar de vragen over de dood van Foster – en zelfs de mogelijkheid dat hij was vermoord – bleven de ronde doen. Zo werd in het eerste artikel van de zevendelige reeks in het *New Media Journal* gesteld dat 'overtuigend was aangetoond dat het hier een moord betreft'.[21]

Een aantal dagen voor Bills tweede inauguratie klaagde Hillary over het gebrek aan 'tegenwicht' tegen de 'tamelijk effectieve' pogingen van 'rechtse denktanks en rechtse publicisten' om de media te bestoken met de door hen gewenste onderwerpen.[22] In 1996 was Google nog niet eens een echt bedrijf. Bovendien besteedden de advocaten van het Witte Huis niet veel aandacht aan een nieuwe internetcolumnist, Matt Drudge. Maar het werk van Fabiani en Lehane vond zijn weerklank bij Hillary.

Een jaar later onthulde Drudge, die volgens *The New York Times* de 'toonaangevende onheilstoker van het land' was geworden met zijn website het Drudge Report,[23] hoe *Newsweek* de hand had gelegd op een verhaal over Ken Starrs onderzoek naar de verhouding van Bill Clinton met Monica Lewinsky.

Binnen een paar dagen leidde de primeur van Drudge ertoe dat de onthulling over het nieuwe onderzoek van Starr wijdverspreid was. Een paar weken later werd Hillary gevraagd of 'dit nieuwe medium noodzakelijkerwijs een vooruitgang' was. Ze noemde de technologische ontwikkelingen die door internet waren geïntroduceerd, 'opwindend', maar ze vreesde dat het 'zonder enige vorm van redactie of bewakingsfunctie'[26] te gemakkelijk was 'onjuiste informatie over mensen' te publiceren die 'binnen de kortste keren overal verspreid kan worden'.[24]

Ook Joseph Farah vond de technologische ontwikkelingen fascinerend. Farah, een van de doelwitten in het onderzoek dat Fabiani en Lehane in 1995 deden, gaf leiding aan het Western Journalism Center, een organisatie in Sacramento die artikelen had gefinancierd waarin kritiek werd geleverd op de officiële uitkomsten van het onderzoek naar Fosters dood. Farah, die geïnspireerd was door Hillary's opmerkingen en de publicatie van het Witte Huisverslag van Fabiani en Lehane in 1997, besefte dat 'deze mensen iets nieuws in handen hebben. Dit is een goed idee.' Het Witte Huisdossier, concludeerde Farah, toonde de mogelijkheden voor de conservatieven om hun boodschap in een mediawereld te plaatsen die werd gedomineerd door linkse journalisten. 'Dit,' zei Farah, 'is hun zwakke punt.' De zelfverklaarde 'Clintonhater'[25] zette WorldNetDaily op, een onafhankelijke nieuwsorganisatie die uitsluitend op internet publiceerde. Het hoofdkantoor is gevestigd in het noorden van Virginia.

Intussen werd een andere schrijver, Chris Ruddy, geïnspireerd door de activiteiten van Drudge. Ruddy's artikelen over Fosters dood werden gepubliceerd door Farahs Western Journalism Center. Hij kwam erachter dat de website van Drudge weblinks plaatste naar zijn artikelen en besloot iets met hem te gaan drinken in een bar in Los Angeles. Als Drudge, die in zijn eentje opereerde, al zo veel aandacht trok in het hele land, dan konden hij en zijn vrienden die ook zo'n hekel hadden aan de regering-Clinton, 'nog veel meer bereiken' met hun eigen website, overwoog Ruddy.[26] Ruddy's artikelen verschenen in de *Pittsburgh Tribune-Review*, een krant van Scaife, dus kwam Ruddy op het idee hem erin te betrekken. De twee mannen dronken op 21 januari 1998 een kop koffie in het Four Seasons Hotel in Georgetown, de dag waarop het Monica Lewinsky-verhaal werd gepubliceerd door *The Washington Post*.[27] (Later die avond liet Scaife een foto maken van hem en Hillary en Bill in het Witte Huis, tijdens een plechtigheid die gewijd was aan de geschiedenis van het gebouw.[28])

Scaife wilde Ruddy wel steunen, maar hij was nog niet zo enthousiast over de mogelijkheden van het nieuwe medium. 'Hij was er niet meteen helmaal weg van,'[29] herinnerde Ruddy zich, en dus kreeg de conservatieve journalist zijn eerste inkomsten (25.000 dollar) van de familie van William J. Casey, het voormalige hoofd van de CIA onder president Reagan.

Ruddy noemde zijn onderneming NewsMax en wist dat tijd van groot

belang was. 'Ik wilde met NewsMax beginnen terwijl de impeachmentprocedure van Clinton nog aan de gang was.' Dus ging de site, gevestigd in West
Palm Beach, Florida, in september 1998 de lucht in. Scaife had inmiddels
besloten twee miljoen dollar te investeren, ongeveer dertien procent van
Ruddy's startkapitaal.[30] Het feit dat Ruddy erin slaagde in negen maanden
vijftien miljoen dollar bijeen te krijgen voor het opzetten van zijn bedrijf,
bewijst wel hoe gemakkelijk het was voor jounalisten om enorme bedragen
los te krijgen van rijke conservatieven.

NewsMax werd al snel een van de belangrijkste websites voor het op de
Republikeinen georiënteerde publiek: men trok zo'n twee miljoen bezoekers
per maand en beschikte over een e-mailbestand van anderhalf miljoen adressen.[31] En het publiek voor dergelijke sites was zo groot dat er zelfs meerdere
met succes konden draaien. Drudge deed het inmiddels ook niet slecht,
ofschoon hij in 2004 een verhaal over een verondersteld affaire van John
Kerry met een campagnemedewerkster op zijn site had geplaatst dat niet
op waarheid bleek te berusten. (Drudge gaf ooit toe dat hij een groot deel
van het 'grote nieuws' dat hij publiceerde, 'niet kon controleren', dus moest
hem 'enige ruimte voor fouten' worden gegund.[32]) Drudge Report trekt nog
steeds miljoenen lezers die de site als startpagina gebruiken voor het zoeken
naar verhalen die door de grote nieuwsorganisaties worden gepubliceerd. Zo
is de Drudge Report de grootste leverancier van lezers van de website van
*The Washington Post*.[33]

En of het nu waar was of niet wat er werd gepubliceerd, het was onmiskenbaar dat de sites veel invloed hadden. Sommige journalisten geloven
dat verhalen die in 2000 door Farah werden gepubliceerd over de politieke
wederwaardigheden in Tennessee van de – op dat moment – presidentskandidaat Al Gore, en die werden overgenomen door een aantal kleinere
kranten in die staat, een rol hadden gespeeld bij het verlies van Gore.[34] De
cijfers logen niet: als Gore de elf kiesmannen in Tennessee achter zich had
gekregen, zou hij president zijn geworden.

Zoals de verkiezingen van 1992 conservatieven als Scaife inspireerden zich
ermee te bemoeien, zo waren de verkiezingen van 2000 het moment waarop
een aantal rijke progressieven begon na te denken over het bereik en de invloed van de informatie-infrastructuur van de tegenpartij. Een van hen was
Herb Sandler die, samen met zijn vrouw Marion, met veel enthousiasme
de linkse zaak steunt. Op dat moment gaven de Sandlers leiding aan World
Savings, een van de toonaangevende spaar- en kredietbanken van het land.
Sandler was vastbesloten een ideologisch tegenwicht te creëren tegen conservatieve denktanks als de Heritage Foundation. Vanuit Oakland, Californië,

probeerden de twee ingewikkelde zakelijke managementtechnieken in te zetten ten behoeve van progressieve filantropie.[35]

Intussen had John Podesta, de laatste chef-staf van president Clinton, samen met anderen een nota geschreven waarin de behoefte aan een linkse denktank werd onderzocht. Ook Sandler kreeg de nota onder ogen en de twee mannen ontmoetten elkaar in Washington. Podesta, op zijn vijftigste nog een pezige marathonloper, had zich lange tijd beziggehouden met de loopgravenoorlogen aangaande het beleid in Washington. Sandler, een magere Californische zakenman met grote ideeën, was een generatie ouder. Beide mannen hadden een juridische achtergrond en wisten hoe ze moesten onderhandelen. Podesta wilde de nieuwe stichting graag opzetten en Sandler werd de grootste financier van de organisatie.[36] Een andere miljardair die progressieve ideeën steunde, George Soros, bood ook financiële steun.

De nieuwe stichting opende haar deuren in 2003 in het centrum van Washington als het Center for American Progress. Hillary speelde een 'opbouwende' rol in de discussies die voorafgingen aan de oprichting van het centrum.[37] Ze besefte dat rechts 'een infrastructuur had gecreëerd die de politieke discussies domineerde'[38] en noemde het centrum een 'uitstekend initiatief om de leemte op te vullen'[39] en 'nieuw intellectueel kapitaal'[40] te genereren voor haar partij.

Toen het centrum eenmaal was opgericht, verbreedde het zijn financiele basis door schenkingen te vragen van een groep linkse donateurs die in 2005 bijeenkwamen onder de paraplu van een organisatie die de 'Democracy Alliance' heette.[41] Een aantal leden van de alliantie komt uit de kring rond Hillary; in 2007 stond de alliantie onder leiding van Kelly Craighead, al lange tijd verbonden aan Hillaryland.[42] De alliantie kent enige strenge regels: leden dienen minstens een kwart miljoen dollar per jaar te schenken aan goedgekeurde zaken en de groepen die gesteund willen worden, dienen hun voorstellen ter goedkeuring voor te leggen aan de alliantie en de bron van de schenkingen geheim te houden.[43]

Aan het Center, dat ogenschijnlijk onpartijdig is, was een aantal oudgedienden uit de regering-Clinton verbonden; conservatieven beschouwden het al snel als een belangrijk onderdeel van het Clinton-imperium. Maar, legt Podesta uit, terwijl 'rechts ons omschrijft als Hillary's denktank', zijn de reikwijdte en invloed van het Center groter, 'met een breed scala aan betrokkenen'.[44] Daar zit iets in. Zo was de organisatie in 2006 voor een snellere terugtrekking van Amerikaanse troepen dan Hillary, iets wat werd besproken met andere Democraten in de Senaat.[45]

Maar de critici van de stichting hebben gelijk dat Podesta krachtige banden heeft met Hillary. In 1993, toen hij stafsecretaris was van president Clinton, stelde Podesta een rapport op over de reisbureau-affaire waarin Hillary werd genoemd, maar zijn onderzoek en zijn eindrapport negeerden of vergoelijkten Hillary's rol in die affaire.[46] Podesta zat ook in de geheime werkgroep die Hillary in 2006 adviseerde over energiezaken.[47] Al snel nadat het Center for American Progress met zijn werk was begonnen, begon het samen te werken met Hillary en haar staf bij programma's die waren gericht op het bereiken van progressieven in de geloofsgemeenschappen en bij communicatiekwesties, wat een voormalige medewerker van Hillary ertoe bracht de verhouding tussen Hillary en het centrum te omschrijven als 'zeer nauw'.[48] Een van de belangrijkste adviseurs van Hillary, Neera Tanden, was in de periode tussen haar werk voor Hillary's Senaatskantoor en als lid van haar campagnecommissie ook medewerkster van het Center. Tanden werd in het begin van 2007 toegevoegd aan Hillary's campagneteam, en werd vergezeld door Judd Legum, de onderzoeksdirecteur van het Center.[49]

Podesta en zijn Center hebben de doelen van hun financiers bereikt: de studies en andere artikelen worden geregeld geciteerd in de media en de steeds actievere weblogwereld. Podesta is regelmatig te gast in praatprogramma's op tv. Toen hem tijdens een van die uitzendingen eind 2006 werd gevraagd of hij bereid was Hillary te steunen in haar presidentscampagne – enige weken voordat ze had aangekondigd president te willen worden –, reageerde hij met groot enthousiasme.[50]

Google zegt dat zijn 4500 Engelstalige nieuwsbronnen een 'nieuwe benadering van het nieuws' vormen en worden gepresenteerd 'zonder inachtneming van politieke standpunten of ideologieën'.[51] Maar medewerkers van Google weten heel goed dat veel van hun 'nieuwsbronnen' wel degelijk worden gedreven door ideologie. Ze geloven dat de lezer bevooroordeelde nieuwsberichten eruit kan filteren en 'zelf kan bepalen' welke waarde het bericht heeft.[52] Google controleert de bronnen voordat een bericht op Google News wordt geplaatst – bijvoorbeeld door na te gaan of er meer bronnen zijn dan alleen maar een persoonlijk weblog – maar die controle reikt niet zo ver dat men de inhoud van de verhalen zelf gaat controleren.

'We kunnen ons geen leger van mensen' permitteren dat nieuwsberichten gaat controleren, zegt Steve Langdon, een woordvoerder van het zeer winstgevende bedrijf, want dat is 'veel te duur'. Maar er is ook nog een filosofische reden – zelfs als Google 'een manier zou ontwikkelen om verhalen op waarheid te controleren', zou het bedrijf dat niet doen, voegde Langdon eraan toe.[53] Als gevolg daarvan was het voor sommige webloggers 'buitengewoon gemakkelijk berichten geplaatst te krijgen in Google News'.[54]

Schmidt zegt dat het bedrijf werkt aan slimmere formules om lezers te helpen 'bij het uitdokteren van wat waar is en wat niet', zodat 'de mensen er uiteindelijk achter zullen komen dat iets niet waar is alleen maar omdat het op internet staat'.[55] Maar wanneer een conservatieve auteur schrijft dat 'het politieke syndicaat van Clinton bestaat uit tuig van de richel',[56] zoals in een van de artikelen van het *New Media Journal* is gebeurd, wordt die uitspraak wereldwijd verspreid via Google News; de lezers moeten het artikel zelf op zijn journalistieke merites beoordelen. NewsMax, dat op internet het op één na grootste Republikeinse publiek trekt, na de website van Rush Limbaugh,[57] kwam aan het eind van 2006 gemiddeld vijftig keer per dag op Google News terecht.[58] Zelfs een 'exclusief commentaar' van WorlNetDaily waarin voormalig president Jimmy Carter werd aangeduid als 'gajes', werd eind 2006 gewoon opgenomen in Google News.[59] Ter linkerzijde neemt Google News regelmatig citaten over uit de nieuwsbrief van het Center for American Progress of artikelen van Media Matters, maar de lezers worden er niet op gewezen dat het hierbij om een politieke stellingname gaat.[60]

'Er wordt zoveel gezegd over wie ik ben, en wat ik geloof, en wat ik heb gedaan,' zei Hillary aan de vooravond van haar presidentiële kandidaatstelling. Dus zei ze dat het voor de kiezers 'volmaakt duidelijk moet zijn' waarvoor ze moeten kiezen.[61] Met het oog daarop zou je kunnen zeggen dat Hillary van alle presidentskandidaten het meeste heeft te winnen of te verliezen in het veranderende medialandschap. Doordat ze zo bekend is, is ze ervan overtuigd dat het beeld dat het publiek van haar heeft, voornamelijk is gebaseerd op roddel – het soort informatie dat zeer geschikt is voor internet.

En wat Fabiani en Lehane betreft, de twee die Hillary als eersten wezen op de bedreigingen en mogelijkheden van het internet: het duo geeft op dit moment leiding aan een in Californië gevestigd bureau dat zijn klanten advies geeft over crisismanagement. Een van de bedrijven waarvoor ze werken, is Google.[62]

Tijdens haar gesprek op de Google-campus in februari 2007 gaf Hillary beknopt aan wat de sleutel was tot het succes van het bedrijf: informatie 'beschikbaar voor ons maken'. Een week later kondigde Googles videobedrijf, YouTube, een initiatief aan om kiezers onpartijdig te adviseren bij hun stemkeuze. Bij die aankondiging citeerde men Hillary, die had gezegd dat het internet 'een nieuwe stroom van kansen biedt voor alle Amerikanen'.[63]

Slechts vier dagen na deze aankondiging greep een anonieme internetter die 'kans'. In de kwestie werd Hillary gewezen op zowel de macht als het gevaar van de nieuwe technologie. Er werd een video gemaakt en vervolgens gepost, getiteld 'Vote Different', door iemand die zichzelf ParkRidge47 noemde – een verwijzing naar het huis waar Hillary in haar jeugd woonde en naar haar geboortejaar. Het filmpje van 74 seconden was een mengeling van beelden van Hillary's toespraken en het klassieke 'Big Brother'-spotje uit 1984 waarin de Macintosh-computers van Apple aan de wereld worden gepresenteerd. De boodschap was duidelijk: Hillary is 'Big Sister'.[64]

De video besloot met de belofte dat de Democratische primary-verkiezingen in 2008 'niet zo zouden aflopen als in 1984'. Nadat het Apple-logo korte tijd in beeld was, eindigde het filmpje met het adres van de campagnesite van Barack Obama.

Binnen twee dagen was het filmpje door YouTube-bezoekers meer dan 100.000 keer bekeken. Niet lang daarna werd ernaar verwezen in kranten en op tv. Drie weken nadat het filmpje was verstuurd, hadden bijna drie miljoen mensen ernaar gekeken.[65]

Het succes van het anti-Hillaryfimpje toont aan dat 'je niet veel geld nodig hebt om een boodschap snel te verspreiden'[66], zei Micah Sifry, die de kandidaten op internet volgt. Toen Hillary door het New Yorkse kabelnet NYI werd gevraagd of de video moest worden verwijderd, had ze daar niet echt een mening over: 'Dat moeten anderen maar beslissen.'[67] Maar ze zal er zeker niet blij mee zijn geweest.

Obama ontkende iets te maken te hebben gehad met het filmpje, maar dat deed hij op een slimme manier: lachend vertelde hij dat zijn campagneteam niet beschikte over dit soort technologische vaardigheden.[68] Het filmpje was door één persoon gemaakt, zonder enig budget. 'Als je nagaat dat Hillary Clintons belangrijkste video [de aankondiging van haar kandidatuur voor het presidentschap] op YouTube door slechts 12.000 mensen is bekeken,' zei ParkRidge47, die zich later in een wijdverspreide e-mail bekendmaakte als de 33-jarige webontwerper Phil de Vellis, 'dan kun je wel stellen dat de eerste ronde is gewonnen door het gewone volk.'[69]

'Ik maakte het spotje op een zondagmiddag in mijn flat. Ik heb mijn eigen apparatuur gebruikt (een Mac en wat software), plaatste het filmpje op YouTube en verzond het linkje naar een groot aantal weblogs,' legde De Vellis uit. 'Het specifieke punt dat ik wilde maken, is dat Obama een nieuw soort politiek vertegenwoordigt, en dat de "conversatie" van senator Clinton niet oprecht is. De onderliggende boodschap is dat de oude politieke machinerie niet langer alle macht in handen heeft.'[70]

Dat het fimpje van De Villis zo snel zo populair werd, toonde een cruciaal aspect van het nieuwe mediaklimaat aan. En ook bewees het iets anders: het filmpje had niet alleen succes omdat het zo slim in elkaar was gezet, maar ook omdat het toonde hoe sommige mensen dachten over Hillary: volgens hen was ze koud, bazig, onbuigzaam en op macht belust. Over Barack Obama werd helemaal niet zo gedacht – en zowel door het internet als door de dollars die hij wist binnen te halen voor zijn campagne, werd dat steeds duidelijker en bedreigender voor de Clintons en hun lang gekoesterde ambitie om Hillary in het Witte Huis te krijgen.

# 26

## 'Ik voel me absoluut niet moe'

In de herfst van 2003 kreeg Greg Craig, een jaargenoot van Hillary en Bill op de Yale Law School, een telefoontje van Vernon Jordan. Toen Clinton president was, werd Jordan beschouwd als een van de belangrijkste insiders in Washington; later opende hij een kantoor in New York om zijn bedrijvennetwerk verder uit te breiden. Ditmaal belde Jordan de 'gebruikelijke gevestigde orde' voor een fondsenwervingsbijeenkomst in zijn huis in Washington D.C. ten behoeve van een nauwelijks bekende staatssenator uit Illinois, Barack Obama. Obama was 42 jaar en was verwikkeld in de strijd om de Democratische nominatie voor een Senaatszetel in Illinois.[1]

'Ik kende hem niet,' zei Craig, maar hij nam de uitnodiging aan en schreef een cheque uit van vijfhonderd dollar voor het campagneteam van Obama.[2]

Op een avond aan het eind van oktober hadden zich enige tientallen mensen verzameld in het huis van Jordan, één blok verwijderd van het huis van de Clintons in Washington, om de jonge kandidaat te ontmoeten. Het was de eerste fondsenwervingsbijeenkomst in Washington voor Obama, die was geboren in Honolulu; zijn vader kwam uit Kenia en zijn moeder uit Kansas. Hij was afgestudeerd op de Harvard Law School, waar hij in de 104-jarige geschiedenis van de school de eerste zwarte hoofdredacteur was van het juridische tijdschrift; hij had eerst gediend in het Huis van Afgevaardigden van Illinois en later in de Senaat van de staat. Nadat hij Obama die avond had horen spreken, staande op de trap in Jordans ruime woning, zei Craig dat hij 'zeer, zeer onder de indruk was van hem'.[3]

Craig wordt beschouwd als een van de beste gespecialiseerde advocaten van Washington, die misschien de meeste bekendheid verwierf met het leiden van de verdediging van president Clinton tijdens de impeachmentprocedures in het Huis van Afgevaardigden en de Senaat. Hij kende de Clintons al meer dan 35 jaar; in 1971 vroeg Hillary of zij en Bill zijn flat in New Haven mochten onderhuren.[4] In de jaren zestig speelde Craig, die studeerde aan Harvard, een voortrekkersrol in de mensenrechten- en antioorlogsbeweging. Hij liet zwarte kiezers registreren in Mississippi, gaf onderwijs aan zwarte kinderen in Harlem en werd in het hele land gezien als de belangrijkste Harvardstudent die zich tegen de oorlog keerde.[5] Hillary had hem een van haar kantoren in de West Wing gegeven nadat hij in 1998 was toegetreden tot het juridische team van de president.[6]

Obama won de nominatie en de Senaatszetel. Nadat hij in januari 2005 was ingezworen als senator, ontmoette Craig hem een aantal keren in Washington. Tijdens de jaarlijkse plechtigheid ter ere van de Robert F. Kennedy-onderscheiding in november van dat jaar vond Craig dat Obama – en diens boodschap van die avond – onweerstaanbaar was. 'Hij heeft geen kwade stem, en ook geen zwakke stem,' zei Craig. 'Hij heeft een krachtige stem, en dat is uniek in de Amerikaanse politiek.'[7]

In de hoofdstad had Craig de reputatie recht door zee, toegewijd en loyaal te zijn. 'Er is niemand met wie ik liever optrek in tijden van crisis,' zei Ethel Kennedy, die onder de indruk was van de steun die Craig zijn voormalige baas senator Edward M. Kennedy had gegeven voordat hij getuigde bij het verkrachtingsproces van zijn neef William Kennedy Smith in 1991, in Palm Beach. 'Hij is buitengewoon rationeel; wat hij te berde brengt, is zeer duidelijk en hij staat altijd aan jouw kant.'[8]

Toen Hillary overwoog haar historische gooi naar het presidentschap te doen, had ze niet kunnen denken dat haar voormalige jaargenoot van de universiteit zich van haar af zou wenden én haar krachtigste tegenstander ertoe zou overhalen het tegen haar op te nemen.

Begin 2006 onderging Washington D.C. een van zijn periodieke aanvallen van zelfbeklag. Dat gebeurt eens in de zoveel jaar: de hoofdstad bekijkt zichzelf eens goed in de spiegel, staart naar het bezoedelde spiegelbeeld en doet vervolgens niets om het te veranderen. Het frauduleuze gedrag van vrijbuiter en superlobbyist Jack Abramoff had de woede gewekt van miljoenen Amerikanen.[9] Door het schandaal waren de Republikeinen in het Congres ernstig in verlegenheid gebracht en Hillary en haar collega's in de Senaat grepen hun kans. Op de avond van haar herverkiezing verklaarde Hillary dat ze hoopte dat de Democraten 'een eind konden maken aan de heersende cultuur van corruptie en het nastreven van persoonlijke belangen'.[10] Dat was uiteraard gemakkelijker gezegd dan gedaan.

De Democraten begonnen eind januari 2006 met hun pogingen de cultuur in Washington te veranderen. Hillary zond een nota naar haar collega-senatoren om hen erop te wijzen dat er een vergadering over 'eerlijk leiderschap' zou worden gehouden onder de vlag van de Sturingscommissie, waarvan zij voorzitter was. In Hillary's woorden was het doel van de vergadering – of in ieder geval hoopte men – dat senatoren zich hard zouden maken voor 'echte hervormingen, waaronder nieuwe en pittige maatregelen die gericht zijn tegen onethische lobbyactiviteiten en die de openheid en betrouwbaarheid van de regering ten goede komen'.[11]

Hoewel Hillary de uitnodigingen verstuurde, werd de vergadering voorgezeten door senator Obama, de man die zich voor de Democraten bezighield met lobbyhervormingen, een functie die hem was toegewezen door Harry Reid. Op dat moment zat Obama nog maar één jaar in de Senaat, maar veel Amerikanen waren inmiddels gefascineerd en verrast door zijn natuurlijke politieke talent; regelmatig werd hij met de nodige superlatieven en clichés beschreven, wat ongebruikelijk was in Washington. Hij was, zoals iemand zei, 'een rockster'.[12]

De Senaatsvergadering werd gecoördineerd door Dana E. Singiser, de advocaat die Jodi Sakol in 2004 had opgevolgd als stafvoorzitter van de Sturingscommissie. De deelnemers waren grotendeels afkomstig uit de linkse kringen van de ethische waakhonden in Washington.[13]

De vergadering, die plaatsvond op 1 februari 2006 in de Lyndon B. Johnson Room op de eerste verdieping van het Capitool, begon zonder Hillary. Enige senatoren woonden de vergadering in ieder geval voor een deel bij, onder wie Reid, Mark Dayton en Russ Feingold, de architect van het uit 2002 stammende wetsvoorstel aangaande de hervorming van de campagnefinanciering.[14]

Hillary arriveerde zo'n twintig minuten nadat de vergadering was begonnen. Kort nadat ze had plaatsgenomen, bracht iemand de kwestie van de publieke financiering van presidentscampagnes ter sprake, en ze flapte eruit: 'U bedoelt dat er mensen zijn die zich kandidaat willen stellen voor het presidentschap?' Iedereen in de zaal lachte – ook Obama.[15] Op dat moment was iedereen ervan overtuigd dat Hillary een gooi naar het presidentschap zou doen, net als Feingold. Er waren maar weinig mensen op de vergadering die dachten dat de voorzitter, Barack Obama, die in politiek opzicht nog nat achter de oren was, zich minder dan een jaar later zou ontpoppen als de gevaarlijkste bedreiging van Hillary's nominatie.

Tijdens de bijeenkomst maakte een aantal aanwezigen zich sterk voor de publieke financiering van verkiezingen. Hillary en Obama boden enige theoretische steunbetuigingen, maar bleken er uiteindelijk toch niet voor te zijn. 'Ze vertoonden beiden een zeker verontschuldigend gedrag,' herinnerde een van de deelnemers zich.[16] Een andere belangrijke campagnefinancier die zich tijdens de vergadering sterk maakte voor de publieke financiering van campagnes, zei dat het hem geenszins verbaasde dat Hillary geen voorstander was van de voorgestelde veranderingen. De Clintons, zei hij, zijn 'verslaafd aan de jacht op geld'. En wat Obama betreft: slechts weinigen hadden oog voor diens afwachtende houding in de kwestie.[17]

Twee weken na de vergadering vond op de kille avond van 15 februari 2006 een zeer ambitieuze geldinzamelingsactie voor een presidentskandidaat plaats in een chique woning in Georgetown. Hillary Rodham Clinton was de eregast. Gastvrouw was Elizabeth Bagley, de ambassadeur van president Clinton in Portugal, al lange tijd een vriendin en vertrouwelinge van Hillary en bovendien fanatiek op het terrein van fondsenwerving: ze had miljoenen binnengebracht voor de Clintons en voor de Democratische Partij. Meer dan honderd zeer loyale en belangrijke geldinzamelaars werden na een lange dag vol activiteiten vergast op lamsvlees en gestreepte zeebaars.[18] Voor Hillary was deze dag in feite een 'eerste stap' in haar presidentscampagne om de exclusieve steun te krijgen van de fanatiekste geldschieters van de Democraten. Die steun leek te zijn gericht op haar herverkiezingscampagne in de Senaat, maar de meeste gasten wisten wel dat dit diner wat Hillary betreft was bedoeld om hen zo ver te krijgen dat ze recordbedragen zouden schenken voor haar presidentscampagne. Het plan leek te slagen: tientallen gasten zeiden die avond tegen Hillary – en tegen Bill – dat ze, indien Hillary presidentskandidate zou worden (waar vrijwel niemand meer aan twijfelde), haar zouden steunen, en uitsluitend haar.[19]

En aantal vriendinnen van Hillary moest lachen om haar gemaakt schuchtere weigering duidelijk te maken of ze zich kandidaat zou stellen. 'Natuurlijk gaat ze het doen,' zei een vriend van Hillary aan het begin van 2006. 'Vanaf januari [2007] zal ik me compleet inzetten om ervoor te zorgen dat Hillary president wordt.' De vriend lachte en voegde eraan toe: 'Het wordt Hillary, Hillary en nog eens Hillary.'[20]

Die slagzin werd onderdeel van de geheime koersstrategie van Hillary en haar belangrijkste fondsenwervers, die werd uitgestippeld door de voorzitter van Hillary's campagneteam voor 2008, Terry McAuliffe, de openhartige en energieke fondsenwerver voor Clinton die voorzitter was van het Democratic National Committee toen John Kerry presidentskandidaat was en verloor.

Al in februari 2006, bijna een jaar voor haar officiële aankondiging, oefende Hillary persoonlijk druk uit op fondsenwervers om haar exclusief te steunen en die steun niet te verlenen aan andere Democratische kandidaten.[21] Het is voor kandidaten niet ongebruikelijk dat ze aan het begin van hun presidentscampagne druk uitoefenen om fondsenwervers voor zich te winnen. Toch behaalde Hillary een enorme voorsprong op haar concurrenten door zich bijna een jaar voor de officiële aankondiging te verzekeren van die exclusieve steun.[22]

Op die februaridag in Washington toonde Hillary haar ongeëvenaarde kwaliteiten om nieuwe financiële bronnen aan te boren en die fondsenwervers aan zich te binden die Bill tot tweemaal toe hadden geholpen president te worden. Zoals ze wel vaker zou doen in de daaropvolgende maanden, liet ze haar man een voortrekkersrol vervullen bij het aantrekken van nieuwe fondsenwervers met een dikke portemonnee.

Zo functioneerde Bill als lokaas voor C. Paul Johnson, een schatrijke gepensioneerde bankier uit Napa Valley, Californië, die het hele land over vloog om het diner in Georgetown bij te wonen. Johnsons eerste kennismaking met het Clinton-kamp had een aantal weken daarvoor plaatsgevonden, tijdens een rondreis van Hillary langs de Westkust om geld in te zamelen voor haar herverkiezingscampagne voor de Senaat en die van een aantal andere Democratische collega's. Hillary begon op vrijdag 27 januari in Seattle met een lunchbijeenkomst voor meer dan 1200 mensen in Qwest Field, de thuisbasis van de Seattle Seahawks. Tijdens de bijeenkomst werd geld ingezameld voor senator Clinton en voor senator Maria Cantwell van Washington; zoals op de meeste fondsenwervingsbijeenkomsten van Hillary was 'de pers niet welkom'.[23]

Vervolgens reisde Hillary op haar jacht naar geld in zuidelijke richting: eerst naar Portland, Oregon, en daarna naar het noorden van Californië. In het weekeinde werden ook particuliere fondsenwervingsbijeenkomsten georganiseerd in de Bay Area. Een daarvan, op zaterdagmiddag in Napa Valley, trok de aandacht van de lokale krant, waarvan de verslaggevers er niet gewend waren dat een politicus van de Oostkust, laat staan een voormalige First Lady, geld inzamelde in hun regio. De redacteur van de krant probeerde de lunch bij te wonen, maar 'hij was niet welkom'.[24]

Tijdens de lunchbijeenkomst zat Paul Johnson, de gewezen bankier, naast Hillary. Voor hem was de wereld van Hillary nieuw, maar hij 'kreeg er een zeer positief gevoel over'. Hij was vooral onder de indruk van Hillary's 'openhartigheid en oprechtheid'.[25] Ze nodigde hem uit voor de bijeenkomst op 15 februari in Washington – en maakte die uitnodiging extra aanlokkelijk door te beloven dat ze Bill aan hem zou voorstellen.[26]

In de laatste fase van de campagne voor de tussentijdse verkiezingen in de herfst van 2006 bezagen sommige sleutelfiguren van Hillaryland de mogelijke – maar onwaarschijnlijke – presidentskandidatuur van Barack Obama met enig dedain.

'Obama is belachelijk,' liet een oude vriend van Hillary zich in de herfst van 2006 ontglippen.[27]

Wat Hillary en haar topadviseurs op dat moment niet wisten, was dat een van Hillary's oude vrienden Obama aanraadde zich kandidaat te stellen. Die zomer had Greg Craig enige fondsenwervingsbijeenkomsten voor Obama in Washington bezocht. Tijdens een van die bijeenkomsten spraken de twee over Obama's aarzeling om president te worden. 'Ik ben net nieuw hier in Washington,' zei Obama tegen Craig, 'en het zou voorbarig zijn om me, nu ik hier net ben, meteen al kandidaat te stellen.'

'Ja, dat zou voorbarig zijn,' antwoordde Craig, die Obama duidelijk maakte dat het feit dat hij nieuw was in Washington, een voordeel was en geen beletsel, en dat hij zijn aarzelende houding moest heroverwegen. Craig meende dat de kans dat Obama zou worden bevangen door 'senatitis', groter zou worden naarmate hij langer in Washington vertoefde; in de Senaat zou hij 'bijna dagelijks moeilijke keuzes moeten maken en bovendien moesten de senatoren zich van elkaar onderscheiden'.[28]

Vernon Jordan was er wel van overtuigd dat Obama voorbarig was. Tijdens een drie uur durend diner in het huis van Jordan in november spraken de twee mannen over de toekomst. Jordan, die in de jaren zestig een voorvechter was geweest voor de burgerrechten, zei tegen Obama: 'Voor alles is er een juist moment, en volgens mij is dit niet jouw moment.' Obama luisterde beleefd, maar Jordan had de indruk dat 'hij toen al besloten had' zich kandidaat te stellen. 'Je moet doen wat je goeddunkt,' zei hij tegen de jonge senator. 'Maar ik sta niet achter je.'[29]

Aan het eind van 2006 nam Obama's populariteit een hoge vlucht. Overal waar hij toespraken hield voor een Democratisch gehoor, werd hij met groot enthousiasme ontvangen. Zijn tweede boek, *The Audacity of Hope*, stond wekenlang boven aan de bestsellerlijsten. In december, vlak voor Obama's eerste reis naar New Hampshire, schreef Craig een lange nota waarin hij uitlegde hoe de senator van Illinois het politieke landschap van die cruciale staat moest benaderen.[30]

Obama belde Craig om hem te danken voor de nota, en Craig zei tegen hem dat hij op zijn steun kon rekenen. 'Ik neem nog contact met je op,' antwoordde Obama.[31]

Obama bracht de kerstvakantie door op Hawaii, waar hij de toekomst besprak met zijn vrouw en twee dochters. Toen hij na nieuwjaar terugkwam in Washington, besloot hij zich kandidaat te stellen.

Obama begon zijn campagne om de eerste zwarte president van het land te worden op 10 februari 2007 in Springfield, Illinois, in het Old State House waar Abraham Lincoln in 1858 zijn beroemde veroordeling van de slavernij had uitgesproken, waarbij hij had verklaard: 'Een huis dat van binnenuit verdeeld is, zal niet standhouden.'[32] Obama, die op die kille ochtend voor de tijd van het jaar een overjas aanhad maar geen handschoenen droeg, presenteerde zijn kandidatuur niet zozeer als een campagne maar als een generatiebeweging, zoals Bill Clinton en Al Gore hadden gedaan in 1992. Craig, die de toespraak in Washington op tv zag, was blij dat Obama zijn bewering dat diens gebrek aan ervaring politiek gezien een voordeel kon zijn, had verwerkt in zijn toespraak.[33]

'Ik erken dat er een zekere voorbarigheid – een zekere vermetelheid – schuilt in deze aankondiging,' zei Obama. 'Ik weet dat ik niet veel tijd heb gehad om me de gang van zaken in Washington eigen te maken. Maar ik ben er lang genoeg om te beseffen dat die gang van zaken zou moeten veranderen.' Obama's opmerkingen over Washington konden tijdens zijn twee minuten durende toespraak rekenen op een luid en langdurig applaus.[34]

Een paar weken daarvoor had Greg Craig een kort briefje aan Hillary geschreven waarin hij zijn besluit om Obama's presidentskandidatuur te steunen, probeerde uit te leggen. Hij kreeg geen antwoord.[35]

Alle plaatsen in de kerkbanken van de New Birth Missionary Baptist Church waren die kille donderdag in februari 2006 bezet. De menigte was samengekomen in de grote kerk even buiten Atlanta om de laatste eer te bewijzen aan Coretta Scott King. Midden in de kerk stond de met bloemen bedekte mahoniehouten kist met het lichaam van de First Lady van de Amerikaanse beweging voor burgerrechten. Rond de kist stonden haar drie volwassen kinderen, vier Amerikaanse presidenten en meer dan 10.000 andere geliefden, vrienden en bewonderaars. President George W. Bush, diens vader president George Herbert Walker Bush en president Jimmy Carter hadden het podium betreden om eer te betonen aan het leven en het werk van Coretta Scott King. De aanwezigen hadden de mannen met een beleefd, respectvol applaus verwelkomd. Toen bracht bisschop Eddie L. Long de microfoon naar zijn mond en zei: 'Nu stel ik aan u voor de eerbiedwaardige William J. Clinton en...'

Er steeg een donderend applaus op uit het publiek, waardoor het laatste deel van de aankondiging van de bisschop niet te verstaan was. Long maakte zijn zin af en zei: '... en de eerbiedwaardige senator Hillary R. Clinton,' maar niemand verstond nog wat hij zei. Toen Bill en Hillary met gevouwen handen naar het preekgestoelte liepen, stond iedereen in de overwegend zwarte geloofsgemeenschap op en begon te juichen en te klappen; de mannen floten en schreeuwden en vrouwen van alle leeftijden riepen Bills naam. De uitvaartdienst van mevrouw King was ineens een vrolijke bijeenkomst geworden.

Terwijl het gejuich maar doorging, stond Bill achter het spreekgestoelte en hief zijn handen een-, tweemaal op om de menigte tot rust te manen. Hillary stond links naast haar echtgenoot, leunde tegen hem aan, knikte en bedankte het publiek, maar het was duidelijk dat de geweldige uitbarsting van liefde en aanhankelijkheid niet voor haar was bestemd, maar voor haar man.

Uiteindelijk stierf het applaus weg en gingen de aanwezigen weer zitten. 'Ik dank u voor deze geweldige ontvangst,' zei Bill en voegde daar met een glimlachje aan toe: 'Ik denk dat u dat niet nog eens zult doen nadat u hebt gehoord wat ik te vertellen heb.' Iedereen lachte. Hij boog zich over zijn rechterschouder, leunde op het spreekgestoelte, knikte met zijn hoofd in de richting van de pastor van de kerk en zei: 'Dominee.' Opnieuw lachte iedereen.

'Wij zijn vereerd dat we hier mogen zijn,' zei Bill. 'Ik ben vereerd dat ik hier ben in aanwezigheid van mijn president... en mijn voormalige president... en... en... uhm...' De menigte was even stil, totdat Bill met zijn linkerhand in de richting van Hillary wees, alsof zijn volgende woorden zouden luiden: 'en mijn volgende president.' De menigte interpreteerde zijn beweging in ieder geval als zodanig, en beantwoordde zijn gebaar opnieuw met een luid applaus. Snel zei Bill: 'Neeeeeee, neeeeee,' waarop Hillary haar hoofd ontkennend schudde: nee, nee, nee. Maar het gejuich hield niet op voordat Hillary haar handen een aantal malen achter elkaar in de lucht had gestoken. Met die beweging leek ze te zeggen: nee, dit is niet de tijd of de plaats om het daarover te hebben, maar de perfecte inleiding van haar man had zijn doel bereikt: er werd iets gezegd zonder dat er woorden aan te pas kwamen, op deze plaats, op dit moment.

Bill wachtte even en, wijzend op de kist, zei hij: 'Dit is een vrouw, maar ook een symbool, en bovendien de belichaming van de erfenis van haar man, en van die van haarzelf.'

Natuurlijk had de voormalige president het over Coretta Scott King. Maar het was evengoed mogelijk dat Bill verwees naar de vrouw die naast hem stond.

Hij had beloofd dat hij het niet te lang zou maken, maar Bill Clinton is er de man niet naar zich aan dat soort beloften te houden. Terwijl hij verderging met zijn toespraak, begon Hillary te zuchten. Aanvankelijk was haar gezucht nauwelijks merkbaar. Maar toen ze er maar mee doorging, was het uiteindelijk voor iedereen zichtbaar.

Na tien minuten was het eindelijk haar beurt. Haar hand vond de hand van haar echtgenoot, en daarna hield ze hem omhoog. Of die handdruk nu voortkwam uit aanhankelijkheid of uit pure noodzaak, het was duidelijk dat Hillary, staand voor een mensenmassa en rechtstreeks te volgen door het Amerikaanse televisiepubliek, op het punt stond de moeilijkste taak die de Amerikaanse politiek kende, uit te voeren.

'Als wij geroepen worden,' begon ze, voorlezend van een papier waarop ze haar toespraak had uitgeschreven, 'moet elk van ons beslissen of we gehoor geven aan die roeping door te zeggen: "Stuur me eropaf." En als ik denk aan Coretta Scott King, dan denk ik aan een vrouw die gehoor heeft gegeven aan haar roeping.'[36]

Hillary's vlak uitgesproken toespraak klonk zo mogelijk nog monotoner na de in zuidelijk accent uitgesproken verhandeling van Bill. Was zijn lofrede een op ontspannen toon uitgesproken eerbetoon aan mevrouw King, Hillary las haar uitgeschreven monoloog op met de ogen meestal naar beneden gericht.

Dit was niet haar publiek. Het feit dat Hillary een toespraak mocht houden tijdens de uitvaartdienst, was al even verdacht als opmerkelijk. Geen van de andere presidenten had zijn echtgenote meegenomen naar het podium. De enige andere senator die op die dag het woord voerde, was Edward M. Kennedy van Massachusetts, die tientallen jaren bevriend was geweest met mevrouw King. Iemand uit de kring rond de familie King had gezegd dat Hillary was opgenomen in het programma op aandrang van Bills vertegenwoordigers. 'De familie had eigenlijk geen belangstelling voor haar, ze wilden Bill Clinton,' zei de vertrouweling van de familie King. 'Ze houden van hem, en toen ze hoorden dat hij graag wilde dat zij ook een toespraak zou houden, zeiden ze: "Goed, dat is in orde."'[37] Tijdens de bijeenkomst zei Hillary dat mevrouw King 'haar leven had geleefd in het licht van haar geloof en haar overtuiging'. De senator wachtte even, en zei toen op een toon die iets volkser klonk: 'Goed, en toen ze die jonge theologiestudent ontmoette, die haar vertelde wat Bill ons zojuist heeft gezegd, en verklaarde dat hij op zoek was naar een vrouw zoals zij, kan ik me voorstellen dat ze even moet hebben gedacht: waar begin ik aan? Ze liet hem zes maanden wachten voor ze hem antwoord gaf. Want in haar hart wist ze dat ze niet zomaar met een man ging trouwen, maar dat ze haar roeping moest verenigen met die van hem. Het begin van hun huwelijk en hun samenzijn zal niet gemakkelijk zijn geweest.' Net als de woorden van haar man waren ook die van Hillary toepasbaar op de Clintons zelf.

Zelfs na Obama's aankondiging zagen sommige mensen in Hillaryland zijn kandidatuur nog niet als bedreigend.[38] In ieder geval een van Hillary's fondsenwervers uit Californië verwierp het idee dat haar campagneteam zich zorgen maakte over Obama's fondsenwerving en zijn geldschieters. 'Ik heb nog nooit met zo veel gemak geld binnengehaald,' zei de fondsenwerver. 'De mensen zijn enthousiast. Het stroomt binnen, er zijn zo veel mensen... Honderden. Dit is niet het moment van Barack Obama. Het is haar moment. Ze wordt gezien als een historisch persoon. Mensen willen daar aan meedoen.'[39]

Er was één opmerkelijke uitzondering onder de mensen die Hillary met veel enthousiasme steunden, en dat was Bill Clinton, die al snel in de gaten had dat Obama de kandidaat was die als beste in staat was roet in het eten te gooien van de nominatieplannen van zijn vrouw.[40]

Obama's vroege opleving was maar een van de redenen waarom de strijd om het geld nog belangrijker was geworden. De andere reden was het overvolle programma voor de primary-verkiezingen. Want voor het eerst in de geschiedenis zouden er op 5 februari 2008 in maar liefst twintig staten primary's gehouden worden, waardoor fondsenwervingsbijeenkomsten, geld en aandacht op het juiste moment in deze presidentscampagne belangrijker waren dan ooit.[41]

Ondanks dat vroegtijdige enthousiasme was Hillary nog niet helemaal tevredengesteld.[42] Ze besloot de druk op de fondsenwervers en de geldschieters verder op te voeren en hun te vragen zich uitsluitend aan haar campagne te binden. McAuliffe en anderen lieten weten dat het belangrijker was voor Hillary dat ze zich nu exclusief aan haar verbonden dan wanneer ze dat later deden, nadat ze ook Obama financieel hadden gesteund.[43] Tijdens een boekenfeestje in Los Angeles, dat werd bezocht door enige honderden potentiële geldschieters, zei McAuliffe dat het belangrijk was dat de mensen hun geld uitsluitend aan Hillary gaven, waarna hij George W. Bush citeerde en zei: 'Je bent voor ons, of je bent tegen ons.'[44]

Dat McAuliffe Bush citeerde, was dan misschien komisch, maar de financiële mensen achter de schermen konden er niet om lachen. Obama bleek ineens zeer bedreven te zijn in het aantrekken van enige rijke vrienden van de Clintons in Hollywood – iets wat de financiële experts van Hillary grote zorgen baarde. De kwestie werd voorpaginanieuws toen miljardair David Geffen zich aansloot bij Obama. Geffen, een van de oprichters en directeuren van de filmstudio DreamWorks, was een van de belangrijkste geldschieters van Bill geweest en had in de jaren negentig in totaal achttien miljoen dollar bijeengebracht voor de Clintons en de Democratische Partij. Maar zoals een oudgediende Democratische fondsenwerver in Californië zei: 'Hij was altijd al meer een liefhebber van Bill dan van Hil.'[45]

Halverwege februari, een week voor de uitreiking van de Academy Awards, hield Geffen in zijn huis in Beverly Hills, dat was gebouwd door studiomagnaat Jack Warner, een fondsenwervingsdiner ten behoeve van Obama voor veertig vrienden. De opbrengst: 1,3 miljoen dollar. Een fondsenwerver verklaarde dat Hillary 'zich rotschrok' van het overweldigende enthousiasme voor Obama in Hollywood – waar de Clintons sinds 1992 door vrijwel iedereen op handen werden gedragen.[46]

'Ongeacht welke [Democratische] gegadigde het wordt, die gaat ook de verkiezingen winnen,' zei Geffen tegen Maureen Dowd van *The New York Times*, 'en ik denk niet dat er een ander polariserend figuur is, ongeacht hoe slim ze is en ongeacht hoe ambitieus – en is er iemand met meer ambitie dan Hillary Clinton? – die het land kan verenigen.' Geffen voegde daaraan toe dat Obama 'inspirerend' was, 'en niet afkomstig is uit de koninklijke familie van Bush of van Clinton'.[47]

Toen Howard Wolfson, de communicatiedirecteur van Hillary, in de vroege ochtend van 21 februari 2007 de column van Dowd las, werd hij ziedend.[48] Wolfson was vooral kwaad over de volgende opmerking van Geffen: 'Iedereen in de politiek liegt, maar [de Clintons] doen het met zo veel gemak dat het niet leuk meer is.'[49]

Nadat hij Hillary had geraadpleegd,[50] liet Wolfson een verklaring uitgaan waarin hij Geffen ervan beschuldigde 'een gemene en persoonlijke aanval te hebben uitgevoerd op senator Clinton en haar echtgenoot'.[51] Hij voegde eraan toe dat er in de campagne geen ruimte was voor een 'politiek die is gericht op persoonlijke vernietiging', legde de schuld voor Geffens ongezouten kritiek bij Obama en riep het campagneteam van de senator op Geffen zijn geld terug te geven. Obama besloot zich niet te bemoeien met het conflict en verklaarde dat hij zich niet wilde mengen in 'een ruzie tussen de Clintons en iemand die vroeger een van hun belangrijkste steunpilaren was'.[52]

Die avond kwam een groepje fondsenwervers van verschillende Democratische kandidaten in New York bijeen om te trachten een eind te maken aan de almaar toenemende boosheid en verdeeldheid.[53] Een van de lessen die de Democraten van de Republikeinen hadden geleerd, was dat partijen die eensgezind optreden en hun energie besteden aan het bestrijden van hun rivalen van buitenaf, het veel beter doen dan partijen die het intern met elkaar aan de stok krijgen. Maar Hillary's kamp was niet van plan met de witte vlag te gaan zwaaien. Haar aanval op Geffen was indirect bedoeld om Obama dwars te zitten. Een strateeg beschreef het als een 'belangrijk waarschuwingsschot' dat de zorgen binnen Hillary's kamp over Obama weerspiegelde.[54] Die zorgen waren niet ongegrond. Hillary's enquêteadviseur, Mark Penn, ontdekte een alarmerend patroon in de weken na de aanvaring: Hillary verloor snel en veel aanhang onder de zwarte Amerikaanse kiezers, een trend die volgens een strateeg te wijten was aan Hillary's confrontatie met Obama in de kwestie-Geffen.[55] In januari 2007 had ze zestig procent van de zwarte kiezers achter zich en Obama twintig procent, maar eind februari had Obama 44 en Hillary 33 procent achter zich. In een aantal belangrijke staten, zoals South Carolina en Georgia, was Obama's populariteit onder zwarten nog groter.[56]

'Ze hebben de zwarte Amerikanen op de stang gejaagd,' zei een Democratische strateeg en een goede vriend van Hillary. 'Ze zijn er totaal verkeerd mee omgegaan... Ze gaven [Obama] veel aanzien en maakten een zwarte martelaar van hem. Het had veel weg van een aanval. Dit is zuidelijke politiek met een hoge graad van amateurisme – je geeft zwarten niet de kans martelaar te worden, maar zij deden het wel.'[57]

Iemand die dicht bij de Clintons stond, zei dat Bill vond dat de ruzie over de fondsenwerving van Geffen een belangrijke fout was van het campagneteam van Hillary: 'Bill was er woedend over. Hij zat zeer in zijn maag met de aanval. Hij vond het dom.'[58] De voormalige president moest zich 'meer bemoeien' met Hillary's campagne, concludeerde een van de oudgediende strategen, die klaagde dat de aanval op Obama 'nooit had plaatsgevonden' als Bill zou zijn geraadpleegd.[59] Maar Bill had slechts een beperkte slagkracht. Uiteindelijk was het Hillary's campagne, en die moest ze op haar manier voeren.

In maart 2007 verscheen Bill met Hillary bij drie fondsenwervingsbijeenkomsten in New York, Washington en ten slotte Los Angeles. ('Dit is leuk. Ik mag Hillary introduceren,' zei hij met zichtbaar plezier in het Marriott Wardman Park Hotel in Washington.) Telkens weer steunde hij zijn vrouw met veel enthousiasme en leek meer dan verguld te zijn dat hij haar de fakkel van het leiderschap in handen kon geven, net zoals hij had geprobeerd te doen bij de uitvaartdienst van Coretta Scott King.

'We kiezen een president alsof degene die aan die verkiezing meedoet, de beste president zal zijn,' zei Bill tegen een juichende menigte van duizend mensen in het Sheraton Hotel in Manhattan. 'Jullie zullen nooit iemand vinden die het beter zal doen dan zij.'[60]

Dergelijke bijeenkomsten waren een essentieel – misschien wel het meest essentiële – onderdeel van de campagne. En Hillary's weerzin tegen het veranderen van het systeem waarmee de campagnes gefinancierd worden, is nauwelijks verbazingwekkend te noemen. Sinds zij in 2001 lid van de Senaat werd, is er geen senator geweest die meer geld heeft ingezameld dan zij: 51,5 miljoen dollar, volgens het Center for Responsive Politics.[61] Bij de presidentscampagne van 2008 stelde Hillary een ambitieus doel voor het werven van gelden tijdens de Democratische primary-verkiezingen: honderd miljoen dollar.[62] Een van de fondsenwervers was ervan overtuigd dat dit doel met gemak kon worden gehaald en dat het bedrag kon uitstijgen boven de 125 miljoen dollar, waarmee het record van president Bush in 2004 gebroken zou worden.[63] (Om dit doel te bereiken besloot Hillary af te zien van het publieke financieringssysteem voor de presidentscampagne, net als George W. Bush had gedaan in 2000 en 2004.) Zij was niet de enige die de mensen die haar steunden probeerde op te zwepen. De fondsenwervers van de campagne vroegen aan degenen die bijdroegen het maximale bedrag te geven voor zowel de primary's als de algemene verkiezingen: 4600 dollar.[64] Intussen bezoekt Bill die particuliere fondsenwervingsbijeenkomsten in het land waar de gulste gevers komen. Daarnaast besteedt hij veel aandacht aan de 'religieuze doelgroep' waar zij dat zelf niet meer deed. En regelmatig zit hij aan de telefoon om Democraten die nog twijfelen, 'over de streep te trekken', zoals begin 2007 in South Carolina en enkele andere primary-staten.[65]

In tegenstelling tot Hillary besloot Obama geen donaties te aanvaarden van politieke actiecomités en lobbyisten. Dat was politiek gezien misschien slim, maar toch was het een riskante, op het laatste moment genomen beslissing. Hij hoopte dat hij het in de 'strijd om het geld' tegen Hillary zou kunnen opnemen door zich te richten op fondsenwerving onder de gewone mensen en zich te concentreren op kleinere geldschieters en mensen die voor het eerst geld doneren.[66] Maar de grote schenkingen waren juist vaak afkomstig van de groeperingen waar Obama zich niet mee wilde inlaten.

Toch had Obama weinig moeite met het inzamelen van veel geld. 'Het is geen kwestie van fondsenwerving, de kwestie is dat we in staat moeten zijn al die mensen die geld willen geven, daartoe in de gelegenheid te stellen,' zei Greg Craig. 'Het moeilijkste onderdeel van het geld inzamelen in het Obama-kamp is het indelen van zijn tijd – iedereen wil hem ontmoeten. Er zijn geen beperkingen – alleen de hoeveelheid tijd die hij beschikbaar heeft.'[67]

Een paar dagen na de Hillary's aanvaring met Obama kwamen de twee elkaar voor het eerst tegen op hetzelfde deel van het campagnepad, namelijk in Selma, Alabama, om de 42ste verjaardag te gedenken van de beroemde 'Bloody Sunday'-mars tegen rassendiscriminatie op 7 maart 1965. De demonstranten waren vastbesloten om tachtig kilometer te wandelen, naar Montgomery, Alabama, maar ze werden op de Edmund Pettus Bridge in Selma tegengehouden door politieagenten, van wie de meesten te paard. Na de bloedige slag moesten zeventien demonstranten naar het ziekenhuis, onder wie John Lewis, een van de organisatoren van de mars, die nu in het Amerikaanse Congres zit voor Georgia. Voor zwarten en mensenrechtenactivisten is Selma heilige grond in de strijd voor de mensenrechten – mede door de gebeurtenissen daar werd de Voting Rights Act (wet op het stemrecht) aangenomen.

Obama was al weken tevoren uitgenodigd om de Bloody Sunday-herdenking bij te wonen, Hillary werd ongeveer een week van tevoren uitgenodigd. Haar aanwezigheid vormde misschien wel het duidelijkste bewijs dat ze Obama nu wel serieus nam. Een oude vriend van Hillary merkte op over haar campagne: 'Ze namen hem aanvankelijk niet al te serieus, en nu doen ze dat wel. Ze maken zich zorgen over hem. Hij vormt een ernstige bedreiging.'[68]

Hillary en Obama voerden tijdens de zondagsdienst het woord vanaf de kansels van twee kerken die in dezelfde straat lagen, slechts drie blokken van elkaar verwijderd. Beiden plaatsten de mars in Selma in een historisch perspectief en vroegen aandacht voor hun gooi naar het presidentschap.[69]

Obama was de eerste die sprak die zondag, vanaf de kansel van de Brown Chapel AME Church, waar de historische demonstratie ooit was begonnen. Een van de aanwezigen in de volle kerk was John Lewis. Obama begroette de dappere mannen en vrouwen die hadden meegelopen in de mars – ook Lewis. Obama vergeleek zichzelf en anderen die nog klein waren of nog niet geboren in 1965, met Jozua, die volgens de Bijbel Mozes in diens voetsporen volgde en zijn volk naar het Beloofde Land leidde. 'De vraag die ik me vandaag de dag stel is: wat wordt er van ons in deze Jozua-generatie gevraagd?' zei Obama. 'Wat moeten we doen om die opdracht te vervullen?'[70] Zijn toespraak werd dikwijls onderbroken door opgewonden uitroepen en langdurig applaus van de gelovigen.[71]

Vier minuten nadat Obama zijn toespraak had voltooid, beklom Hillary de kansel in de First Baptist Church of Selma. Voor het publiek dat thuis via de kabelnetwerken en C-SPAN zat te kijken, was het verschil in spreekstijl van de twee kandidaten overduidelijk. Obama sprak meer uit de losse pols, op een gemakkelijke manier, terwijl Hillary de indruk wekte een verhaal op te dreunen. Bill zat niet in de kerk om naar haar toespraak te luisteren, maar sloot zich later bij haar aan. (Dat weekeinde werd Bill toegevoegd aan de Voting Rights Hall of Fame van Selma.)

Hillary zei dat haar presidentskandidatuur mogelijk was door de mars, en dat gold ook voor Obama's kandidatuur – en voor die van gouverneur Bill Richardson van New Mexico, die als eerste hispanic probeerde president van het land te worden. Maar de strijd om de mensenrechten in Amerika was nog lang niet voorbij, betoogde Hillary. Ze zei tegen haar gehoor: 'We moeten waakzaam blijven. We moeten waakzaam blijven omdat we nog een mars moeten afronden, een mars op weg naar één Amerika.' De mensen begonnen zich te roeren en met stemverheffing zei ze: 'Armoede en de groeiende ongelijkheid zijn van belang. Gezondheidszorg is van belang. De mensen in de Golf zijn van belang. Onze soldaten zijn van belang. Onze toekomst is van belang.'[72]

Zowel Hillary als Obama gebruikte hun persoonlijke geschiedenis om een brug te slaan naar de mensenrechtenbeweging. Dat was voor de senator uit Illinois gemakkelijker: hij sprak gepassioneerd over de strijd van zijn Keniase vader, die als manusje-van-alles had gewerkt voor rijke Britse families.[73] Hillary zei dat ze in 1963 in Chicago had geluisterd naar dominee Martin Luther King Jr., maar vergeleken met Obama was haar brug naar de mensenrechtenbeweging minder voor de hand liggend.

Hillary wekte nog veel meer de indruk dat ze aan het overdrijven was toen ze op zeker moment ineens omschakelde op een vet zuidelijk acccent en een populair lied begon te citeren van de zwarte geestelijke James Cleveland: 'Ik voel me absoluut niet moe. Ik ben nu, sinds ik ben begonnen, al zo ver gekomen. Niemand heeft tegen me gezegd dat het gemakkelijk zou worden. Ik geloof niet dat Hij me zo ver heeft gebracht om me daarna nog in de steek te laten.'[74] Het publiek begon te schreeuwen en te juichen, maar Hillary's versie van het lied werd vrijwel meteen belachelijk gemaakt op internet en later – voorspelbaar – op Fox News.[75] Haar aanhangers legden uit dat ze al bijna twintig jaar in Arkansas woonde, maar een van Hillary's adviseurs verklaarde later dat ze 'in paniek was geraakt door Obama' en daarom dat zuidelijke accent had nagedaan, waarna ze uiteindelijk 'in moeilijkheden'[76] raakte.

Na de toespraken in de kerk maakten Obama en Hillary zich gereed om de mars nog een keer te lopen. Terwijl ze stonden te wachten, sloot Bill zich bij hen aan, die grapte: 'De uitstekende toespraken zijn inmiddels gehouden door Hillary en senator Obama. Ik hobbel er maar een beetje achteraan.'[77]

Bill en Hillary schudden de hand van Obama, en ze spraken even met elkaar. Terwijl de camera's klikten, lachte de voormalige president naar de concurrent van zijn vrouw. Daarna namen de kandidaten John Lewis en andere Congresleden en medewerkers bij de arm en liepen de brug over. Terwijl de lange rij aan het marcheren was, de armen ineengestoken en klappend in de handen, liepen er tussen Hillary en Obama slechts twee mensen. Iedereen zong: 'We Shall Overcome'.

Toen Bill later die week terugkeerde in New York, sprak hij tegen een vriend vol bewondering over het politieke talent en de redenaarskunst van Obama. 'Hij is echt,' zei Bill.[78]

Een maand later prees Bill tijdens een interview met Larry King Obama publiekelijk en zei: 'Hij is politiek gezien een buitengewoon talentvolle man,' maar schreef een deel van Obama's succes wel toe aan de positieve ontvangst in de pers en aan 'de manier waarop de mediacultuur in elkaar zit'.[79]

Nadat hij Obama had geprezen, werd Bill gevraagd te reageren op een enquête die aangaf dat zestig procent van de Amerikanen wilde dat hij zou worden betrokken bij een tweede regering-Clinton. Na te hebben toegegeven dat hem dat niet verbaasde, zei de voormalige president: 'Ik heb veel ervaring opgedaan en ik kan haar helpen. En we hebben een hoop geleerd – niet alleen van onze successen, maar ook van de dingen die we hebben geprobeerd en die niet zijn gelukt.'

'En u houdt nog steeds van haar, toch?' vroeg King.

'Heel erg veel.'

# 27

# 'De beste politieke echtgenoot in het vak'

De mannen en vrouwen die het best op de hoogte waren van de macht van 'Clinton Inc.' – mensen die met Bill en Hillary samenwerkten in Little Rock, werkzaam waren in de bunker tijdens de doldwaze presidents- campagne in 1992 of die lid van de staf werden vlak nadat hij tot president was gekozen – spreken zonder uitzondering met ontzag over de mysteries en het uithoudingsvermogen van hun 'politieke verbond', het raadselachtigste in de Amerikaanse geschiedenis.

'De meeste huwelijken zijn gebouwd op vertrouwen,' zei iemand die hen al sinds de jaren zeventig kent. 'Hun wederzijds vertrouwen is anders dan je in een huwelijk zou verwachten. Zij vertrouwen op elkaars overlevingsinstinct... De wetenschap dat er niemand met meer vuur voor hen zal vechten dan hun partner.'[1]

Bill zelf omschreef het huwelijk als onverwoestbaar. In een discussie in 1997 met zijn advocaten zei hij: 'Het tapijt van ons huwelijk is dik, kleurrijk en goed geweven; niemand zal het aan stukken scheuren.'[2]

'Ze hebben een unieke relatie,' zei een voormalige stafmedewerker van het Witte Huis die hen alletwee goed kent. 'Het is een oprechte verhouding. Hij houdt echt van haar en zij houdt echt van hem. En hun relatie in de politiek is de lijm die hun huwelijk bijeenhoudt. Ik heb het keer op keer meegemaakt in het Witte Huis: de president had in haar oordeel uiteindelijk het meeste vertrouwen. Hij accepteerde adviezen van iedereen, maar nam in bijna alle gevallen pas een beslissing als hij er met haar over had gesproken.'[3]

Voor de vertrouwelingen die in Hillaryland werkten, bleef Hillary's belang- rijkste basisprincipe onbesproken en onbeschreven, maar iedereen begreep het, zei Neel Lattimore, die al lange tijd medewerker was van Hillary en als haar perssecretaris diende toen ze First Lady was. Die regel luidde: 'Je bent altijd loyaal naar mij en naar mijn man.' Lattimore verklaarde dit: 'Je was net zo loyaal naar hem als naar haar. Je had een dubbele agenda – je moest hem en haar beschermen.'[4]

Senator Bob Kerrey, de Democraat uit Nebraska, zei: 'Ze moet een hoop dingen regelen: het intellect, het geld, de mensen, de nationale campagne – en ze heeft de beste politieke echtgenoot in het vak. De belangrijkste media-aandacht in een presidentscampagne is de gratis reclame, en ik denk dat hij qua gratis reclame tweehonderd miljoen dollar waard is.'⁵

Maar er zitten ook minpunten aan Bills bemoeienis. Een van de grootste uitdagingen voor Hillary in de campagne is het precaire 'evenwichtskunstje' dat ze met Bill moet uitvoeren. Hillary stelt Bills beleidsopvattingen vaak op een lijn met die van haarzelf en zegt dan over de prestaties van de regering-Clinton: 'Wij deden dit,' of: 'Wij deden dat.' Hillary, die zich altijd zeer bewust is van de nog steeds buitengewone populariteit van haar man, vond het belangrijk – en dat vindt ze nu nog steeds – dat zij en haar man overeenstemming hebben over vrijwel alle beleidszaken. 'Hij en ik hebben in grote lijnen dezelfde opvattingen over financiële verantwoordelijkheid, het steunen van de middenklasse, het herstellen van de industrie, de gezondheidszorg, het onderwijs en energiekosten,' zei ze.⁶ Kort nadat ze haar kandidatuur voor het presidentschap bekend had gemaakt, werd haar gevraagd of ze de oude 'twee halen, één betalen'-slogan die Bill in zijn campagne in 1992 had gebruikt om aan te geven welke rol hij voor zijn vrouw zag weggelegd in de regering als hij zou winnen, ook toepasbaar achtte in haar campagne. Die veronderstelling, geuit door Diane Sawyer, ontlokte een hartelijk gelach bij Hillary. Daarna zei ze: 'Nou, zo zou ik het niet willen stellen. Ik ben presidentskandidaat, ik ga de beslissingen nemen.'⁷ Toch is het onwaarschijnlijk dat indien Hillary president wordt, Bill Clinton, de First Gentleman van het land, zich in de East Wing installeert en zich gaat bezighouden met de menukaart van het Witte Huis en het kiezen van het porselein. 'Mensen vragen me voortdurend: "Als u gekozen wordt, benoemt u hem dan tot minister van Buitenlandse Zaken?" Ik denk dat dat wettelijk niet is toegestaan, maar ik maak hem zeker ambassadeur van de wereld, want er is een hoop werk te doen.'⁸

Zelfs voordat Hillary haar kandidatuur bekendmaakte, diende Bill als haar adviseur, belangrijkste strateeg, meest enthousiaste supporter en coach. Iemand die dicht bij de Clintons staat, zegt: 'Ze zitten met elkaar te praten en dan zegt hij dat hij iets interessants hoorde van iemand met wie hij die dag heeft gepraat' en dat pikt zij vervolgens op en gebruikt het in een toespraak of in een opmerking die ze kort daarna maakt.⁹

Een goed voorbeeld van dit 'uitprobeerbeleid' vond plaats in september 2006 en had betrekking op de veronderstelde marteling van terreurverdachten onder verantwoordelijkheid van de regering-Bush. Bill, die verscheen in *Meet the Press*, zei dat er een uitzondering moest worden gemaakt: in sommige, zeer uitzonderlijke gevallen was marteling wettelijk toegestaan, namelijk als een gevangene bijvoorbeeld op de hoogte was van een 'directe bedreiging van miljoenen Amerikanen'.[10] Bills opvatting werd als redelijk beschouwd. Drie weken later herhaalde Hillary het standpunt tijdens een ontmoeting met *The New York Daily News*. 'Die zeer, zeer zeldzame uitzondering in zeer speciale omstandigheden is beter dan een enorm gat te schieten in ons hele rechtssysteem,' zei ze.[11]

Naast het uitproberen of bepaalde meningen aanslaan, houdt Bill zich ook bezig met de bescherming van de politieke erfenis van hen beiden door haar te verdedigen tegen aanvallen van buitenaf. Een Democratische adviseur die hen goed kent, zei: 'Ik denk dat ze tot de slotsom zijn gekomen dat dit de geschikte rol is voor hem – hij kan dingen zeggen die zij niet kan zeggen, uit haar naam.'[12]

Soms heeft die verdediging betrekking op haar eigen beleid, soms ook op zijn eigen politieke erfenis. En soms is het zeer persoonlijk. 'Het is voor het campagneteam van wezenlijk belang dat hij niet te vaak optreedt, waardoor hij haar zou kunnen overschaduwen, maar ook weer niet te weinig, waardoor mensen vragen zouden kunnen gaan stellen over de staat waarin hun huwelijk verkeert,' zei een voormalige medewerker van de regering-Clinton.[13]

De gelegenheid voor Bill om het voortouw te nemen, kwam toen de herdenking van de aanslagen van 11 september, vijf jaar daarvoor, naderde. Het televisiestation ABC had een tweedelige film geproduceerd die op 10 en 11 september zou worden uitgezonden. Voor het vijf uur durende docudrama, *The Path to 9/11*, was het rapport van de 9/11-Commissie gebruikt als leidraad voor het portretteren van de jaren voorafgaand aan de terreuraanslagen, waarbij gekeken werd naar het falen van de regering-Clinton en de regering-Bush. De film werd eind augustus voor het eerst vertoond in de National Press Club, in hartje Washington. Direct daarna én in de weken daarop kwam er een storm van protesten los: de film zou geen recht doen aan Bill Clinton en zijn regering omdat men zijn pogingen om het terrorisme te bestrijden in die jaren verkeerd had geïnterpreteerd of er geen melding van had gemaakt.

Bill werd woedend toen hij hoorde wat er in de film allemaal werd beweerd. De voormalige president maakte op 1 september zijn bezwaren kenbaar ten overstaan van Bob Iger, de directeur van ABC.[14]

Hillary had weinig, of misschien wel niets te maken met het antiterreurbeleid van Amerika voorafgaand aan 11 september, maar zij was presidentskandidaat, en niet Bill Clinton of George W. Bush. Op hun typerende 'war room-manier' riepen de Clintons 'iedereen op' om ABC ervan te weerhouden de film uit te zenden.[15] De druk was 'ongelooflijk' groot, zei een belangrijke ABC-medewerker.[16] De campagne behelsde het sturen van duizenden e-mails en het plegen van persoonlijke telefoontjes met belangrijke medewerkers van ABC en invloedrijke vrienden uit Hollywood. In reactie op de oproep en door de door het tv-station zelf getrokken conclusie dat er onnauwkeurigheden in de film waren geslopen, kondigde ABC aan dat er aan *The Path to 9/11* nog steeds werd gemonteerd en dat de film moest worden gezien als een fictioneel drama dat slechts oppervlakkig was gebaseerd op het rapport van de 9/11-Commissie.

Op zondagavond 10 september 2006 werd het eerste deel van *The Path to 9/11* uitgezonden door ABC.[17] In het eerste uur richtte men zich op de maatregelen van Bill Clinton na de eerste bomaanslag op het World Trade Center in 1993, waarbij de reactie van zijn regering werd gekwalificeerd als lauw en niet effectief. De producenten hadden een aantal scènes – in totaal zeventig seconden – uit de film gehaald, maar die veranderingen gingen volgens het Clinton-kamp niet ver genoeg. Nadat het eerste deel van de film was uitgezonden, schreven de advocaten van de Clinton Foundation opnieuw een brief naar Iger, waarin ze zeiden dat ze 'zeer teleurgesteld' waren over wat ze hadden gezien. Ze klaagden dat het doorvoeren van een aantal veranderingen niet voldoende was om een film te herstellen die 'wemelt van de fouten' en bol stond van de 'verzonnen feiten die in tegenspraak zijn met de bevindingen van de 9/11-Commissie'.[18] Een ABC-medewerker gaf toe dat sommige feiten in de film verdraaid waren. 'Ze hebben geknoeid met een aantal details,' zei de medewerker, 'maar in essentie klopte het geschetste beeld.'[19]

De volgende dag was de vijfde verjaardag van de aanslagen van 11 september. Hillary onderbrak haar herverkiezingscampagne om de slachtoffers van de aanslagen te herdenken. Alle grote tv-netwerken hadden interviews met haar gepland, maar Hillary's medewerkers zeiden tegen ABC dat ze niet zou verschijnen in *Good Morning America* van dat tv-station. Aan ABC werd niet meegedeeld waarom, maar men had de indruk dat het te maken had met Clintons woede over de film.[20]

In *Today Show* van NBC gedroeg Hillary zich ingetogen, enerzijds vanwege de sombere stemming van die dag, en anderzijds omdat ze had gezegd dat ze haar campagne zou onderbreken. In *Early Show* van CBS waren de vragen scherper en leek ze iets fanatieker en defensiever. Later die middag stelde Wolf Blitzer tijdens *The Situation Room* van CNN een vraag over de film over 11 september. Hillary zei dat ze hem niet had gezien en dat ze dat ook niet van plan was. 'De feiten staan duidelijk vermeld in het [rapport van de] 9/11-Commissie,' zei ze. 'Dit is een serieuze zaak... Er is geen reden het interessanter te maken, er dingen bij te verzinnen.'[21] Die avond werd het tweede deel van *The Path to 9/11* uitgezonden.

Sinds de tussentijdse verkiezingen in 2002, toen de Republikeinen een meerderheid in de Senaat kregen en hun zetelaantal in het Huis van Afgevaardigden wisten te vergroten, had Bill met zowel woede als ontzag vastgesteld hoe slim de regering-Bush het terrorismebeleid had gebruikt om angst te zaaien onder de kiezers en er zo in was geslaagd de Democraten in de nationale verkiezingen te verslaan.[22] Hij brieste dat Democraten 'omvergegooid' waren en dat ze de nationale veiligheid van Amerika – het belangrijkste onderwerp voor de Amerikanen na 11 september – in de handen van hun politieke rivalen hadden gelegd. De Republikeinen waren heer en meester op dat onderwerp, zei Bill tegen een vriend, en zolang dat zo was, zouden ze verkiezingen blijven winnen.[23] Dus toen de verkiezingen van 2006 naderbij kwamen, besloot Bill dat de Democraten moesten terugvechten. Hij zei dat Hillary moest proberen het onderwerp nationale veiligheid uit het kamp van de Republikeinen te halen, maar hij zou zelf eerst een poging wagen, want, zo zei hij, hij had niets te verliezen.[24]

Op vrijdag 22 september vertrok Bill, nadat hij zijn driedaagse Clinton Global Initiative-conferentie had afgesloten, naar zijn kantoor in Harlem, waar hij plaatsnam voor een gepland interview met presentator Chris Wallace van tv-station FOX voor diens zondagse politieke talkshow.[25]

Wallace stelde eerst een aantal vragen over het Clinton Global Initiative en sneed vervolgens een ander onderwerp aan. Hij zei dat hij een groot aantal e-mails had gekregen waarin hem werd gevraagd de voormalige president de volgende vraag te stellen: 'Waarom hebt u niet meer gedaan om het plaatje duidelijk te krijgen en waarom hebt u Bin Laden niet uitgeschakeld toen u president was?'[26]

Na enige geharrewar zei Bill: 'Goed, laten we het daarover hebben.' Hij vernauwde zijn ogen tot spleetjes en leunde voorover in zijn stoel, dichter bij Wallace. 'Ik zal die vragen een voor een beantwoorden,' zei hij, 'maar eerst wil ik het hebben over de context waarin dit plaatsvindt.'

'Mij wordt dit gevraagd op tv-station FOX. ABC heeft onlangs een rechts-conservatieve uitzending gehad met hun kleinzielige *Path to 9/11*,' zei Clinton, die de titel van de film niet helemaal correct weergaf. Hij zei dat in de film ten onrechte werd gesteld dat die was gebaseerd op het rapport van de 9/11-Commissie, 'want er waren drie zaken die tegen mij pleitten, maar die waren in tegenspraak met het rapport van de 9/11-Commissie. En ik denk dat het interessant is dat alle conservatieven die nu zeggen dat ik niet genoeg deed, beweren dat ik te zeer geobsedeerd was door Bin Laden. Alle neoconservatieven van president Bush vonden dat ik te zeer geobsedeerd was door Bin Laden. Zij hebben in de negen maanden nadat ik was vertrokken, geen vergaderingen over Bin Laden gehad.'

Wallace ging direct in op het rapport van de 9/11-Commissie en las er een zin uit voor: 'De Amerikaanse regering nam de dreiging serieus, maar niet in de zin dat men iets onderzocht of pogingen ondernam vijanden van de eerste, tweede of derde orde tegemoet te treden.'

'Ten eerste,' antwoordde Bill, 'is dat niet waar wat betreft ons en Bin Laden.'

'Nou,' zei Wallace, 'dit is anders wel wat de 9/11-Commissie zegt.'

Bill richtte zijn vinger op het gezicht van Wallace en zei: 'Luister, als u dan toch kritiek op me wilt hebben, doe het dan op dit punt: na de USS Cole had ik een strijdplan ontwikkeld en wilde ik naar Afghanistan, de Taliban omverwerpen en een grootschalige zoektocht naar Bin Laden beginnen. Maar we mochten geen bases inrichten in Oezbekistan, wat na 11 september wel mocht. De CIA en de FBI weigerden te verzekeren dat Bin Laden verantwoordelijk was toen ik nog president was. Ze weigerden dat te verzekeren... Iedereen die denkt dat ik niet genoeg heb gedaan, kan het boek van Richard Clarke lezen,' zei hij, verwijzend naar de voormalige regeringsdeskundige op het gebied van terrorismebestrijding.[27]

'Denkt u dat u genoeg hebt gedaan, meneer?' vroeg Wallace.

'Nee, want ik heb hem niet te pakken gekregen,' antwoordde Bill.

'Juist.'

'Maar ik heb het in ieder geval geprobeerd,' zei Bill en leunde opnieuw voorover. 'Dat is het verschil tussen mij en een aantal anderen, inclusief de rechtse lieden die me nu aanvallen. Zij vonden het belachelijk dat ik het probeerde. Zij hadden acht maanden om het te proberen. Zij probeerden het niet. Ik wel.'

Vervolgens richtte Bill zijn vijandigheid direct tot Wallace en beschuldigde hem van 'FOX-spelletjes' en kwalificeerde het interview als 'uw mooie kleinzielige conservatieve aanvalletjes op mij'. Hij beschuldigde Wallace en FOX ervan dat ze de regering-Bush met fluwelen handschoenen aanpakten als ze voor het tv-station optraden. 'U stelt mij vragen die u niet stelt aan de andere partij,' zei Bill en voegde daar later aan toe: 'En als u dat dan toch doet, hanteer dan in godsnaam dezelfde voorwaarden voor iedereen... en wees... éérlijk.'

Toen het interview, na nog enige aanvullende vragen over het Clinton Global Initative, was afgelopen, beende Bill van het podium af, praatte nog even kort en 'geïrriteerd' met Wallace en liep de deur uit, waarna zijn medewerkers ervan langs kregen. 'Als een van jullie me ooit nog in zo'n situatie brengt,' zei Bill tegen hen, 'dan is hij ontslagen.'[28]

Sommigen vroegen zich af of Bills driftbui afgesproken werk was. 'Die suggestie is volkomen belachelijk,'[29] zei Wallace. Een aantal van Bills vertrouwelingen zei dat Bill van plan was stevig op te treden tijdens het interview, maar niemand had verwacht dat hij zijn kalmte zou verliezen.[30]

De volgende dag had heel Amerika het over Bills woedeaanval op FOX. Op YouTube werd het interview van Wallace met Bill binnen 48 uur een miljoen keer gedownload – opnieuw een bewijs dat internet het politieke landschap verandert. Die middag stond Hillary de pers te woord in de perskamer van de Senaat, waar haar werd gevraagd naar het tv-optreden van Bill. 'Ik denk dat mijn man op een uitstekende manier heeft laten zien dat de Democraten dit soort aanvallen niet pikken,' zei ze. Ze riep de journalisten op 'het [rapport van de] 9/11-Commissie te lezen om erachter te komen wat hij en zijn regering hebben gedaan om Amerikanen te beschermen en terreuraanslagen tegen dit land te voorkomen'.[31] Daarna bekritiseerde ze het antiterreurbeleid van Bush, net zoals haar man had gedaan. 'Ik ben er zeker van dat als mijn man en zijn nationale veiligheidsteam een geheim rapport onder ogen hadden gekregen met de titel "Bin Laden vastbesloten om aanslagen in de VS te plegen", hij die boodschap serieuzer had genomen dan onze huidige president en diens nationale veiligheidsteam dat deden,' zei ze, verwijzend naar de 'Dagelijkse briefing van de president' van 6 augustus 2001 die president Bush op zijn ranch in Crawford, Texas ontving.[32] Hillary vermeldde niet dat haar man een soortgelijke 'Dagelijkse briefing voor de president' had gekregen op 4 december 1998. De titel luidde: 'Bin Laden bereidt kapingen van Amerikaanse vliegtuigen en andere aanvallen voor'.[33]

De krachtmeting naar aanleiding van de erfenis van 11 september toonde eens te meer hoe ingewikkeld Hillary's presidentscampagne was. Al wilde ze dan nog zo graag verdergaan op haar eigen voorwaarden, ze wist dat haar politieke toekomst, net als het twintigjarenplan dat zij en Bill drie decennia daarvoor hadden voorbereid, zou afhangen van de verdiensten en verantwoordelijkheden van haar man, met positieve en negatieve gevolgen.[34] Als ze nu alleen Bills grote successen kon gebruiken, was de afhankelijkheid niet zo groot geweest. Maar dat was natuurlijk niet mogelijk.

De band tussen haar en haar man vergrootte Hillary's aanzien, maar op een bepaalde manier verkleinde die band haar aanzien ook. Mensen kenden haar via hem, of ze kenden haar eigenlijk helemaal niet. Om te winnen moest het Amerikaanse publiek de echte Hillary te zien krijgen, besefte ze. Ze had talloze malen geprobeerd zichzelf aan de mensen te presenteren, zonder langdurig succes. Opnieuw was het moment daar.

## NAWOORD

# De lente dichterbij

Ik heb al lang geleden gezegd dat vrouwen alles al hebben,
dus waarom niet het presidentschap?

HARRY S. TRUMAN[1]

Wat vrouwen ook doen, ze moeten het tweemaal zo goed doen
als mannen om slechts half zo goed bevonden te worden.
Gelukkig is dat niet moeilijk.

CHARLOTTE WHITTON, CANADEES POLITICA[2]

'Vindt u het lastig, senator, dat er zo veel vooringenomen meningen be-staan?' vroeg anchorman Brian Williams aan Hillary Clinton in *Nightly News* in New York, twee dagen nadat ze haar kandidatuur voor het presidentschap bekend had gemaakt. 'De Amerikanen kennen Hillary Rodham Clinton.'

'Nou, zoals iemand die dicht bij me staat al zei, ben ik waarschijnlijk de beroemdste persoon die je niet echt kent,' antwoordde Hillary.[3]

Hillary en haar strategen geloven dat de belangrijkste uitdaging erin ligt de Amerikanen 'opnieuw voor te stellen' aan Hillary, een vrouw die heel anders is dan dan het beeld dat van haar geschetst is na jaren van negatieve verhalen in de media, en recentelijk op de weblogs. Hillary herinnerde zich dat ze, toen ze kandidaat was voor de Senaat, tegen de inwoners van New York zei: 'Kijk, dit ben ik nu werkelijk... Als het kennismakingsproces voorbij is, trek dan je eigen conclusie. Baseer die niet op iets wat je van iemand gehoord hebt, op de radio of de tv. Trek je eigen conclusie.'[4] Om dit doel te bereiken, verspreidden de campagnemedewerkers van Hillary een nota met voorbeeld-antwoorden op een aantal moeilijke vragen. Een van die voorbeelden was:

VRAAG: Het kamp van Hillary heeft het over een 'andere kant' van haar die de mensen niet kennen. Welke andere kanten zijn er nog te ontdekken, nu ze al veertien jaar in de publiciteit heeft gestaan?

ANTWOORD: Hillary Clinton is de beroemdste persoon in de wereld die niemand echt kent... Mensen die haar kennen, houden van haar.[5]

Net als bij eerdere verkiezingen wordt de kandidaat die door de meerderheid van de Amerikanen wordt beschouwd als het 'meest authentiek',[6] een enorm voordeel toegedicht, erkende een van de oudgediende adviseurs van Hillary. Maar juist op dit punt bevindt Hillary zich in een moeilijke positie. Hoewel ze tijdens campagnes vaak benadrukt dat ze meer ervaring heeft dan haar tegenstanders, ondervindt ze van het feit dat ze 'de beroemdste persoon' is, in zekere zin een nadeel. Volgens een enquêtebureau zei maar liefst 51 procent van de onafhankelijken nooit op haar te zullen stemmen, onder welke omstandigheden ook; dat is verreweg het hoogste percentage van alle belangrijke presidentskandidaten.[7] Een adviseur met een lange staat van dienst die met Hillary en Bill over het onderwerp authenticiteit had gepraat, zei: 'Ze zijn ervan overtuigd dat zij de belangrijkste kwestie is die ze het hoofd moeten bieden.'[8] Het verbeteren van haar vermogen om een authentiek beeld neer te zetten, is volgens de Clintons 'opdracht één, twee en drie', zei de adviseur. Een andere vriend vatte haar dilemma als volgt samen: 'Wil het land echt meer weten over Hillary? Of denken ze dat ze al genoeg weten?'[9]

Wat 'authentiek' precies betekent in het geval van Hillary, blijft voor veel Amerikanen een raadsel. Hillary is haar leven lang, zowel publiekelijk als privé, bezig geweest zichzelf te herdefiniëren. Zo was er die lijst van mogelijke persoonlijkheden en carrièremogelijkheden die ze opstelde op Wellesley. In de politiek veranderde ze van een Goldwater-Republikein in een McGovern-Democraat en vervolgens in een 'New Democrat'. Door haar huwelijk en haar werk kwam ze op voor haar onbekend terrein, waardoor ze zich moest aanpassen en zich nieuwe dingen eigen moest maken. De weg die ze koos telde dikwijls veel bochten – soms zelfs haarspeldbochten.

Mensen die trachtten te achterhalen welk pad ze precies had bewandeld, kwamen erachter dat dit pad vaak slecht verlicht was. Hillary's officiële biografieën zijn herhaaldelijk veranderd en herzien, waarbij cruciale perioden en gebeurtenissen werden benadrukt of juist weggelaten[10] – onderwerpen die varieerden van haar afkomst tot haar huwelijk, van haar vijftien jaar als advocaat in Arkansas tot de acht jaar in het Witte Huis.[11] Wanneer ze het over zichzelf had, liet ze belangrijke details vaak onbesproken. Dat was het geval in Arkansas, dat was het geval in het Witte Huis en dat was het geval in de Senaat.

Wie is de echte Hillary? Dit is een vraag waarmee politiek analisten, partij-genoten, biografen, journalisten en mensen die haar tientallen jaren kennen, worstelen. 'Het ergste dat er kan gebeuren,' merkte een ervaren medewerker van Hillary op, 'is dat het land erachter komt dat haar persoonlijkheid zich voortdurend ontwikkelt.'[12] Het begrijpen van Hillary, zei iemand die haar al 35 jaar kent, is 'zelfs voor haar vrienden een uitdaging'.[13] Daardoor wordt de taak zichzelf te presenteren aan Amerika nog lastiger. En dan is er nog een horde die genomen moet worden: als Hillary voor twee termijnen wordt gekozen, is het Witte Huis 28 opeenvolgende jaren bewoond geweest door de familie Bush en de familie Clinton. 'Wil het land de komende acht jaar opnieuw een Clinton als president, na twintig jaar leden van de familie Bush en de familie Clinton?' vroeg een voormalige medewerker van de regering-Clinton zich af.[14]

Op de ochtend dat Hillary haar kandidatuur voor het presidentschap be-kendmaakte, was in een klein hoekje van haar website plaats ingeruimd voor een onthullende mededeling van haar enquêteadviseur en belangrijkste strateeg Mark Penn. Hillary had Penn overgenomen van Bill. Ze beschouwt de 52-jarige adviseur als een 'slimme man met veel inzicht' en bovendien als 'briljant en warm'[15]; de presidentskandidaat en de enquêteadviseur vertrou-wen elkaar bovendien 'volkomen', volgens een medewerker van Penn.[16] Tot zijn campagnetaken behoort een 'totale controle op het gebied van onder-zoek'.[17]

Penns schaamteloze, streng beargumenteerde opmerking was niets minder dan een plan om Hillary in het Witte Huis te krijgen door zwaar de nadruk te leggen op het feit dat ze een vrouw is. In het stuk werd uitgelegd waarom 'Hillary de beste kandidaat is van de Democraten'.[18] Bewijsstuk A, zei Penn, wordt gevormd door de vrouwen – volgens hem 'een gigantische x-factor'. Veel vrouwen 'vinden dat het tijd is dat dit land zijn eerste vrouwelijke pre-sident krijgt', en, zo beweerde Penn, dat kunnen ze voor elkaar krijgen ook, want 54 procent van het electoraat is vrouwelijk.

Penn volgde Dick Morris op als de strategische goeroe van de Clintons. Penn en Morris zijn nu persoonlijk en op politiek gebied van elkaar ver-vreemd, maar Morris' opvattingen over de vraag wat Hillary moet doen om te winnen, lijken opvallend veel op de mening van haar campagneteam:

vrouwen vormen de sleutel tot Hillary's succes.[19]

Opmerkelijk is dat veel vrouwelijke kiezers politiek gezien links zijn. Ongetrouwde vrouwen zijn 'het progressiefst en het slechtst vertegenwoordigde' deel van het electoraat, zegt een adviseur.[20] Maar oudere, getrouwde vrouwen baren sommige adviseurs van Hillary zorgen. 'In het algemeen zijn er flink wat vrouwen die haar niet mogen en niet respecteren omdat ze Clinton niet verlaten heeft,' zei een van hen. 'Sommige mannen mogen haar niet omdat ze zich bedreigd voelen door haar. Ook sommige vrouwen voelen zich bedreigd. En dan zijn er nog mensen die haar wel mogen maar niet willen dat ze president wordt. Het is niet gemakkelijk.'[21]

Wat zou Eleanor Roosevelt vinden van Penns strategie met zo veel nadruk op Hillary's sekse? Niet veel, gelet op het antwoord dat mevrouw Roosevelt in 1934 gaf toen haar de vraag werd gesteld wat ze ervan zou vinden als een vrouw president zou worden. 'Ik hoop niet dat het gebeurt op het moment dat we het nog steeds hebben over een "vrouwenstem",' zei ze.

In haar campagne koestert Hillary diezelfde hoop. 'Hoewel ik er trots op ben dat ik een vrouw ben,' zei ze tegen een voornamelijk vrouwelijk gehoor van duizend mensen in San Francisco, 'stel ik me niet kandidaat als vrouw.' Op de vraag of Amerika klaar is om een vrouw tot president te kiezen, antwoordde ze: 'Dat weten we niet voordat we het hebben geprobeerd.'[22]

Een paar dagen voor de inauguratie in 1993 stierf pater Tim Healy, de voormalige president van Georgetown University, aan een hartaanval terwijl hij een brief aan het typen was aan Bill Clinton. Postuum werd de brief alsnog aan Bill gestuurd.

Pater Healy schreef dat hij hoopte dat Bills verkiezing 'de lente dichterbij' zou brengen. Hillary was onder de indruk van die opmerking en begreep eruit dat hij hoopte dat het presidentschap van haar man 'nieuwe ideeën, hoop en energie zouden losmaken, die het land een nieuwe injectie zouden geven'.[23]

Voor Hillary was Healy's opmerking een passende metafoor voor de ambities van haar man – en dus die van haar. Bill en Hillary Clinton waren persoonlijk en politiek nu twintig jaar aan elkaar verbonden, en met zijn komst naar Washington was hun twintigjarenplan gerealiseerd.

Veertien jaar later is het de beurt aan Hillary. Zij is de kansrijkste vrouwelijke presidentskandidaat in de Amerikaanse geschiedenis. Haar opmerkelijke campagne heeft vrouwen van alle generaties geïnspireerd en de hoop gegeven dat hun tijd nu is gekomen. Ook haar verkiezing zou 'de lente dichterbij' brengen.

Publiekelijk presenteert Hillary zich misschien als iemand die boven de discussies over haar kunnen staat, maar haar campagne(team) staat wel degelijk in het licht van het vrouwelijke. Haar campagnemanager, mediastrateeg en beleidscoördinator zijn allemaal vrouwen. Onderweg trekt Hillary vooral een vrouwelijk publiek.[24] Haar eerste optreden na de aankondiging dat ze presidentskandidaat was, vond plaats in een gezondheidskliniek in Manhattan. Door de hand te schudden van een vierjarig meisje, Camilla Harden, toonde Hillary dat ze niet alleen een vrouw is die president wil worden, maar ook een moeder.[25] Haar campagneteam zette via internet een nationaal netwerk voor vrouwelijke leidinggevenden op, 'Women for Hillary'. Zelfs nog voordat Hillary haar kandidatuur voor het presidentschap bekendmaakte, zei Ellen Malcolm, voorzitter van EMILY's List, een groot actiecomité voor abortus, dat haar groepering 'al in een vroeg stadium' Hillary's kandidatuur zou steunen en zich voor haar zou inzetten.[26]

Mark Penn en James Carville denken dat de Democraten de laatste twee nationale verkiezingen hebben verloren omdat het leek 'of ze geen ruggengraat hadden'. Hillary, zeggen ze, is 'krachtig genoeg om de doortraptheid van een nationale campagne te doorzien en de uitdagingen van het presidentschap zelf aan te gaan'.[27] Ze zat Bill achter de broek in Arkansas, ze verzette zich tegen de kritiek die het duo kreeg tijdens Bills presidentscampagne in 1992, ze wist het tij te keren bij de beschuldigingen van Ken Starr in 1998, ze gebruikte haar nieuwe baan in de Senaat om zich in stevige termen uit te laten over de nationale veiligheid na 11 september, ze verzamelde een betrouwbare en zeer toegewijde groep medewerkers en vertrouwelingen om zich heen en ze weigerde haar excuus aan te bieden voor haar stemgedrag inzake de Irak-oorlog, ondanks pleidooien van haar aanhangers. Bill, die gefascineerd is door krachtige vrouwelijke leiders, zei onlangs tegen een vriend dat alle grote vrouwelijke leiders in de geschiedenis strijdvaardig waren, over stalen zenuwen beschikten en een ontembare wil om te winnen hadden – 'net als Hillary'.[28] En wat Hillary zelf betreft: zij is ervan overtuigd dat ze strijdvaardig is en klaar voor het gevecht. 'Acht jaar lang heb ik zo'n beetje alles naar mijn hoofd geslingerd gekregen,' zei ze in de eerste weken van haar presidentscampagne tegen een aantal belangrijke adviseurs. 'Wat kunnen ze nu nog naar mijn hoofd slingeren?'[29] Bovendien hoor je haar vaak zeggen dat er bij haar met een andere maat gemeten wordt dan bij haar tegenstanders. 'Niemand wordt zo kritisch beschouwd als ik,' zei ze tegen een verslaggever. 'Ik mag geen fouten maken. Die kans geven ze me niet. Alle anderen wel, en ik niet. En dat is prima. Want zo ben ik en daar moet ik het mee doen.'[30]

De mensen die Hillary het langst kennen, hopen dat zij het land haar 'ware zelf' zal tonen: de warme, sterke, grappige en briljante vrouw zoals zij die kennen. 'Ze is warm en grappig, maar dat laat ze óf niet zien, óf ze krijgt weer te maken met van die mensen die denken te weten wie ze is en die geven haar niet opnieuw een kans,' zei een oude en vertrouwde adviseur van Hillary.[31]

Maar Hillary heeft ook een andere kant: ze kan hard zijn en is niet snel bereid toe te geven dat ze een fout heeft gemaakt. Voor de mensen die haar kennen, is het feit dat ze een ondoordringbaar schild heeft niet zo verrassend, gezien de felle aanvallen die ze tijdens de regering-Clinton te verduren kreeg en het feit dat ze door haar man bedrogen werd. Haar vermogen die aanvallen te pareren, is bewonderenswaardig, misschien zelfs ongelooflijk. Misschien is het wel te veel gevraagd van iemand die dat allemaal doorstaan heeft, om zich nog kwetsbaar op te stellen.

Bill Clinton heeft veel kwalijke eigenschappen, maar zijn vermogen om een zaal voor zich te winnen, een bezoeker aan het lachen te maken, zijn hart op zijn tong te hebben (in ieder geval schijnbaar), was ongeëvenaard. Hillary heeft meer dan wie ook kunnen meemaken hoe Bill zijn werk deed, maar toch beschikt zij niet over die vermogens. De strategie die Hillary op de universiteit ontwikkelde om haar zelfvertrouwen en evenwicht in zichzelf te behouden door te weigeren naar zichzelf te kijken, heeft ertoe bijgedragen dat ze op de been is gebleven in een leven waar ze ongelooflijk veel heeft bereikt en heeft moeten doorstaan. Maar het heeft ook geresulteerd in een geforceerde, kunstmatige manier van doen, een neiging tot arrogantie, de overtuiging dat ze zich niets van regels hoeft aan te trekken en dat iemand die het niet met haar eens is, per definitie een vijand is. Het is nogal wat om Amerikanen te vragen de authentieke persoonlijkheid van iemand te leren kennen die in zekere zin geheel vrijwillig heeft besloten zichzelf niet te leren kennen.

'Lang voordat ze een baan had in de overheidssector, diende ze de publieke zaak al,' zei Bill tegen het publiek tijdens Hillary's presidentscampagne – verwijzend naar de tijd dat ze in Arkansas zaten. 'Vanavond ben ik er nog vaster van overtuigd dat ze de beste is dan 35 jaar geleden, toen ik zei dat ze de beste was van alle mensen van onze generatie.'[32] Wil Hillary haar droom verwezenlijken en de nationale 'politieke leider' worden, dan moet ze nu een methode vinden om de kiezers ervan te overtuigen dat het oordeel van haar man juist is. Bill Clinton zegt vaak: 'Het Amerikaanse volk heeft het altijd bij het rechte eind.' In 2008 zal dat volk beslissen of Hillary, die acht jaar in het Witte Huis woonde en 'de geschiedenis meemaakte', het zal redden en er opnieuw zal wonen.

De opkomst van Hillary Rodham Clinton is een van de opmerkelijkste verhalen in de Amerikaanse politiek. Ze heeft een ongelooflijke wilskracht en een bijna ongeëvenaarde vastberadenheid getoond en beschikt over een duurzaam geloof in haar man en in de toekomst. En zoals haar man zegt: ze beschikt over sommige van de beste eigenschappen van haar generatie. Maar ze heeft, van Arkansas tot in de Senaat, ook laten zien dat ze tevens beschikt over een aantal minder prettige eigenschappen van die generatie.

Tientallen jaren geleden debiteerde Hillary's heldin Eleanor Roosevelt de volgende wijsheid: 'Op een dag zullen we een vrouwelijke president krijgen... Ik hoop dat het pas realiteit zal worden als ze als persoon verkozen wordt vanwege haar capaciteiten en het vertrouwen van de meerderheid van de bevolking in haar integriteit en haar merites als persoon.'

Eleanor Roosevelt wacht.

# Dankbetuiging

Elk boek is een monument van gezamenlijke inspanning, en dat geldt zeker voor dit boek. We vonden dagelijks steun aan elkaar, maar hadden ook veel te danken aan het talent, de steun en de vriendschap van een grote groep mensen, wier hulp inspirerend en van een onschatbare waarde was.

Vanaf het begin heeft onze agent, Christy Fletcher, ons warm gemaakt voor het idee een meeslepende biografie te schrijven over de senator uit New York, en tijdens het schrijfproces hebben we geprofiteerd van haar vastberadenheid en opmerkzaamheid.

Christine Kay is een van de beste redacteuren van *The New York Times*, en daarnaast is ze een geweldige vriendin. Wij zijn dankbaar voor haar enthousiasme over dit boek en haar nauwgezette eerste lezing en eerste redactieronde.

Kristen Lee, onze onderzoeksmedewerkster, heeft belangrijke bijdragen geleverd; haar werk leverde meer op dan ze ooit had kunnen denken. Wat het onderzoek betreft werden we tevens bijgestaan door Don Van Ee in de Library of Congress, Virginia Lewick in de Franklin D. Roosevelt Presidential Library and Museum in Hyde Park, New York, Steven Tilley, Martha Murphy en David Paynter in de National Archives and Records Administration in College Park, Maryland, de stafleden van het Senaatssecretariaat en de Chevy Chase-afdeling van de bibliotheek in Washington D.C., en onze vriend Barclay Walsh, die werkt in de bibliotheek van het bureau van *The New York Times* in Washington.

Dale Van Atta verraste ons met een onverwacht cadeautje: zijn waardevolle, ongepubliceerde, uit 1999 daterende verslag over Hillary Rodham Clinton. Ons verslag van de ontmoeting van de First Lady met een stel oude vrienden in het Solarium van het Witte Huis in de lente van 1999 is volledig gebaseerd op de aantekeningen van Dale.

We hebben alles bij elkaar 42 jaar van ons arbeidzame leven gewerkt bij *The New York Times*. We zien het als een voorrecht dat onze vrienden daar ons hebben aangemoedigd en ons in de loop van de jaren op allerlei manieren hebben geholpen. Tot die groep behoren Jill Abramson, Dean Baquet, Lowell Bergman, John Broder, Frank Bruni, Christopher Drew, Maureen Dowd, Steve Engelberg, Bill Keller, Steve Labaton, Joe Lelyveld, Sarah Lyall, Matt Purdy, Elaine Sciolino, Debbie Sontag en Phil Taubman.

Ook zijn wij dankbaar voor de vriendschap en de hulp van Lowell Bergman en Sy Hersh.

Vanaf onze eerste ontmoeting met de mensen van Little, Brown and Company hadden we het gevoel dat ons boek in goede handen was. Hoofdredacteur Geoff Shandler verraste ons met zijn bewonderenswaardige intelligentie, prozaïsche opmerkingen en doorzettingsvermogen, waardoor alles op zijn pootjes terechtkwam. Zijn assistent Junie Dahn zorgde dat alles vlekkeloos verliep. Heather Fain was van grote waarde voor de publiciteit. Het redactieteam van Little, Brown and Company werkte snel en zorgvuldig, zodat het manuscript in recordtijd gereed was: Betsy Uhrig, Marie Salter, Pamela Marshall. Peggy L. Anderson, Karen Landry, Ashley St. Thomas, Jayne Yaffe Kemp en hun getalenteerde redactiechef Peggy Freudenthal. Marilyn Doof deed geweldig werk op het gebied van de productie. En we danken uitgever Michael Pietsch en co-uitgever Sophie Cottrell voor hun enthousiaste reacties op *Hillary Rodham Clinton – De biografie*.

Ten slotte willen we een woord van dank uitspreken aan een groot aantal mensen wier namen niet in dit boek vermeld staan, omdat ze dat niet wilden: wij zijn jullie dankbaar voor je expertise en vertrouwen. Zonder jullie hadden we dit boek niet kunnen schrijven.

Jeff Gerth en Don Van Natta Jr.
*Mei 2007*


Mijn vrouw Janice en mijn dochter Jessica zijn de twee steunpilaren van ons gezin.

Janice is werkzaam als staflid van de Senaat sinds 1977, toen ze toetrad tot de Commissie Buitenlandse Betrekkingen. (De commissie was destijds niet partijgebonden, een traditie waar een aantal jaren later een einde aan kwam.) Daarna werd ze lid van de Democratische staf van de commissie. Sinds het midden van de jaren tachtig was ze bovendien adviseur op het gebied van buitenlands beleid van senator Christopher J. Dodd, die lid is van de commissie.

Jessica's innerlijke moed en creatieve geest inspireren mij dagelijks.

Mijn ouders, Sol en Shirley, hebben me mijn leven lang gesteund en moed ingesproken, en ook mijn zus Sande heeft me haar enthousiasme getoond.

In totaal al bijna honderd jaar werk ik in wederzijds vertrouwen samen met drie vrienden: Lowell Bergman, Sy Hersh en Phil Taubman. In hun eigen carrière hebben ze verschillende wegen op het gebied van de journalistiek bewandeld, maar ze stonden altijd klaar om me te helpen – waar dan ook, wanneer dan ook. Meer had ik niet kunnen wensen.

J.G.


Ik had niet eens kunnen overwegen aan dit project te beginnen zonder het enthousiasme en de steun van mijn vrienden: Scott Price en Fran Brennan, Pete Cross en Christine Evans, Lucy en Andrew Siegel, Kate en Jeff Jaenicke, Carol en Barry Doyle, Mina en Larry Peck, Mary Beth McCarthy en Rich Heilman, Mark Kriegel, Eddie Hayes, Chad Millman, James Bennet en Warren St. John.

Dit boek is deels opgedragen aan mijn moeder, Liette Van Natta, die me mijn leven lang liefde heeft gegeven en heeft gesteund, waar ik dankbaar voor ben.

Mijn broers, Steve en Dean (en hun echtgenotes, Erika en Jenny), en Terry en Frank Alvarez en Mariana Alvarez stonden altijd voor me klaar.

En ik dank mijn vrouw, Lizette Alvarez, en onze jonge dochters, Isabel en Sofia, voor hun liefde. Elke dag herinneren ze me eraan hoe gezegend ik ben.

D.V.N.

# Noten

WOORD VOORAF: MEEDOEN OM TE WINNEN

1. Bess Furman, *Washington Byline: The Personal History of a Newspaperwoman*, New York, Alfred A. Knopf, 1949, p. 253.
2. Gail Sheehy. 'What Hillary Wants', *Vanity Fair*, mei 1992. p. 217.
3. Ze heeft er haar hele leven voor gepleit dat vrouwen gelijke kansen moeten krijgen op de hoogste overheidsfuncties in de staten en op federaal niveau, waaronder ook het ambt van president en vicepresident. Ze werd zelf vicevoorzitter van de National Association of Women Lawyers en de nationale voorzitter van Women in Public Service, Inc. Ze stierf op 72-jarige leeftijd in 1974. Lillian D. Rock necrologie, *The New York Times*, 15 mei 1974, p. 48.
4. Alle citaten van Eleanor Roosevelt in dit gedeelte komen uit de Simmons Company Radio Broadcast, 'When Will a Woman Become President of the US?' 4 september 1934. Eleanor Roosevelt Papers, Box 3027, Franklin Delano Roosevelt presidentiële bibliotheek.
5. Hillary Rodham Clinton, uitspraak op www.hillaryclinton.com, geplaatst op 10:00 a.m. EST, 20 januari 2007.
6. CBS' *60 Minutes*, transcript van interview op 26 januari 1992 met Bill en Hillary Rodham Clinton door correspondent Steve Kroft, op www.washingtonpost.com/wpsrv/politics/special/clinton/stories/flowers012792.htm.
7. Ibid.
8. Robert Novak. 'Critics Fret over Hillary Clinton's High National Negative Ratings'. *Chicago-Sun Times*. 4 februari 2007 op www.suntimes.com/news/novak/241516.CST-EDT-NOVAK04.article.
9. Auteursinterview met vroegere verkiezingsmedewerkers in 2005, 2006 en 2007.
10. Interview met vroegere OIC-functionarissen in 2006 en memorandum van HRC-team aan alle OIC-juristen. 'Summary of Evidence... Hillary Rodham Clinton and Webb Hubbell'. 22 april 1998 (OIC is het Bureau van de Onafhankelijke Aanklager).
11. Opmerkingen van senator Hillary Rodham Clinton voor de Council on Foreign Relations. New York, 15 december 2003.
12. Auteursinterview met de adviseur van Hillary Rodham in 2007.
13. Eleanor Roosevelt, 'What 10 Million Women Want', *Home Magazine 5*, maart 1932, pp. 19-21, 86.
14. Auteursinterview met Leon Panetta en voormalig functionaris van de regering-Clinton in 2006.
15. Auteursinterview met Ann Crittenden en John Henry in 2007.

## EEN: FIRST PARTNER

1. Bertrand Russell, Engelse filosoof. Uit *Marriage and Morals*, hoofdstuk 7, 1929. In Fred R. Shapiro (Red.), *The Yale Book of Quotations*. New Haven, Ct.: Yale University Press, 2006, p. 258.

## 1 Jagen en rennen

1. Hillary Rodham Clinton, *Living History*, New York: Simon & Schuster, 2003, p. 52.
2. Ibid.
3. Ibid.
4. Ibid., p. 1.
5. Ibid., p. 6.
6. Ibid., p. 9
7. Gail Sheehy, *Hillary's Choice*, New York: Random House, 1999. p. 20.
8. Ibid., 22.
9. Hillary Rodham Clinton biografie. Website: Hillary Rodham Clinton for Senate 2000: www.hillary2000.org.
10. Clinton, *Living History*, p. 9.
11. Sheehy, *Hillary's Choice*, p. 20.
12. Ibid., p. 19.
13. Ibid., p. 23.
14. Ibid., pp. 24-25; Clinton, *Living History*, p. 12.
15. Clinton, *Living History*, p. 8.
16. Ibid., p. 10.
17. Ibid.
18. Ibid., p. 11.
19. Ibid.
20. Ibid.
21. Ibid., p. 12.
22. Ibid.
23. Sheehy, *Hillary's Choice*, p. 30.
24. Ibid.
25. Ibid., p. 31; Clinton, *Living History*, p. 21.
26. Clinton, *Living History*, p. 16.
27. Ibid.
28. Ibid., p. 17.
29. Interview met rev. Don Jones door Dale Van Atta in 1999.
30. Ibid.
31. Ibid.
32. Sheehy, *Hillary's Choice*, pp. 32-33.
33. Clinton, *Living History*, p. 22.
34. Ibid.
35. Ibid., p. 23.
36. Jones interview.

37. Ibid.
38. Clinton, *Living History*, p. 23.
39. Ibid.
40. Ibid.
41. Interview met Mike Andrews door Dale Van Atta in 1999.
42. Clinton, *Living History*, p. 24.
43. Ibid.
44. Clinton, *Living History*, p. 25.
45. Sheehy, *Hillary's Choice,* p. 39.
46. Clinton, *Living History*, p. 26.
47. Ibid.


## 2 De kunst van het mogelijk maken

1. Clinton, *Living History*, p. 27.
2. Sheehy, *Hillary's Choice*, p. 41, p. 60.
3. Clinton, *Living History*, p. 28.
4. Ibid., p. 27.
5. Ibid.
6. Ibid., p. 41.
7. Ibid., p. 42.
8. Clinton, *Living History*, p.27.
9. Ibid., p. 28.
10. Ibid., p. 29.
11. Ibid., p. 30.
12. Ibid.
13. Ibid., pp. 31-32.
14. Ibid., p. 32.
15. Sheehy, *Hillary's Choice*, p. 46.
16. Clinton, *Living History*, p. 33.
17. Ibid.
18. Sheehy, *Hillary's Choice*, p. 47.
19. Charles Kenney. 'Hillary: The Wellesley Years', *Boston Globe*, 13 januari 1993, p. 65.
20. Sheehy, *Hillary's Choice*, pp. 49-50.
21. Ibid., p. 50.
22. Ibid.
23. Ibid., p. 52.
24. Ibid., p. 52-58.
25. Ibid., p. 51.
26. Ibid., p. 53
27. Ibid., p. 51.
28. Kennedy, 'Hillary'.
29. Clinton, *Living History*, p. 30.
30. Ibid.
31. Sheehy, *Hillary's Choice*, p. 51.

32. Ibid., p. 52.
33. Ibid., p. 56.
34. Kennedy, 'Hillary'.
35. Clinton, *Living History*, p. 33.
36. Ibid., p. 34
37. Ibid.
38. Ibid., pp. 34-35.
39. Ibid. 36
40. Ibid.
41. Ibid., 37
42. Ibid.
43. Ibid.
44. Ibid., 38.
45. Ibid.
46. Ibid., pp. 39-40.
47. Ibid., 40.
48. Ibid.
49. Ibid.
50. Ibid.
51. Ibid
52. www.wellesley.edu/PublicAffairs/Commencement/1969/053169hillary.html
53. Edward W. Brooke, *Bridging the Divide*. Brunswick, NJ: Rutgers University Press, 2007. pp. 182-183.
54. Clinton, *Living History*, p. 41.
55. Ibid.
56. Ibid., 42.

## 3 Het hart achterna naar Fayetteville

1. Sheehy, *Hillary's Choice*, p. 61.
2. 'Online Excerpt: Sen. Hillary Rodham Clinton', *Newsweek*. 21/28 augustus 2006, p. 4.
3. Clinton, *Living History*, p. 44.
4. Ibid., p. 45.
5. Sheehy, *Hillary's Choice*, p. 79.
6. Clinton, *Living History*, p. 45.
7. Ibid.
8. Ibid., p. 46.
9. Ibid.
10. Ibid., p. 47.
11. Ibid., p. 48
12. Ibid., pp. 48-49.
13. Ibid., p. 49.
14. Ibid., p. 50.
15. Clinton, *Hillary's Choice*, p. 86.
16. Harvard Educational Review, Vol. 43, No. 4, 13 november, pp. 487 vv; zie ook David

Brock, *The Seduction of Hillary Rodham*. New York: Free Press, 1996, p. 118.

17. Clinton, *Living History*, p. 51.
18. Clinton, *My Life*, New York: Alfred A. Knopf, 2004, p. 181. Het verslag van Bill en Hillary's eerste ontmoeting is ook gebaseerd op Clinton, *Living History*, en David Maraniss, *First in His Class*. New York: Simon & Schuster, 1995.
19. Clinton, *My Life*, p. 181.
20. Ibid.
21. Clinton, *Living History*, p. 54.
22. Clinton, *My Life*, p. 182.
23. Ibid.
24. Ibid., p. 184.
25. Clinton, *Living History*, p. 54.
26. Ibid., p. 55
27. Sheeny, *Hillary's Choice*, p. 82.
28. Auteursinterview met Greg Craig in 2006.
29. Ibid.
30. Clinton, *Living History*, pp. 56-57.
31. Ibid., p. 57.
32. Ibid., p. 59.
33. Ibid.
34. Maraniss, *First in His Class*, p. 277; zie ook Brock, *The Seduction of Hillary Rodham*, pp. 43-44.
35. Betsey Wright, e-mail aan een van de auteurs in 2007. Wright weigerde verschillende malen gehoor te geven aan een verzoek om een interview voor dit boek.
36. Clinton, *Living History*, pp. 59-60.
37. Ibid.
38. Brock, *Seduction of Hillary Rodham*, p. 42.
39. Clinton, *Living History*, p. 61
40. Ibid.
41. Ibid.
42. Ibid.
43. Ibid., p. 64.
44. Ibid.
45. Ibid., p. 65.
46. Ibid., p. 66.
47. Maraniss, *First In His Class*, p. 297.
48. Clinton, *Living History*, p. 68.
49. Ibid., p. 69.
50. Ibid., p. 70
51. Maraniss, *First In His Class*, 333 en Brock, *The Seduction of Hillary Rodham*, pp. 58-60.
52. Auteursinterview met Leon Panetta en voormalige functionaris van de regering-Clinton, in 2006.
53. Auteursinterview met Marla Crider in 2006. Criders relaas werd voor het eerst genoemd in Jerry Oppenheimer, *State of a Union: Inside the Complex Marriage of Bill and Hillary Clinton*, New York: HarperCollins, 2000. Volgens Crider is Oppenheimers verlag 'niet helemaal accuraat'.

54. Ibid.
55. Maraniss, *First in His Class*, pp. 335-336.
56. Ibid.
57. Ibid.
58. Clinton, *Living History*, pp. 70-71; zie ook Maraniss, *First in His Class*, pp. 344-345.

## 4 Persoonlijke overwegingen

1. Clinton, *Living History*, p. 75.
2. Maraniss, *First in His Class*, p. 345; Clinton, *My Life*, 235.
3. Auteursinterview met Wade Rathke in 2006.
4. Clinton, *Living History*, pp. 37-38.
5. Auteursinterview met Wade Rathke in 2006.
6. Mededeling aan de auteurs van 21 februari 2007 door Rose Law Firm van Steve Joiner.
7. Auteursinterview met Wade Rathke in 2006.
8. Webb Hubbell, *Friends in High Places*, New York: William Morrow & Company, 1999, p. 61.
9. Ibid., p. 62.
10. George Bentley, 'Lifeline Law Called Illegal', *Arkansas Gazette*, 24 februari 1977, p. IA.
11. Ibid.
12. Auteursinterview met Wade Rathke in 2006.
13. Hillary Rodham Clinton toespraak tijdens een diploma-uitreiking aan de Universiteit van Michigan, 1 mei 1993, zoals geciteerd in Gil Troy (2006) *Hillary Rodham Clinton*, Lawrence, Kansas: University Press of Kansas. pp. 83-84.
14. Auteurtinterview met Allen Bird II in 2007.
15. Ibid.
16. Hubbell, *Friends in High Places*, pp. 51-52.
17. Clinton, *Living History*, p. 78.
18. Interview met Robert Reich door Dale Van Atta in 1999, en Troy, 'Hillary Rodham Clinton', p. 29.
19. Clinton, *Living History*, p. 78.
20. Gail Sheehy, 'Hillary's Choice', *Vanity Fair*, mei 1992, p. 138.
21. Zie www.wellesley.edu/PublicAffairs/Commencement/1969/043169hillay.html.
22. Rose Law Firm is nu een beroepsvereniging, dus de partners noemt men nu 'leden' volgens een mededeling van het kantoor. Maar Hillary gebruikt in haar autobiografie de term 'partner'.
23. Annabelle Davis Clinton. 'Coming of Age: Women Lawyers in Arkansas, 1960–1984', *Arkansas Lawyer*, april 1985, pp. 59-60.
24. Mededeling van Rose Law Firm aan de auteurs op 21 februari 2007.
25. Ibid. en rechtbankverslagen uit Arkansas.
26. p. 491 F. Supp. 1391.
27. Joseph A. Califano Jr., *A Public and Private Life*, New York: Public Affairs, 2004, p. 213.
28. Clinton, *Living History*, p. 80.
29. Hubbell, *Friends in High Places*, p. 60.
30. Michael Weisskopf en David Maraniss, 'Hillary Clinton's Law Firm is Influential with

State', *The Washington Post*, 15 maart 1992, p. A1, en Audrey Duff, 'Is a Rose a Rose?', *American Lawyer*, juli/augustus 1992, p. 68.

31. Auteursinterview met Randy Coleman in 2006.
32. George Fox' getuigenis, Pulaski Circuit Court, Sixth Division, Case #83-4178, The City of Little Rock By and Through the Little Rock Municipal Airport Commission vs. Gerald D. Hammett, administrator of the estate of Edith Hammett Rolf, et al.
33. Auteursinterview met Andrew Cobb in 2006.
34. Uitspraak rechtbank, dd. 29 februari 1984 Pulaski Circuit Court, Sixth Division.
35. Auteursinterview met Randy Coleman in 2006.
36. Ibid.
37. Ibid.
38. Annabelle Davis Clinton, 'Coming of Age'.
39. Hubbell, *Friends in High Places*, p. 55.
40. Clinton, *Living History*, p. 82.
41. Ibid.
42. Ibid., p. 79-80.
43. Hubbell, *Friends in High Places*, p. 56.
44. Ibid., p. 67.
45. Auteursinterview met Nancy Pietrafesa in 2006.
46. Ibid., p. 79.
47. Ibid.
48. Interview van Stephen Labaton van *The New York Times* met Joseph Giroir in 1996.
49. James Merriweather, 'Hillary Clinton Forges Own Passage Forward', *Arkansas Gazette*, 22 juli 22, 1990, p. 1A.
50. Hubbell, *Friends in High Places*, p. 60.
51. Brant Buck memo aan partners van Rose Law Firm, februari 1986.
52. Ibid.
53. Merriweather, 'Hillary Clinton'.
54. Martin Mayer, *The Greatest Ever Bank Robbery*, New York: Macmillan Publishing Co., 1990, p. 31.
55. Robert W. Ray, Eindrapport van IC, Vol. 2, Part B p. 321. Het kantoor hoopte ondertussen dat het door federale toezichthouders ingehuurd zou worden voor de kostbare zuivering van dezelfde bank. Foster vertelde de regering over Giroirs leningen maar niet over het feit dat Rose FirstSouth vertegenwoordigde.
Begin 1987 was de Federal Savings and Loan Insurance Corporation (FSLIC) 'stomverbaasd' dat Rose geboden had voor FirstSouth-zaken en een 'heel ernstige aanklacht' tegen de onderneming indiende. (Hubbell, *Friends in High Places*, pp. 130-131.) Het trio Hillary, Foster en Hubbell begon 'bijna dagelijks' over het probleem te vergaderen. (Ibid., p. 132.)
56. Hubbell, *Friends in High Places*, p. 132.
57. Ray, Eindrapport, Vol. 2, Part B, pp. 325-326.
58. Ibid., p. 329.
59. Haar daden en aansluitende verklaringen riepen vragen op. Later gaf Hillary als reden aan om de boeken te sluiten dat Rule, een van haar partners, 'een memo had rondgestuurd met de vraag dat we niet langer als vertegenwoordiger zouden optreden van hypotheek-banken'. (Verklaring van Hillary Rodham Clinton, 25 april 1998, geciteerd in Eindrapport van IC, Vol. 2, Part A, p. 242.)

Rules memo was echter minder absoluut. Er stond in: 'We willen voorkomen dat we nieuwe of uitgebreidere vertegenwoordigingen op ons nemen van hypotheekbanken' voor het geval de federale overheid het kantoor vraagt om hypothecair werk te verrichten. (Ibid., p. 224.)

Onderzoekers vermoedden dat ze haar werk voor Madison had neergelegd omdat de bank, die geleid werd door James McDougal, een vriend van Bill die ook zakenpartner van het echtpaar was in een investering genaamd Whitewater, in de problemen zat. (Auteursinterview met voormalige OIC-functionarissen, in 2006.) Haar man had een paar dagen daarvoor een onderhoud gehad over de situatie van Madison. Maar Hillary ontkende elk verband. Toen erop werd aangedrongen, zei ze dat de 'duidelijke boodschap' van Rules memo inhield 'dat er als je niets zou doen, en er was, weet je, geen reden om de bank verder te vertegenwoordigen, dan moeten we er nog eens naar kijken'. (Ray, Eindrapport, Vol. 2, Part A, p. 242). Een advocatenkantoor dat naar Hillary's beslissing uit 1986 keek om zich niet meer met Madison bezig te houden, zei dat 'het vreemd leek' dat ze geld terugstuurde naar de bank evenals de betaling van juli maar die 'niet gebruikte voor de uitstaande rekening van 2160 dolar'. (Memo van maart 1994 van Pillsbury Madison & Sutro geschreven in verband met hun verslag van 1995 voor de Resolution Trust Corporation.)

60. www.hillaryclinton.com/about/mom/ geraadpleegd op 21 januari 2007.

## 5 Investering 101

1. Sharon LaFraniere en Charles Babcock, 'Whitewater Study Shows How Clintons' Burden Eased', *The Washington Post*, 29 juni 1995, p. A4.
2. Clinton, *Living History*, p. 87, en McDougals interview met de FBI, Form 302, transcript van 3 oktober 1996, p. 2.
3. Clinton, *Living History*, p. 88.
4. Ibid.
5. Voorlopig verslag door Pillsbury Madison & Sutro voor Resolution Trust Corporation, 25 april 1995, p. 18.
6. McDougal FBI 302, transcript van 3 oktober 1996, p. 18.
7. Clinton, *My Life*, p. 287.
8. Auteursinterview met William Rempel in 2006. Rempel hoorde toevallig Dorothy Rodhams opmerking over het huilen van Hillary in Little Rock in 1992.
9. Clinton, *My Life*, pp. 284-285.
10. Auteursinterview met Jim McDougal in 1992.
11. Clinton, *Living History*, p. 89.
12. Hubbell, *Friends in High Places*, p. 85.
13. Clinton, *Living History*, p. 90.
14. John Brummetts interview op 25 juni 2000 voor het archief van het David and Barbara Pryor Center for Arkansas Oral and Visual History aan de Universiteit of Arkansas, Fayetteville.
15. Ibid.
16. Ibid.
17. Clinton, *My Life*, p. 283, en Clinton, *Living History*, p. 90.
18. Auteursinterview met Nancy Pietrafesa in 2006.

19. Clinton, *Living History*, p. 90.
20. Clinton, *My Life*, p. 195.
21. Auteursinterview met Vernon Jordan in 2006.
22. Clinton, *Living History*, p. 91.
23. Ibid., p. 93.
24. Auteursinterview met Nancy Pietrafesa in 2006.
25. Charles F. Allen en Jonathan Portis. *The Comeback Kid: The Life and Career of Bill Clinton*, New York: Birch Lane Press, 1992. p. 84.
26. Clinton, *Living History*, p. 94.
27. Roy Reed, 'I Just Went to School in Arkansas', deel uit Ernest Dumas (red.). *The Clintons of Arkansas*, Fayetteville, Arkansas: University of Arkansas Press, 1993, p. 103.
28. Clinton, *My Life*, p. 308.
29. Portis en Allen, The *Comeback Kid*, p. 88.
30. Clinton, *My Life*, p. 311.
31. Portis en Allen, *The Comeback Kid*, p. 92.
32. Meredith Oakley, *On the Make: The Rise of Bill Clinton*, Washington D.C.: Regnery Publishing, 1994, p. 277.
33. Ibid., p. 390.
34. Clinton, *Living History*, p. 95.
35. Dick Morris, met Eileen McGann, *Rewriting History*, New York: Regan Books, 2004, p. 108.
36. www.hillaryclinton.com/about/ geraadpleegd 20 januari 2007.
37. Portis en Allen, *The Comeback Kid*, p. 208.
38. Blant Hurt, 'Mrs. Clinton's Czarist Past', *The Wall Street Journal*, 19 maart 1993, p A10, en David Brock, *The Seduction of Hillary Rodham*. New York: Free Press Paperbacks, 1996, p. 174. Beiden citeren uit een onderzoek uit 1988 onder docenten uit Arkansas door de Winthrop Rockefeller Foundation. Zelfs Clintons verkiezingscampagne van 1992 schrok ervoor terug om een deel van de onderliggende gegevens bekend te maken over de toetscriteria, een gevolg van het minderwaardigheidscomplex waar de inwoners van Arkansas soms last van hebben. Toen een verslaggever van een nationale nieuwsorganisatie vroeg of ze een kopie van de toets mocht zien die gebruikt werd om docenten hun bevoegdheid toe te kennen, raadden verkiezingsmedewerkers de publicatie daarvan af: 'Arkansas zou uitgelachen gaan worden omdat de vragen zo gemakkelijk zijn.' (Memorandum van Deborah Waltz aan de verkiezingsmedewerkers van Clinton, 7 april 1992).
39. Haynes Johnson en David S. Broder, *The System*, New York: Little, Brown and Company, 1996, p. 100.
40. Voorlopig verslag door Pillsbury Madison & Sutro.
41. Transcript van de persconferentie van Hillary Rodham Clinton op 22 april 1994 in het Witte Huis.
42. Ibid.
43. Ray, Eindrapport, Vol. 2, Appendix 5, pp. i-xv.
44. Ibid., Part A, p. 97.
45. Ibid., p. 68.
46. Brief van Jim McDougal aan de Clintons, 14 november 1986 in Ray, Eindrapport, Vol. 2, Part A, p. 66.
47. Clinton, *Living History*, p. 197.

48. Ibid.
49. Ibid.
50. Ray, Eindrapport, Vol. 2, Part A, p. 69.
51. Clinton, *Living History*, p. 198.
52. Ibid.
53. Ibid., p. 198.
54. Auteursinterview met medewerker van Hillary in 1994.
55. Auteursinterview met Nancy Pietrafesa in 2006.
56. Jim Blair, interview met Stephen Engelberg van *The New York Times* in 1994.
57. Ibid.
58. Ibid.
59. Ibid.
60. Stephen Engelberg, 'Hillary Clinton Escaped Collapse in the Market that Cost Many Fortunes', *The New York Times*, 3 april 1994, p. 16.
61. Ibid.
62. Ibid.
63. Stephen Engelberg interview van *The New York Times* met James Blair in 1994.
64. Ibid.
65. Stephen Labaton. 'Hillary Clinton Turned $1,000 into $99,540, White House Says', *The New York Times*, 30 maart 1994, p. A1.
66. Stephen Engelberg van *The New York Times* met James Blair in 1994.
67. Ibid.
68. Clinton, *My Life*, p. 272.
69. Clinton, *Living History*, p. 86.
70. Auteursinterview met Nancy Pietrafesa in 2006.
71. Ibid.
72. Transcript van persconferentie van Hillary Rodham Clinton op 22 april 1994 in het Witte Huis.
73. Uitspraak van Leo Melamed, 11 april 1994.
74. Stephen Engelberg, 'New Records Outline Favors for Hillary Clinton on Trades', *The New York Times*, 27 mei 1994, p. A20.
75. Uitspraak van Leo Melamed, 11 april 1994.

## 6 Invloed

1. *Washington Lawyer*, October 2002; interview met Marna Tucker.
2. Auteursinterview met Kelly Waldron, afdeling Openbare Zaken, Yale rechtenfaculteit, in 2006. Hillary studeerde een jaar later af dan oorspronkelijk de bedoeling was.
3. Afdeling onderwijs, Kantoor burgerrechten, gegevens 2006.
4. Auteursinterview met Brooksley Born in 2006; Little Rock L.J. 869, Frances Mitchell Ross, 'Reforming the Bar: Women and the Arkansas Legal Profession'.
5. Frances Mitchell Ross, 'Reforming the Bar: Women and the Arkansas Legal Profession', *University of Arkansas at Little Rock Law Journal*, Vol. 20, zomer 1988, p. 869.
6. Auteursinterview met Brooksley Born in 2006.
7. Auteursinterview met Yale rechtenfaculteit woordvoerster in 2006.

8. *Aba journal*, april 1986.
9. Auteursinterview met Eugene Thomas in 2006.
10. Ibid.
11. Ibid.
12. Clinton, *Living History*, p. 83.
13. Auteursinterview met Eugene Thomas in 2006.
14. David Brock, *The Seduction of Hillary Rodham*.
15. Auteursinterview met Harriet Wilson Ellis in 2006.
16. Auteursinterview met Mickey Kantor in 2006.
17. Ibid.
18. Hillary Rodham Clinton, *It Takes a Village*, New York: Simon & Schuster, 1996. pp. 150-151.
19. Vertrouwelijk memorandum aan het dossier van Vincent Foster Jr., 3 september 1986.
20. Clinton, *My Life*, p. 323.
21. Ibid.
22. Ibid.
23. Clinton, *Living History*, p. 108.
24. Jim Guy Tucker. Getuigenis voor de grand jury op 13 maart 1996, zoals geciteerd in Ray, Eindrapport, Vol. 2 Part A, pp. 166-167.
25. Clinton, *Living History*, p. 108.
26. Auteursinterview met Allen Bird in 2007.
27. Memorandum van Vincent Foster aan Jeff Eller, een functionaris van de verkiezingscampagne van Clinton in 1992. 19 maart 1992. Foster hielp de campagne antwoord te krijgen op vragen over Rose Law Firm en hij gaf door wat de vroegere managing partner bij Rose, Joe Giroir, een verslaggever had verteld die hem vroeg naar de herkomst van het beleid.
28. Memorandum van Hillary Rodham Clinton aan leden van Rose Law Firm, gedateerd 29 december 1986.
29. Ibid.
30. Ibid.
31. Ibid.
32. Auteursinterview met Robert Mac Crate in 2006.
33. Auteursinterview met Robert Mac Crate en Harriet Wilson Ellis in 2006.
34. Auteursinterview met Harriet Wilson Ellis in 2006.
35. Ibid.
36. Auteursinterview met Robert Mac Crate in 2006.
37. Ibid.
38. Ibid.
39. Auteursinterview met Lucy Hackney in 2006.
40. Charles R. Babcock en Sharon Lafraniere, 'The Clintons' Finances: A Reflection of Their State's Power Structure', *The Washington Post*, 21 juli 1992, p. A7.
41. Haar herverkiezingscampagne gaf in 2005 vijfduizend dollar terug uit de tijd dat bij Wal-Mart een politieke actiecommissie actief was, nadat een interne bedrijfsmemo openbaar was gemaakt waarin manieren voorgesteld werden om de kosten van arbeidsvoorwaarden terug te snoeien, waaronder een beleid om niet-gezonde mensen te ontmoedigen bij het bedrijf te komen werken. (Beth Fouhy, 'Clinton Quiet About Wal-Mart Ties', Associated Press Online, 10 maart 2006, en Steven Greenhouse en Michael Barbaro, 'Wal-Mart

Memo Suggests Ways to Cut Employee Benefit Costs', *The New York Times*, 26 oktober 26, 2005, p. 1.) En senator Clinton sloeg een verzoek af van juristen die Wal-Mart vervolgden om hen te helpen bij hun principieel proces met de beschuldiging van seksuele discriminatie. (Auteursinterview met juristen betrokken bij de zaak, in 2006.)

42. Clinton, *Living History*, p. 97.
43. Auteursinterview met Harriet Wilson Ellis in 2006.
44. Auteursinterview met Brooksley Born in 2006.
45. 'Women in Law Face Overt, Subtle Barrier'. Rapport van de American Bar Association Commission on Women in the Profession, 1998.
46. 'Bar Condemns Sexual Barriers', *The New York Times*, 11 augustus 1988, p. A21.
47. Ibid.
48. Auteursinterview met Brooksley Born in 2006.
49. Auteursinterview met Robert Mac Crate in 2006.
50. Maraniss, *First in His Class*, p. 44.
51. Auteursinterview met medewerkers van Hillary in 1994 en 2006.
52. Clinton, *My Life*, pp. 334-335. Maar Bill Clinton noemt de gesprekken met Betsey Wright niet.
53. Interview met Dick Morris door Dale Van Atta in 1999.
54. Morris, *Rewriting History*, p. 84.
55. Ibid.
56. Brock, *The Seduction of Hillary Rodham*, pp. 235-236; zie ook Clinton, *My Life*, p. 358, en Maraniss, *First in His Class*, p. 455.
57. Auteursinterview met Ron Fournier in 2007.
58. Ibid.
59. Brock, *The Seduction of Hillary Rodham*, p. 236.
60. Auteursinterview met Ron Fournier in 2007.
61. Ibid.
62. Ibid.
63. Dick Morris, *Behind the Oval Office*, New York: Random House, 1997, p. 63.
64. Brief van David Ifshin, algemeen adviseur van het 'Clinton for President Committee to Federal Election Commission', 10 januari 1992, en Jeff Gerth,' 'The 1992 Campaign: Personal Finances; Wealthy Investment Family a Big Help to Clinton', *The New York Times*, 5 februari 1992, p. 20.
65. ABC's *Prime Time Live*, transcript van een interview met Sheffield Nelson, 30 januari 1992.
66. Ibid., interview met Hillary Rodham Clinton, 30 januari 1992.
67. Ibid.
68. Clinton, *Living History*, p. 198.
69. Ibid.
70. Auteursinterview met Jim McDougal in 1992.
71. Emily Couric, 'Hard to Earn, Harder to Hold', *National Law Journal*. 2 mei 1998, p. 51.
72. Ibid.
73. Auteursinterview met Peggy Cronin Fisk in 2006.
74. Auteursinterview met Anthony Paonita in 2006.
75. Ibid.
76. Auteursinterview met Peggy Cronin Fisk in 2006.
77. Auteursinterview met Doreen Weisenhaus in 2006.

78. Ongedateerde, niet met name genoemde memo uit 1992 van Bill Clintons presidentiële verkiezingscampagne en auteursinterview met voormalige campagnemedewerker van Clinton in 2006.
79. 'The 100 Most Influential Lawyers', *National Law Journal*, 7 juni 2000.
80. Ibid. Hillary's Senaatsverkiezingsteam corrigeerde later de fout.

### TWEE: FIRST LADY

1. Hillary Rodham Clinton, geciteerd in Sheehy, *Hillary's Choice*, p. 245.

## 7 Het 'Defense Team'

1. Auteursinterview met Michael Cook, een campagnemedewerker, door Stephen Engelberg van *The New York Times* uit 1994.
2. Memo van Loretta Lynch aan Segal, Wright en Lyons, Re: *Issues Facing the Defense Team*, 25 maart 1992.
3. Auteursinterview met Diane Blair voor de Archives of David and Barbara Pryor Center for Arkansas Oral and Visual History aan de University of Arkansas, 4 mei 2000.
4. Auteursinterview met David Ifshin uit 1994. Ifshin overleed in 1996.
5. Auteursinterview met een voormalig medewerker uit 2006.
6. Verscheidene auteursinterview met voormalige campagenemedewerkers uit 1994 en 2006.
7. Auteursinterview met Mickey Kantor uit 2006.
8. Ibid.
9. Clinton, *Living History*, p. 103.
10. Verscheidene campagnememo's uit 1992 aan Hillary Clinton.
11. David Halberstam, *War in a Time of Peace*, New York: Scribner, 2001, p. 20.
12. Auteursinterview met een voormalig campagnemedewerker, die zelf in 2006 aanwezig was bij het beluisteren van de tape.
13. Peter Goldman, Thomas M. deFrank, Mark Miller, Andrew Murr en Tom Mathews, *Quest for the Presidency 1992*, College Station TX: Texas A&M University Press, 1994, pp. 43-44.
14. Robert Novak, 'Bland Book May Be Hillary's Attempt to Inoculate Herself', *Augusta Cronicle*, 13 juni 2003, p. A5.
15. Jill Lawrence, 'It's getting Crowded in the Middle', Associated Press, 17 september 1991.
16. Clinton, *My Life*, p. 385.
17. Ibid.
18. Gail Sheely, 'What Hillary Wants', *Vanity Fair*, mei 1992, p. 146.
19. Vertrouwelijke memo van Jack Palladino aan James M. Lyons, 30 maart 1992.
20. Auteursinterview met een voormalig campagnemedewerker uit 2006.
21. Richard L. Berke, James Bennett, Neil A. Lewis en David L.Sanger, 'President Weighs Admitting He Has Sexual Contacts', *The New York Times*, 14 augustus 1998, p. A1.
22. CBS' *60 Minutes*, schriftelijke weergave van het interview met de gouverneur en Hillary. Clinton, 26 januari 1992.
23. Ibid.

24. Ibid.
25. Auteursinterview met Evelyn Shriver uit 2006.
26. Ibid. en interview met Kantor.
27. Auteursinterview met Shriver. Reynolds, die Wynette kende, werkte voor regisseurs uit Hollywood die met Bill en Hillary bevriend waren.
28. Ibid.
29. Clinton, *Living History*, p. 108.
30. Maureen Dowd, 'The Campaign', *The New York Times*, 6 februari 1992, p. A18.
31. Ibid.
32. Auteursinterview met voormalige campagnemedewerkers uit 1996 en 2007.
33. Ibid.
34. Clinton, *It Takes a Village*, p. 43, en Clinton, *Living History*, p. 506.
35. Auteursinterview met voormalige campagnemedewerker uit 1994 en 2007.
36. Ibid.
37. Jeffrey N. Birnbaum, 'Campaign '92: Clinton Received a Vietnam Draft Deferment for an ROTC Program He Never Joined', *The Wall Street Journal*, 6 februari 1992, p. A16.
38. ABC's *Nightline*, schriftelijke weergave van interview met Bill Clinton, 13 februari 1992.
39. Interview met Kantor.
40. Goldman et al., *Quest for the Presidency*, p. 123.
41. Auteursinterview met Jim Wooten uit 2006.
42. Clinton, *My Life*, p. 240.
43. George Stephanopoulos, *All Too Human*, Boston: Little, Brown, 1999, p. 71.
44. Ibid.
45. Clinton, *Living History*, p. 240.
46. Ibid.
47. Auteursinterview uit 2007 met Pat Schubak, woordvoerder van het Selective Service System. Hij voegde daaraan toe dat de enige gegevens die er nog waren, bestonden uit een paar notities in een logboek.
48. Kopieën van de 'Order to Report for Induction', gedateerd 1 april 1969, 'Postponent of Induction', gedateerd 16 mei 1969, en 'Notice of Cancellation of Induction', gedateerd 23 juli 1969. Auteursinterview met voormalige campagnemedewerker uit 2006.
49. 'Clinton Draft-Binder Index', gedateerd 11 april 1992. Auteursinterview met voormalig campagnemedewerker uit 2006. Het was duidelijk dat het hier ging om het origineel, want er stonden datumstempels op van de Selective Service-kantoren in Hot Springs en Little Rock.
50. Brief van Opal Ellis, de secretaris van Local Board 26, Hot Springs Arkansas aan William Jefferson Clinton, 23 juli 1969.
51. John King, 'Clinton Again Ensnarled in Draft Controversy', Associated Press, 5 april 1992; Ralph Frammolino, 'ROTC Officer Unaware of Draft Notice', *Los Angeles Times*, 6 april 1992 p. A15; Dan Balz, 'Clinton is Troubled Anew by Draft Issue', *The Washington Post*, 6 april 1992, p. A15.
52. Auteursinterview met Kantor.
53. Auteursinterview met voormalige campagnemedewerker, 2006, en 'Driving Questions Behind Clinton and the Draft', *Atlanta Journal and Constitution*, 13 september 1992, p. A13.
54. E-mail van Betsey Wright aan Loretta Lynch, 29 april 1992. Re: Bobby Roberts.

55. Memo aan gouverneur Clinton en Betsey Wright van Loretta Lynch, 29 april 1992. Re: The Storage & Handling of Your Selective Service and ROTC Files. Bills brief aan kolonel Holmes was dan wel vernietigd, maar niet voordat iemand een kopie had gemaakt. Dat was de reden waarom de inhoud jaren later in *Nightline* terecht kon komen. Bill moest er dus rekening mee houden dat er ook van andere document kopieën waren gemaakt en bewaard waren gebleven, zeker gezien het feit dat uit deze memo blijkt dat de dossiers van de Selective Service van de staat Arkansas pas in 1989 werden vernietigd.

56. Campagnedocument zonder titel van 3 mei 1992, waarin onder meer een schriftelijke weergave staat van opmerkingen en argumentatie van ene 'BW', vermoedelijk Betsey Wright, gemaakt op 2 mei. Auteursinterview met voormalig campagnemedewerker uit 2007. Betsey Wright weigerde verscheidene verzoeken van de auteurs om haar zelf voor dit boek te mogen interviewen. In eerste instantie zei ze dat ze de campagne van 1992 niet opnieuw wilde bediscussiëren. Toen bekend werd dat er bewijs was dat Hillary een rol had gespeeld in de campagne, onder meer met betrekking tot de dienstplicht van Bill, mailde ze terug dat Hillary 'tijdens de campagne van 1992 niet betrokken was bij mijn dagelijkse werk aangaande de aanvallen op Bill Clinton'. Ze schreef ook dat '[Hillary] nooit betrokken was geweest bij enig gesprek over de Selective Service waaraan ik ook deelnam. Behalve over aanvallen op haar en haar gezin, herinner ik me geen enkele conversatie met haar.' Op verdere vragen om een nadere verklaring gaf ze geen antwoord.

57. Auteursinterview met voormalig campagnemedewerker uit 2006.

58. Ibid. Het document biedt verder geen uitleg over waarom de verklaring niet werd vrijgegeven.

59. William Rempel, 'Induction of Clinton Seen Delayed by Lobbying Effort', *Los Angeles Times*, 2 september 1992, p. 1.

60. *Los Angeles Times*, 6 april 1992, p. A15.

61. Interview met Kantor; fax van Michael Tigar aan Hillary Rodham Clinton, 5 mei 1992 en e-mail van Betsey Wright aan Loretta Lynch van 1 mei 1992 over dat er gewacht moet worden met het inschakelen van een dienstplichtadvocaat tot 'Bill en Hillary daar toestemming voor hebben gegeven'.

62. Memo van van Loretta Lynch en Jennifer Chang aan gouverneur Clinton en Betsey Wright, 24 april 1992. Re: The effect of Pending Induction Notice on ROTC Eligibility in 1969.

63. Ibid.

64. Brief van Opal Ellis, 23 juli 1969.

65. Ibid.

66. Ibid., e-mail van Betsey Wright aan Loretta Lynch, 1 mei 1992; auteursinterview met voormalig campagnemedewerker uit 1992.

67. E-mail van Betsey Wright aan Loretta Lynch, 6 mei 1992. Ray weigerde een interview.

68. E-mail van Loretta Lynch aan Betsey Wright, 6 mei 1992.

69. Ibid.

70. William C. Rempel, 'GOP Official Was Lobbied Over Clinton Draft Notice', *Los Angeles Times*, 19 september 1992, p. 1.

71. Ibid.

72. Ibid. en auteursinterview met William Rempel uit 2006.

73. Maraniss, *First in His Class*, pp. 149-205.

74. Rempel, 'GOP Official'.

75. Roberto Suro, 'The 1992 Campaign: Candidate's Record', *The New York Times*, 19 september 1992, p. 1.
76. Randall B. Woods, 'The Fulbright Files – Nothing There to Damage Clinton', *The Washington Post*, 16 februari 1992, p. c7.
77. Chronologie rond Clintons dienstverleden van de campagnestaf van Clinton, 7 april 1992 en auteursinterview met voormalig campagnemedewerker uit 2006.
78. Auteursinterview met een e-mail van Vera Ekechukwy, Fulbright Papers Research Assistant, Bibliotheek van de University of Arkansas, uit 2007. Auteursinterview met voormalig campagnemedewerker uit 2006. Andere correspondentie van Lee Williams is in de archieven te vinden. Williams zei in een interview met een van de auteurs in 2007 ook dat zijn correspondentie met Bill zich in de Fulbright-collectie zou moeten bevinden.
79. Chronologie rond Clintons dienstverleden, 7 april 1992.
80. Ibid.
81. Ibid.
82. Ibid.
83. Ibid.
84. Auteursinterview met Lee Williams uit 2007.
85 Chronologie rond Clintons dienstverleden, 7 april 1992.
86. Clinton. *My Life*, pp. 159-160.
87. Chronologie rond Clintons dienstverleden, 7 april 1992.
88. Ibid.
89. Lijst van het campagneteam van Clinton, gedateerd februari 1992, met daarop 'twaalf onbeantwoorde vragen' voor Dee Dee Myers; memo getiteld: 'Unanswered Questions/ Gaps/Inconsistencies' en Chronologie rond Clintons dienstverleden, 11 april 1992. Het niet publiek gemaakte deel van de chronologie bevatte ook een aantekening van 2 december 1969 aangaande Bill Clintons inschrijving bij Yale Law School, waarin hij 'zijn status vermeldt als 1-D' ofwel met uitstel. Dat was gebaseerd op een verklaring van 1 augustus 1969, maar de chronologie toont ook aan dat op zowel 1 augustus 1969 als 2 december 1969 zijn status 1-A was, oproepbaar voor de dienstplicht. Auteursinterview met voormalig campagnemedewerker uit 2006.
90. Ibid.
91. 'Clinton to be at debate, despite Bush "Stonewall"', Associated Press, 14 september 1992, uit *Chicago Tribune*, p. c4.
92. Kevin Sack en Jeff Gerth, 'The 1992 Campaign: The Favors Done for Quayle; a New Look at Guard Stint', *The New York Times*, 20 september 1992, p. 1.
93. Interview met Diane Blair voor de Archives of the David and Barbara Pryor Center for Arkansas Oral and Visual History aan de University of Arkansas, Fayetteville, 4 mei 2000.
94. Ibid.
95. Ibid.
96. Ibid.
97. Interview met Kantor, 2007.

## 8 Het 'enige stomme idiote...'

1. Hubbell, *Friends in High Places*, p. 137.
2. Memo van Betsey Wright naar gouverneur Clinton, 14 juli 1986, waarin ze schrijft dat ze 'zich zorgen maakt' over de investering in Whitewater. Bill antwoordde: 'Nee, die heb ik niet meer.'
3. Getuigenis van Jim McDougal voor de grand jury in 1997, geciteerd in Ray, Eindrapport, Vol. 2, Part A, p. 6.; Jim McDougal en Curtis Wilkie, *Arkansas Mischief*, New York: Henry Hole, 1998, p. 113.
4. Clinton, *Living History*, p. 87.
5. Getuigenis van William Kennedy III voor de grand jury op 17 december 1997, geciteerd in Ray, Eindrapport, Vol. 2, Part A, p. 71, en auteursinterview met een voormalig advocaat uit Little Rock uit 1994.
6. Memo van Loretta Lynch aan Segal, Wright en Lyons, 25 maart 1992. Re: Issues Facing the Defense Team.
7. Dat McDougal wel wilde praten en waar hij te vinden was, hoorde Gerth van Sheffield Nelson, een toegewijde tegenstander van Bill en een Republikein, die in 1990 de verkiezingen voor het gouverneurschap van Arkansas verloor. McDougal en Nelson waren voormalige zakenpartners die het verhaal vooral in de openbaarheid wilden brengen om te voorkomen dat Clinton tot president zou worden gekozen. Nelson, een advocaat uit Little Rock, was de enige persoon van wie McDougal dacht dat hij Clinton in Arkansas in politieke moeilijkheden zou kunnen brengen. Zie gesprek Jim McDougal met de FBI, Form 302, vastgelegd op 9 juni 1997, pp. 61-62.
8. Een paar uur later, nadat Gerth een groot deel van het dossier over Madison had gekopieerd, kwam er een aantal advocaten van het Securities Department. Ze zeiden dat een aantal documenten, waaronder de correspondentie met Rose, maar beter niet in de openbaarheid kon worden gebracht. Gerth maakte bezwaar en na een aantal uren van beraadslagingen bonden de advocaten in en kon Gerth met zijn documenten vertrekken.
9. Getuigenis van Joe Madden voor de grand jury op 4 november 1997, geciteerd in Ray, Eindrapport, Vol. 2, Part B, pp. 365-366.
10. Ray, Eindrapport, Vol. 2, Part B, p. 366.
11. De campagnemedewerker, Loretta Lynch, maakte notities tijdens het gesprek. Daaruit blijkt dat Hubbell zei: 'HRC bracht het [Madison] bij het kantoor.' Zijn onderzoek van de declaraties wees ook uit dat Hillary slechts 'minimaal contact' had gehad met de Securities Commissioner. Memo van Loretta Lynch aan David Wilhelm en Bruce Reed, 18 februari 1992, document van Independent Counsel nummer 263-00000352.
12. Notities van een telefoongesprek op 20 februari 1992 tussen Yoli Redden en Hillary Rodham Clinton, DKSN 025449, zoals geciteerd in de getuigenis onder ede van Yoli Redde door het Senate Whitewater Committee, afgenomen op 30 mei 1996, 9 171.
13. Auteursinterview met Susan Thomases uit 1992 en de getuigenis van Susan Thomases voor de grand jury op 2 februari 1996, als geciteerd in Ray, Eindrapport, Vol, 2, Part B, p. 370.
14. Auteursinterview met Richard Massey uit 1992 en getuigenis van Richard Massey voor de grand jury op 3 december 1997, als geciteerd in Ray, Eindrapport, Vol. 2, Part B, p. 454.
15. Auteursinterview met voormalige campagnemedewerkers uit 1994, 2005 en 2006.
16. Ibid.

17. Gesprek van Jim McDougal door de FBI, Form 302, zoals vastgelegd op 9 juni 1997, p. 62.
18. Wat betreft het inhuren van Rose door Madison, herhaalde Thomases dat Massey daarvoor verantwoordelijk was. (Auteursinterview met Susan Thomases uit 1992.) Later instrueerde Thomases ook Lynch om in het openbaar vol te houden dat Massey Madison als cliënt had binnengebracht, hoewel Lynch uit zowel haar eigen gesprek met Massey als uit verder onderzoek wist dat dit verhaal niet was vol te houden. Zie de getuigenis van Loretta Lynch voor de grand jury van 1 februari 1996, als geciteerd in een memo van 22 april van HRC-team aan alle OIC-juristen, pp. 82-83.
19. Handgeschreven notities van Susan Thomases van 4 maart 1992 van haar conversatie met Hillary Rodham Clinton. Zie Ray, Eindrapport, Vol. 2, Part B, p. 370.
20. Notities van Susan Thomases van 4 maar 1992 van haar conversatie met Bill Clinton. Zie Ray, Eindrapport, Vol, 2, Part B, p. 380.
21. Jeff Gerth, 'Clintons Joined S&L Operator in an Ozark Real Estate Venture', The New York Times, 8 maart 1992, p. 1. Toen Gerth die vrijdagavond laat naar Washington terugkeerde, zag hij de gepubliceerde editie van het artikel niet voordat het zaterdagmiddag al in de eerste editie van de krant stond. Tot zijn schrik was het door de redactie geredigeerd en daarbij was er een aantal fouten ingeslopen. Hij paste de tekst gauw aan voor de later edities. De titel zag hij nooit. Die werd verzonnen door redacteuren in New York.
22. Getuigenis van Loretta Lynch voor de grand jury op 1 februari 1996, als geciteerd op 22 april 1998 in een memo van HRC-team aan alle OIC-juristen, p. 82.
23. Clinton Campaign Fact Sheet on Whitewater Development, 8 maart 1992, documentnummer LML 0075. Hillary vond het artikel naar verluidt 'totaal onjuist'. Zie Goldman et al., Quest for the Presidency 1992, p. 183. Gerths artikel over Whitewater ging niet over hoe of waarom Madison klant werd van Hillary en haar advocatenkantoor. Gerth kwam een paar dagen later in een ander artikel op dat onderwerp terug, maar een redacteur in Washington zei dat de redactie in New York vond dat een tweede artikel het 'er te dik op zou leggen' en plaatste het niet.
24. Auteursinterview met voormalige campagnemedewerker uit 2006.
25. Ibid.
26. Memo van Loretta Lynch en Jonathan Foster aan Hillary Rodham Clinton et al., 23 april 1992 Onderwerp: Answers to The Washington Post on Finances; memo van Betsey Wright aan Jonathan Foster, 17 april 1992.
27. Michael Weisskopf, 'Lawyer Will Review Arkansas Land Deal', The Washington Post, 12 maart 1992, p. AI, en Michael Weisskopf en David Maraniss, 'The Uncertain Intersection: Politics and Private Interests. Hillary Clintons Law Firm is Infuential with State', The Washington Post, 15 maart 1992, p. AI.
28. Goldman et al., Quest for the Presidency 1992, p. 193.
29. David S. Broder en Edward Walsh, 'Sharp Exchange Marks Democratic Debate: Brown Rakes Clinton in Wife's Law Firm', The Washington Post, 16 maart 1992, p. AI.
30. Ibid.
31. Andrea Mitchell, Talking Back, New York: Viking, 2005, pp. 184-185.
32. Ibid.
33. Clinton, Living History, p. 109.
34. Ibid.
35. Paul Begala in een interview met ABC News en PBS' Frontline, 2000, zie www.pbs.org/wgbh/pages/frontline/shows/clinton/interviews/begala.html

36. Ibid.
37. Ibid.
38. Ibid.
39. Mitchell, *Talking Back*, pp. 184-185.
40. Interview met Paul Begala.
41. Clinton, *Living History*, p. 110.
42. Goldman et al., *Quest for the Presidency 1992*, pp. 657-664.
43. Christina Cheakalos, 'Election 92: The Republican Convention, Republicans Take Aim at Mrs, Clinton, Candidate's Wife Seen as Dangerous Feminist', *Atlanta Journal Constitution*, 19 augustus 1992, p. A10.
44. Rapport van James Lyons, 23 maart 1992.
45. Campagnememo 'Post Questions Yet Unanswered After The wwDC Release', 24 maart 1992; getuigenis van Loretta Lynch voor de grand jury van 1 februari 1996, als geciteerd in Ray, Eindrapport, Vol. 2, Part B, p. 373; Weisskopf en Maraniss, 'The Uncertain Intersection'; Memo van HRC-team aan alle OIC-juristen, 22 april 1998. Re: Summary of Evidence ... Hillary Rodham Clinton and Webb Hubbell.
46. Handgeschreven commentaar van Hillary Clinton op eerste versie van voorgestelde antwoorden, als geciteerd in Ray, Eindrapport, Vol. 2, Part B, p. 391, en auteursinterview met voormalig campagnemedewerker uit 2006.
47. Getuigenis van Loretta Lynch voor de grand jury van 1 februari 1996, als geciteerd in Ray, Eindrapport, Vol. 2, Part B, p. 373.
48. Clinton Campaign Document, ongedateerd, geschreven op computer van Vince Foster, als geciteerd in Ray, Eindrapport, Vol. 2, Part B, pp. 396-397.
49. Interview met Kantor.
50. National Public Radio, *All Things Considered*, interview met Hillary Rodham Clinton, 23 maart 1994.
51. Ray, Eindrapport, Vol. 1, p. 136; gesprek van Webb Hubbell met OIC. Form 302, vastgelegd op 10 april, 1995.
52. Charles Babcock en Sharon LaFraniere, 'The Clintons Finances', *The Washington Post*, 21 juli 1992, p. A7.
53. E-mail van Betsey Wright aan Loretta Lynch, 15 april 1992.
54. Uitlatingen van Bill Clinton, gedaan op 6 juli 1999 in Clarksdale, Mississippi. Uit: Public Papers of the President.
55. Memo van Loretta Lynch en Jonathan Foster aan Hillary Rodham Clinton et al., 23 april 1992, 'Answers to *The Washington Post* on Finances' en memo van Betsey Wright aan Jonathan Foster, 17 april 1992. Het campagneteam vertelde in april aan de *Post* dat 'er steeds weer werd gerefereerd aan Hillary's correspondentie rond Elk Horn, maar niet aan enige poging die ze zou hebben gedaan om een akkoord te krijgen van de staat'. De *Post* had de commissaris bankzaken van Arkansas geïnterviewd en in de krant geciteerd. Hij zei dat Hillary het met hem had gehad over de doelstelling van de Southern Development en 'hem had gebeld toen de vertegenwoordigers van het bedrijf naar de stad waren gekomen, maar zich had verontschuldigd op grond van een dubbele afspraak, waardoor ze hen niet persoonlijk aan hem kon voorstellen'. (Wright aan Foster, 16 mei 1992.)
56. Memo van Loretta Lynch aan Hullary Clinton, 16 mei 1992, Re: Conversation with Webb Hubbell Re: SDB.

57. Ibid. en aantekeningen van Loretta Lynch, 11 mei 1992. Re: Telephone Conversation with Hubbell.
58, Ibid.
59. Ibid.
60. Ibid.
61. Memo van Loretta Lynch aan Hillary Clinton, 16 mei 1992.
62. Stephen Labaton, 'Former Aide to Clinton Testifies He Took Files', *The New York Times*, 8 februari 1996, p. B10, en Ray, Eindrapport, Vol 1. p. 136 en gesprek Webb Hubbell met OIC, Form 302, vastgelegd 10 april 1995. Hubbell overhandigde deze en andere dossiers van Rose later aan de advocaten van Clinton, die ze weer teruggaven aan Rose.
63. E-mail van Betsey Wright aan Loretta Lynch, 1 mei 1992.
64. Opmerkingen van Loretta Lynch tijdens een college aan Princeton University, HUM 445 'Investigative Reporting', gegeven door Jeff Gerth, 8 maart 2004. Lynch zou later werken voor verscheidene Democratische ambtsdragers in Clalifornië, onder wie senator Dianne Fernstein en gouverneur Gray Davis.
65. Auteursinterview met Charles Babcock uit 2006, en auteursinterview met Susan Thomases uit 1992.
66. Auteursinterview met voormalig campagnemedewerker uit 1994.
67. Gesprek van Jim McDougal met de FBI, Form 302, vastgelegd 3 oktober 1996, p. 13.
68. Stephen Engelberg, 'The Man Clinton Turns to in Times of Turmoil and Moments of Doubt', *The New York Times*, 5 juli 1994, p. A10.
69. Gesprek van Jim McDougal met de FBI, Form 302, vastgelegd 27 juli 1995, p. 1.
70. Rose Law Firm Document Number 003624-25, ter beschikking gesteld door Resolution Trust Corporation. Zie p. 137 van ontwerprapport van 25 april 1995 door Pilsbury, Madison & Sutro voor RTC, 25 april 1995.
71. Ray, Eindrapport, Vol 1., p. 134.
72. Deze documenten werden later door de aanklagers gebruikt om een deel van Hillary's verhaal in twijfel te trekken over hoe Madison als cliënt bij het advocatenkantoor was binnengebracht. Ray, Eindrapport, Vol. 1, pp. 140-141 en Vol. 2, Part B, pp. 103-104 en 113-114.
73. Dossiers die na zijn dood in Fosters kantoor werden gevonden.
74. Webb Hubbell vertelde later aan de FBI dat, voordat ze naar Washington zouden gaan, de Clintons iedere financiële band met McDougal permanent wilden verbreken. (Gesprek van Webb Hubbell met de FBI, Form 302, vastgelegd 17 april 1995, p. 6.)
75. Brief van Jim Blair aan Sam Heuer, 16 maart 1992.

## 9 'Welkom in Washington'

1. Johnson en Broder, *The System*, pp. 105-106.
2. Clinton, *My Life*, p. 482.
3. 'Hillary Clinton Issues a Call to Doctors', *Hotline*, 11 juni 1992, en *American Health Line*, 11 juni 1993. Misschien onderschatte ze haar geloofsbrieven enigszins. Ze had bijvoorbeeld al eens in Arkansas een adviescommissie geleid die zich bezighield met zorgvoorziening op het platteland.
4. Dana Priest, 'First Lady's Taksforce Breaks New Ground', *The Washington Post*, 27 januari 1993, p. A6.

5. Clinton, *Living History*, p. 144.
6. Clinton, *Living History*, p. 149.
7. Hubbell, *Friends in High Places*, p. 4.
8. Priest, 'First Lady' Task Force'.
9. Auteursinterview met iemand uit de vriendenkring van Hillary uit 2006.
10. Clinton, *Living History*, p. 133.
11. Paul Bedard, 'First Lady's Task Force Broke Law on Secrecy,' *Washington Times*, 29 januari 1993, p. A1.
12. Ibid.
13. Clinton, *Living History*, p. 154.
14. 'Secret or secretive…' Peter Flaherty en Timothy Flaherty, *The First Lady*, Lafayette, LA: Vital Issues Press, 1995, p. 192.
15. Clinton, *Living History*, pp. 152-154.
16. Auteursinterview met Leon Panetta uit 2006.
17. James A. Baker III, *Work Hard, Study… and Keep Out Of Politics!*, New York: G.P. Putnam & Sons, 2006, p. 333.
18. Interview met Leon Panetta.
19. CNN's *Larry King Live*, interview met Hillary Rodham Clinton, 29 april 1997.
20. Marian Burros, 'Hillary Clinton's New Home: Broccoli's In, Smoking's Out', *The New York Times*, 2 februari 1993, p. A1.
21. Clinton, *Living History*, p. 171.
22. Ann Hodges, 'Couric Scores Big Coup with First Lady Interview', *Houston Chronicle*, 8 juni 1993, p. 1.
23. Clinton, *My Life*, p. 519.
24. Travel Office Memorandum van Eric Dubelier en Kimberly Nelson Brown aan Kenneth W. Starr en alle OIC-juristen, 4 december 1996.
25. Ibid., pp. 329-331.
26. Ibid., pp. 105-106.
27. Ibid., p. 104.
28. Ibid.
29. 'Who is Vince Foster?' *The Wall Street Journal*, 17 juni 1993, p. A10.
30. Travel Office Memorandum, 4 december 1996, p. 304.
31. Ibid., p. 306.
32. Ibid., p. 337.
33. Clinton, *Living History*, p. 172.
34. David Gergen, *Eyewitness to Power*, New York: Simon & Schuster, 2000, p. 292.
35. Auteursinterview met een belangrijke voormalig medewerker van de regering-Clinton uit 2006.
36. Ibid.
37. Gergen, *Eyewitness to Power*, p. 268.
38. Ibid., p. 275.
39. Travel Office Memorandum, 4 december 1996, p. 127.
40. Hubbell, *Friends in High Places*, p. 194.
41. Ibid., p. 212.
42. Auteursinterview met voormalig medewerker van het OIC uit 2006.
43. Auteursinterview met medewerker van het Witte Huis uit 1997.

44. Hubbell, *Friends in High Places*, p. 259.
45. Clinton, *Living History*, p. 174.
46. Hubbell, *Friends in High Places*, pp. 232-233.
47. Ibid.
48. Ibid.
49. Ibid.
50. Clinton, *Living History*, p. 174.
51. Auteursinterview met voormalig campagnemedewerker, 2006.
52. Clinton, *Living History*, p. 175.
53. Ibid.
54. Hubbell, *Friend in High Places*, pp. 232-234.
55. Ibid.
56. Ibid.
57. Ibid.
58. Ibid., Clinton, *Living History*, p. 175.
59. IC Report on the Death of Vincent W. Foster, Jr., van het OIC in Re: Madison Guaranty Savings and Loan Association, gearchiveerd op 10 oktober 1997 in de District Court of Appeals ten behoeve van de District of Columbia Circuit, pp. 106-107.
60. Jeff Gerth en Stephen Engelberg, 'Documents Show Clintons Got Vast Benefit From Their Partner in Whitewater Deal', *The New York Times*, 16 juli 1995, p. 18.
61. Clinton, *Living History*, p. 178.
62. Auteursinterview met Robert Fiske, 2006.
63. Report on the Death of Vincent W. Foster, pp. 103-104.
64. Auteursinterview met Kenneth Starr, 2007.
65. Report on the Death of Vincent W. Foster, p. 104. Volgens een medewerker van het OIC tijdens een auteursinterview in 1997 werd in een eerdere versie van het rapport nader op deze zaken ingegaan. Wat nog meer onduidelijkheid schiep rond de geestesgesteldheid van Foster, was de ontdekking in de zomer van 1997 van een koffer in de kelder van Fosters huis in Little Rock. Hierin zaten documenten die heimelijk waren weggenomen uit de archieven op het kantoor van Rose Law Firm. Onder die documenten waren de declaratiegegevens rond Madison en andere documenten die Starr later zou gebruiken om een cruciaal deel ter discussie te stellen van het verhaal dat Hillary vertelde over hoe Madison cliënt van Rose was geworden. Uit de documenten, die pas een paar weken nadat het rapport over Fosters dood was afgerond werden ontdekt, bleek dat Fosters zorgen meer te maken hadden met Hillary dan eerder gedacht. Een jurist van het OIC zei dat Starr de moeilijkheden van Foster vast anders had ingeschat als de documenten eerder waren ontdekt. (Auteursinterview met voormalig jurist van het OIC uit 2006.)
66. Report on the Death of Vincent W. Foster, p. 99.
67. Auteursinterview met Loretta Lynch uit 1994.
68. Ibid.
69. Hubbell, *Friends in High Places*, p. 254.
70. Auteursinterview met voormalig medewerker van het OIC uit 2006.
71. Auteursinterview met John Henry en Ann Crittenden uit 2007. Branch zei in een auteursinterview in 2007 dat hij zich het gesprek 'niet herinnerde', maar dat hij 'het ook niet ontkende'. Hij gaf toe dat hij Henry en Crittenden kende en dat hij vaak in Aspen was geweest. Branch weigerde het echter over Bill of Hillary te hebben. Dat zou volgens

hem 'stom' zijn, want hij was zelf een boek aan het schrijven over het presidentschap
van Bill.
72. Julie Bosman, 'Historian Plans Book From Chats With Clinton', *The New York Times*,
22 maart 2007, p. EI, en auteursinterview met Taylor Branch, 2007. Bill Clinton schreef
in zijn autobiografie dat het project voor orale geschiedenis in 1993 begon. (Clinton, *My
Life*, p. ii.)
73. Auteursinterview met John Henry uit 2007.
74. Johnson en Broder, *The System*, p. 141.
75. Ibid., p. 182.
76. Clinton, *Living History*, p. 198.
77. Interview met Kantor, 2006.
78. Vertrouwelijke memo van Sara Rosenbaum et al. aan Hillary Rodham Clinton et al., Re:
Legislative Specifications for the President's National Health Reform Plan, 3 juni 1993.
79. Johnson en Broder, *The System*, p. 163.
80. Greg Steinmetz, 'Insurance-Clinton-Health-Plan Casualty: The Health Insurance Agent',
*The Wall Street Journal*, 17 november 1993.
81. Johnson en Broder, *The System*, p. 264.
82. Ibid., p. 102.
83. Ann Devroy, 'First Lady Defends Role She Calls a "Partnership"', *The Washington Post*, 1
oktober 1995, p. AI.
84. Clinton, *Living History*, p. 248.

## 10  De school van de kleine stapjes

1. Auteursinterview met iemand uit Hillary's vriendenkring uit 2006.
2. Auteursinterview met Neel Latimore uit 2006.
3. Ibid.
4. Clinton, *Living History*, pp. 209-210.
5. 'Whitewater: White House Discloses Christmas Eve Subpoena', *The Hotline*, 6 januari
1994.
6. Clinton, *Living History*, p. 211. Hillary voegde daaraan toe dat toen Dole had gehoord
hoezeer zijn woorden Bill hadden gekwetst, hij hem in een brief zijn verontschuldigingen
aanbood.
7. Clinton, *My Life*, p. 574, en auteursinterview met drie vrienden van de Clintons uit 1998,
2006 en 2007.
8. Clinton, *My Life*, p. 374.
9. Clinton, *Living History*, pp. 216 en 144
10. Ibid., p. 245.
11. Auteursinterview met Robert Fiske uit 2006. Dit was Fiskes eerste officiële interview met
een journalist over zijn onderzoek.
12. Ibid.
13. Auteursinterview met Kenneth Starr uit 2007. Starr voegde eraan toe dat het onderzoek
rond Lewinsky voortkwam uit initiatieven van de minister van Justitie, alsmede de statu-
taire structuur die aan de functie van onafhankelijk aanklager ten grondslag lag. Die was
in de loop der tijd in onbruik geraakt, maar het Congres herstelde hem weer in ere toen

Fiske in 1994 door de minister van Justitie was uitverkoren. Het statuut voorzag echter inderdaad in een speciale raad van federale rechters, die gerechtigd waren de onafhankelijke aanklager te benoemen.

14. Ray, Endrapport, Vol. 1., Appendix 5, pp. xlvii-xlix.
15. Ibid.
16. Ze besprak bijvoorbeeld Hubbells advieswerk met de Californische vastgoedmiljardair Eli Broad. Hij zei tegen haar dat hij Hubbell zou bellen, wat hij ook deed. De SunAmerica Corporation van Broad was een van de opdrachtgevers van Hubbell. Zie memorandum van Pat O'Brien aan Ken Starr, et al., 'Hubbell Hush Money Summaries', 22 oktober 1998, p. 18.
17. National Public Radio, *Diane Rehm Show*, Hillary Rodham Clinton, 19 april 1997, als vastgelegd door *The New York Times* en gepubliceerd op 11 april 1997, p. 26.
18. Memo van RLF Conflicts Team aan alle OIC-juristen, Re: Additional Factual Information About RLF Conflicts, 21 april 1998. De theorie over het vermeende zwijggeld voor Hubbell werd met grote koppen gemeld op de voorpagina van *The New York Times*. De aanklagers waren er ook van overtuigd dat Hillary 'ervan op de hoogte was dat bij Hubbell sprake was van een wijdverbreid patroon van fraude' bij Rose Law Firm. Deze overtuiging was voornamelijk gebaseerd op een brief uit december 1993, die geschreven was door een van de advocaten van het kantoor, waarbij de First Lady ervan op de hoogte was gesteld dat 'de problemen van Hubbell rond zijn declaraties bij Rose heel ernstig zijn'.
19. Diane Rehm Show, interview met Hillary Rodham Clinton, 10 april 1997.
20. CNN, 'Hubbell Resignation Painful to Clintons', 14 maart 1994.
21. Ruth Marcus, 'Clinton Angrily Denounces Republicans; "Party is Committed to Politics of Personal Destruction", President Says', *The Washington Post*, 15 maart 1994, p. A1.
22. Transcript van Witte Huis, 'President Bill Clinton, Remarks at the New England Presidential Dinner in Boston', 14 maart 1994.
23. Clinton, *Living History*, p. 267.
24. Hubbell, *Friends in High Places*, p. 292.
25. Clinton, *Living History*, ibid., p. 61.
26. *The New York Times*, 30 maart 1994, p. A1.
27. Transcript van de persconferentie van Hillary Rodham Clinton op 22 april 1994 in het Witte Huis en auteursinterview met medewerkers van het Witte Huis uit 1994.
28. Interview met medewerker van het Witte Huis uit 1994.
29. Gwen Ifill, 'Mrs. Clinton Didn't Report a Gain in '80', *The New York Times*, 12 april 1994, p. A15.
30. Transcript van de persconferentie van Hillary Rodham Clinton op 22 april 1994 in het Witte Huis. Hillary scheef later dat het oorspronkelijk verhaal over haar termijnhandel klopte wat betreft haar winst, maar onjuistheden bevatte over de relatie tussen Tyson en gouverneur Clinton. (Clinton, *Living History*, pp. 223-224.) Een klein deel van het originele artikel werd later gecorrigeerd, zodat erin opgenomen was dat Tyson geen negen miljoen dollar aan leningen had gekregen van de staat, maar dat hij wel zeven miljoen van de belasting had teruggekregen.
31. James B. Stewart, *Blood Sport: The President and His Adversaries*, New York: Simon & Schuster, 1996, pp. 36-37.
32. Ibid., pp 37-39.
33. Ibid.

34. Ibid.
35. Public Opinion Online, 22 april 1994, Roper Poll, waaruit bleek dat als gevolg van Whitewater en daarmee samenhangende gebeurtenissen vier procent van de responden-ten positiever tegenover haar stond en 32 procent negatiever. Zie ook Gwen Ifill, 'The Whitewater Affair: The Overview; Hillary Clinton Takes Questions on Whitewater', *The New York Times*, 23 april 1994, p. AI.
36. Clinton, *Living History*, pp. 224-225.
37. Auteursinterview met een journalist die over de gebeurtenis verslag deed uit 2006.
38. Clinton, *Living History*, pp. 224-225; auteursinterview met een journalist die over de gebeurtenis verslag deed uit 2006.
39. Transcript van de persconferentie van Hillary Rodham Clinton op 22 april 1994 in het Witte Huis.
40. Clinton, *Living History*, p. 226.
41. Ibid., p. 221; auteursinterview met iemand uit de vriendenkring van Hillary uit 2006.
42. Auteursinterview met twee personen uit de vriendenkring van Hillary uit 2006.
43. Gallup Poll, vrijgegeven op 25 april 1994, PR Newswire, 25 april 1994.
44. Clinton, *Living History*, p. 245.
45. Ibid., pp. 243-244.
46. Auteursinterview met Robert Fiske uit 2006.
47. Auteursinterview met Kenneth Starr uit 2007.
48. Johnson and Broder, *The System*, pp. 461-462.
49. Clinton, *Living History*, p. 246.
50. John F. Harris, *The Survivor*, New York: Random House, 2005, p. 150.
51. Clinton, *My Life*, p. 620.
52. Clinton, *Living History*, p. 249.
53. Auteursinterview met vertrouwelingen van Hillary uit 2006.
54. CNN's *Saturday Morning*, Hillary Rodham Clinton, 5 februari 2000. 'Hillary Clinton to Become Official Candidate with Sunday Announcement', www.cnn.com. In de eerste dagen van haar Senaatscampagne in 1999 gebruikte Hillary deze zinsnede verscheidene keren om haar beperktere ambities te beschrijven, met name rond de zorg. Zie Lynne Duke, 'Hillary Clinton Brandishes Liberal Agenda Against Giuliani', *The Washington Post*, 24 oktober 1999, p. AIO.
55. Clinton, *Living History*, pp. 254-255.
56. Zie bijvoorbeeld uitlatingen van Hillary Clinton op St. Anselm College, Manchester, N.H., 13 april 2007.
57. Clinton, *Living History*, p. 404. Een winnaar van de Pulitzer Prize legde de schuld bij Bill. Hij zei dat hij 'nooit zijn topadviseurs bijeenriep om de moordpartijen te bespreken'. (Samantha Power, *A Problem from Hell, America in the Age of Genocide*, New York: Basic Books, 2002, pp. 365-366.)
58. White House Excerpts, 'Clinton in Africa,' *The New York Times*, 26 maart 1998, p. AI2.
59. Harris, *The Survivor*, pp. 149-150.
60. Dick Morris, *Behind the Oval Office*, Los Angeles: Renaissance Books, 1999, p. 16.
61. Sheehy, *Hillary's Choice*, p. 253.
62. Persconferentie van Bill Clinton, ABC News, 9 november 1994.
63. Sheehy, *Hillary's Choice*, p. 253.
64. Auteursinterview met voormalig medewerker van de regering-Clinton uit 1996.

65. Auteursinterview met Leon Panetta uit 2006.
66. Ibid. en auteursinterview met voormalig medewerker van de regering Clinton, 2006.

## 11 De discipline van dankbaarheid

1. Clinton, *Living History*, p. 260.
2. Ibid., p. 261.
3. Ibid.
4. Ibid.
5. Auteursinterview met een van Hillary's vrienden in 2006.
6. Morris, *Behind the Oval Office*, p. 23.
7. Ibid.
8. Ibid., p. 24; Sheehy, *Hillary's Choice*, p. 258.
9. Morris, *Behind the Oval Office*, p. 25.
10. Ibid.
11. Auteursinterview met twee vrienden van Hillary in 2006 en 2007.
12. Auteursinterview met een van Hillary's vrienden in 2006.
13. Burt Solomon, 'Doles and Clintons: Same Church, Different Pews', *National Journal*, 24 februari 1996, p. 413.
14. Clinton, *Living History*, p. 267.
15. Connie Bruck, 'Hillary the Pol', *The New Yorker*, 30 mei 1994, p. 96.
16. Clinton, *Living History*, p. 258.
17. Ibid.
18. Hillary Rodham Clinton Transcript, Witte Huis, 25 januari 1995.
19. Auteursinterview met een van Hillary's vrienden in 1999.
20. Auteursinterview in 2006 met iemand die de bijeenkomsten regelmatig bijwoonde, en een voormalig regeringsmedewerker in 2007.
21. Auteursinterview met een voormalig regeringsmedewerker in 2007.
22. Auteursinterview met een adviseur van het Witte Huis voor de Clintons in 2006.
23. Troy, *Hillary Rodham Clinton*, p. 143.
24. Auteursinterview met twee vrienden van Hillary in 2006.
25. Ibid.
26. Clinton, *Living History*, p. 272.
27. Ibid.
28. Auteursinterview met iemand die de kwestie met Bill Clinton heeft besproken, afgenomen in 2006.
29. 'Pressler Law Continuance Urged', *News-India Times*, 31 maart 1995.
30. Toespraak van Hillary Rodham Clinton tijdens openbare discussie gesponsord door Vital Voices Global Partnership en New York University's Center for Global Affairs, 6 maart 2005.
31. Opmerkingen gemaakt door Hillary Rodham Clinton op de Lahore University of Management Sciences, 27 maart 1995.
32. Ibid.
33. Auteursinterview met iemand die de kwestie met Bill heeft besproken, afgenomen in 2006.

34. Clinton, *Living History*, p. 277.
35. Ibid., p. 279.
36. Ibid.
37. Ibid., p. 302.
38. Interview met Donna Shalala door Dale Van Atta in 1999.
39. Clinton, *Living History*, pp. 304-305.
40. Ibid., p. 306.
41. Troy, *Hillary Rodham Clinton*, p. 150.
42. Ibid.
43. Clinton, *Living History*, p. 306.
44. Interview met Shalala.
45. Susan Baer, 'Walking in Eleanor Roosevelt's Footsteps', *Baltimore Sun*, 5 juli 1995, p. 1A.
46. Auteursinterview met voormalige medewerkers van de Clintons 2006 en 2007.
47. Interview met Shalala.
48. Ibid.
49. Interview met Robert Reich door Dale Van Atta in 1999.
50. Ibid.
51. Auteursinterview met Leon Panetta in 2006.
52. Auteursinterview met voormalig medewerker van de Clintons in 2006.
53. Interview met Panetta.
54. Transcript van CNN's *Saturday Morning*, 5 februari 2000.
55. Interview met Panetta.
56. Interview met Melanne Verveer door Dale Van Atta in 1999.
57. Clinton, *Living History*, p. xi.
58. Interview met Panetta.
59. Ibid.
60. Interview met voormalig regeringsmedewerker van de Clintons in 2007.
61. Clinton, *Living History*, p. 291.
62. Interview met Panetta.
63. Ibid.
64. Clinton, *Living History*, p. 46.
65. Ibid., p. 369.
66. Ibid., p. 368.
67. Rich Lowry, *Legacy: Paying the Price for the Clinton Years*, Washington D.C.: Regnery Publishing, 2003, pp. 89, 370; Robert Reich, *Locked in the Cabinet*, New York: Vintage Books, 1997, pp. 320, 332.
68. Clinton, *Living History*, p. 369.
69. Morris, *Behind the Oval Office*, p. 300.

## 12 'Op naar het vuurpeloton'

1. Stephen Labaton, 'Senate Hearing Touches on Clinton's Integrity', *The New York Times*, 30 november 1995, p. B14.
2. In hun autobiografieën uitten Bill en Hillary vooral kritiek op *The New York Times* en de verslaggever die als eerste met het nieuws over Whitewater kwam, Jeff Gerth. Bill en

Hillary beschrijven beiden in hun boek ook onjuist de berichtgeving van de *Times* over het rapport van advocatenbureau Pillsbury Madison. In zijn boek observeert Bill dat de krant 'geen woord' over het rapport schreef, terwijl Hillary in haar boek schrijft dat de *Times* 'enkele paragrafen over het rapport publiceerde'. (Zie Clinton, *My Life*, p. 692, en Clinton, *Living History*, p. 328.) De krant publiceerde er echter niet niets of slechts enkele paragrafen over. Het eerste artikel in de *Times* over het rapport was er een van 1762 woorden op 16 juli 1995, toen er nog slechts een voorlopige versie van het rapport was. Toen zes maanden later het definitieve rapport verscheen – in wezen een kopie van het voorlopige rapport – verscheen er een korter artikel van dertien alinea's. Twee maanden later publiceerde de *Times* nog twee stukken over een bijvoegsel bij het rapport, een van 419 woorden en een van 1168 woorden. De vier artikelen waren: Jeff Gerth en Stephen Engelberg, 'Documents Show Clintons Got Vast Benefit from Their Partner in Whitewater Deal', *The New York Times*, 16 juli 1995, p. 18; Stephen Labaton, 'Savings and Loan Bailout Agency Will Not Sue the Clintons', *The New York Times*, 24 december 1995, p. 12; Irvin Molotsky, 'Banking Agency Will Not Sue First Lady's Former Law Firm', *The New York Times*, 29 februari 1996, p. 18; en Neil Lewis, 'Agency Won't Sue Hillary Clinton's Former Law Firm', *The New York Times*, 1 maart 1996, p. 25.

3. William Safire, 'Blizzard of Lies', *The New York Times*, 8 januari 1996, p. 27.
4. Auteursinterview met een van Hillary's vrienden in 1999.
5. 'White House Fires Back at Safire', www.CNN.com News Briefs, 9 januari 1996, www.cnn.com/US/Newsbriefs/9601/01-09/index.html.
6. CNN, www-cgi.cnn.com/US/9601/first_lady/.
7. Angie Cannon, 'Book Tour Dogged by Whitewater', *Philadelphia Inquirer*, 17 januari 1996, p. AI, een artikel over een recente enquête gehouden door CNN en Time.
8. Kenneth W. Starr, *The Starr Report*, Rocklin, Californië: Prima Publishing, 1998, pp. 66-67; zie ook Sheehy, *Hillary's Choice*, p. 284.
9. Joe Battenfeld, 'Woes Follow Hillary to Wellesley', *Boston Herald*, 20 januari 1996, p. 1.
10. Ray, Eindrapport, Vol. 1, pp. 129-132.
11. Stephen Labaton, 'Elusive Papers of Law Firm Are Found at White House', *The New York Times*, 6 januari 1996, p. 1.
12. Ray, Eindrapport, Vol. 1, pp. 129-132.
13. Clinton, *Living History*, p. 334.
14. Ibid., p. 335.
15. Auteursinterview met voormalig advocaat van het OIC in 2006.
16. Clinton, *Living History*, p. 335.
17. Clinton, *Living History*, p. 200.
18. Stephen Labaton, 'First Lady Was Not as Candid as She Claimed', *The New York Times*, 20 januari 1996, p. 10.
19. Auteursinterview met medewerker van het Witte Huis in 1997.
20. Ibid.
21. Bob Woodward, *Shadow: Five Presidents and the Legacy of Watergate*, New York: Simon & Schuster, 1999, pp. 309-310.
22. *The New York Times*, 20 januari 1996, p. 10.
23. Ibid.
24. Auteursinterview met voormalige campagnemedewerker in 2006. Daarnaast besprak Hillary in maart 1992 met haar vriendin Susan Thomases de mogelijkheid haar belas-

tingaangifte voor Whitewater over te dragen aan *The New York Times*. Zie aantekeningen over een gesprek in 1992 tussen Susan Thomases en Hillary Rodham Clinton, Senate Whitewater Committee Document #ST 0000039. De belastingaangifte werd in 1992 niet vrijgegeven.

25. *Boston Herald*, 20 januari 1996, p. 1.
26. Clinton, *Living History*, p. 334.
27. Ibid., p. 335.
28. Ibid.
29. Ray, Eindrapport, Vol. 1, p. 131.
30. Memo van HRC-Team aan alle OIC-juristen, 22 april 1998, p. 201.
31. Clinton, *Living History*, p. 336.
32. Ibid.
33. Ibid.
34. Ibid.
35. Sheehy, *Hillary's Choice*, p. 286. Auteursinterview met senator in 2007.
36. Ray, Eindrapport, Vol. 3, pp. 110-113; auteursinterview met voormalige medewerkers van het OIC in 2006.
37. Interview voor PBS's *Frontline* en *Nightline* van ABC News met Jane Sherburne in 2000.
38. Ibid., en Robert Giuffra, raadszitting van het Senate Whitewater Committee in ABC's *Nightline*, 9 januari 1996.
39. *The Washington Post*, 6 januari 1996, p. A1, en 'Report on Crimes Arising from the Castle Grande Transactions', 4 september 1998, door William K. Black aan het OIC. Van bijzonder belang was Hillary's facturering voor twee uur werk aan een aan IDC gerelateerde optie voor Ward. Toezichthouders zeiden dat de optie gebruikt was door Madison om hen te misleiden in verband met de Castle Grande-deal. (Supplemental Report on Rose Law Firm Conflicts of Interest van 20 september 1996, van Office of Inspector General, Federal Deposit Insurance Corporation, pp. ii-iii.)
40. Ray, Eindrapport, Vol. 2, pp. 140-218.
41. Ibid., Vol. 3, pp. 72-74.
42. 'Summary Rose Firm Conflicts', ongedateerde memo van het OIC [1998], p. 284.
43. Auteursinterview met Allen W. Bird II in 2007.
44. Verklaring van Rose Law Firm op 21 februari 2007, ter beschikking gesteld aan de auteurs.
45. Interview met Bird.
46. Ray, Eindrapport, Vol. 3, p. 74; verslag van Office of Inspector General, Federal Deposit Insurance Corportation, 20 september 1996, p. 20.
47. Getuigenis van Seth Ward voor de grand jury op 17 januari 1996; getuigenverklaring van Seth Ward voor de Senaat op 12 februari 1996, zoals geciteerd in memo 'Summary Rose Firm Conflicts', p. 282; en auteursinterview met voormalige medewerkers van het OIC in 2006. Ward vertelde een van de onderzoekers: 'Het was uitgesloten dat ik daar met haar over sprak,' volgens een auteursinterview met een voormalig medewerker van het OIC in 2006.
48. Besprekingen van 25 en 26 november 1985, volgens Ray, Eindrapport, Vol. 2, pp. 152 en 167; bespreking van 4 december 1985, beschreven in verslag van Office of Inspector General, Federal Deposit Insurance Corporation van 20 september 1996, p. 51; en bespreking van 14 januari 1986, beschreven in factureringsmemo DKSN029011 van Rose Law Firm.

49. Verslag van Office of Inspector General, Federal Deposit Insurance Corporation, 20 september 1996, p. 44.
50. Ray, Eindrapport, Vol. 2, Part B, pp. 207-208.
51. Auteursinterview met voormalige medewerkers van het OIC en een voormalig lid van het juridische team van de Clintons, gehouden in 2006.
52. Auteursinterview met medewerker van het OIC in 1997.
53. Gesprek van Jim McDougal met de FBI, formulier 302, uitgewerkt op 9 juni 1997, p. 16.
54. Memo 'Summary Rose Firm Conflicts', p. 298. Hillary's facturen aan de andere cliënt en Madison hadden een aantal treffende gelijkenissen: er waren met de hand uren aan toegevoegd, het juridische werk was niet gedocumenteerd en de honoraria waren laag. (Auteursinterview met medewerker van het OIC in 1997.)
55. Auteursinterview met voormalig medewerker van het OIC in 2006.
56. Memo van HRC-team aan alle OIC-juristen, 22 april 1998, p. 150.
57. Auteursinterview met voormalig medewerker van het OIC in 2006. In een rapport van het OIC was de conclusie dat diegenen die hadden geassisteerd bij de fraude rond Castle Grande, aangeklaagd konden worden voor medeplichtigheid (zie 'Report on Crimes Arising from the Castle Grande Transactions', William K. Black, 4 september 1998).
58. Auteursinterview met voormalig medewerker van het OIC in 2006.
59. Memo 'Summary Rose Firm Conflicts', p. 283; Ray, Eindrapport, Vol. 1, p. 130.
60. Memo 'Summary Rose Firm Conflicts', voetnoot 658, p. 284.
61. Auteursinterview met voormalig medewerker van het OIC in 2006.
62. Ibid. Ewing getuigde in de rechtszaak in Little Rock tegen Susan McDougal, op 18 maart 1999, dat hij Hillary 'ongeveer een 1' gaf, wat op 18 maart 1999 werd bericht door Pete Yost in een artikel voor de Associated Press, 'Starr Deputy Drafted Indictment of First Lady'.
63. Auteursinterview met voormalig medewerker van het OIC in 2006.
64. Auteursinterview met Kenneth Starr in 2007.
65. Auteursinterview met voormalig medewerker van het OIC in 2006.
66. Ibid.
67. Memo van HRC-team aan alle OIC-juristen, 10 april 1998, Re: Hillary Rodham Clinton; overzicht van bewijs en aanbevolen literatuur. Auteursinterview met voormalige medewerkers van het OIC in 2006.
68. Ibid.
69. Ray, Eindrapport, Vol. 2, Part B, p. 292; auteursinterview met medewerkers van het OIC in 1997 en 1998.
70. Ray, Eindrapport, Vol. 2, Part B, pp. 291-292.
71. Auteursinterview met voormalig lid van het juridische team van de Clintons in 2006.
72. Ibid.
73. Auteursinterview met Jim McDougal in 1992.
74. Auteursinterview met voormalig lid van het juridische team van de Clintons in 2006.
75. Auteursinterview met vertrouwelingen van Hillary in 1998 en 1999.
76. Sidney Blumenthal, *The Clinton Wars*, New York: Farrar, Strauss and Giroux, 2003, p. 176.
77. Ibid., pp. 176-177.
78. Auteursinterview met een van Hillary's vrienden in 1999.
79. Clinton, *Living History*, p. 375.
80. Ibid.

81. Hillary Rodham Clinton Transcript, Federal Document Clearing House (FDCH), 27 augustus 1996.
82. Clinton, *Living History*, p. 374.
83. Hillary Rodham Clinton Transcript, FDCH, 27 augustus 1996.
84. Auteursinterview met een van Hillary's vrienden in 2006.
85. Clinton, *Living History*, p. 380.
86. Ibid., pp. 420-421.
87. Auteursinterview met een van Hillary's vrienden in 2006.
88. Clinton, *Living History*, p. 438.

## 13 Aan de verliezende hand

1. Auteursinterview met Kenneth Starr in 2007.
2. Clinton, *Living History*, p. 439.
3. Ibid.
4. Ibid.
5. Auteursinterview met een van Hillary's vrienden in 1999. In haar boek *Hillary's Choice* citeerde Gail Sheehy een advocaat die 'dicht op de zaak zat' en de zaak met Paula Jones had willen schikken, maar hij hield vol dat 'Hillary voet bij stuk hield' en een schikking weigerde (p. 303).
6. Clinton, *Living History*, p. 440
7. Ibid.
8. Het is niet bekend in hoeverre Hillary haar echtgenoot heeft voorbereid op zijn getuigenis. Een andere vrouw op de lijst met getuigen, Marilyn Jo Jenkins, zat in het bestuur van een nutsbedrijf en was na de verkiezingen van 1992 regelmatig te gast in het herenhuis van de gouverneur. Bob Bennett, de advocaat van de president in Washington, hield Bill die vrijdag tijdens de voorbereidingen voor dat zijn ontkenning van een affaire met Jenkins 'eerlijk gezegd ongelooflijk' klonk. Als Clinton onder ede loog over haar of een van de andere vrouwen, waarschuwde Bennett hem, 'zullen de gekken achter je aan komen. Ze zullen een impeachmentprocedure beginnen als je liegt. Dat is het enige waar je je druk om moet maken.' 'Begrepen,' zei Clinton. (Auteursinterview met Bob Bennett in 2006; zie ook Woodward, *Shadow*, p. 304.)
9. Clinton, *Living History*, p. 440.
10. Getuigenis van William J. Clinton, 18 januari 1998, in de zaak Paula Jones vs. William J. Clinton. Zie www.washingtonpost.com/wp-srv/politics/special/ clinton/stories/what-clintonsaid.htm.
11. Clinton, *My Life*, p. 772.
12. Auteursinterview met lid van het juridisch team van Paula Jones in 1999.
13. Clinton, *Living History*, p. 440.
14. Ibid.
15. NBC's *Today Show*, interview met Hillary Rodham Clinton door Matt Lauer, 27 januari 1998; zie ook Clinton, *Living History*, p. 442.
16. Susan Schmidt, Peter Baker en Toni Locy, 'Clinton Accused of Urging Aide to Lie; Starr Probes Whether President Told Woman to Deny Alleged Affair to Jones' Lawyers', *The Washington Post*, 21 januari 1998, p. 1.

17. Auteursinterview met twee vertrouwelingen van Hillary in 1998.
18. Auteursinterview met een van Hillary's vertrouwelingen in 1998.
19. Auteursinterview met voormalig regeringsmedewerker van Clinton in 2007.
20. Ibid.
21. Ibid.
22. Ibid.
23. Auteursinterview met een van Hillary's vrienden en adviseurs in 1998.
24. Ibid.
25. Clinton, *Living History*, p. 441.
26. Ibid.
27. Ibid., pp. 442-443.
28. Auteursinterview met een van Hillary's vrienden in 2006.
29. Clinton, *Living History*, p. 443.
30. Auteursinterview met een van Hillary's vrienden in 2006.
31. Clinton, *Living History*, p. 443.
32. Ibid., p. 442.
33. Blumenthal, *The Clinton Wars*, p. 339.
34. Auteursinterview met twee vrienden van Hillary en een voormalige regeringsmedewerker van Clinton in 1998, 2006 en 2007.
35. Auteursinterview met een van Hillary's vertrouwelingen in 1998.
36. Clinton, *Living History*, p. 441.
37. Ibid., p. 442.
38. CNN's, *Newsroom Worldview*, 22 januari 1998.
39. Bob Deans, 'Attempt to Cover It Up with Clinton-Stakes, Clinton-Characters, and Clinton GOP', Cox News Service, 21 januari 1998.
40. CNN's *Crossfire*, 21 januari 1998.
41. Transcript van McNeil/Lehrer Report op PBS, interview met president Clinton door Jim Lehrer, 21 januari 1998.
42. Auteursinterview met een van Hillary's vertrouwelingen in 1998.
43. Auteursinterview met Rahm Emanuel in 1998.
44. Brock noemde in zijn verhaal een vrouw, 'Paula', waarmee hij Paula Jones bedoelde. Brock was vrij publiekelijk van ideologische kant gewisseld. En in 2002 schreef hij een openhartig boek waarin hij opbiechtte door de rechtervleugel te zijn ingehuurd om het vuile werk op te knappen, getiteld *Blinded by the Right*. Brock gaf geen gehoor aan verscheidene verzoeken om een interview.
45. Zie het boek van Blumenthal, *The Clinton Wars*, pp. 336-338, en Jeffrey Toobins, *A Vast Conspiracy*, New York: Simon & Schuster, 1999, voor een uitgebreid verslag van de 'samenzwering tussen het juridische team van Paula Jones en het bureau van Starr', naast de actieve rollen van onderzoeksjournalist Michael Isikoff, Lucianne Goldberg, een conservatieve literair agent in New York, en webmaster Matt Drudge. Met behulp van Goldberg had Drudge voor zijn website, The Drudge Report, een artikel geschreven over *Newsweek*, dat een verhaal had teruggetrokken over Lewinsky en het onderzoek.
46. Blumenthal, *The Clinton Wars*, p. 340.
47. Ibid.
48. Auteursinterview met voormalig regeringsmedewerker van Clinton in 2007.
49. Ibid.

50. Blumenthal, *The Clinton Wars*, p. 339.
51. Auteursinterview met een van Bill Clintons vertrouwelingen in 1998.
52. Clinton, *Living History*, p. 444; Toobin, *A Vast Conspiracy*, p. 246.
52. Auteursinterview met een van Gores vertrouwelingen in 2007.
54. Auteursinterview met twee adviseurs van Bill Clinton in 2007.
55. Auteursinterview met adviseur van Bill Clinton in 2007.
56. Ibid.
57. Ibid.
58. Interview met Al Gore door Lisa DePaulo in GQ, december 2006, p. 305.
59. Auteursinterview met een van Gores vertrouwelingen in 2007.
60. Clinton, *Living History*, p. 444.
61. Auteursinterview met een van Hillary's vertrouwelingen in 1998.
62. Auteursinterview met een adviseur van Bill Clinton in 2007.
63. Clinton, *Living History*, p. 444.
64. Ibid.
65. Auteursinterview met een van Hillary's vertrouwelingen in 1998.
66. Ibid.
67. David Maraniss, 'First Lady Launches Counterattack', *The Washington Post*, 28 januari 1998, p. A1.
68. Blumenthal, *The Clinton Wars*, p. 373.
69. NBC's *Today Show*, interview met Hillary Rodham Clinton door Matt Lauer, 27 januari 1998; zie ook Clinton, *Living History*, p. 443.
70. Auteursinterview met twee aanklagers van het OIC in 1998.
71. Verklaring van Kenneth W. Starr van het OIC, vrijgegeven op 27 januari 1998.
72. Richard Morin en Claudia Dean, 'President's Popularity Hits a High', *The Washington Post*, 1 februari 1998, p. A1.
73. Clinton, *Living History*, p. 445.
74. Auteursinterview met een van Hillary's vertrouwelingen in 2006.
75. Auteursinterview met drie vertrouwelingen van de Clintons in 1998, 2006, en 2007.
76. Auteursinterview met twee medewerkers van het Witte Huis in 1998; zie ook John Diamond, 'Sharply Contrasting Views About Lewinsky Emerging', Associated Press, 26 januari 1998, zoals gepubliceerd in *Buffalo News* op 27 januari 1998.
77. Auteursinterview met een van Clintons vrienden in 1998 en met een voormalig regeringsmedewerker van Clinton in 2007.
78. Ibid.
79. Auteursinterview met James Carville in 1998; Don Van Natta Jr., 'White House's All-Out Attack on Starr Is Paying Off, with His Help', *The New York Times*, 2 maart 1998, p. A12.
80. Auteursinterview met Kenneth Starr in 2007.
81. Ibid.
82. Don Van Natta Jr. en Jill Abramson, 'Quietly, Team of Lawyers Who Dislike Clinton Kept Jones Case Alive', *The New York Times*, 24 januari 1999, p. A1.
83. Interview met Starr.
84. Auteursinterview met een van Hillary's vrienden in 2006. Een andere bron zei dat Hillary 'vanaf het begin nauw betrokken' was bij de bijeenkomsten in het Witte Huis waarin de juridische strategie werd bepaald. (Auteursinterview met voormalig regeringsmedewerker van Clinton in 2007.)

85. Clinton, *My Life*, p. 780.
86. John F. Harris en Peter Baker, 'President Rebuts Willey', *The Washington Post*, 17 maart 1998, p. A1.
87. Auteursinterview met medewerker van het Witte Huis in 1998.
88. Auteursinterview met vertrouwelingen van Clinton in 1998, 1999, 2006 en 2007.

## 14 Aan de winnende hand

1. John M. Broder en Don Van Natta Jr., 'Clinton and Starr, a Mutual Admonition Society', *The New York Times*, 20 september 1998, p. A1.
2. Memo van HRC-team aan alle OIC-juristen, 10 april 1998, betr: Hillary Rodham Clinton; overzicht van het bewijs en aanbevolen literatuur; auteursinterview met voormalige medewerkers van het OIC in 2006.
3. Ibid.; memo van HRC-team aan alle OIC-juristen, 22 april 1998, Re: overzicht van bewijs... Hillary Rodham Clinton en Webb Hubbell; en Memorandum to File van Paul Rosenzweig, 24 april 1998.
4. Sheehy, *Hillary's Choice*, pp. 306-307; zie ook Rick Van Sant, 'First Lady Lauds Shelter, Flays GOP YWCA Facility National Model', *Cincinnati Post*, 28 juli 1998, p. 7A.
5. Auteursinterview met een van Hillary's vertrouwelingen in 1998.
6. Clinton, *My Life*, p. 801.
7. Auteursinterview met medewerker van het OIC in 1998.
8. Auteursinterview met twee vertrouwelingen van Bill Clinton in 1998.
9. Ibid.
10. Auteursinterview met een van Bill Clintons vertrouwelingen in 1998.
11. Ibid.
12. Clinton, *Living History*, p. 465.
13. Auteursinterview met een van Hillary's vrienden in 1998.
14. Richard L. Berke, James Bennet, Neil A. Lewis en David E. Sanger, 'President Weighs Admitting He Had Sexual Contacts', *The New York Times*, 14 augustus 1998, p. A1.
15. Auteursinterview met een van Bill Clintons vertrouwelingen in 1998.
16. Clinton, *Living History*, p. 465.
17. Ibid.
18. Ibid. Toen Hillary's boek in het voorjaar van 2003 werd gepubliceerd, zetten verscheidene journalisten en conservatieve commentatoren vraagtekens bij het feit dat ze claimde de waarheid over Bills affaire pas op 15 augustus 1998 gehoord te hebben. Rush Limbaugh en Lloyd Grove, destijds werkzaam bij *The Washington Post*, suggereerden dat Hillary het eerder die maand al had gehoord. Grove citeerde een boek van zijn collega bij *The Washington Post*, getiteld *The Breach*, waarin staat dat David Kendall op de avond van 13 augustus was gevraagd Hillary de waarheid omtrent Bills affaire mee te delen. Maar nadat Grove de beschuldiging had gedaan, ontkende Kendall Bakers relaas. Lisa Caputo, de voormalige perschef van senator Clinton, zei: 'Ik herinner me die tijd nog heel goed, en zo is het precies gegaan. Ze wist van niets.' (Phillip Coorey, 'The Clinton Affair: Buying the Story', *Adelaide Advertiser*, 7 juni 2003.)
19. Clinton, *Living History*, p. 466.
20. Ibid.

21. Ibid.
22. Starr, *The Starr Report*, Text of Bill Clinton's Grand Jury Testimony, 17 augustus 1999. Zie www2.jsonline.com/news/president/0921fulltestimony.asp.
23. Ibid.
24. Ibid.
25. Ibid.
26. Ibid.
27. Auteursinterview met twee medewerkers van het OIC in 1998.
28. Ibid.
29. Auteursinterview met een van de aanwezigen bij de bijeenkomst; zie ook Clinton, *My Life*, p. 802, en Clinton, *Living History*, p. 467.
30. Auteursinterview met voormalig regeringsmedewerker van Clinton in 2007.
31. Clinton, *Living History*, p. 467.
32. Auteursinterview met een van Bill Clintons vertrouwelingen in 1998.
33. Auteursinterview met een van Bill Clintons vertrouwelingen in 1998; zie ook Clinton, *Living History*, p. 468.
34. Auteursinterview met een van Bill Clintons vertrouwelingen in 1998.
35. Ibid., zie ook Harris, *The Survivor*, p. 344, en Toobin, *A Vast Conspiracy*, p. 317.
36. Persbericht van het Witte Huis, 19 augustus 1998.
37. Observatie van de auteurs van hun wandeling, uitgezonden door CNN, op videoband.
38. Clinton, *Living History*, p. 468.
39. Persconferentie van de president, 14 oktober 1999.
40. Adam Nagourney met Michael Kagay, 'High Marks Given to the President, but Not the Man', *The New York Times*, 22 augustus 1998, p. AI.
41. Auteursinterview met een van Bill Clintons vertrouwelingen in 1998.
42. Ibid.
43. Hillary schreef in haar boek dat critici van de president hem ervan beschuldigden de actie te hebben ondernomen om de aandacht af te leiden van zijn eigen problemen, zoals de mogelijkheid van impeachment. Clinton, *Living History*, p. 469.
44. Clinton, *Living History*, p. 470.
45. Ibid., p. 471.
46. Ibid., p. 473.
47. Ibid., p. 417.
48. Auteursinterview met twee vertrouwelingen van Bill Clinton in 1998.
49. Harris, *The Survivor*, pp. 348-349.
50. Peter Baker en Susan Schmidt, '"Abundant" Lies Cited in Report; President Denies Impeachability', *The Washington Post*, 12 september 1998, p. AI.
51. Clinton, *Living History*, p. 475.
52. Ibid.
53. Auteursinterview met een van Bill Clintons vertrouwelingen in 1998.
54. Clinton, *Living History*, p. 477.
55. Auteursinterview met een van Clintons vertrouwelingen in 2007.
56. Auteursinterview met vertrouwelingen van Bill en Hillary in 1998, 1999, 2006 en 2007.
57. Clinton, *Living History*, p. 478.
58. Ibid., pp. 478-479; zie ook www.cnn.com/STYLE/9811/24/hillary/.

## 15 New York – 'State of Mind'

1. Frederic U. Dicker, 'Senator Hillary Rodham Clinton (D-New York)?' *New York Post*, 8 december 1997, p. 20.
2. Auteursinterview met Neel Lattimore in 2007.
3. Dicker, 'Senator Hillary Rodham Clinton'.
4. Auteursinterview met twee Democratische adviseurs in 1999 en 2000.
5. Clinton, *Living History*, p. 483
6. Ibid.
7. Auteursinterview met drie vertrouwelingen van Hillary in 1999 en 2006.
8. Ibid. en auteursinterview met een voormalig regeringsmedewerker van Clinton in 2007.
9. Auteursinterview met vertrouweling van Bill Clinton in 1998.
10. Ibid.
11. Clinton, *Living History*, p. 489.
12. Vicki Allen, 'Hillary Clinton Tries to Raise Democrats' Spirits', Reuters, 19 december 1998.
13. Auteursinterview met een journalist die de gebeurtenis had verslagen in 2007.
14. Auteursinterview met een voormalig regeringsmedewerker van Clinton in 2007.
15. James Bennet en Don Van Natta Jr., 'President Digs In', *The New York Times*, 20 december 1998, p. A1.
16. Zie de foto's van Susan Walsh voor Associated Press Susan op www.pulitzer.org/year/1999/feature-photography/sample.html.
17. 'Clintons Top Survey of Most Admired People', Albany Times-Union, 1 january 1999, p. 2.
18. Maureen Dowd, 'Icon and I will Survive', *The New York Times*, 9 december 1998, p. 29.
19. Michael Powell, 'Hillary Clinton: The New Ideal', *The Washington Post*, 25 maart 1999, p. C1.
20. Auteursinterview met een vertrouweling van Hillary in 2006.
21. Clinton, *Living History*, p. 492.
22. Interview met een vriend van Bumpers in 2006.
23. Clinton, *Living History*, p. 493
24. Ibid., p. 494.
25. Ibid., pp. 496-497.
26. C-SPAN, Hillary Rodham Clinton, 1 januari 1997, Federal News Service; in CNN's *Larry King Live* op 29 april 1997 zei Hillary: 'We zullen er uiteraard veel van onze tijd doorbrengen en er gaan wonen [in Little Rock].'
27. Clinton, *Living History*, pp. 496-497.
28. Ibid.
29. Ibid.
30. Ibid., p. 500.
31. Ibid., p. 501.
32. Clinton, *Living History*, p. 501.
33. Virginia Breen en Joel Siegel, 'Hil Thrills, Won't Spill on Run', *The New York Daily News*, 5 maart 1999, p. 6.
34. Clinton, *Living History*, p. 501.
35. Ibid.

36. Ibid.
37. Auteursinterview met vier vertrouwelingen van Hillary in 1999, 2006 en 2007.
38. Auteursinterview met drie vertrouwelingen van Hillary in 2006 and 2007.
39. Interview met de Republikeinse senator door Dale Van Atta in 1999.
40. Clinton, *Living History*, p. 501.
41. Beth G. Harpaz, *The Girls in the Van*, New York: Thomas Dunne Books, 2001, pp. 38-39.
42. Clinton, *Living History*, p. 502.
43. Auteursinterview met vertrouweling van de Clintons in 2000.
44. Auteursinterview met vertrouweling van de Clintons in 1999.
45. Ibid.
46. Auteursinterview met voormalige regeringsmedewerker van Clinton in 2007.
47. Auteursinterview met vertrouweling van de Clintons in 2006.
48. De scène in het Solarium, en alle quotes, zijn afkomstig van interview met Alan Schechter, Jock Gill en Jan Piercy door Dale Van Atta in 1999.
49. Auteursiterview met Neel Lattimore in 2007.
50. Harpaz, *The Girls in the Van*, p. 44.
51. Terry McAuliffe, de Democratische fondsenwerver en vriend van de Clintons, bood hun 1,35 miljoen dollar om de hypotheek van 1,7 miljoen dollar te kunnen opbrengen. Toen er werd geprotesteerd, trok McAuliffe het aanbod weer in, en namen de Clintons een gewone hypotheek en betaalden er veel minder voor. (Zie Don Van Natta Jr., 'Looking a Gift House in the Mouth', *The New York Times*, 19 september 1999, bijlage 4, p. 6)
52. Auteursinterview met Neel Lattimore in 2007.
53. James Gerstenzang, 'For Clintons, A Vacation to Savor', *Los Angeles Times*, 22 augustus 1999, p. A13.
54. Ibid.
55. Auteursinterview met vertrouweling van Hillary in 2006.
56. Clinton, *Living History*, p. 510.
57. Ibid., p. 512.
58. Beth G. Harpaz, *The Girls in the Van*, p. 71.
59. Clinton, *Living History*, p. 514.
60. Ibid. Zie ook het commentaar op CNN: 'Recente schietpartij van de politie op onge-wapende man verhit het debat over de Senaatsverkiezingsstrijd' op www.archives.cnn.com/2000/ALLPOLITICS/stories/03/22/clinton.giuliani/index.html.
61. Ibid.
62. Auteursinterview met adviseur van Hillary in 1999.
63. Clinton, *Living History*, p. 517.
64. Ibid.
65. Transcript van het debat tussen Hillary Clinton en Rick Lazio op 13 september 2000, op www.pbs.org/newshour/bb/politics/july-dec00/face-off_9-14.html.
66. Eric Pooley, 'Little Ricky Gets Rough', op www.time.com/time/magazine, 17 september 2000; inmiddels niet meer beschikbaar.
67. Ibid.
68. Clinton, *Living History*, p. 522.
69. Ibid., p. 524.

DRIE: FIRST WOMAN

1. Albert Einstein, geciteerd in *The New York Times*, 22 april, 1955.

## 16 De geheimen van Hillaryland

1. Clinton, *Living History*, p. 133.
2. Auteursinterview met vertrouweling van Hillary in 2006; zie ook Ianthe Jeanne Dugan, 'Clinton Supporters Eye $ 25 million Campaign for New York Seat', *The Washington Post*, 16 juli 1999, p. A9.
3. Auteursinterview met verscheidene ervaren medewerkers van de Senaat en politiek analisten in 2006 en 2007.
4. Auteursinterview met adviseur van de Senaat in 2007.'
5. Interview met vriendin van Hillary in 2006. De uitspraak 'Ze vermoordt me' was retorisch – zij zette het gesprek met de auteurs voort.
6. Loonlijst en verslagen van de Federal Election Commission (Federale Kiesraad) opnieuw bekeken door de auteurs in 2006 and 2007.
7. E-mail van Walker Irving, Hillary's waarnemend secretaris in de Senaat; D-SCHED@ LISTSERV.SENATE.GOV, aan alle Democratische secretariaatsmedewerkers, 19 maart 2007, betr. 'Kick-Off Reception'. Officiële mailinglijsten en internetdiensten mogen alleen gebruikt worden voor professionele doeleinden, volgens de *Senate Ethics Manual*, editie 2003, pp. 153 en 500. Een hooggeplaatste medewerker van de Senaat zei in een interview met de auteurs in 2007 dat bleek dat de regel werden geschonden bij het gebruik van de e-mailserver.
8. Auteursinterview met adviseurs van Hillary in 2006 and 2007.
9. Interview met een van de beste fondsenwerver van Hillary in 2007.
10. Uitspraken van Hillary Rodham Clinton in het St. Anselm College, Manchester, New Hampshire, 13 april 2007.
11. Interview met experts op het gebied van ethiek binnen de Senaat in 2006 and 2007.
12. Auteursinterview met medewerkers van de Senaat in 2006 en verslagen van leden in het archief van de Secretary of the Senate.
13. Interview met hooggeplaatste medewerker van de Senaat in 2007.
14. Auteursinterview met verscheidene medewerkers van de Senaat in 2006. Lott weigerde een interview af te geven.
15. Uitspraken van senator Trent Lott in 'Hillary's New York State of Mind', CBSNews.com, 11 november 2000.
16. Interview met medewerker van de Senaat in 2006.
17. Auteursinterview met medewerkers van de Senaat in 2006 en een senator in 2007.
18. Frank Bruni, 'New White House Staff Faces a Few Mysteries', *The New York Times*, 24 januari 2001, p. A15.
19. Uitspraken van Karl Rove, Clinton School of Public Service, University of Arkansas, Little Rock, 8 maart 2007 op C-SPAN.
20. Ibid.
21. Ibid.
22. Interview met compagnon van Bill Clinton in 2006.

23. Dit was de erfenis van jarenlange onwettige onderzoeken door de onafhankelijke raad. De schulden waren een teer punt voor Bill en Hillary. De Clintons vonden dat de regering hun 3,58 miljoen dollar verschuldigd was van hun juridische uitgaven, omdat het onderzoek, en daarmee de ontstane gigantische juridische schuldenlast, zuiver en alleen gevoerd was op politieke gronden. Deze kosten omvatten niet de ontstane schulden als gevolg van het Monica Lewinsky-onderzoek, waarover Bill had ingestemd geen terugbetaling te verlangen als zijnde onderdeel van zijn overeenkomst met de onafhankelijke raad. Een panel van drie federale rechters, van wie twee aangesteld door de Republikeinen, stemde er niet mee in en keurde een betaling van 85.000 dollar goed.

24. De regels van de Senaat staan senatoren toe vooruitbetalingen te ontvangen, zolang ze niet vallen onder een speciale behandeling. Bepaalde critici vroegen de Ethische Commissie van de Senaat om het contract van Hillary's boek opnieuw onder loep te nemen, maar de commissie ontbrak het aan rechtsbevoegdheid om te handelen omdat Hillary het contract had getekend voordat ze senator werd. Hillary won zelf ook advies in op dit vlak. Twijfels over de omvang van het voorschot verdwenen als sneeuw voor de zon nadat het boek na verschijnen in 2003 een spectaculair succes bleek te zijn. Er gingen meer dan anderhalf miljoen exemplaren over de toonbank, zodat Simon & Schuster de acht miljoen voorschot met gemak terugverdiende. (Zie: Elizabeth Kolbert, 'The Student', *The New Yorker*, 13 oktober 2003, p. 63.)

25. Archief bouwvergunningen van District of Columbia Department of Consumer and Regulatory Affairs.

26. Glenn Thrush, 'Vows to Make History', *Newsday*, 21 januari 2007, p. A4.

27. Auteursinterview met een genodigde van een fondsenwervingsbijeenkomst op Whitehaven 2006.

28. Clinton, *Living History*, p. 260.

29. Auteursinterview met compagnons van Evelyn Lieberman in 2006 and 2007.

30. Interview met adviseur van de Senaat in 2007. Pas na de verkiezingen van 2006 kwam boven water dat Lieberman, die door een van Hillary's medewerkers werd beschreven als deel uitmakend van de 'inner, inner circle', voor de campagne had gewerkt. (Interview met voormalig regeringsmedewerker van Clinton in 2007. Verslag van Federal Election Commission van vrienden van Hillary, terugbetaling van reiskosten 27 november 2006.) In 2007 wijdde Lieberman zich inmiddels aan Hillary's presidentsverkiezingscampagne. (Interview met compagnon van Evelyn Lieberman in 2007.) Lieberman reageerde niet op een telefonisch verzoek om commentaar.

31. Auteursinterview met deelnemers aan de speciale taskforce in 2006.

32. Ibid. en auteursinterview met medewerkers van de Senaat in 2006.

33. Auteursinterview met werknemers van Cornell University in 2006.

34. E-mail aan de auteurs van Susan A. Henry, The Ronald P. Lynch Dean of Agriculture and Life Sciences, Cornell University, in 2007.

35. Auteursinterview met Lee Telega in 2006. Telega gelooft dat hij met name was gekozen vanwege zijn ervaring in het 'lobbyen', omdat hij zo nu en dan 'intermedieerde met relaties binnen de regering' voor Cornell. (Interview met Lee Telega in 2006.) Hij zegt dat hij parttime lobbyist was voor Cornell in het najaar van 2004, twee jaar nadat hij zijn functie aldaar had neergelegd.

36. Ibid. Dean Henry zegt dat hij werd betaald uit 'willekeurige universitaire fondsen, en niet

van overheidswege'. Cornell is zowel een particuliere universiteit als een universiteit 'op staatsgrond'. Telega is gelieerd aan het laatste.

37. Auteursinterview met Cathleen Shiels, lid van het adviescomité voor Landbouw van senator Clinton, in 2006.

38. Jaarverslagen van onderzoeksuitgaven, Cornell University Office of the Vice President for Research, 2002–2005.

39. De toegekende subsidies liepen op van 13,5 miljoen dollar in 2002 tot een gemiddelde van bijna 19 miljoen dollar in de jaren 2003–2005. Cornell ontving ten minste drie subsidies in het kader van een nieuw onderdeel van de wet, Conservation Innovation Grants (CIG), volgens de jaarlijkse rapporten van uitgaven, Cornell University Office of the Vice President for Research; www.USDA.gov/farmbill2002/ en nrcs.usda.gov/programs/cig/.

40. Brieven van senator Hillary Rodham Clinton aan de 'Senate conferees', 19 maart en 25 april 2002, met onder meer plannen voor ondersteuning van de zuivelproductie, bescherming van bouwland en natuurbehoud; verklaring van senator Hillary Rodham Clinton op 27 april 2002 waarin ze verslag doet van haar gesprek met agrarische belangengroepen van de staat New York en zich laat voorstaan op de grote inspanning die ze leverde voor de zuivelproductie en haar pogingen meer fondsen te werven voor natuurbehoud in de landbouwwetgeving.

41. Auteursinterview met Lee Telega in 2006.

42. Interview met Lee Telega in 2006; Blaine Friedlander Jr., 'CU agriculturists and alumni named to Clinton advisory panel', *Cornell Chronicle*, 20 september 2001, p. 3; e-mail aan de auteurs van Dean Susan Henry in 2007.

43. Interview met Lee Telega in 2006. Hij zei dat het grootste deel van het overheidsgeld ten goede komt aan onderzoek, hetgeen niet te vergelijken valt met wat er aan voorzieningen zijn voor melk en natuurbehoud. Cornell ontving subsidies die onder de noemer natuurbehoud van de landbouwwet vielen, waaronder drie, met een totaal van meer dan een miljoen dollar, voor een nieuw project dat goedgekeurd werd in 2002.

44. *Senate Ethics Manual*, editie 2003, p. 114, en auteursinterview met voormalige medewerkers van de Ethische Commissie in 2006 and 2007.

45. Senate Rule 41, paragraph 6.

46. Onderzoek van de auteurs in 2006 van het archief van externe fellows aan het Secretary of the Senate. Kopieën worden naar de Ethische Commissie van de Senaat gezonden. Sommige van Hillary's fellows werkten vanuit een extra stel kantoren op de tweede verdieping van Russell, precies onder Hillary's hoofdkantoor. (Interview met Costas Panagapolous in 2007. Hij was fellow van november 2004 tot de zomer van 2005 en werkte op Russell 376.) Dr. Frank Luk, een fellow in 2004, zegt dat hij ook op de tweede verdieping van Russell kantoor hield (interview met dr. Frank Luk in 2007). Dr. Luk, hogleraar aan het Rensselaer Polytechnic Institute, zegt dat hij fulltime werkte gedurende twaalf maanden vanaf begin 2004 als fellow en dat zijn plek een speciale regeling betrof van de afdeling Regeringszaken aan de universiteit en gesteund werd uit fondsen van de universiteit. Hillary's bureau vroeg de afdeling Regeringszaken van het Rensselaer Polytechnic Institute 'of zij voor een wetenschappelijk medewerker konden zorgen', volgens Deborah Altenburg, directeur van die afdeling aan de universiteit, die door de auteurs werd geïnterviewd in 2007. Er zijn geen aanvragen of contracten te vinden in het archief van de Senaat voor dr. Luk, en ook herinnert hij zich niet een formulier gezien of ondertekend te hebben met betrekking tot Senate Rule 41. Hij zei: 'Er viel nauwelijks iets te ondertekenen.' Gedurende de jaren 2001–2006

werden er ongeveer driehonderd medewerkers geregistreerd in de Senaat; maar er waren er die voor kortere periodes werkten, zonder dat ze formulieren hoefden in te vullen. (Onderzoek van de auteurs in 2006 naar documentatie van externe medewerkers aan het Secretary of the Senate en auteursinterview met hogergeplaatste medewerkers in 2006.) Er bestaan enkele prestigieuze plekken voor fellows, genoemd naar overleden senatoren, die door de Senaat zelf worden bekostigd. En er zijn fellows op uitnodiging van het Congres of in tijdelijk dienstverband aangenomen door allerlei afdelingen van de regering. De overige fellows worden gesponsord door de desbetreffende universiteit, non-profitorgansisaties en wetenschappelijke instellingen.

47. Formulier 41.6

48. Onderzoek van de auteurs naar de rapporten van de the Senate Office of Public Records in 2006 en begin 2007.

49. Senate Rule 41, paragraaf 4. De medewerker gaat ermee akkoord dat hij/zij op de hoogte is van de regels van de Senaat... formulier 41.4, 'Overeenkomst zich te houden aan de officiële Gedragscode van de Senaat', die moet worden ondertekend door de medewerker.

50. De overeenkomst wordt aanvaard door de Ethische Commissie en gearchiveerd in de Senate's Office of Public Records, waar ze wordt bewaard gedurende minstens tien jaar. Er was geen overeenkomst van deze strekking in het archief in 2006 of begin 2007. Telega zegt dat hij zich niet herinnert een dergelijke overeenkomst te hebben getekend. Vele andere medewerkers van buiten, werkzaam voor ongeveer de helft van de honderd leden van de Senaat tussen 2001 en 2006, tekenden dergelijke overeenkomsten wel, volgens een archiefverslag.

51. Een andere regel van de Senaat, nummer 38, sluit 'het particulier aanvullen van onkosten die ontstaan in verband met het werk voor het kantoor van een Senaatslid' uit. Zie: regel 443 van de Ethische Commissie van de Senaat van 22 juni 1995. Maar er is een uitzondering hierop voor medewerkers die worden vrijgehouden op basis van privébronnen. Om daarvoor in aanmerking te komen moet bij zo'n fellowship-program, 'dat in de eerste plaats gericht is op het educatieve voordeel van de medewerker' – geen uitbreiding van het werk van de senator – geen sprake zijn van belangenverstrengeling en moet het flexibel genoeg zijn om de medewerker de mogelijkheid te bieden 'wat voor activiteiten dan ook te ondernemen'. Zie: regel 444 van de Ethische Commissie van de Senaat van 14 februari 2002. De senator bepaalt of het programma voldoet aan de educatieve voorwaarden en de Ethische Commissie bekijkt of er geen belangen in het geding zijn die in strijd zijn met de regels. Bovendien kan een fellow een verzoek indienen om een uitzondering op deze regel, 'vooropgesteld dat de senator niet om zulke programma's vraagt en geen verslagen ontvangt over wie er bijdraagt aan welk programma dat door of voor hem/haar is opgezet'. Ibid. Telega zegt dat hij veel geleerd heeft van zijn fellowship. Maar hij zegt ook dat hij functioneerde als een fulltime medewerker: hij woonde stafvergaderingen bij, werkte in opdracht van Hillary's medewerkers, opereerde fulltime vanuit haar Senaatskantoren, maakte gebruik van de faciliteiten van de Senaat, vertegenwoordigde haar tijdens meetings met regeringsambtenaren en privérelaties en werd ter vergadering op de Senaat gezien als een van haar naaste medewerkers. (Auteursinterview met Lee Telega in 2006 en Congressional Record, 13 februari 2002.) Telega, die achter in de veertig was ten tijde van zijn fellowship, zegt dat hij zijn ervaring aanwendde tijdens zijn daaropvolgende 'baantjeslobby' voor Cornell. Dean Henry schrijft in haar e-mail dat Telega 'mij regelmatig op de hoogte hield van de voortgang van zaken met betrekking tot de landbouwwet en de implicaties die diverse

formuleringen zouden kunnen hebben voor de landbouw in New York'. (Dean Henry: e-mail aan een van de auteurs in 2007.)

52. Onderzoek in 2006 naar verscheidene documenten, waaronder citaten in het Congressional Record, berichten van sponsororganisaties, cv's van de betrokken personen als gepubliceerd op internet door henzelf of hun werkgever, auteursinterview met fellows, check van de computer van de Senaat door medewerkers van de Senaat en een e-mail van Susan A. Henry aan de auteurs in 2007, waarin vermeld wordt dat de tweede fellow van Cornell een jaar werkzaamheden verrichtte. Hillary bevestigde dat diens reis naar New York om de landbouwactiviteiten van Cornell te bestuderen deels werd betaald door Cornell. (Zie: Employee Advance Authorization and Disclosure of Travel Reimbursement, 16 september 2002.) Hillary genoot bovendien de diensten van meer dan een dozijn interne medewerkers, onder wie studenten van Wellesley, haar alma mater, uit Ierland en die van Amerikaans indiaanse achtergrond.

53. Interview met Mark Oleszek, Berkeley Program Administrator voor het John Gardner Fellowship Program, in 2007. Oleszek zei dat de Gardner fellow die van 2006 tot 2007 werkzaam was in het kantoor van senator Clinton, gesolliciteerd had bij senator Barack Obama maar koos voor senator Clinton. De fellowship duurde tien maanden, was een fulltimebaan en werd bezoldigd. Een sociaal-psychologe en PhD-kandidate aan de Yale University die in 2004 acht maanden voor senator Clinton werkte, beschreef haar ervaringen in een afstudeerscriptie: 'Ik was verantwoordelijk voor het schrijven van toespraken, werd geacht ideeën te vormen voor wetsvoorstellen, verzamelde achtergrondinformatie, ontwierp wetsvoorstellen en raadpleegde experts op dit terrein... Ik voerde veel gesprekken met lobbyisten en kiezers en met andere Democratische medewerkers.' (Virginia Brescoll als geciteerd in 'The Rookie', augustus 2005, 'The Voice of the SPSSI Graduate Student'.)

54. Onderzoek in 2006 and 2007 naar documenten over externe medewerkers aan de Secretary of the Senate. Hillary vulde alleen een eerste 'supervisor's report' in voor een fellow in 2003, niet de verplichte kwartaalverslagen of het afrondingsverslag. Daarbij, zoals het 'supervisor's report' stelt, moet de werknemer, als hij langer dan negentig dagen werk verricht, een extra overeenkomst tekenen waarin hij toezegt zich te houden aan de regels van de Senaat. Deze overeenkomst, die grotendeels moet worden ingevuld door de senator, werd nooit zichtbaar gearchiveerd voor een van Hillary's fellows.

55. Auteursinterview met huidige en voormalige medewerkers in de Senaat en fellows in 2006 and 2007.

56. Formulier 41.4, gearchiveerd door de Secretary of the Senate.

57. Een van de auteurs stelde in maart 2007 vragen aan verscheidene organisaties die fellows die voor senator Clinton werkten sponsorden.

58. Auteursinterview met voormalig medewerker van de Ethische Commissie van de Senaat in 2006.

59. Inspectie van 'supervisor's reports' in het archief van de Secretary of the Senate. De sponsors omvatten onder meer de American Psychological Association, de American Political Science Association, de Women's Research and Education Institute, de Robert Woods Johnston Foundation en de John Heinz Fellowship.

60. De vier andere fellows werden gesponsord door de John Gardner Fellowship Program, Rensselaer Polytechnic Institute en twee door de Cornell University.

61. Auteursinterview met hogere Senaatmedewerker in 2006.

## 17  De langste dag

1. Fox News, 'On the Record', interview met Hillary Rodham Clinton door Greta Van Susteren, 11 september 2006.
2. Hillary Rodham Clintons gedachten en zorgen in deze alinea worden weerspiegeld in haar uitlatingen op 15 september 2001 tijdens de begrafenis van Mychal Judge, kapelaan van het New York Fire Department, als uitgeschreven voor de FDCH Political Transcripts.
3. NBC's *Dateline*, Hillary Rodham Clinton, 17 september 2001.
4. Chelsea Clinton, *Talk Magazine*, december 2001. Zie ook: Howard Kurtz, 'Media-Shy Chelsea Clinton Ends Her Silence; Talk Magazine Publishes Her First-Person Account of Sept. 11', *The Washington Post*, 11 november 2001, p. C01, en Jennifer Harper, 'Details of "terror day tale" pit Hillary vs. Chelsea', *Washington Times*, 10 november 2001, p. A1. Andere waarnemingen van Hillary en van die dag ontleend aan NBC's 'Dateline', interview met Hillary Rodham Clinton door Jane Pauley, 17 september 2001.
5. Ibid.
6. Persbericht van Hillary Rodham Clinton, 11 januari 2001.
7. Clinton, *Living History*, p. xi.
8. Cathy Pryor, 'A Tearful Clinton Hurries Back to NY', *The Australian*, 13 september 2001.
9. Auteursinterview met vertrouweling van Hillary Rodham Clinton in 2006.
10. Citaat van Schumer uit 'Politics', *Congress Daily*, 12 september 2001.
11. CNN-transcript, Hillary Rodham Clinton, 11 september 2001.
12. Alison Mitchell en Katharine Q. Seelye, 'A Day of Terror: Congress', *The New York Times*, 12 september 2001, p. A20. Zie ook: Elaine Povich, 'Terrorist Attacks; Across the Nation; Congress Rallies against Terror', *Newsday*, 12 september 2001, p. W30. Een video van dit moment is te vinden op www.youtube.com/watch?v=CUhlBF8Em70; zie ook: www.authentichistory.com/audio/attackonamerica/speeches/20010911_Congress_Sings_God_Bless_America.html.
13. Auteursinterview met vertrouweling van Clinton in 2007.
14. Speech van senator Hillary Clinton in de Senaat, 12 september 2001. Jaren later zei ze dat haar uitspraken van die dag 'tamelijk strijdlustig' waren maar passend in de directe nasleep van de aanslagen. Jeffrey Goldberg, 'The Starting Gate', *The New Yorker*, 15 januari 2007, p. 28.
15. Interview met medewerker van Bush in het Witte Huis in 2007.
16. De website van senator Hillary Rodham Clinton, www.clinton.senate.gov, gelanceerd op 12 september 2006.
17. Auteursinterview met voormalige en huidige medewerkers in de Senaat in 2006.
18. Fox News interview met Hillary Rodham Clinton, 11 september 2006.
19. 'Hillary Watch', *Human Events*, 24 september 2001. Frank Bruni, 'Show Us the Money', *The New York Times Sunday Magazine*, 16 december 2001, p. 60.
20. Joel Siegel, 'Hill Says Finish Afghan War, the Target Saddam', *The New York Daily News*, 9 maart 2002, p. 2.
21. 'Hillary Watch', *Human Events*, 24 september 2001.
22. Verklaring van Hillary Rodham Clinton in de Senaat, 27 november 2001, Congressional Record.
23. www.HumanEvents.com, 'Hillary Watch', 24 september 2001.

24. Auteursinterview met medewerker van Bush in het Witte Huis in 2007.
25. Uitspraken van Hillary Rodham Clinton tijdens een persvoorlichtingsbijeenkomst na de bijeenkomst in het Witte Huis op 13 september 2001 (FDCH Political Transcripts).
26. Clinton, *Living History*, p. 531.
27. Ibid.
28. CBS' *Evening News* met Dan Rather, interview met Hillary Rodham Clinton door Dan Rather, 13 september 2001.
29. Volgens de Nexis-Lexis database voor alle uitspraken gedaan door Hillary Rodham Clinton van begin januari 2001 tot september 2001; de exacte formulering waarnaar werd gezocht luidde: 'homeland threat' (bedreiging van het vaderland).
30. CBS' *Evening News* met Dan Rather, interview met Hillary Rodham Clinton door Dan Rather, 13 september 2001.
31. John Solomon, 'Clinton Mulled Bin Laden Attack', Associated Press Online, 13 september 2001.
32. CNN Transcript, interview met Hillary Rodham Clinton door Judy Woodruff, 13 september 2001.
33. Rapport van de 9/11-Commissie, p. 141. De commissie ontdekte ook dat in de laatste weken van de regering-Clinton plannen voor militair ingrijpen tegen al-Qaida of de Taliban in Afghanistan zelfs nog niet in de steigers stonden. President Clinton en adviseur voor de nationale veiligheid Sandy Berger hadden vastgesteld dat het 'voorbarige oordeel' van de CIA over betrokkenheid van al-Qaida bij de aanslag op de USS Cole een 'niet bewezen aanname' was en daarom niet overtuigend genoeg om over te gaan tot militair ingrijpen, aldus de commissie. Ibid., pp. 193-94. Verderop in dit rapport stelt de commissie dat ze 'geen aanwijzingen heeft aangetroffen' dat aan president Clinton de optie van 'een voorgenomen invasie' of 'geringere vormen van interventie' in Afghanistan werd gesuggereerd. Ibid., p. 349.
34. CNN's *Larry King Live*, interview met Hillary Rodham Clinton door Larry King, 13 september 2001.
35. NBC's *Today Show*, interview met Hillary Rodham Clinton door Katie Couric, 14 september 2001. Hoewel Hillary een paar details over de verblijfplaats van Chelsea door elkaar haalt, waren de vergissingen begrijpelijk gezien de chaotische en emotioneel verwarrende tijd.
36. *New York* Post nieuwsdienst, 'Grief and Grim Resolve at National Cathedral', *New York Post*, p. 9.
37. CNN *Live*, interview met Bill Clinton, 14 september 2001.
38. Interview met vertrouwelingen van Hillary in 2006 en 2007.
39. Gallup Poll voor CNN/USA *Today Show* vrijgegeven op 17 september 2001, waaruit bleek dat 45 procent van de ondervraagden president Clinton verantwoordelijk stelde voor de aanslagen tegen 34 percent die president Bush dat verweet.
40. ABC News, *America Under Attack*, 14 september 2001.
41. Richard Berke, 'A Nation Challenged: Political Memo; Attacks Shift Spotlight on Public Figures', *The New York Times*, 19 november 2001, p. A1.
42. ABC News, Transcript van toespraak van de president, 20 september 2001.
43. Videotape van de toespraak van Bush voor het Congres op 20 september 2001; zie ook: 'Hillary Watch', *Human Events*, 1 oktober 2001.
44. Ingezonden brief van Kathie Larkin, *Atlanta Journal-Constitution*, 21 september 2001.
45. 'Hillary Watch', www.HumanEvents.com, 1 oktober 2001.

46. Nicholas Lemann, 'The Hillary Perspective', *The New Yorker*, 8 oktober 2001, p. 48.
47. Bruni, 'Show Us the Money'.
48. Dit staaltje van opportunistisch dubben werd voor de eerste maal gemeld door John Stossel van ABC in 2002; een clip die de video voor en na de bewerking toont, kan worden bekeken op www.mediaresearch.org/rm/cyber/2002/stossel083002/segment1.ram. De citaten van Hillary Rodham Clinton tijdens haar optreden werden ontleend aan de ongecensureerde video.
49. Auteursinterview met dr. William Rom in 2006.

## 18 'De moeilijkste beslissing'

1. Jeffery Goldberg, 'The Starting Gate', *The New Yorker*, 15 januari 2007, p. 28.
2. Auteursinterview met voormalig medewerker aan de Senaat in 2006.
3. Verklaring van senator Hillary Rodham Clinton in de Senaat, 10 oktober 2002, Congressional Record.
4. Paul West, 'New Ratings Create Buzz for Clinton', *Baltimore Sun*, 26 juni 2006, p. 1A.
5. Auteursinterview met verscheidene vooraanstaande compagnons en adviseurs van Clinton in 2006 and 2007.
6. 'Attack in Iraq: Clinton's Statement', *The New York Times*, 17 december 1998, p. A16.
7. Bill Clinton, *My Life*, p. 834.
8. Todd S. Purdum, 'Threats and Responses; News Analysis; Stern Tone, Direct Appeal', *The New York Times*, 8 oktober 2002, p. A1.
9. Verklaring van senator Hillary Rodham Clinton in de Senaat, 10 oktober 2002, Congressional Record.
10. Joshua Green, 'Hillary's Choice', *The Atlantic*, november 2006, p. 70.
11. Auteursinterview met medewerker van het Witte Huis die met president Bush sprak over de bijeenkomst in 2007.
12. Green, 'Hillary's Choice'.
13. Auteursinterview in 2007 met hogere ambtenaar aan het Witte Huis die sprak met president Bush en Condoleezza Rice over de gevoerde discussies van 8 oktober 2002.
14. Carl Leubsdorf, 'Senator Clinton Criticizes U.S. Intelligence on Iraq', *Dallas Morning News*, 25 september 2003, p. 10A.
15. Auteursinterview met voormalige en huidige medewerkers van de Senaat in 2006 en 2007. De persoonlijke medewerkers van senatoren hebben geen toegang tot de meest gevoelige rapporten; alleen medewerkers die in comités zitten die zaken behandelen die betrekking hebben op de nationale veiligheid, genieten een dergelijke voorrecht. Hillary nam geen deel aan een dergelijk comité tot 2003, toen ze werd benoemd als lid van de Strijdkrachtencommissie.
16. Fox News Sunday, senator Jay Rockefeller, vicevoorzitter van de Inlichtingencommissie van de Senaat in 2005, november 13, 2005.
17. Eloise Harper, 'A Heated Exchange for Hillary', ABC NEWS, 14 april 2007, en interview met Eloise Harper in 2007. De kernpunten zouden met Hillary kunnen zijn doorgenomen door haar medewerker buitenlandse zaken, maar die had geen vergunning om het complete rapport te lezen. Of ze had kennisgenomen van de inhoud tijdens een voorlichtingsbijeenkomst van de regering-Bush.

18. Bob Graham, 'The President Lied to Us', *The Record*, 23 november 2005, p. 19.
19. Auteursinterview met voormalig senator Bob Graham in 2006.
20. Bob Graham en Jeff Nussbaum, *Intelligence Matters*, New York: Random House, 2004, p. 197.
21. Verklaring van senator Hillary Rodham Clinton in de Senaat, 10 oktober 2001. Alle volgende citaten in dit gedeelte zijn daaraan ontleend. In 2004 vertelde Hillary Gabe Pressman van WNBC dat ze de rapporten van de inlichtingendienst over de massavernietigingswapens in Irak had 'gezien' 'tijdens de regering van mijn echtgenoot'. (Zie: Transcript of WNBC-interview van senator Hillary Clinton door Gabe Pressman op 16 maart 2004.)
22. Brief van CIA aan de eerwaarde Bob Graham, 7 oktober 2002. In de brief is ook sprake van wapentraining voor al-Qaida door Irak, de aanwezigheid in Irak van al-Qaida-leden en wordt gemeld dat beide partijen 'spraken over een veilig toevluchtsoord'. Desalniettemin is er in de brief van de CIA geen sprake van enige banden tussen Saddam Hoessein en al-Qaida, noch wordt er melding van gemaakt dat de gesprekken over een veilig toevluchtsoord geleid hadden tot het herbergen van terroristen in Irak. Een rapport van de Defense Intelligence Agency in februari 2002 werpt ook twijfels op over het bestaan van wapentrainingen. Het rapport meende dat de bron voor de aanname dat al-Qaida wapentrainingen genoot van Irak, een overloper, waarschijnlijk zijn informanten 'doelbewust misleidde'. (Zie: Statement of Senator Carl Levin, 'Levin Says Newly Declassified Information Indicates Bush Administration's Use of Pre-War Intelligence Was Misleading', 6 november 2005.)
23. Ibid.
24. Rapport van de Inlichtingencommissie over naoorlogse bevindingen over massavernietigingswapens in Irak en banden met terrorisme en hoe die zich verhouden tot vooroorlogse bevindingen, uitgebracht op 8 september 2006.
25. Auteursinterview met Bob Graham in 2006; zie ook: Bob Graham, *Intelligence Matters*, p. 181.
26. The Pew Research Center for the People and the Press, opiniepeiling verricht in oktober 2002. (Zie: www.people-press.org/reports/pdf/173.pdf.)
27. Congressional Record, 10 oktober 2002, s10292.
28. Ibid. s10329 en auteursinterview met voormalige en huidige medewerkers aan de Senaat in 2006.
29. Congressional Record, 10 oktober 2002, s10339-40.
30. Auteursinterview met Kenneth Pollack in 2007. Pollack weigerde expliciet te spreken over de details van zijn gesprekken met Hillary over Irak.
31. Uitspraken van senator Hillary Rodham Clinton tijdens een forum van Democratische presidentskandidaten in Carson City, Nevada, 21 februari 2007.
32. Auteursinterview met verscheidene vertrouwelingen van Hillary in 2006 and 2007.
33. Auteursinterview met voormalige en huidige senatoren en hooggeplaatste medewerkers in 2006.
34. Auteursinterview met vertrouwelingen van Hillary in 2006 en 2007.
35. Auteursinterview met deelnemers aan de voorlichtingsbijeenkomst in 2006.
36. Verklaring van senator Hillary Rodham Clinton in de Senaat, 10 oktober 2002, Congressional Record, s10288.
37. Verklaring van senator Carl Levin in de Senaat, 10 oktober 2002, Congressional Record.

38. Verklaring van senator John McCain in de Senaat, 10 oktober 2002, *Congressional Record*.
39. Auteursinterview met Medea Benjamin in 2006.
40. De video is te bekijken op www.youtube.com/watch?v=pYATbsu2cP8. Alle volgende citaten van senator Clinton en de leden van Code Pink zijn ontleend aan deze video.

## 19 De club

1. Auteursinterview met Senaatsmedewerker in 2006.
2. Ibid.
3. Auteursinterview met James Varey in 2006.
4. Auteursinterview met Senaatsmedewerker in 2006.
5. Auteursinterview met senator Barbara Mikulski, per e-mail via haar perssercretaris Melissa Schwartz, in 2006.
6. Auteursinterview met John McCain in 2007.
7. Auteursinterview met Lee Telega en andere voormalige medewerkers en vrienden die in 2006 en 2007 voor Hillary werkten.
8. Auteursinterview met voormalig Senaatsmedewerker in 2006.
9. Auteursinterview met Senatsadviseur in 2007.
10. Auteursinterview met voormalig medewerker in 2006.
11. Auteursinterview met voormalig medewerker van Clinton in het Witte Huis in 2007.
12. Auteursinterviews met voormalige medewerkers van Hillary in 2007.
13. Ibid.
14. De belangrijke commissies krijgen de aanduiding A, de andere B. Voor een volledige beschrijving van de indeling van de commissies zie *CQ Today*, 9 november 2006.
15. Auteursinterview met Senaatsmedewerker die in de HELP-commissie zit in 2006.
16. Ibid.
17. Ibid.
18. Auteursinterview met Jodi Sakol in 2006.
19. Karen Tumulty, 'Ready to Run', *Time*, 28 augustus 2006, p. 26.
20. John Machacek, 'Utica Native Achieves Rank of Lieutenant Colonel', Gannett News Service, 1 juni 2004.
21. Auteursinterview met senator John McCain.
22. Auteursinterview met getuigen van het voorval in 2006.
23. Persbericht van senator Elizabeth Dole: 'Senators Clinton and Dole Announce Unanimous Passage of Senate Resolution Congratulating Israel's Magen David Adom Society From Achieving Full Membership in the International Red Cross', 2 augustus 2006.
24. Gebaseerd op onderzoek van de auteurs naar wetgeving, resoluties en andere handelingen van senator Hillary Rodham Clinton in haar eerste termijn.
25. Joan Lowy, 'Clinton Says her Spouse will be a Tremendous Asset, but She'll Make the Decisions', Associated Press, 23 januari 2007.
26. Auteursinterview met Jodi Sakol in 2007.
27. Auteursinterview met John McCain in 2007. McCain zei dat het verhaal over het drinken van wodka, dat opdook in een stuk van Anne Kornblut in *The New York Times* op 29 juli 2006, 'overdreven' was.

28. www.huffingtonpost.com/arianna-huffington/brainstorming-in-aspen-p_b_24158.html.
29. Ibid.
30. Jerry Zremski, 'Senator Clinton Goes Right', *Buffalo News*, 20 maart 2005, p. A1.
31. Russell Berman, 'Senator Clinton Aligns with Bush on Immigration', *New York Sun*, 21 februari 2007, p. 2.
32. Spencer Morgan, 'Hillarty's Mystery Woman: Who is Huma?' *New York Observer*, 2 april 2007, p. 8.
33. Auteursinterview met huidige en vroegere Senaatsmedewerkers in 2006.
34. Auteursinterview met voormalige medewerker van Hillary in 2006.
35. Auteursinterview met Senaatsmedewerker in 2006.
36. Clinton, *Living History*, bijschrift bij foto A48.
37. Clinton, *My Life*, pp. 912-913.
38. Auteursinterview met John McCain in 2007.
39. Terry McAuliffe en Steve Kettman, *'What a Party!'* New York: Thomas Dunne Books, 2007, p. 381.
40. Een van de auteurs was aanwezig bij de bijeenkomst. Abedin, die in de Senaatsarchieven wordt aangeduid als speciale assistent of topadviseur, is het enige Senaatsstaflid van wie Hillary zei dat ze 'van onschatbare waarde was voor het halen van de deadline' van haar in 2003 verschenen autobiografie (*Living History*, p. 530). Ondanks die hulp is Abedin een van de laagst betaalde Senaatsmedewerkers: haar hoogste salaris tussen 2001 en 2006 bedroeg 27.000 dollar. (Rapporten van het Secretariaat van de Senaat 2001–2006). Maar in het tweede deel van Hillary's eerste termijn stond Abedin op twee andere loonlijsten die onder de verantwoordelijkheid van Hillary vielen: haar commissie voor de herver-kiezingscampagne en haar politiekeactiecommissie. Het salaris dat ze kreeg voor haar werk voor die twee commissies, was hoger dan haar salaris voor de Senaat. (Analyse van de auteur van salarisrapportage door het Secretariaat van de Senaat en campagnerapporten van Friends of Hillary en Hill-Pac, verzameld door Political Money Line, tonen dat Abedin zo'n tweeduizend dollar per maand van Hill-Pac kreeg en zo'n drieduizend dollar per maand van Friends of Hillary. De commissierapporten vermelden nettobedragen; de totaalcijfers zijn een schatting van het nettosalaris. Hillary's campagneteam voor het presidentschap betaalde Abedin begin 2007 een ruim salaris.) Volgens de Senaatsregels mogen medewerkers op meerdere loonlijsten staan. Meer dan tien medewerkers van Hillary staan op twee loonlijsten en een aantal, onder wie Abedin, staat op drie loonlijsten. Deze structuur dateert van 2003. Senaatsmedewerkers hebben het recht in hun vrije tijd te werken aan zaken die niet met de Senaat te maken hebben, zoals de herverkiezingscampagne van een senator, maar ze mogen niet met overheidsgeld worden betaald voor werk dat niet voor de Senaat is. Hillary raadpleegde de voorschriften van de Ethische Commissie van de Senaat voordat ze toestemming verleende voor dubbele betaling van haar medewerkers. (Zie Glenn Thrush, 'An Extra Little Boost', *Newsday*, 3 november 2005, p. A9.) Volgens de voorschriften vinden 'situaties met twee dienstverbanden' in het algemeen in een be-perkte tijdsperiode plaats en betreft het meestal werkzaamheden voor de verkiezing van een senator', met andere woorden: in de laatste twee jaar van de termijn van een senator. (Zie *Senate Ethics Manual*, editie 2003, p. 152.) De betaling dient in overeenstemming te zijn met het werk: als de medewerker zijn tijd gelijkelijk verdeelt over politieke en Senaatsactiviteiten, moet de betaling ook gelijkelijk verdeeld worden (Ibid., p. 154). Enige senatoren betalen hun medewerkers uit verschillende bronnen, maar er is er niet een die

zo veel medewerkers op meerdere loonlijsten heeft staan gedurende zo'n lange periode als Hillary. (Auteursinterviews met Senaatsmedewerkers en specialisten op het gebied van ethische voorschriften in 2006; zie ook: Thrush, 'An Extra Little Boost'.)

41. Reisverslagen in het archief van het Secretariaat van de Senaat.
42. Auteursinterview met Senaatsmedewerkers in 2006.
43. Michael Saul, 'W to Skip Key Olympic Lobbying Trip', *The New York Daily News*, 21 juni 2005, p. 4.
44. Auteursinterview met Senaatsmedewerker in 2006.
45. *Senate Ethics Manual*, editie 2003, p. 119.
46. David Seifman, 'Hill Joins Mike in Final Olympic Sprint', *New York Post*, 2 juni 2005, p. 2, en Robin Finn, 'Speaking, and Sweating, for the Senator', *The New York Times*, 15 juli 2005, p. B2.
47. Strijdkrachtnecommissie van de Senaat: 'Third Quarter Amended Consolidated Report on Expenditure of Funds for Foreign Travel by Members and Employees of the U.S. Senate', ontvangen op 6 februari 2006 door het Secretariaat van de Senaat. Medewerkers van senator Warner gaven nooit antwoord op vragen die over de reis zijn gesteld.
48. Auteursinterview met Senaatsmedewerker in 2006.
49. Lijst van het Vote Smart-project van diverse belangengroeperingen, te raadplegen op www.vote-smart.org., vanaf 22 februari 2007.
50. Ibid., gebaseerd op rangschikking van het *National Journal*.
51. Ibid.
52. Auteursinterview met voormalig Senaatsmedewerker in 2006.
53. Ibid.
54. Ibid.
55. Auteursinterview met Senaatsmedewerkers in 2006 en 2007.
56. Mary Ann Akers, 'Heard on the Hill', Roll Call, 28 juni 2006.
57. Auteursinterview met oudgediende Senaatsmedewerker in 2007. Hillary's woordvoerder Philippe Reines zei voor de grap tegen Roll Call dat Rubiner eigenlijk had gezegd: 'Goed werk.' Maar de Senaatsmedewerker zei dat de versie van Roll Call 'voor honderd procent klopte'.
58. Auteursinterview met Jodi Sakol in 2007.
59. Auteursinterview met oudgediende Senaatsmedewerker in 2007.
60. Ibid.
61. Auteursinterview met voormalige medewerker van de regering-Clinton in 2007.
62. Auteursinterviews met verslaggevers die zich in 2007 met Hillary bezighouden.
63. Onderzoek van de auteurs naar betalingsrapporten van de Senaat in 2006.
64. Ibid.
65. *The New York Times*, 15 juli 2005, p. B2.
66. Auteursinterview in 2007 met Jodi Sakol, die in 2007 met Reines samenwerkte tijdens de campagne van 2000.
67. Auteursinterview met de verslaggever in 2007.
68. Ibid.
69. Auteursinterview met oudgediende Senaatsmedewerkers in 2007. Een woordvoerder van Hillary zei: 'We vragen ze ditmaal niet om samen te werken' met Sheehy. (Lloyd Grove, 'For Hil and Gail, it's She Said, Sheehy said', *The New York Daily News*, 7 juli 2006, p. 23. E-mail van Philippe Reines aan Democratische perssecretariaten, 7 juli 2006, onderwerp:

Gail Sheehy. Sheehy's artikel werd niet gepubliceerd. De auteurs van dit boek ondervonden soortgelijke problemen aangaande medewerking van de Senaat. Zo weigerde Harry Reid, meerderheidsleider van de Senaat, met de auteurs te spreken over Hillary nadat Reines volgens een ervaren Senaatsmedewerker in 2006 een e-mail naar Reids kantoor had gestuurd met het verzoek niet samen te werken met de auteurs.

70. 'Endorsement '08', TheHill.com, vanaf 19 april 2007 hillaryclinton.com. Geraadpleegd op 24 april 2007.

## 20 De War Room

1. Ann Q. Hoy, 'Hillary Emerges', *Newsday*, 17 januari 2003, p. A7.
2. In 2005 zouden de meest nabijgelegen kantoren worden overgenomen door senator Barack Obama, die zich later zou ontpoppen als een geducht deelnemer in de strijd om het presidentschap.
3. Auteursinterview in 2006 met Jodi Sakol, stafdirecteur van de Sturingscommissie van 2001 tot 2004.
4. Ibid.
5. Ibid.
6. Opmerkingen van senator Hillary Rodham Clinton tijdens de NDN-vergadering in het Mayflower Hotel in Washington D.C., 23 juni 2006.
7. Jonathan E. Kaplan, 'Be Bright, Work Hard, Get Yourself a Mentor', *The Hill*, 28 januari 2004, p. 1, en 'Senate Leadership', *The National Journal*, 21 juni 2003.
8. Auteursinterview met Jodi Sakol in 2006.
9. Ibid.
10. Ibid.
11. Ibid.
12. Alan Cooperman, 'Democrats Win Bigger Share of Religious Vote', *The Washington Post*, 11 november 2006, p. A1.
13. Auteursinterview met Jodi Sakol in 2006 en 'Clinton Assembles a Seasoned Team', *The Washington Post*, 21 januari 2007, p. A6.
14. Auteursinterview met Jodi Sakol in 2006.
15. Ibid.
16. Ibid. Dorgan was vooral ontstemd over Hillary's rol bij het organiseren van een Democratische vergadering in oktober 2003 om aandacht te vragen voor de groeiende bezorgdheid over de onthulling van de naam van voormalig CIA-medewerker Valerie Plame. (Ibid.) Sakol zei ook dat de echtgenoot van Plame, Joe Wilson, de 'aanleiding' vormde voor die vergadering, maar dat Hillary Wilson 'op een afstandje wilde houden'. Vier jaar later at Hillary in een restaurant in Washington met Wilson, Plame, Sid Blumenthal en Blumenthals vrouw. Zie Michael Cotterman, 'Friends of Hillary', *The Washington Post*, 10 maart 2007, p. C3. De senatoren Durbin en Dorgan wilden voor dit boek geen commentaar geven.
17. Auteursinterview met Jodi Sakol in 2006.
18. Onderzoek van de auteur naar lobbygegevens in het archief van het Secretariaat van de Senaat. Singiser wilde geen reactie geven.
19. Interview per e-mail met Dana Singiser, 20 januari 2007.

# Noten

20. Mark Halperin en John F. Harris, *The Way to Win*, New York: Random House, 2006, p. 336; auteursinterview met Jodi Sakol in 2006; en opmerkingen van senator Hillary Rodham Clinton op 23 juni 2006 tijdens de NDN-vergadering in het Mayflower Hotel in Washington.
21. Auteursinterview met Jodi Sakol in 2006.
22. Ibid.
23. Auteursinterview met Jodi Sakol in 2007. Sakol zegt dat ze de vergaderingen in haar eigen tijd bezocht, en niet in officiële diensttijd van de Senaat.
24. Ibid.
25. Form 990 voor het jaar 2005 voor Citizens for Responsibility and Ethics in Washington D.C.
26. Auteursinterview met Jodi Sakol in 2006.
27. Ibid.
28. Ibid.
29. Ibid.
30. Auteursinterview met een voormalig medewerker van Hillary Clinton in 2006. Senator Daschle en Pete Rouse wilden voor dit boek geen commentaar geven.
31. Ibid.
32. Auteursinterview met Jodi Sakol.
33. Auteursinterview met Senaatsmedewerker in 2006.
34. Steve Tetrault, 'Reid Announces New Office Created', *Las Vegas Review-Journal*, 30 november 2004, p. B9.
35. Auteursinterview met Senaatsmedewerker in 2007.
36. Auteursinterview met Jodi Sakol in 2007. Brock zei in 2007 in een e-mail aan een van de auteurs dat hij Melanie Sloan vaak had ontmoet, maar het niet had gehad over de vraag of hij aanwezig was geweest bij de vergaderingen in 2003.
37. Jim Rutenberg, 'New Internet Site Turns Critical Eyes and Ears to the Right', *The New York Times*, 3 mei 2004, p. A21.
38. Auteursinterview met Jodi Sakol in 2006. Borck zei in een e-mail aan de auteur in 2007 dat de media-analyse 'beschikbaar is voor iedereen die onze website bezoekt'. Sakol zei dat een vertegenwoordiger van het centrum regelde dat ze op de lijst van Media Matters kwam te staan.
39. Glenn Thrush, 'Switching Allegiances', *Newsday*, 7 september 2006, p. A28.
40. E-mail aan de auteur in 2007 van David Brock.
41. Ibid.
42. Ibid. Brock zei: 'Media Matters is bijna drie jaar geleden begonnen, dus we hebben meer dan zevenduizend voorbeelden van conservatieve desinformatie in de Amerikaanse media gedocumenteerd en verbeterd – van *The New York Times* en *The Washington Post* tot Rush Limbaugh en Bill O'Reilly. Ik ben trots op het werk dat we hebben gedaan en nog steeds doen.'
43. *Newsday*, 7 september 2006, p. A28, en *The New York Times*, 3 mei 2004, p. A21. Brock zei in een e-mail aan een auteur in 2007 dat Hillary 'een van de vele progressieve leiders was die geïnteresseerd waren in de opbouw van een progressieve infrastructuur'. Een van Hillary's beste vriendinnen, Susie Tomkins Buell, hield een fondsenwervingsbijeenkomst voor Brocks initiatief, en bijna de helft van de opbrengsten van Susie Tompkins Buell Foundation in 2004 en 2005 ging naar Media Matters. (Clinton, *Living History*, p. 334

voor een verslag van hun vriendschap; Form 990-jaarverslagen van de Susie Tompkins Buell Foundation in 2004 en 2005 laten giften zien van 300.000 dollar, op een totale opbrengst van 636.000 dollar; zie Byron York, 'David Brock is Buzzing Again', *National Review*, 14 juni 2004, voor een discussie over de fondsenwerving.)

44. Media Matters stuurde snel een audiobestand van Hillary's commentaar en verweet vervolgens de *Times* dat men de fout niet snel genoeg had hersteld. (www.MediaMatters.org, 17 en 18 juli 2006.)

45. Auteursinterview met journalist in 2006.

46. Het initiatief, waar Hillary mede voorzitter van was en dat werd opgezet door Reed en anderen die geen deel uitmaakten van Hillary's staf, behelsde een gedetailleerd overzicht van voorstellen op het terrein van binnenlands beleid. Auteursinterviews met DLC-medewerkers in 2006.

47. Auteursinterview met *Times*-medewerker in 2006.

48. Ibid. Kornblut verliet de *Times* en ging begin 2007 werken voor *The Washington Post*.

49. 'National Briefing', *Hotline*, 17 juli 2006.

50. Biografie van Peter Daou, gepost op de Daou Report-website op www.Salon.com.

51. Auteursinterview met journalist aan wie Daou meer vertelde over zijn achtergrond, in 2006. Daou wilde voor dit boek geen commentaar geven.

52. Peter Daou, 'Ignoring Colbert', www.HuffingtonPost.com, 30 april 2006.

53. Ibid.

54. Daou Report, 'The Triangle', 25 januari 2006.

55. Daou Report, 'Closing the Triangle with Senator Hillary Clinton', 26 juni 2006. Daou hield in de zomer van 2006 op met het redacteurschap van zijn weblog-rapportering voor het linkse webmagazine *Salon* nadat hij voor Hillary was gaan werken. Maar wel verzorgde hij nog steeds een persoverzicht voor webloggers, 'News Unfiltered', in samenwerking met een pr-bureau. Rachel Meranus, pr-directeur van PR NEWSwire, het bedrijf waarmee Daou samenwerkt, zei in een e-mail van 21 november 2006 dat Daou bleef werken als een 'objectieve, onpartijdige redacteur voor het weblog' en tegelijk werkte voor Hillary.

56. Auteursinterview met voormalige Clinton-medewerker in 2006.

57. Archieven van Friends of Hillary en Hill-Pac, verzameld door Political Money Line.

58. E-mail van Peter Daou aan Hillary-aanhangers van 14 februari 2007.

59. Nota van Peter Daou, 'Hillary for President; Internet Strategy & Initial Results', 26 januari 2007.

60. Ibid.

61. Glenn Thrush, 'The 2008 Presidential Race on the Stump', *Newsday*, 28 januari 2007, p. A15.

## 21 Hillary's moeras

1. Auteursinterview met een Senaatsmedewerker in 2006.

2. Opmerkingen van Hillary Rodham Clinton voor de Council on Foreign Relations in New York, 15 december 2003.

3. Todd Pittman, 'Clinton: Insurgents in Iraq are Failing', Associated Press Online, 19 februari 2005.

4. Thanassis Cambanis, 'Dozens Die in Iraq as Attacks Mar Shi'ite Holy Day', *Boston Globe*, 20 februari 2005, p. AI.
5. NBC's *Meet the Press*, interview met Hillary Rodham Clinton door Tim Russert, 20 februari 2005.
6. Kirk Semple en Sabrina Tavernise, 'U.S. Reports Iraqi Civilian Casualties in Anti-Insurgent Sweep', *The New York Times*, 10 november 2005, p. A16.
7. Interviews met Senaatsmedewerkers in 2006.
8. Ibid.
9. Lara Sukhtian, 'Bill Clinton Says U.S. Made "Big Mistake" When It Invaded Iraq', Associated Press, 16 november 2005.
10. Senator Hillary Rodham Clinton, 'Brief aan de opstellers van het beleid in Irak', 29 november 2005.
11. Ibid.
12. Wetsartikel 107-243.
13. Senator Hillary Rodham Clinton, 'Brief aan de opstellers van het beleid in Irak', 29 november 2005.
14. Dan Balz en Peter Baker, 'Bush Includes Congress in New Iraq Tack', *The Washington Post*, 17 december 2005, p. A16.
15. Auteursinterview met medewerker van Bush in het Witte Huis in 2007.
16. Auteursinterview met Courtney Lee Adams in 2006.
17. Judy Holland, 'Byrd Nears Record Service in Senate', *Times Union*, 7 mei 2006, p. A14.
18. Auteursinterview met Courtney Lee Adams in 2006.
19. Form 990-jaarverslag voor 2004 van de William J. Clinton Foundation.
20. Hillary hield haar eerste Senaatstoespraak over de opwarming van de aarde tijdens het Senaatsdebat van 29 oktober 2003 over een wet die werd gesteund door senator Joe Lieberman. Ze stond niet op de lijst van veertien senatoren die het wetsvoorstel mede ondertekenden. Het belangrijkste bewijs tijdens het debat waren foto's van ijsvlakten op de Kilimanjaro van 29 jaar geleden en nu. Ze toonde de foto's en zei dat dit 'dramatisch bewijs is van de effecten van 29 jaar opwarming', hoewel er op dat moment felle wetenschappelijke debatten werden gevoerd over de oorzaken van het feit dat het ijs geleidelijk verdwijnt. Zie ook: Andrea Minarcek, 'Mount Kilimanjaro's Glacier is Crumbling', *National Geographic Adventure*, 23 september 2003; http://news.nationalgeographic.com/news/2003/09/0923_030923_kilimanjaroglaciers.html en Andrew C. Revkin, 'Climate Debate Gets Its Icon, Mt. Kilimanjaro', *The New York Times*, 23 maart 2004, p. FI.
21. Auteursinterview met David Sandalow in 2006.
22. Lukas I. Alpert, 'Hill Stars with Bill', *New York Post*, 17 september 2005, p. 4.
23. Opmerkingen van Tim Wirth uit het transcript van de Plenaire Sessie, getiteld 'Global Warming and Severe Weather Events', van het Clinton Global Initiative op 17 september 2005, New York City. Wirth prees tevens de opmerkingen van generaal b.d. Wesley Clark over ditzelfde onderwerp. Clark zat in hetzelfde panel als Hillary.
24. Auteursinterviews met medewerkers van Bill, Hillary en Al Gore in 2006.
25. Ibid.
26. Interview van Lisa DePaulo met Al Gore, GQ, december 2006, p. 305.
27. Auteursinterview met Roy Neel in 2007.
28. Auteursinterview met medewerkers van Al Gore in 2007.
29. Opmerkingen van Al Gore, uit het transcript van de Plenaire Sessie, getiteld 'Global

Warming and Severe Weather Events' van het Clinton Global Initiative op 17 september 2005, New York City.

30. Opmerkingen van senator Hillary Rodham Clinton op het Cleantech Venture Forum VIII op 25 oktober 2005.

31. 'A Conversation with Bill Clinton', Aspen Ideas Festival, Aspen, Colorado, 7 juli 2006.

## 22 Een opwarmertje voor de opwarming van de aarde

1. Auteursinterviews met adviseurs van Clinton in 2006.

2. ABC NEWS, *The Note*, 22 mei 2006, en auteursinterviews met journalisten in 2006.

3. E-mail van RNC RESEARCH, 23 mei 2006.

4. Persbericht van senator Harry Reid van 14 oktober 2005, US Fed News Service. Twee maanden later betitelden Hillary's medewerkers een bijeenkomst die ze organiseerde in New York als de 'lancering' van het Democratische energievoorstel. (CNN's *American Morning* van 12 december 2005.) Dit was hetzelfde voorstel als Cantwell daarvoor had gepresenteerd. Reid had er geen problemen mee dat Hillary de voorstellen had weggekaapt van haar collega's: hij zei dat Hillary een grotere kans had de aandacht te trekken omdat ze 'meer in de belangstelling' stond dan Cantwell. Auteursinterview met Senaatsmedewerker in 2007.

5. 'A Conversation with Bill Clinton', Aspen Ideas Festival, Aspen, Colorado, 7 juli 2006.

6. Thomas Friedman, 'The Energy Mandate', *The New York Times*, 13 oktober 2006, p. A27, en auteursinterviews met Democratische adviseurs in 2006.

7. U.S. Newswire, persbericht van Apollo Alliance: 'Administration Report Highlights Critical Need for Energy Independence', 12 december 2005.

8. Ibid.

9. Clinton, *My Life*, controle van het register door de auteur. Bovendien waren de overheidsuitgaven op het terrein van energieonderzoek laag in de jaren negentig – veel lager dan de uitgavenpiek die werd bereikt in het decennium tussen eind jaren zeventig en eind jaren tachtig. Zie *The New York Times*, 30 oktober 2006, tabel met de titel: 'Declining Investment in Energy R&D'.

10. 'A Conversation with Bill Clinton', Aspen Ideas Festival.

11. Energy Information Administration, Annual Energy Review, figuur 5.3 en 2006, tabel 5.17.

12. Auteursinterview met deelnemers van de werkgroep in 2006. Altman weigerde zich te laten interviewen voor dit boek.

13. Het prospectus voor de initial public offering (IPO, beursgang) van Evercore Partners in augustus 2006 vermeldde dat de investeringenportefeuille in private equity-fondsen bestond uit 33 procent in energiefondsen, gevolgd door 19 procent in telecommunicatie; cijfers van 31 maart 2006 volgens Form 424B4, in het archief van de SEC.

14. Auteursinterview met deelnemers van de werkgroep in 2006 en 2007, onder wie David Victor, lid van de werkgroep en directeur van het programma betreffende energie en duurzame ontwikkeling aan Stanford University, en Adam Sieminski, analist op het terrein van de Deutsche Bank, in 2006.

15. Nota aan senator Hillary Rodham Clinton over Amerikaans energiebeleid, april 2006, waarvan een kopie werd verkregen door de auteurs.

16. Auteursinterviews met deelnemers van de werkgroep, onder wie David Victor.
17. Ibid.
18. Ibid.
19. Auteursinterview met Adam Sieminski in 2006. Sieminski zei dat een van de doelen van de werkgroep erin bestond Hillary voor te bereiden op een mogelijke kandidatuur voor het presidentschap.
20. Altman noemde energieonafhankelijkheid in een interview op 21 juli 2005 op Sky-RadioNet.com 'een luchtkasteel'. Sieminski noemde het in een interview met de auteur in 2006 'onmogelijk' en 'contraproductief'. Victor was voorzitter van een werkgroep van de Commissie Buitenlandse Betrekkingen aangaande Amerikaanse afhankelijkheid van energie, waar diverse leden van Hillary's werkgroep ook zitting in hadden en die in 2006 concludeerde dat 'mensen die de nadruk leggen op energieonafhankelijkheid', de staat geen dienst bewijzen, want ze 'richten zich op een doel dat onbereikbaar is in de nabije toekomst', en dat 'de leiders van beide partijen niet in staat lijken te zijn zich te onthouden van het stellen van onrealistische doelen, waarbij het doel lijkt te zijn populariteit te winnen'. (Uit een persbericht van CFR, 12 oktober 2006.)
21. Auteursinterview met David Victor in 2006.
22. Patrick Healy, 'Clintons Balance Married and Public Lives', *The New York Times*, 23 mei 2006, p. A1.
23. Auteursinterviews met Patrick Healy in 2007 en een medewerker van Hillary en een journalist in 2006.
24. Opmerkingen van senator Hillary Rodham Clinton bij de National Press Club over energiebeleid, 23 mei 2006.
25. Haar geheime adviseurs waren ook voor meer energieonderzoek door de overheid. Zie Nota aan senator Hillary Rodham Clinton over Amerikaans energiebeleid, april 2006.
26. Auteursinterviews met David Victor, Adam Siemenski en Frank Wolak, energie-expert aan Stanford University, in 2006. Hillary's adviseurs schreven in hun nota aan haar dat ze nooit voorstanders waren geweest van extra belastingen.
27. Opmerkingen van senator Hillary Rodham Clinton bij de National Press Club over energiebeleid, 23 mei 2006.
28. In de nota van haar werkgroep werd een hervorming van de standaardmaatregelen wat betreft benzineverbruik aanbevolen, maar er werd geen specifiek doel gesteld.
29. Maureen Dowd, 'Enter Ozone Woman', *The New York Times*, 24 mei 2006, p. A27.
30. 'A Conversation with Bill Clinton', Aspen Ideas Festival.
31. Ibid.
32. Congressional Record, 17 november 2005, s. 13128.
33. Samenvatting van de wet van de Library of Congress op http://thomas.loc.gov.
34. Auteursinterviews met milieuactivisten in 2006.
35. Website van Project Vote Smart gelanceerd op 1 oktober 2006.
36. Congressional Record van 15 juni 2005, Roll Call Vote No. 138 op Senaatsamendement 782.
37. Hillary stemde tegen de energiewet, vooral omdat de voordelen, zoals voorstellen voor besparingen, niet opwogen tegen maatregelen waar ze tegen was, zoals bezuinigingen op milieubescherming.
38. Stemming op 29 juli 2003 en 23 juni 2005 over een amendement van senator Durbin om de standaard voor efficiënt benzineverbruik voor auto's, in de industrie, bekend onder

de term CAFÉ-standaard, te bepalen op veertig mijl per gallon. Twee weken na haar stem tegen de veertigmijlstandaard roemde Hillary de voordelen van 'het opvoeren van de gemiddelde bezuiniging op benzineverbruik tot veertig mijl per gallon in 2012', op het Aspen Ideas Festival.

39. Auteursinterview met milieulobbyist in 2006.
40. Opmerkingen van senator Hillary Rodham Clinton bij de National Press Club over energiebeleid.
41. Nota aan senator Hillary Rodham Clinton, april 2006. In de nota werd uitgelegd dat kolen en gas de belangrijkste bronnen voor elektriciteitsopwekking zijn. Het percentage dat wordt opgewekt uit olieproducten (geïmporteerd of binnenlands) bedraagt minder dan één procent van alle elektriciteit, aldus het Energy Information Administration: 'Maandelijks gebruik van elektriciteit', gedeelte over 'netto-opwekking per bron', over de eerste vijf maanden van 2006, gepubliceerd op 1 augustus 2006. Andere bronnen voor elektriciteit zijn kernenergie, gas, water, wind en zonne-energie.
42. 'Best and Worst of Congress', *Washingtonian*, september 2006.
43. Opmerkingen van senator Hillary Rodham Clinton bij de National Press Club over energiebeleid, 23 mei 2006.
44. Bouwvergunning van het District of Columbia Department of Consumer and Regulatory Affairs, nummer B473381. Op het aanvraagformulier van een vergunning voor een mini-boiler staat één Dunkirk-boiler, Plymouth Series 2. Brenda Kawski, een vertegenwoordiger van Dunkirk, zei in een interview met een van de auteurs op 17 oktober 2006 dat de Plymouth Series 2 de standaardboiler van het bedrijf was: minder zuinig en minder duur dan de zuinige modellen van het bedrijf. Op de aanvraag van een vergunning voor nieuwe airco-installaties in Hillary's huis staan drie nieuwe Carrier-installaties, een van het model 38 TXA 060 en twee van het model 38 TRA 036. Het eerste model heeft een classificatie van SEER 13 – hoe hoger de classificatie, des te zuiniger het apparaat – en de andere twee hebben een classificatie van SEER 12. Het bedrijf verkocht in 2005 zelfs nog hoger geclassificeerde apparaten, zei een vertegenwoordiger van Carrier die op 17 oktober 2006 werd geïnterviewd. Senator Clinton steunt een door de regering voorgeschreven SEER-standaard van minstens 13, volgens een brief die zij en vijftig andere senatoren in 2004 aan president Bush stuurden. Zie States News Service van 21 maart 2004.
45. Senator Barbara Mikulski, in antwoord op vragen van de auteur in 2006, via een e-mail van haar perssecretaris Melissa Schwartz.
46. Opmerkingen van senator Hillary Rodham Clinton tijdens een lunch van de National Family Planning and Reproductive Health Association op 13 juni 2006.
47. E-mail van de perssecretaris van senator Barbara Mikulski in 2006.
48. Opmerkingen van senator Barbara Mikulski in het Sewall Belmont House, http://democrats.senate.gov/checklistforchange/speech.cfm.
49. Ibid.
50. Verkregen door de auteurs via http://thomas.loc.gov.
51. CNN's *Larry King Live*, interview met senator Hillary Rodham Clinton, 21 juni 2006.
52. Persbericht van DayStar Technologies, 31 juli 2006, via PRNewswire.
53. Ibid.
54. Auteursinterview met Erica Dart, media- en marketingvertegenwoordiger van DayStar, in 2006.
55. Jaarverslag van DayStar Technologies voor 2005, gedateerd 17 maart 2006.

56. Bericht van DayStar Technologies op 3 oktober 2006.
57. Verklaring van senator Hillary Rodham Clinton op 26 september 2006.
58. De website www.politicalmoneyline.com toonde een bijdrage van duizend dollar in oktober 2006 van Michael Brower aan Friends of Hillary.
59. Auteursinterview met Michael Brower in 2006.
60. Auteursinterview met Dart.
61. 'Clintons to Attend Beverly Hills Re-Election Fundraiser Friday Night', NBC4tv.com, 21 april 2006 en Ted Johnson, 'Democrats push for funds', Variety.com, 21 maart 2007.
62. Gabriel Snyder, 'The Hillary Tour', Variety.com, 11 oktober 2005 en Variety.com, 21 maart 2007.
63. Auteursinterview met professor Lawrence Smart van het College of Environmental Science and Forestry van de State University of New York in 2006. Smart zei dat hij de Clintons was tegengekomen op een braderie in Cazenovia, New York, op 31 augustus 2006.
64. Auteursinterviews met adviseurs van de Yes on 87-campagne in 2006.
65. Auteursinterview met adviseur van de campagne in 2006.
66. Auteursinterview met vertrouweling van Al Gore in 2006.
67. Auteursinterview in 2006 met Mark Dicamillo, directeur van het Field Institute, dat in september en oktober een enquête hield onder Californische kiezers over Proposition 87, in 2006.
68. Auteursinterview met adviseur van Proposition 87 in 2006.


## 23 Het enigszins eenzame centrum

1. Auteursinterview met bezoekers van de bijeenkomst in 2006.
2. Ibid.
3. Ibid.
4. Ibid.
5. Interview met Senaatsmedewerker in 2006.
6. Dan Balz, 'Liberal Activists Boo Clinton', *The Washington Post*, 14 juni 2006, p. A10, en auteursinterview met Roger Hickey in 2006.
7. John Herbers, 'Minority Planks Urged in Boston', *The New York Times*, 31 mei 1972, p. 29.
8. Auteursinterview met senator John Kerry in 2007.
9. Auteursinterview met Senaatsmedewerker in 2006.
10. Auteursinterview met deelnemer aan de vergadering in 2006.
11. Ibid.
12. Ibid.
13. Senaatsamendement 4320, voorgelezen in de Senaat op 21 juni 2006.
14. Auteursinterview met Senaatsmedewerkers in 2006.
15. Auteursinterviews met deelnemers aan de vergadering in 2006.
16. Ibid.
17. Ibid.
18. CBS News, nationale enquête onder 659 volwassenen, 10 en 11 juni 2006.
19. Auteursinterview met deelnemer aan de vergadering in 2006.
20. Auteursinterview met deelnemers aan de vergadering in 2006. Senator Russ Feingold

besloot later dat hij zich niet kandidaat stelde voor het presidentschap.

21. Auteursinterview met deelnemers aan de vergadering in 2006.

22. Auteursinterview met Senaatsmedewerker in 2006.

23. Opmerkingen van senator Carl Levin bij een persconferentie, radio- en tv-studio van de Senaat, 19 juni 2006, Federal News Service.

24. Ibid.

25. Opmerkingen van senator Jack Reed in de Senaat, 21 juni 2006, Congressional Record.

26. Auteursinterviews met Senaatsmedewerkers in 2006 and 2007.

27. Opmerkingen van senator Hillary Rodham Clinton in de Senaat, 21 juni 2006, Congressional Record.

28. Auteursinterview met Senaatsmedewerker in 2006.

29. Kopie van Senaatsamendement 4320.

30. Ibid.

31. Ibid.

32. Auteursinterview met ervaren Senaatsmedewerker in 2007.

33. Auteursinterview in 2006 met Senaatsmedewerker die met een van de medeondertekenaars werkte.

34. Auteursinterview met Senaatsmedewerker in 2006.

35. Auteursinterview in 2006 met Senaatsmedewerker die met een van de medeondertekenaars werkte.

36. Biografie van Hillary Clinton op www.hillaryclinton.com, te raadplegen sinds 20 januari 2007, de dag waarop ze haar campagne aankondigde.

37. Opmerkingen van senator Hillary Rodham Clinton in de Senaat, 21 juni 2006, Congressional Record, s6211-12.

38. Ibid.

39. ABC's *Nightline*, interview met senator Hillary Rodham Clinton, 7 september 2006.

40. Auteursinterview met Roger Hickey in 2006; zie ook Maura Reynolds, 'Senators Face Off Over 2 Iraq Pullout Plans', *Los Angeles Times*, 22 juni 2006, p. A5, en Ronald Brownstein, 'Democrats' Iraq Gap Narrows, Clinton Says', *Los Angeles Times*, 24 juni 2006, p. A7.

41. Devlin Barrett, 'Senator Clinton Rips Rumsfeld Over Iraq', Associated Press Online, 3 augustus 2006.

42. Ibid.

43. Devlin Barrett, 'AP Interview: Senator Clinton Rips Rumsfeld; Calls for Resignation', Associated Press State en Local Wire, 3 augustus 2006.

44. Raymond Hernandez, 'A Democratic Bid That's Anti-Clinton All the Time', *The New York Times*, 26 juni 2006, p. B1.

45. Redactioneel commentaar in *The New York Times*: 'Hillary Clinton's Low Profile', 21 augustus 2006.

46. Getuigenis van majoor-generaal b.d. John Batiste, tijdens de hoorzitting van de Democratische Beleidscommissie, 25 september 2006.

47. Uitspraak van senator Hillary Rodham Clinton, 25 september 2006: 'Former Top Military Leaders Highlight Need for Change of Course in Iraq at DPC Oversight Hearing' (www.clinton.senate.gov).

48. Auteursinterviews met Senaatsmedewerkers in 2006.

49. NBC's *Meet the Press*, interview van Tim Russert met senator Mike DeWine, 1 oktober 2006.

50. Auteursinterviews met Senaatsmedewerkers in 2006.
51. Verklaring van Hillary Rodham Clinton op 10 januari 2007.
52. Patrick Healy en Adam Nagourney, 'In the Back and Over Drinks', *The New York Times*, 4 januari 2007, p. A19.
53. *The New Yorker*, 15 januari 2007, p. 33.

## 24 'Madam President'

1. Opmerkingen van senator John Kerry in de Senaat, 17 januari 2007, Congressional Record, S641.
2. Ibid.
3. Auteursinterview met Senaatsmedewerker in 2007.
4. Ibid.
5. Auteursinterview met adviseur van Hillary; zie ook Glenn Thrush, 'Race for President, Clinton Will Run', *Newsday*, 21 januari 2007, p. A4.
6. Auteursinterviews met twee adviseurs van Hillary in 2007.
7. Helen Kennedy, 'Edwards Urges Congress to Block Troop Surge', *The New York Daily News*, 14 januari 2007.
8. 'Obama Statement on Iraq', States News Service, 17 januari 2007. In 2004 had Obama geweigerd kritiek te leveren op John Kerry en John Edwards, die namens zijn partij genomineerd waren. (Monica Davey, 'A Surprise Senate Contender Reaches His Biggest Stage Yet', *The New York Times*, p. A1.) In hetzelfde interview erkende hij dat zijn weerzin tegen een oorlog in Irak in 2002 niet was gebaseerd op rapporten van de geheime dienst, dus hij wist niet wat hij had gedaan als hij toen in de Senaat had gezeten.
9. Auteursinterviews met twee adviseurs van Hillary in 2007.
10. Een van de auteurs was aanwezig bij de persconferentie. Tijdens een eerdere briefing die dag deelden medewerkers een niet-bindende resolutie uit van de senatoren Biden en Levin, en een persbericht dat daar betrekking op had. Hillary's medewerkers gaven niets aan de verslaggevers, die hun met klem vroegen meeer informatie te verstrekken over de details van Hillary's voorstel.
11. Auteursinterview met adviseur van Hillary in 2007.
12. Zie: 'Edwards Statement on President Bush's escalation of January 9, 2007 and Senator Clinton's remarks of January 17, 2007 on National Public Radio's All Things Considered', via Lexis-Nexis.
13. Patrick Healy, 'After Iraq Trip Clinton Proposes War Limits', *The New York Times*, 18 januari 2007, p. 10.
14. Een van de auteurs was aanwezig op het feestje, op uitnodiging van Nancy Stetson, de Kerry-medewerkster die afscheid nam. Later weigerde Kerry in te gaan op herhaalde verzoeken zijn opmerkingen toe te lichten. Zijn communicatieadviseur, Vince Morris, vroeg de auteurs een maand na het feestje enige terughoudendheid te betrachten bij de verwerking van de opmerkingen van senator Kerry; ze waren immers gemaakt op een 'privéfeestje'.
15. Auteursinterview met adviseur van Hillary in 2007. Kerry, die aanvankelijk tegen de oorlog had gestemd, stemde later tegen aanvullende financiële middelen voor de oorlog. Doordat hij tegelijk voor en tegen de oorlog was, werd hij politiek kwetsbaar. Die fout maakte Hillary niet.

16. Opmerkingen van Bill Clinton tijdens een bijeenkomst van de Democratic Leadership Council aan de New York University, 3 december 2003.
17. Patrick Healy en Jeff Zeleny, 'For Clinton and Obama, Different Tests on Iraq', *The New York Times*, 12 februari 2007, p. A1.
18. NBC's *Nightly News*, interview met Hillary Rodham Clinton door Brian Williams, 22 januari 2007.
19. Auteursinterview met Mickey Kantor in 2007.
20. Auteursinterviews met verschillende adviseurs en vrienden van Bill Clinton in 2006 en 2007.
21. Webcast: Hillary for President, www.hillaryclinton.com, live uitgezonden op 24 januari 2007.
22. ABC's *Good Morning America*, interview van Diane Sawyer met Hillary Rodham Clinton, 23 januari 2007.
23. 'Countdown with Keith Olbermann' van MSNBC, interview met Hillary Rodham Clinton door Keith Olbermann, 23 januari 2007, via www.youtube.com. Bill zei in een telefoongesprek met een fondsenwerver in maart 2007 dat hij de aanhoudende oproepen aan Hillary om excuses aan te bieden voor haar stemgedrag, 'niet redelijk' waren, omdat hij de artikelen over de goedkeuring uit 2002 nog eens had gelezen en had geconcludeerd dat het slechts een 'dwingende oproep tot verder inspectie' betrof. (Zie Sam Youngman, 'Clinton: "It's Not Fair"', TheHill.com, 23 maart 2007.) In het wetsvoorstel komen deze overwegingen niet voor.
24. Auteursinterview met adviseur van Hillary in 2007.
25. Auteursinterview met Jim Hutter, activist van de Democratische Partij van Iowa, in 2007; zie ook Dan Balz, 'Mixed Reviews for Clinton in Iowa', *The Washington Post*, 29 januari 2007, en Chris Cillizza, 'Clinton Campaigns in New Hampshire', *The Washington Post*, 11 februari 2007.
26. Ochtendeditie van National Public Radio, 12 februari 2007.
27. Ibid.
28. Ibid.
29. Auteursinterview met senator John McCain in 2007
30. Opmerkingen van senator Hillary Rodham Clinton voor het Democratic National Committee in Washington D.C., op 2 februari 2007.
31. Auteursinterview met Senaatsmedewerker in 2007.
32. Patrick Healy, 'Clinton Gives War Critics New Answer to '02 Vote', *The New York Times*, 18 februari 2007, p. 30.
33. Ibid. Bestudering van de auteur van S 670, de 'Iraq Troop Protection and Reduction Act of 2007', en verklaring van senator Hillary Rodham Clinton op 17 februari 2007, en een 'feitenrelaas' van twee pagina's van haar kantoor, waarin de wet wordt samengevat.
34. Ibid
35. S 670, Section 3. De verklaring wordt meestal toegevoegd aan officiële samenvattingen van een wetsvoorstel. Auteursinterview met ervaren Senaatsmedewerker in 2007. De samenvatting van Hillary's wetsvoorstel, die een paar weken later werd vervaardigd door de Congressional Research Service, vermeldde de verklaring wel. Zie CRS-samenvatting van S 670, te raadplegen per 1 maart 2007 op www.thomas.loc.gov.
36. S 670 Section 5. De president kon misschien niet bevestigen dat de vereiste doelstellingen in Irak waren bereikt en dus een bevriezing van de financiële injecties voorkomen kon

worden, wel kon hij verklaren dat er 'vorderingen waren gemaakt om de doelstelling te bereiken', volgens het wetsvoorstel.

37. Verklaring van Hillary Rodham Clinton, 'Clinton Plan to End War', 17 februari 2007.
38. Carl Hulse en Patrick Healy, 'Clinton Proposes Vote to Reverse Authorizing War', *The New York Times*, 4 mei 2007, p. AI.
39. Opmerkingen van senator Hillary Rodham Clinton in de Senaat, 3 mei 2007.
40. Auteursinterview met voormalige Senaatsmedewerrker in 2007.
41. Ibid.
42. Senaatsamendement 4869, Congressional Record, 10 oktober 2002, 10233.
43. Auteursinterview met voormalige Senaatsmedewerker in 2007.
44. Ibid.

## 25 Google en YouTube

1. De auteurs zagen de bijeenkomst via YouTube: www.youtube.com/watch?v=cw-YKIsJwi2c.
2. Auteursinterview met Frank Salvato in 2006.
3. Ibid.
4. Auteursinterview met Joan Swirsky in 2006.
5. Federal Election Commission, 'General Counsel's Report # 2', gearchiveerd op 30 september 2005 in FEC-zaak # MUR 5225.
6. Pauls zaak tegen Bill is nog hangende. Paul zei in een interview in 2007 dat hij van plan was nieuw bewijsmateriaal in te zetten dat hij in 2007 verkreeg om zijn zaak tegen Hillary nieuw leven in te blazen.
7. Interview met Salvato.
8. Een van de producenten was mede-samensteller van de *Clinton Chronicles*, een kritische film uit de jaren negentig over Bill Clinton – volgens Peter Paul, die in 2007 werd geïnterviewd door de auteur.
9. Interview met Salvato.
10. Pew Internet Project-onderzoek van december 2005, waaruit bleek dat 43 procent van de breedbandgebruikers portals als Yahoo! en Google gebruiken om nieuws te lezen, terwijl 36 procent naar de site van hun lokale krant gaat en 21 procent naar de site van een landelijke krant.
11. Halverwege 2006 steeg het marktkapitaal van Google tot boven de 150 miljard dollar, terwijl de beurswaarde van de New York Times Company iets hoger was dan drie miljard dollar.
12. Nota van Jonathan Landman, plaatsvervangend hoofdredacteur van *The New York Times* aan de staf, 10 april 2006.
13. Robert Kaiser, 'Scaife Denies Ties to "Conspiracy", Starr', *The Washington Post*, 17 december 1998, p. A2, citaat uit een interview met Scaife in het tijdschrift *George*.
14. Auteursinterview met Robert Fiske in 2006.
15. Ibid.
16. Tim Weiner, 'One Source, Many Ideas in Foster Case', *The New York Times*, 13 augustus 1995, p. 19.
17. Ibid.

18. Auteursinterview met voormalig medewerker van Clinton in het Witte Huis in 2006.
19. 'The Communications Stream of Conspiracy Commerce', ongedateerd. Zie ook John F. Harris en Peter Baker, 'White House Memo Asserts a Scandal Theory', *The Washington Post*, 10 januari 1997, p. AI.
20. Auteursinterviews met voormalig medewerkers van Clinton in het Witte Huis in 2006 en 2007.
21. Joan Swirsky, 'Hillary Clinton's Culture of Corruption: The Scandal Queen', newmedia-journal.us, 13 maart 2006.
22. Transcript van c-SPAN-interview, First Lady Hillary Rodham Clinton, 17 januari 1997, Federal News Service.
23. Todd S. Purdum, 'The Dangers of Dishing Dirt in Cyberspace', *The New York Times*, 17 augustus 1997, Section 4, p. 3. Matt Drudge beantwoordde geen herhaalde mails en telefoontjes van een van de auteurs.
24. Transcript van het Witte Huis, opmerkingen van First Lady Hillary Rodham Clinton, 11 februari 1998.
25. Auteursinterview met Joseph Farah in 2006.
26. Auteursinterview met Chris Ruddy in 2006.
27. Kenneth Starr noemde de krant 'gestoord' in een interview met een van de auteurs in 2007.
28. Interview met Ruddy. Scaifes advocaat Yale Gutnick zei in een interview in 2007 dat hij, een beroep doend op de Wet Openbaarheid van Bestuur, uiteindelijk een die avond gemaakte foto van Scaife met de Clintons in handen had gekregen.
29. Interview met Ruddy.
30. Ibid. Yale Gutnick, Scaifes advocaat, zei dat de filantroop zijn investeringen uiteindelijk nog verhoogde.
31. Interview met Ruddy.
32. ABC's *Nightline*, interview van Matt Drudge, 8 januari 1998.
33. C-SPAN, Leonard Downie, hoofdredacteur van *The Washington Post*, 6 november 2006.
34. Interview met Farah; 'Why Gore Lost Tennessee', *WorldNet Daily*, 5 december 2000.
35. Auteursinterviews met twee vertrouwelingen van Herb en Marion Sandler in 2006.
41. Ibid.
37. Stephen Braun, 'This Clinton Machine is a Tighter Ship', *Los Angeles Times*, 31 december 2006, p. AI.
38. Robert Dreyfuss, 'An Idea Factory for Democrats', *The Nation*, 1 maart 2004, p. 18
39. Ibid.
40. Matt Bai, 'Nation Building,' *The New York Times Sunday Magazine*, 12 oktober 2003, Section 6, p. 82.
41. Jim VandeHei en Chris Cillizza, 'A New Alliance of Democrats Spreads Funding', *The Washington Post*, 17 juli 2006, p. AI.
42. Dan Gilgof, 'Washington Whispers' WU.S. *News and World Report*, 16 april 2007, p. 14.
43. VandeHei en Cillizza, 'A New Alliance'.
44. Peter Baker, 'Think Tank's Leader Charts New Course', *Washington Post*, 22 mei 2006, p. AI5.
45. Persbericht van senator Dianne Feinstein, 3 mei 2006, via *Congressional Quarterly*.
46. Zie Travel Office Memorandum van Eric A. Dubelier en Kimberly Nelson Brown aan Kenneth W. Starr en alle OIC-juristen, 4 december 1996, pp. 103-111.

47. Auteursinterviews met deelnemers van Hillary's werkgroep in 2006 en nota aan senator Clinton van de werkgroep.
48. Auteursinterview met Jodi Sakol in 2006.
49. 'Clinton Assembles a Seasoned team', *The Washington Post*, 21 januari 2007, p. A6, en ABC NEWS, *The Note*, 22 januari 2007, 'The Way to Win, Chappaqua Style'. Podesta zegt dat hij af en toe met Hillary spreekt over 'bepaalde beleidsonderwerpen'. *Los Angeles Times*, 31 december 2006, p. AI. Het center steunde in maart 2007 een initiatief van Hillary voor vergoedingen aan veteranen – een paar weken nadat kranten hadden geschreven dat hij een informele adviseur van haar was. (Zie John M. Broder, 'Familiar Face, but a New Tone to Message', *The New York Times*, 5 februari 2007, p. AI.)
50. CNN's Late *Edition*, interview met John Podesta, 17 december 2006. 'Bent u bereid haar te steunen?' vroeg CNN-verslaggever Wolf Blitzer. 'Ikzelf?' stelde Podesta als wedervraag, zoals advocaten dat doen. Toen Blitzer dat bevestigde, kwam Podesta pas met zijn antwoord. 'Ja, persoonlijk ben ik een grote aanhanger van senator Clinton,' zei Podesta, en voegde eraan toe dat ze volgens hem 'de kracht en de juiste ideeën heeft om dit land vooruit te helpen'.
51. Homepage van Google News op 28 april 2007. Yahoo! News is selectiever en lijkt zich vooral te baseren op uitgezonden berichtgeving van The Associated Press.
52. PBS's 'Frontline, interview met Krishna Bharat, die Google News ontwikkelde, in 2006.
53. Auteursinterview met Steve Langdon in 2006.
54. Rick Wiggins, 'How to Spam Google News', 9 maart 2006. Wiggins, een weblogger op het gebied van informatietechnologie aan de Michigan State University, deed onderzoek naar dit onderwerp nadat een tiener uit Florida Google News in verlegenheid had gebracht door een vals persbericht te plaatsen (http://wigblog.blogspot.com/2006/03/how-to-spam-google-news.html). Google introduceerde een online pr-bedrijf in 2006 nadat een grappenmaker het bedrijf had gebruikt om een vals bericht te verspreiden dat op Google News terechtkwam. (Auteursinterviews via telefoon en e-mail Steve Langdon en een woordvoerder van Google in 2006.) Maar het bedrijf laat zich bij het ontdekken van valse berichten voornamelijk leiden door klachten van klanten, en niet door eigen onderzoek. Zo verwijdert het bedrijf haatdragende berichten, ook in dit geval als klanten erover klagen. In mei 2006 werd de New Media Journal uit Google verwijderd na klachten van lezers – niet vanwege de serie over Hillary, maar vanwege drie anti-islamitische artikelen die in april en mei 2006 online stonden en waarvan de inhoud door Google werd gezien als 'haatdragend', volgens een e-mail van 19 mei 2006 van Google Help aan NewMediaJournal.us. Nadat hij de mail had ontvangen, noemde redacteur Salvato de actie van Google 'intellectuele censuur' en lanceerde een boycot van de zoekmachine.
55. PBS's *Frontline*, interview met Eric Schmidt in 2006.
56. Justin Darr, 'Partito Nostro: Doing Business with the Clinton Syndicate', www.newmediajournal.us, 15 maart 2006.
57. Nielsen/Net-enquêtes van november 2006 geven aan dat 65,4 procent van de NewsMax-lezers Republikeins zijn.
58. NewsMax werd in een periode van dertig dagen aan het eind van 2006 1474 keer geciteerd in Google News. Ruddy zegt dat zijn lezers nog steeds gefascineerd zijn door Hillary, hoewel hij haar 'voorzichtiger en zorgvuldiger' vindt sinds ze het Witte Huis heeft verlaten.
59. 'Jimmy Carter: Human scum', WorldNet Daily, 15 december 2006, te lezen via Google News op 21 december 2006.

60. Google News-zoekopdracht op 21 december 2006.
61. National Public Radio, interview met Hillary Rodham Clinton, 18 december 2006.
62. Auteursinterviews met Google-medewerkers in 2006.
63. Persbericht van YouTube: 'U.S. Presidential Candidates Leveraging the Power of the Digital Democracy to Reach the Masses', 1 maart 2007.
64. De video staat op www.youtube.com/watch?v=6h3G-lMZxjo; zie ook Jose Antonio Vargas en Howard Kurtz, 'Watching Big Sister', *The Washington Post*, 21 maart 2007, p. CI.
65. Auteursonderzoek op YouTube, 29 maart 2007.
66. Vargas en Kurtz, 'Watching Big Sister'.
67. Ibid.
68. Clarence Page, 'New Media but the same Old Game', *Chicago Tribune*, 25 maart 2007, p. C7.
69. Micah Sifry, 'Who is ParkRidge47?' TechPresident.com, 7 maart 2007. Hij liet zich voor zijn video inspireren door een krantenartikel over de Clinton-campagne en 'het ophitsen van geldschieters en politieke figuren' nadat David Geffen, een voormalige geldschieter van Clinton, het duo had beledigd en een fondsenwervingsbijeenkomst had georganiseerd voor Obama in Beverly Hills.
70. Phil de Vellis, 'I Made the "Vote Different" Ad', www.huffingtonpost.com, 21 maart 2007. Toen De Vellis het spotje maakte, was hij in dienst van het bedrijf Blue State Digital, dat advieswerk deed voor het campagneteam van Obama. Het team van Obama wist niets van het spotje, en De Vellis nam ontslag bij het bedrijf toen zijn identiteit bekend was geworden.

## 26 'Ik voel me absoluut niet moe'

1. Auteursinterview met Vernon Jordan in 2007.
2. Auteursinterview met Greg Craig in 2007.
3. Ibid.
4. Auteursinterview met Greg Craig in 2006.
5. Lloyd Grove en John F. Harris, 'Crisis Quarterback: Gregory Craig Is Calling the Plays on Clinton's Team', *The Washington Post*, 19 november 1998, p. DI.
6. James Bennet, 'Serving up Contrition, Sprinkled Lightly with Candor', *The New York Times*, 9 december 1998, p. 24.
7. Auteursinterview met Craig.
8. *The Washington Post*, 19 november 1998, p. DOI.
9. Abramoff bekende uiteindelijk schuld aan drie aanklachten betreffende oplichting van inheemse Amerikaanse indianen en omkoping van ambtenaren en twee aanklachten wegens fraude in verband met de aankoop van SunCruz Casinos in Fort Lauderdale. Hij werd veroordeeld tot vijf jaar en tien maanden gevangenisstraf en zit zijn straf uit vanaf november 2006. Hij was bereid medewerking te verlenen aan de openbare aanklager en hielp die bij het opstellen van een strafklacht wegens samenzwering en het geven van valse verklaringen ten overstaan van federale rechercheurs tegen een invloedrijk Republikeins Congreslid, Bob Ney. 'Abramoff Pleads Guilty, Will Help in Corruption Probe', Bloomberg, 3 januari 2006; zie ook: 'Abramoff Gets 5 Years, 10 months in Fraud Case', The Associated Press, 29 maart 2006.

10. Opmerkingen van Hillary Rodham Clinton op 7 november 2006 tijdens haar overwinningstoespraak naar aanleiding van haar herverkiezing in de Senaat.
11. Nota van Hillary Rodham Clinton aan de Democratische Partij: Weekly Steering Update, 31 januari 2006.
12. Een aantal Democraten zag in Obama hetzelfde frisse idealisme en potentieel dat ze veertig jaar daarvoor ook hadden opgemerkt bij een andere senator, namelijk John F. Kennedy. Zelfs Theodore Sorenson, een vertrouweling en speechschrijver van Kennedy, zei dat Obama de eerste presidentskandidaat was sinds jaren die in hem hetzelfde enthousiasme opriep als JFK dat had gedaan. 'Het doet me denken aan de manier waarop de jonge, nog onbekende JFK begon,' zei Sorenson. 'Net als JFK is Obama buitengewoon natuurlijk. Hij is tevreden met wie hij is.' (Jeff Zeleny, 'Obama's Back Fund-Raising in New York, Not Quietly', *The New York Times*, 10 maart 2007, p. A10.)
13. Singiser antwoordde niet op twee e-mails die haar door een van de auteurs in 2007 zijn gestuurd.
14. Auteursinterview met deelnemers in 2006.
15. Ibid.
16. Auteursinterview met een deelnemer in 2006.
17. Ibid.
18. Auteursinterview met een van de dinergasten in 2006; zie ook Raymond Hernandez, 'Clinton Says New York, but Money Hints at '08', *The New York Times*, 8 maart 2006, p. B1.
19. Auteursinterview met een van de dinergasten in 2006.
20. Auteursinterview met een vriend van Hillary in 2006.
21. Auteursinterviews met drie adviseurs en fondsenwervers van Hillary in 2006 en 2007. Het is niet ongebruikelijk dat presidentskandidaten al in een vroeg stadium druk uitoefenen op geldschieters om exclusieve steun van hen te verkrijgen. In de eerste maanden van 1999 oefende George W. Bush, toen nog gouverneur van Texas, een soortgelijke druk uit op Republikeinse fondsenwervers om zich aan te sluiten bij de nieuwe fondsenwervingsgroepen, de Texas Rangers en de Regents. (Auteursinterview met een aantal Republikeinse geldschieters in 1999.) Bush oefende die druk uit nadat hij de vorming van zijn presidentiële verkenningscommissie had aangekondigd.
22. Auteursinterviews met adviseurs van Hillary in 2006 en 2007.
23. Auteursinterview met Matt Butler, campagneleider van senator Cantwell, in 2006.
24. Auteursinterview met Bill Kisliuk, hoofdredacteur van de *Napa Valley Register*, in 2006.
25. Auteursinterview met C. Paul Johnson in 2006.
26. Ibid.
27. Auteursinterview met een vriend en adviseur van Hillary in 2006.
28. Auteursinterviews met Greg Craig.
29. Auteursinterview met Jordan.
30. Auteursinterview met Greg Craig.
31. Ibid.
32. Adam Nagourney and Jeff Zeleny, 'Obama Officially Enters Presidential Race with Calls for Generational Change', *The New York Times*, 12 februari 2007, p. 34.
33. Interview met Greg Craig.
34. Een van de auteurs zag Obama's toespraak live op C-SPAN.
35. Interview met Greg Graig in 2007. Twee maanden nadat hij het briefje had geschreven,

had hij nog altijd niets gehoord en zei tegen een van de auteurs: 'Ik heb geen antwoord gekregen.'

36. Videotape van CNN van de uitvaartdienst van Coretta Scott King, 7 februari 2006.
37. Auteursinterview met vertrouweling van de familie King in 2006.
38. Auteursinterview met twee vertrouwelingen van Hillary in 2007.
39. Auteursinterview met vriend en fondsenwerver van Hillaryin 2007.
40. Auteursinterview met vertrouweling van Bill Clinton in 2007.
41. Auteursinterview met politieke adviseurs in 2006 and 2007.
42. Auteursinterview met twee fondsenwervers en adviseurs in 2007.
43. Ibid.
44. Tina Daunt, 'Cause Celebre, McAuliffe Seeks Clinton Believers', *Los Angeles Times*, 30 januari 2007, p. E2.
45. Auteursinterview met Democratische fondsenwerver in 2007. Geffen was ook ontstemd over de beslissing van Bill Clinton om Marc Rich, een onbelangrijke financier, amnestie te verlenen, vlak voordat er een eind kwam aan zijn presidentschap, en de weigering van de president om Leonard Peltier amnestie te verlenen, die veroordeeld was wegens het vermoorden van twee agenten in juni 1975 tijdens protesten tegen het Pine Ridge-reservaat in South Dakota. Geffen steunt Peltier al lange tijd; de man heeft tweemaal levenslang gekregen en zijn gezondheidstoestand is belabberd. Geffen voelde zich 'verraden' door Clintons weigering Peltier amnestie te verlenen. (Auteursinterview met een vriend van Geffen in 2007.)
46. Auteursinterview met Democratische fondsenwerver in 2007.
47. Maureen Dowd, 'Obama's Big Screen Test', *The New York Times*, 12 februari 2007, p. 21.
48. Auteursinterview met vertrouweling van Hillary in 2007. Wolfson weigerde commentaar te geven voor dit boek.
49. *The New York Times*, 21 februari 2007, p. 21.
50. Auteursinterview met vertrouweling van Hillary in 2007.
51. Scott Shepard, 'Clinton-Obama Dispute Overshadows First Democratic Presidential Issues Forum', Cox News Service, 22 februari 2007. In zijn verklaring noemde Wolfson Geffen per abuis de 'belangrijkste financier' van Obama's presidentscampagne.
52. Ibid.
53. Lizzy Ratner, 'White Gathers the Democratic Families', *New York Observer*, 12 maart 2007, p. 8.
54. Auteursinterview met adviseur van Hillary in 2007.
55. Ibid.
56. Zie de resultaten van een enquête van ABC/ *The Washington Post* poll, en een landelijk onderzoek van Fox News, 27-28 februari 2007.
57. Auteursinterview met Democratische adviseur en vriend van Hillary in 2007.
58. Auteursinterview met een vertrouweling van de Clintons in 2007.
59. Auteursinterview met een oude vriend van Bill en Hillary in 2007.
60. Kate Snow en Eloise Harper, 'Bill Clinton Makes Rare Fundraising Pitch for Hillary', www.abcnews.com, 19 maart 2007.
61. Analyse van het Center for Responsive Politics analysis, op de webiste geplaatst op 22 februari 2007.
62. Auteursinterview met fondsenwerver van Hillary in 2007.

63. Ibid.
64. Auteursinterviews met twee fondsenwervers van Hillary in 2007; zie ook Liz Sidoti, 'Hopefuls Get Ahead in White House "Money Primary"', The Associated Press, 9 februari 2007.
65. Auteursinterview met Democratische adviseurs in 2007.
66. Ibid.
67. Interview met Greg Craig.
68. Auteursinterview met vriend en adviseur van Hillary in 2007.
69. Beide toespraken werden op 4 maart 2007 live uitgezonden op c-span.
70. Ibid. Zie ook Edwin Chen, 'Clinton, Obama Cross Paths in Selma', Bloomberg News, 5 maart 2007, gepubliceerd door de *Pittsburgh Post-Gazette*, p. AI.
71. Ibid. Zie ook Patrick Healy en Jeff Zeleny, 'Clinton and Obama Unite, Briefly, in Pleas to Blacks', *The New York Times*, 5 maart 2007, p. 14.
72. Healy en Zeleny, 'Clinton and Obama unite'.
73. C-SPAN-uitzending, 4 maart 2007.
74. Ibid.
75. Matt Drudge toonde een filmpje van 27 seconden van Hillary's zuidelijke uitstapje, getiteld 'Kentucky Fried Hillary', www.drudgereport.com. Later werd het gestuurd naar een andere website, www.ifilm.com; binnen drie weken hadden er bijna 700.000 mensen naar gekeken.
76. Auteursinterview met adviseur van Hillary in 2007.
77. Richard Fausset en Jenny Jarvie, 'Obama, Clinton Bring Their Stories to Selma', *Los Angeles Times*, 5 maart 2007, AI.
78. Auteursinterview met vertrouweling van Bill Clinton in 2007.
88. CNN's *Larry King Live*, interview met Bill Clinton, 19 april 2007.

## 27 'De beste politieke echtgenoot in het vak'

1. Auteursinterview met een oude vriend van de Clintons in 2006.
2. Auteursinterview met voormalig lid van Clintons advocatenteam in 2006.
3. Auteursinterview met voormalig medewerker van de regering-Clinton in 2007.
4. Auteursinterview met Neel Lattimore in 2006.
5. David Remnick, 'The Wanderer', *The New Yorker*, 18 september 2006, p. 58.
6. Malia Rulon, 'Other Clinton Here to Raise Cash for Wife', *Cincinnati Enquirer*, 21 maart 2007, p. I.
7. Interview in ABC's *Good Morning America* met senator Hillary Rodham Clinton door Diane Sawyer, 23 januari 2007.
8. Tom Baldwin, 'Clinton Goes on Offensive Over Iraq', *Times*, 22 maart 2007.
9. Auteursinterview met voormalig medewerker van de regering-Clinton in 2007.
10. Interview in NBC's *Meet the Press* met Bill Clinton door Tim Russert, 24 september 2006.
11. Ben Smith, 'McCain Team Mocks Hill Torture Loophole', *The New York Daily News*, 16 oktober 2006, p. 10, en 'Hillary's Torture Exception', *New York Post*, 21 oktober 2006, p. 16.
12. Auteursinterview met oudgediende adviseur van de Democraten in 2006.
13. Auteursinterview met voormalig medewerker van de regering-Clinton in 2007.

14. Patrick Healy en Jesse McKinley, 'Passions Flare as Broadcast of 9/11 Miniseries Nears', *The New York Times*, 8 september 2006, p. AI8.

15. Auteursinterview met medewerker van Bill Clinton in 2006.

16. Interview met ervaren ABC-medewerker in 2006.

17. Voorafgaand aan de film zond ABC een verantwoording uit: 'Gezien het onderwerp wordt een beroep gedaan op het beoordelingsvermogen van de kijker. De nu volgende film is een gedramatiseerde weergave van de werkelijkheid op basis van diverse bronnen, waaronder het rapport van de 9/11-Commissie en andere publicaties, en op basis van persoonlijke vraaggesprekken. De film is geen documentaire. Om dramatische en verhaaltechnische redenen bevat de film fictieve scènes, verzonnen karakters en dialogen, en is er sprake van tijdverdichting.'

18. Aan de brief is een lijst toegevoegd met 'verzonnen elementen' in de film, die worden vergeleken met een lijst met 'feiten' uit het commissierapport. Op de lijst met 'feiten' ontbreken enige belangrijke bevindingen van de commissie met betrekking tot de inadequate reacties van de regering-Clinton op de al-Qaida-aanslagen in de jaren negentig. (Brief van de Office of William Jefferson Clinton van 10 september 2006 aan Bob Iger.) Tot de negatieve bevindingen van 9/11-Commissie die niet in de brief van Clinton stonden: de stelling dat president Bush noch president Clinton 'precies wist hoeveel mensen al-Qaida wilde vermoorden en wanneer de organisatie dat wilde doen' (het rapport van de 9/11-Commissie, pp. 342-343); de stelling dat de regering de aanslagen in 1998 en 2000 serieus nam, 'maar niet in de zin dat men iets onderzocht of pogingen ondernam vijanden van de eerste, tweede of derde orde tegemoet te treden. De bescheiden inspanningen die erop waren gericht om Servië in te tomen en een einde te maken aan de verwoestingen die dat land tussen 1995 en 1999 in de Balkan aanrichtte, kregen meer aandacht dan de inspanningen die waren gericht tegen al-Qaida' (p. 340); en de aanslagen in augustus 1998 tegen Amerikaanse ambassades in Afrika 'boden de mogelijkheid voor een gedegen regeringsonderzoek naar de bedreiging van de nationale veiligheid door Bin Laden... Maar de belangrijkste beleidsmaatregelen die de regering nam, waren niet in overeenstemming met de ernst van de bedreiging.' (p. 349)

19. Auteursinterview met ABC-medewerker in 2006.

20. Auteursinterviews met ABC-medewerkers en medewerkers van Hillary Clinton in 2006.

21. CNN's *The Situation Room*, interview van Wolf Blitzer met senator Hillary Rodham Clinton, 11 september 2006.

22. Auteursinterviews met vertrouwelingen van Clinton in 2006 en 2007.

23. Auteursinterviews met vriend van Bill Clinton in 2006.

24. Ibid.

25. De producenten van Wallace en medewerkers van Bill waren het eens over de basisvoorwaarden voor het interview: de helft van de tijd zou worden besteed aan het Clinton Global Initiative, de andere helft aan andere onderwerpen. Auteursinterview met Chris Wallace in 2007.

26. Alle citaten uit het interview van Wallace met Clinton zijn afkomstig van FOX News Sunday, 24 september 2006, transcript van de Federal News Service.

27. In het rapport van de 9/11-Commissie noch in het boek van Clarke wordt melding gemaakt van plannen om Bin Laden op te pakken na de aanslagen op de USS Cole (James Gordon Meek en Kenneth R. Bazinet, 'Bill's Bull? Ex-Advisors: Clinton had no plan to overthrow Taliban, kill Osama', *The New York Daily News*, 26 september 2006, p. 11; zie

ook pp. 195-196 van het boek van Richard Clarke, *Against All Enemies: Inside America's War on Terror*.) Volgens het rapport van de 9/11-Commissie bestond er na de discussies over een eventuele herziening van de bestaande plannen tegen Bin Laden 'geen belangstelling van de kant van het Witte Huis om in de laatste weken dat de regering nog zat, militaire operaties uit te voeren tegen Afghanistan'. Het rapport meldt dat er een plan was van Clintons nationale veiligheidsadviseur Sandy Berger om de Taliban een ultimatum op te leggen en een verzoek dat Berger half november deed aan de verzamelde chefs van staven om 'de militaire plannen opnieuw te bezien teneinde snel tegen Bin Laden te kunnen optreden'. Shelton bracht Berger op de hoogte van de aanvalsmogelijkheden in 1998, maar 'de militaire strategen hadden geen plannen om Afghanistan binnen te vallen' (rapport van de 9/11-Commissie, p. 194).

28. Interview met Wallace.
29. Ibid.
30. Auteursinterviews met vertrouwelingen van Bill Clinton in 2006 en 2007.
31. CNN's *The Situation Room*, interview van Wolf Blitzer met senator Hillary Rodham Clinton, 26 september 2006.
32. De 9/11-Commissie vond geen bewijs van presidentiële maatregelen of overleg op lagere niveaus naar aanleiding van dat rapport; wel wordt opgemerkt dat het rapport verscheen naar aanleiding van vragen van president Bush enige maanden daarvoor aan zijn inlichtingenadviseurs over een mogelijke dreiging binnen de Verenigde Staten (rapport van de 9/11-Commissie, pp. 261-262).
33. De 9/11-Commissie, die de nota uit 1998 in handen kreeg, vond geen bewijs dat de president hierop actie ondernam of reageerde, maar er werd die dag een vergadering belegd door een antiterreurgroep die actie ondernam, wat resulteerde in een verhoogde waakzaamheid op de vliegvelden van New York gedurende zeven weken. (Ibid., pp. 128 130)
34. Auteursinterviews met vrienden en adviseurs van Clinton in 2006 en 2007.

NAWOORD: DE LENTE DICHTERBIJ

1. Ralph Keyes, *The Wit & Wisdom of Harry Truman*, New York: Gramercy Books, 1995, p. 58.
2. *Canada Month*, juni 1963.
3. NBC's *Nightly News* met Brian Williams, interview met Hillary Rodham Clinton door Brian Williams, 22 januari 2007.
4. NBC's *Today Show*, interview met Hillary Rodham Clinton door Meredith Viera, 23 januari 2007.
5. Maggie Haberman, 'Aides Learn Hill Drill', *New York Post*, 24 februari 2007, p. 4.
6. Auteursinterviews met voormalige medewerker van de regering-Clinton en Democratische adviseur in 2007.
7. Dan Balz en Jon Cohen, 'Giuliani Lead Shrinks, Clinton Margin Holds', Washingtonpost. com, 19 april 2007, met een verslag over het onderzoek van *The Washington Post*-ABC NEWS.
8. Auteursinterview met Senaatsadviseur in 2007.
9. Auteursinterview met vertrouweling van Hillary in 2007.
10. De biografie van het Witte Huis van First Lady Hillary Rodham Clinton van 6 november

1996 omschreef haar als 'afkomstig uit Chicago' en een 'fanatieke honkbalfan' die 'de wed-strijden van de Cubs op Wrigley Field in Chicago bezocht'. De biografie van het Witte Huis van First Lady Hillary Rodham Clinton van 2 december 1998 meldt alleen maar dat ze werd geboren in Chicago. In haar Witte Huisbiografie van 1996 en haar biografie voor de presidentscampagne worden de vijftien jaar dat ze voor een advocatenkantoor in Arkansas werkte, in één zin aangeroerd, zonder dat zelfs maar Rose Law Firm wordt genoemd. In haar Witte Huisbiografie van 1996 wordt geen melding gemaakt van haar huwelijk in 1975, maar in de Witte Huisbiografie van 2 december 1998 staat: 'Hillary trouwde met Bill Clinton,' nadat Bills verhouding met Monica Lewinsky aan het licht was gekomen. In 2006 werd in haar biografie voor de Senaatscampagne niet vermeld dat ze acht jaar lang First Lady was geweest, totdat Joel Achenbach ('She's No Lady', *The Washington Post Sunday Magazine*, 4 juni 2006, p. w07) wees op deze omissie. In dat artikel omschreef Philippe Reines, Hillary's perssecretaris, die omissie als 'slordig' en vervolgens werd de biografie herzien.

11. Achenbach, 'She's No Lady'.
12. Auteursinterview met voormalige medewerker van de regering-Clinton in 2007.
13. Auteursinterview met Greg Craig in 2006. Craig reageerde op een opmerking over de kwestie dat Hillary veeleisend zou zijn voor mensen die proberen haar te begrijpen.
14. Auteursinterview met voormalige medewerker van de regering-Clinton in 2007.
15. Clinton, *Living History*, pp. 289-290, 377, 504.
16. Auteursinterviews met medewerker van Mark Penn in 2006 en 2007.
17. Ibid.
18. Mark Penn, 'Hillary is the Democrats' Best Shot', 20 januari 2007, op www.hillaryclin-ton.com.
19. Auteursinterview met Dick Morris in 2007. Penn weigerde commentaar te geven voor dit boek.
20. Auteursinterview met Christina Desser in 2006.
21. Auteursinterview met voormalig medewerker van de regering-Clinton in 2007.
22. Mary Anne Ostrom, 'Hillary Clinton Taps Bay Area Faithful at S.F. Fundraiser', www.mercurynews.com, 23 februari 2007.
23. Clinton, *Living History*, p. 122.
24. Dit is gebaseerd op observaties van de auteurs. Zie ook Ben Smith, 'Clinton Emphasizes Her Gender as Strategy', www.politico.com, 20 februari 2007.
25. Een van de auteurs bezocht de bijeenkomst in de Ryan Chelsea-Clinton Community Health Clinic in Manhattan op 21 januari 2007.
26. Lynn Sweet, 'Clinton Locks Up Early Endorsement', *Chicago Sun Times*, 11 januari 2007, p. 29. In het artikel werd opgemerkt dat Judith Lichtman, pionier in de vrouwenbeweging en adviseur van Hillary's campagne, penningmeester is van EMILY's List.
27. James Carville en Mark Penn, 'The Power of Hillary', *The Washington Post*, 2 juli 2006, p. B07.
28. Auteursinterview met vriend van Bill in 2006.
29. Auteursinterview met vriend van Hillary in 2007.
30. Joshua Green, *The Atlantic*, november 2006, p. 72.
31. Auteursinterview met vertrouweling van Hillary in 2007.
32. Tony Baldwin, 'Clinton Sees Money and Her Husband as Weapons against Rival', *Times*, 22 maart 2007.

# Bibliografie

Allen, Charles F., en Jonathan Portis, *The Comeback Kid: The Life and Career of Bill Clinton*. New York: Birch Lane Press, 1992.

Andersen, Christopher, *Bill and Hillary: The Marriage*. New York: William Morrow, 1999.

Baker, James A. III, *'Work Hard, Study... and Keep Out of Politics!'* New York: G.P. Putnam's Sons, 2006.

Beasley, Maurine H., *Eleanor Roosevelt and the Media: A Public Quest for Self-Fulfillment*. Urbana, IL: University of Illinois Press, 1987.

Blumenthal, Sidney, *The Clinton Wars*. New York: Farrar, Straus & Giroux, 2003.

Brock, David, *The Seduction of Hillary Rodham*. New York: Free Press, 1996.

Brooke, Edward W., *Bridging the Divide*. New Brunswick, NJ: Rutgers University Press, 2007.

Califano, Joseph A. Jr., *Inside: A Public and Private Life*. New York: PublicAffairs, 2004.

Carpenter, Amanda B., *The Vast Right-Wing Conspiracy's Dossier on Hillary Clinton*. Washington D.C.: Regnery Publishing, 2006.

Clinton, Bill, *My Life*. New York: Alfred A. Knopf, 2004.

Clinton, Hillary Rodham, *It Takes a Village*. New York: Simon & Schuster, 1996.

Clinton, Hillary Rodham, *Living History*. New York: Simon & Schuster, 2003.

Committee on Banking, Housing, and Urban Affairs, United States Senate: *Investigation of Whitewater Development Corporation and Related Matters*. Washington D.C.: U.S. Government Printing Office, 1997.

Dumas, Ernest (red.), *The Clintons of Arkansas*. Fayetteville, AR: University of Arkansas Press, 1993.

Flaherty, Peter, en Timothy Flaherty, *The First Lady*. Lafayette, LA: Vital Issues Press, 1995.

Flinn, Susan K. (red.), *Speaking of Hillary*. Ashland, OR: White Cloud Press, 2000.

Furman, Bess, en Washington Byline, *The Personal History of a Newspaperwoman*. New York: Alfred A. Knopf, 1949.

Gergen, David, *Eyewitness to Power*. New York: Simon & Schuster, 2000.

Goldman, Peter, et al., *Quest for the Presidency 1992*. College Station, TX: Texas A&M University Press, 1994.

Graham, Bob, en Jeff Nussbaum, *Intelligence Matters*. New York: Random House, 2004.

Halberstam, David, *War in a Time of Peace*. New York: Scribner, 2001.

Halperin, Mark, en John F. Harris, *The Way to Win*. New York: Random House, 2006.

Harpaz, Beth J., *The Girls in the Van*. New York: Thomas Dunne Books, 2001.

Harris, John F., *The Survivor*. New York: Random House, 2005.

Hubbell, Webb, *Friends in High Places*. New York: William Morrow, 1997.

Johnson, Haynes, en David S. Broder, *The System*. Boston: Little, Brown, 1996.

Keyes, Ralph, *The Wit & Wisdom of Harry Truman*. New York: Gramercy Books,1995.

King, Norman, *Hillary: Her True Story*. New York: Birch Lane Press, 1993.

Limbacher, Carl, *Hillary's Scheme: Inside the Next Clinton's Ruthless Agenda to Take the White House*. New York: Crown Forum, 2003.

Lowry, Rich, *Legacy: Paying the Price for the Clinton Years*. Washington D.C.: Regnery Publishing, 2003.

Maraniss, David, *First in His Class*. New York: Simon & Schuster, 1995.

Mayer, Martin, *The Greatest-Ever Bank Robbery*. New York: Macmillan, 1990.

McAuliffe, Terry, met Steve Kettmann, *What a Party!* New York: Thomas Dunne Books, 2007.

McDougal, Jim, en Curtis Wilkie, *Arkansas Mischief*. New York: Henry Holt, 1998.

Milton, Joyce, *The First Partner: Hillary Rodham Clinton*. New York: William Morrow, 1999.

Mitchell, Andrea, *Talking Back*. New York: Viking, 2005.

Morris, Dick, *Behind the Oval Office*. Los Angeles: Renaissance Books, 1999.

Morris, Dick, met Eileen McGann, *Rewriting History*. New York: ReganBooks, 2004.

Noonan, Peggy, *The Case Against Hillary Clinton*. New York: ReganBooks, 2000.

Oakley, Meredith L., *On the Make: The Rise of Bill Clinton*. Washington D.C.: Regnery Publishing, 1994.

Oppenheimer, Jerry, *State of a Union: Inside the Complex Marriage of Bill and Hillary Clinton*. New York: HarperCollins, 2000.

Poe, Richard, *Hillary's Secret War: The Clinton Conspiracy to Muzzle Internet Journalists*. Nashville, TN: WND Books, 2004.

Pollack, Kenneth M., *The Threatening Storm: The Case for Invading Iraq*. New York: Random House, 2002.

Power, Samantha, *A Problem from Hell: America and the Age of Genocide*. New York: Basic Books, 2002.

*Public Papers of the Presidents of the United States: William J. Clinton, 1999, book 2*. Washington D.C.: U.S. Government Printing Office, 2001.

Radcliffe, Donnie, *Hillary Rodham Clinton*. New York: Warner Books, 1993.

Ray, Robert W., *Final Report of the Independent Counsel in Re: Madison Guaranty Savings and Loan Association*. Washington D.C.: United States Court of Appeals for the District of Columbia, 2002.

Reich, Robert B., *Locked in the Cabinet*. New York: Vintage Books, 1997.

*Senate Ethics Manual*. Washington D.C.: U.S. Government Printing Office, 2003.

Sheehy, Gail, *Hillary's Choice*. New York: Random House, 1999.

Sosnik, Douglas B., et al., *Applebee's America*. New York: Simon & Schuster, 2006.

Starr, Kenneth W., *The Starr Report*. Rocklin, CA: Prima Publishing, 1998.

Stephanopoulos, George, *All Too Human*. Boston: Little, Brown, 1999.

Stewart, James B., *Blood Sport: The President and His Adversaries*. New York: Simon & Schuster, 1996.

*The 9/11 Commission Report: Final Report of the National Commission on Terrorist Attacks Upon the United States*. New York: W.W. Norton, 2006.

Toobin, Jeffrey, *A Vast Conspiracy: The Real Story of the Sex Scandal That Nearly Brought Down a President*. New York: Simon & Schuster, 1999.

Troy, Gil, *Hillary Rodham Clinton: Polarizing First Lady.* Lawrence, KS: University Press of Kansas, 2006.

Tyrrell, R. Emmett Jr., met Mark W. Davis, *Madame Hillary: The Dark Road to the White House.* Washington D.C.: Regnery Publishing, 2004.

U.S. Congress. Senate: *Investigation of Whitewater Development Corporation and Related Matters: Hearings Before the Special Committee to Investigate Whitewater Development Corporation and Related Matters, Administered by the Committee on Banking, Housing, and Urban Affairs.* 104th Congress, 1st sess. Washington D.C.: U.S. Government Printing Office, 1997.

Vise, David, en Mark Malseed, *The Google Story.* New York: Delacorte Press, 2005.

Warner, Judith, *Hillary Clinton: The Inside Story.* New York: Signet, 1999.

Woods, Randall B., *Fulbright: A Biography.* Cambridge en New York: Cambridge University Press, 1995.

Woodward, Bob, *The Agenda: Inside the Clinton White House.* New York: Simon & Schuster, 1994.

Woodward, Bob, *Shadow: Five Presidents and the Legacy of Watergate.* New York: Simon & Schuster, 1999.